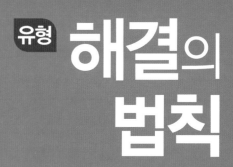

유형 해결의
법칙

Speed check

KB087528

기하

1 이차곡선　　　　　　　　　p. 8~27

0001 $y^2=8x$　**0002** $y^2=-4x$　**0003** $x^2=20y$　**0004** $x^2=-16y$

0005 풀이 참조　**0006** 풀이 참조　**0007** 풀이 참조　**0008** 풀이 참조

0009 $(y+1)^2=-(x-2)$　　　**0010** $(x-2)^2=2(y+1)$

0011 초점의 좌표: $(3, 1)$, 준선의 방정식: $x=1$

0012 초점의 좌표: $(-1, -1)$, 준선의 방정식: $y=7$

0013 초점의 좌표: $(-5, 2)$, 준선의 방정식: $x=-1$

0014 $\dfrac{x^2}{9}+\dfrac{y^2}{5}=1$　　　**0015** $\dfrac{x^2}{20}+\dfrac{y^2}{36}=1$

0016 풀이 참조　　　**0017** 풀이 참조

0018 $\dfrac{x^2}{12}+\dfrac{y^2}{8}=1$　　　**0019** $\dfrac{x^2}{11}+\dfrac{y^2}{16}=1$

0020 $\dfrac{x^2}{12}+\dfrac{y^2}{9}=1$　　　**0021** $\dfrac{x^2}{9}+\dfrac{y^2}{16}=1$

0022 $\dfrac{(x+1)^2}{5}+\dfrac{(y-2)^2}{3}=1$　**0023** $\dfrac{(x+1)^2}{15}+\dfrac{(y-2)^2}{20}=1$

0024 초점의 좌표: $(2, 0)$, $(-6, 0)$, 장축, 단축의 길이: $10, 6$

0025 초점의 좌표: $(1, 1)$, $(1, -3)$, 장축, 단축의 길이: $2\sqrt{7}, 2\sqrt{3}$

0026 초점의 좌표: $(1+\sqrt{3}, 2)$, $(1-\sqrt{3}, 2)$, 장축, 단축의 길이: $4, 2$

0027 $\dfrac{x^2}{16}-\dfrac{y^2}{9}=1$　　　**0028** $\dfrac{x^2}{2}-\dfrac{y^2}{3}=-1$

0029 풀이 참조　　　**0030** 풀이 참조

0031 $\dfrac{x^2}{9}-\dfrac{y^2}{16}=1$　　　**0032** $\dfrac{x^2}{3}-\dfrac{y^2}{5}=-1$

0033 $\dfrac{x^2}{25}-\dfrac{y^2}{24}=1$　　　**0034** $x^2-\dfrac{y^2}{3}=-1$

0035 $y=\pm\dfrac{5}{6}x$　　　**0036** $y=\pm\dfrac{2}{3}x$

0037 초점의 좌표: $(3+2\sqrt{3}, 1)$, $(3-2\sqrt{3}, 1)$
꼭짓점의 좌표: $(6, 1)$, $(0, 1)$

0038 초점의 좌표: $(-1, \sqrt{3})$, $(-1, -\sqrt{3})$
꼭짓점의 좌표: $(-1, \sqrt{2})$, $(-1, -\sqrt{2})$

0039 초점의 좌표: $(-1, 4)$, $(-1, -2)$
점근선의 방정식: $y=\dfrac{\sqrt{5}}{2}x+\dfrac{\sqrt{5}}{2}+1$, $y=-\dfrac{\sqrt{5}}{2}x-\dfrac{\sqrt{5}}{2}+1$

0040 원　　**0041** 타원　　**0042** 포물선　　**0043** 쌍곡선

0044 ④　　**0045** ④　　**0046** -2　　**0047** 14

0048 5　　**0049** 6　　**0050** 12　　**0051** 4

0052 $12\sqrt{2}$　**0053** $\dfrac{4}{3}$　**0054** 6　　**0055** 13

0056 ②　　**0057** $y=-2$　　**0058** -5　　**0059** $4\sqrt{3}$

0060 3　　**0061** ④　　**0062** ㄱ, ㄴ

0063 $y^2-4x-4y=0$　　**0064** ③　　**0065** 7

0066 $120°$　**0067** $10+4\sqrt{5}$　**0068** 9　　**0069** ③

0070 $10\sqrt{3}$　**0071** 34　　**0072** $\dfrac{120}{7}$　**0073** 9

0074 ②　　**0075** ②　　**0076** 12　　**0077** 1

0078 -4　　　　**0079** $\dfrac{(x+2)^2}{7}+\dfrac{(y-3)^2}{16}=1$

0080 $\dfrac{(x-2)^2}{9}+\dfrac{(y-1)^2}{5}=1$　**0081** ③　　**0082** ④

0083 ④　　**0084** 36　　**0085** ②　　**0086** $2\sqrt{5}$

0087 $\dfrac{x^2}{4}-\dfrac{y^2}{16}=-1$　　**0088** ④　　**0089** 16

0090 $60°$　**0091** ①　　**0092** 1　　**0093** 90

0094 4　　**0095** 28　　**0096** 54　　**0097** $\dfrac{81}{2}$

0098 $\dfrac{\sqrt{10}}{10}$　**0099** $\dfrac{1}{2}$　**0100** 12　　**0101** 4

0102 $\dfrac{(x-1)^2}{24}-\dfrac{(y+1)^2}{25}=-1$　**0103** ①　　**0104** ①

0105 ④　　**0106** ⑤　　**0107** ②　　**0108** ④

0109 ②　　**0110** ①　　**0111** ③

0112 $4x^2-9y^2=\pm169$　　**0113** $\dfrac{x^2}{4}+y^2=1$

0114 ④　　**0115** ②　　**0116** ⑤　　**0117** $10\sqrt{2}$ m

0118 40 m　**0119** ③　　**0120** ①　　**0121** ②

0122 ③　　**0123** ②　　**0124** ⑤　　**0125** ④

0126 ④　　**0127** ④　　**0128** ⑤　　**0129** ③

0130 ⑤　　**0131** $\dfrac{2}{3}$　**0132** 6　　**0133** $\sqrt{7}$

0134 (1) $\text{F}(4\sqrt{3}, 0)$, $\text{F}'(-4\sqrt{3}, 0)$　(2) $y=\pm\dfrac{\sqrt{3}}{3}x$　(3) $48\sqrt{3}$

0135 (1) 4　(2) 14　(3) $4\sqrt{3}$　**0136** $\dfrac{\sqrt{41}}{2}$　**0137** $120\sqrt{3}$

0138 5　　**0139** 2π

2 이차곡선과 직선　　　　　　p. 30~45

0140 (1) $k<1$　(2) $k=1$　(3) $k>1$

0141 (1) $-3<k<3$　(2) $k=-3$ 또는 $k=3$　(3) $k<-3$ 또는 $k>3$

0142 (1) $k<-1$ 또는 $k>1$　(2) $k=-1$ 또는 $k=1$　(3) $-1<k<1$

0143 $y=-x+1$　　　**0144** $y=\dfrac{1}{2}x+6$

0145 $y=x\pm\sqrt{5}$　　　**0146** $y=-2x\pm6$

0147 $y=2x\pm4\sqrt{2}$　　**0148** $y=-x\pm\sqrt{6}$

0149 $y=x+2$　　　**0150** $y=-\dfrac{2}{3}x+1$

0151 $y=x+4$　　　**0152** $y=2x-4$

0153 $y=x-1$　　　**0154** $y=\dfrac{1}{2}x+\dfrac{1}{2}$

0155 (1) $y_1y=12(x+x_1)$　(2) $x_1=\dfrac{2}{3}$, $y_1=-4$ 또는 $x_1=\dfrac{3}{2}$, $y_1=6$
(3) $y=-3x-2$ 또는 $y=2x+3$

0156 ⑤　　**0157** $\dfrac{1}{2}$　**0158** 3　　**0159** 8

0160 $\dfrac{7}{2}$　**0161** ⑤　　**0162** 2　　**0163** ④

0164 1　　**0165** $\dfrac{8}{3}$　**0166** $\text{C}(3, 0)$　**0167** -2

0168 3　　**0169** ③　　**0170** $y=\dfrac{\sqrt{2}}{2}x+3\sqrt{2}$

0171 $\dfrac{27}{2}$　**0172** -64　**0173** ②　　**0174** ②

0175 ①　　**0176** ⑤　　**0177** ④　　**0178** ④

0179 -2　**0180** 1　　**0181** 29　　**0182** 1

0183 -3　**0184** ①　　**0185** $\pm\sqrt{5}$　**0186** ④

0187 ⑤　　**0188** $y=-2x\pm4$　　**0189** ⑤

0190 $\sqrt{5}$　**0191** ③　　**0192** 2　　**0193** ⑤

0194 $y=2x-2$　**0195** ②　　**0196** ②　　**0197** ③

0198 ③　　**0199** $3\sqrt{2}$　**0200** $-\dfrac{1}{7}$　**0201** ①

0202 ③　　**0203** ③　　**0204** ④　　**0205** ⑤

0206 ③　　**0207** $y=\sqrt{2}x\pm2$　　**0208** ④

0209 $\dfrac{\sqrt{10}}{2}$　**0210** ④　　**0211** ③　　**0212** ③

0213 $y=\dfrac{1}{2}x+\dfrac{7}{2}$　**0214** ①　　**0215** -1

0216 5　　**0217** 32　　**0218** 1　　**0219** 2

0220 ④　　**0221** $3\sqrt{6}$　**0222** ①　　**0223** ①

0224 ①　　**0225** ①　　**0226** ①　　**0227** ③

0228 ①　　**0229** ③　　**0230** ①　　**0231** ①

0232 ⑤　　**0233** ①　　**0234** ②　　**0235** -1

0236 $\sqrt{5}-2$　**0237** $\sqrt{2}$

0238 (1) $y=-x-2\sqrt{3}$　(2) $\sqrt{6}+\sqrt{2}$　(3) $2\sqrt{3}+2$

0239 (1) $\text{Q}\left(\dfrac{a^2}{5}, 0\right)$　(2) $\dfrac{x^2}{10}-\dfrac{y^2}{6}=1$　(3) 9

0240 6　　**0241** 28　　**0242** 3　　**0243** 4π

유형 **해결**의
법칙

개념과 문제를 유형화하여 공부하는 것은
수학 실력 향상의 밑거름입니다.
가장 효율적으로 유형을 나누어 연습하는

최고의 유형 문제집 !

Structure

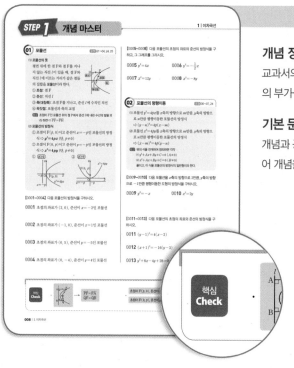

STEP 1 | 개념 마스터

개념 정리
교과서의 핵심 개념 및 기본 공식, 정의 등을 정리하고 **예**, **참고** 등
의 부가설명을 통해 보다 쉽게 개념을 이해할 수 있도록 하였습니다.

기본 문제
개념과 공식을 바로 적용하여 해결할 수 있는 기본적인 문제를 다루
어 개념을 확실하게 익힐 수 있도록 하였습니다.

핵심 Check
핵심 개념을 도식화하여 요점 정리하였습니다.

STEP 2 | 유형 마스터

유형 & 해결 전략
중단원의 핵심 유형을 선정하고, 그 유형 학습에 필요한 개념 및 해
결 전략을 제시하여 문제 해결력을 키울 수 있도록 하였습니다.

- **대표문제** 각 유형에서 시험에 자주 출제되는 문제를 대표문제로
  지정하였습니다.

- ★**중요** 내신 출제율이 높고 꼭 알아두어야 할 유형에 중요 표
  시 하였습니다.

- **발전 유형** 정규 교과 과정의 내용은 아니나 알아둬야 할 유형 또는
  발전 유형을 기본 유형과 다른 색으로 표시하여 수준별
  학습이 가능하도록 하였습니다.

유형 Plus
각 유형에서 약간 응용되어 변별력이 있는 문제들을 'Plus'로
구분하고 추가 풀이 전략을 제시하여 보다 쉽게 접근하도록
하였습니다.

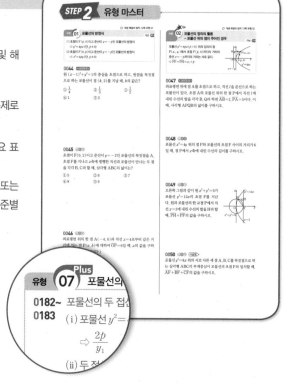

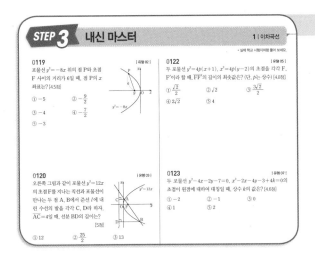

STEP 3 | 내신 마스터

문항별로 점수를 제시하고, 서술형 문제들을 따로 모아 제공하여 실제 학교 시험지처럼 구성하였습니다.

문항별로 관련 유형을 링크하여 어떤 유형과 연계된 문제인지 알 수 있도록 하였습니다.

성/취/도 Check 중단원 학습을 마무리하고, 자신의 실력을 체크하여 성취도에 맞춰 피드백할 수 있도록 하였습니다. 유형 학습이 부족한 경우는 관련 유형을 다시 한 번 익히도록 합니다.

창의·융합 교과서 속 심화문제

교과서 속 심화 문제 및 도전해 볼만한 수능·모의고사 기출 문제를 제공하여 고득점에 대비할 수 있도록 하였습니다.

창의력, **융합형**, **창의·융합** 문제를 통해 다각화된 수학적 문제 해결 능력을 강화할 수 있도록 하였습니다.

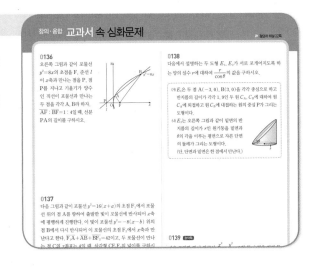

정답과 해설

자세하고 친절한 해설을 수록하였습니다.

|전략| 문제에 접근할 수 있는 실마리를 제공하였습니다.

○ 다른 풀이 일반적인 풀이 방법 외에 다른 원리나 개념을 이용한 풀이를 제시하였습니다.

Lecture 풀이를 이해하는데 도움이 되는 내용, 풀이 과정에서 범할 수 있는 실수, 주의할 내용들을 짚어줍니다.

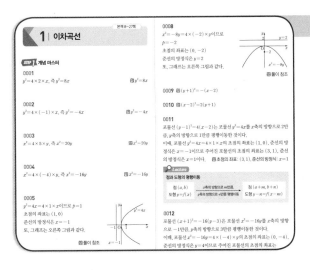

특장과 활용법

특장

❶ 수학의 모든 유형의 문제를 다룬다.

전국 고등학교의 내신 기출 문제를 수집, 분석하여 유형별로 수록함으로써 개념을 익힐 수 있는 충분한 문제 연습이 가능하도록 하였습니다.

❷ 내신에 최적화된 문제 기본서

기본 문제로 개념 확인하기, 유형별로 문제 익히기, 실전 시험에 대비하기, 교과서 속 심화 문제를 통해 응용력 강화하기 등 단계별로 학습이 가능한 내신에 최적화된 시스템으로 구성하였습니다.

❸ 전략을 통한 문제 해결 방법 제시

유형별 해결 전략을 제시하여 핵심 유형을 마스터하고 해결 능력을 스스로 향상시킬 수 있도록 하였습니다.

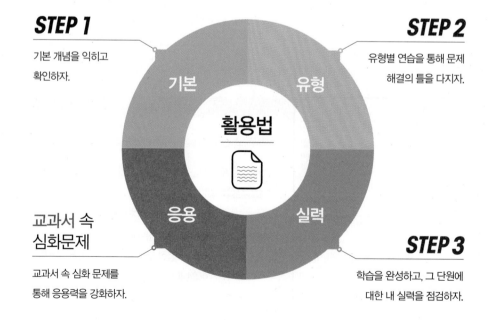

STEP 1

기본 개념을 익히고 확인하자.

STEP 2

유형별 연습을 통해 문제 해결의 틀을 다지자.

기본 / 유형

활용법

응용 / 실력

교과서 속 심화문제

교과서 속 심화 문제를 통해 응용력을 강화하자.

STEP 3

학습을 완성하고, 그 단원에 대한 내 실력을 점검하자.

1

이차곡선

무엇인가 의논할 때는 **과거**를,
무엇인가 누릴 때는 **현재**를,
무엇인가 할 때는 **미래**를 생각하라.

- 세네카

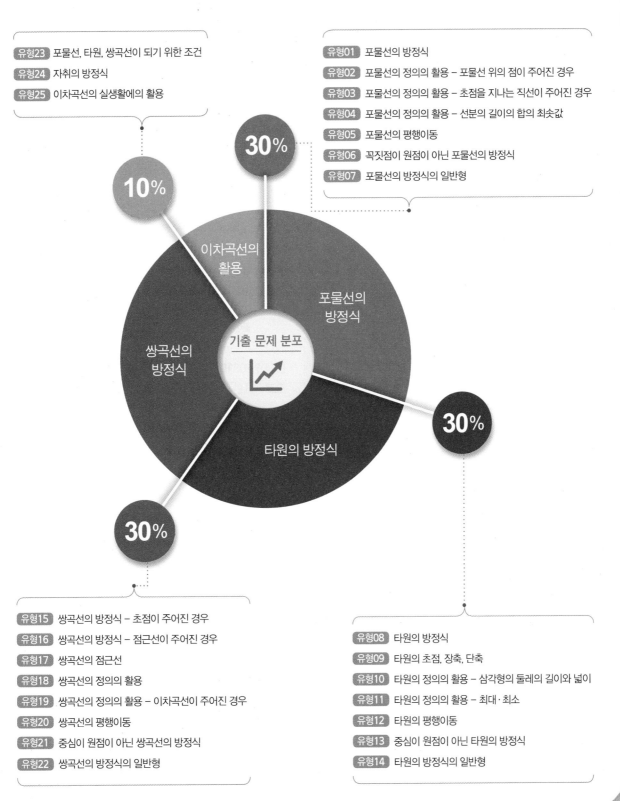

＊ 전국 300여 개 고등학교 기출 문제를 분석하였습니다.

유형23 포물선, 타원, 쌍곡선이 되기 위한 조건
유형24 자취의 방정식
유형25 이차곡선의 실생활에의 활용

유형01 포물선의 방정식
유형02 포물선의 정의의 활용 – 포물선 위의 점이 주어진 경우
유형03 포물선의 정의의 활용 – 초점을 지나는 직선이 주어진 경우
유형04 포물선의 정의의 활용 – 선분의 길이의 합의 최솟값
유형05 포물선의 평행이동
유형06 꼭짓점이 원점이 아닌 포물선의 방정식
유형07 포물선의 방정식의 일반형

이차곡선의
활용

30%

10%

포물선의
방정식

쌍곡선의
방정식

기출 문제 분포

타원의 방정식

30%

30%

유형15 쌍곡선의 방정식 – 초점이 주어진 경우
유형16 쌍곡선의 방정식 – 점근선이 주어진 경우
유형17 쌍곡선의 점근선
유형18 쌍곡선의 정의의 활용
유형19 쌍곡선의 정의의 활용 – 이차곡선이 주어진 경우
유형20 쌍곡선의 평행이동
유형21 중심이 원점이 아닌 쌍곡선의 방정식
유형22 쌍곡선의 방정식의 일반형

유형08 타원의 방정식
유형09 타원의 초점, 장축, 단축
유형10 타원의 정의의 활용 – 삼각형의 둘레의 길이와 넓이
유형11 타원의 정의의 활용 – 최대·최소
유형12 타원의 평행이동
유형13 중심이 원점이 아닌 타원의 방정식
유형14 타원의 방정식의 일반형

STEP 1 개념 마스터

01 포물선
유형 01~04, 24, 25

(1) 포물선의 뜻
평면 위에 한 점 F와 점 F를 지나 지 않는 직선 l이 있을 때, 점 F와 직선 l에 이르는 거리가 같은 점들의 집합을 **포물선**이라 한다.

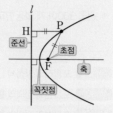

① **초점**: 점 F
② **준선**: 직선 l
③ **축(대칭축)**: 초점 F를 지나고, 준선 l에 수직인 직선
④ **꼭짓점**: 포물선과 축의 교점

참고 초점이 F인 포물선 위의 점 P에서 준선 l에 내린 수선의 발을 H 라 하면 $\Rightarrow \overline{PF} = \overline{PH}$

(2) 포물선의 방정식
① 초점이 $F(p, 0)$이고 준선이 $x=-p$인 포물선의 방정식 $\Rightarrow y^2 = 4px$ (단, $p \neq 0$)
② 초점이 $F(0, p)$이고 준선이 $y=-p$인 포물선의 방정식 $\Rightarrow x^2 = 4py$ (단, $p \neq 0$)

① $p>0$
② $p>0$

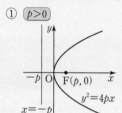
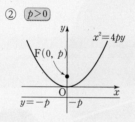

[0001~0004] 다음 포물선의 방정식을 구하시오.

0001 초점의 좌표가 $(2, 0)$, 준선이 $x=-2$인 포물선

0002 초점의 좌표가 $(-1, 0)$, 준선이 $x=1$인 포물선

0003 초점의 좌표가 $(0, 5)$, 준선이 $y=-5$인 포물선

0004 초점의 좌표가 $(0, -4)$, 준선이 $y=4$인 포물선

[0005~0008] 다음 포물선의 초점의 좌표와 준선의 방정식을 구하고, 그 그래프를 그리시오.

0005 $y^2 = 4x$

0006 $y^2 = -\dfrac{1}{2}x$

0007 $x^2 = 12y$

0008 $x^2 = -8y$

02 포물선의 평행이동
유형 05~07, 24

(1) 포물선 $y^2 = 4px$를 x축의 방향으로 m만큼, y축의 방향으로 n만큼 평행이동한 포물선의 방정식
$\Rightarrow (y-n)^2 = 4p(x-m)$

(2) 포물선 $x^2 = 4py$를 x축의 방향으로 m만큼, y축의 방향으로 n만큼 평행이동한 포물선의 방정식
$\Rightarrow (x-m)^2 = 4p(y-n)$

참고 위의 식을 전개하여 정리하면 각각
(1) $y^2 + Ax + By + C = 0$ $(A \neq 0)$
(2) $x^2 + Ax + By + C = 0$ $(B \neq 0)$
꼴이고, 이 식을 포물선의 방정식의 일반형이라 한다.

[0009~0010] 다음 포물선을 x축의 방향으로 2만큼, y축의 방향으로 -1만큼 평행이동한 도형의 방정식을 구하시오.

0009 $y^2 = -x$

0010 $x^2 = 2y$

[0011~0013] 다음 포물선의 초점의 좌표와 준선의 방정식을 구하시오.

0011 $(y-1)^2 = 4(x-2)$

0012 $(x+1)^2 = -16(y-3)$

0013 $y^2 + 8x - 4y + 28 = 0$

핵심 Check

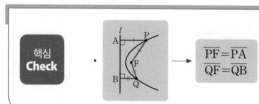

$\cdot$ $\dfrac{\overline{PF} = \overline{PA}}{\overline{QF} = \overline{QB}}$

$\cdot$ 초점이 $F(p, 0)$, 준선이 $x=-p$인 포물선 $\longrightarrow$ $y^2 = 4px$

초점이 $F(0, p)$, 준선이 $y=-p$인 포물선 $\longrightarrow$ $x^2 = 4py$

03 타원

유형 08~11, 24, 25

(1) 타원의 뜻

평면 위의 서로 다른 두 점
F, F′으로부터의 거리의 합
이 일정한 점들의 집합을 **타**
원이라 한다.

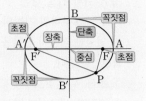

① **초점**: 두 점 F, F′

② **꼭짓점**: 타원과 두 축의 교점 A, A′, B, B′

③ **장축**: 길이가 긴 선분 AA′

④ **단축**: 길이가 짧은 선분 BB′

⑤ **중심**: 장축과 단축의 교점

　　　　(두 초점 F와 F′을 이은 선분의 중점)

참고 • 초점이 F, F′인 타원 위의 점 P에 대하여
$\overline{PF}+\overline{PF'}$=(일정), $\overline{PF}+\overline{PF'}>\overline{FF'}$

• 타원은 장축, 단축, 중심에 대하여 각각 대칭이다.

(2) 타원의 방정식

① 두 초점 F$(c, 0)$, F′$(-c, 0)$으로부터의 거리의 합이
$2a$인 타원의 방정식

⇨ $\dfrac{x^2}{a^2}+\dfrac{y^2}{b^2}=1$ (단, $a>c>0$, $b^2=a^2-c^2$)

② 두 초점 F$(0, c)$, F′$(0, -c)$로부터의 거리의 합이 $2b$
인 타원의 방정식

⇨ $\dfrac{x^2}{a^2}+\dfrac{y^2}{b^2}=1$ (단, $b>c>0$, $a^2=b^2-c^2$)

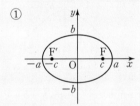 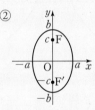

참고 타원 $\dfrac{x^2}{a^2}+\dfrac{y^2}{b^2}=1$에 대하여

	$a>b>0$일 때	$b>a>0$일 때
초점의 좌표	$(\pm\sqrt{a^2-b^2}, 0)$	$(0, \pm\sqrt{b^2-a^2})$
장축의 길이	$2a$	$2b$
단축의 길이	$2b$	$2a$

[0014~0015] 다음 타원의 방정식을 구하시오.

0014 두 초점 F$(2, 0)$, F′$(-2, 0)$으로부터의 거리의 합이
6인 타원

0015 두 초점 F$(0, 4)$, F′$(0, -4)$로부터의 거리의 합이 12
인 타원

[0016~0017] 다음 타원의 초점의 좌표와 장축, 단축의 길이를 구
하고, 그 그래프를 그리시오.

0016 $\dfrac{x^2}{9}+\dfrac{y^2}{4}=1$　　　　**0017** $\dfrac{x^2}{16}+\dfrac{y^2}{25}=1$

[0018~0021] 다음 타원의 방정식을 구하시오.

0018 두 초점의 좌표가 $(2, 0)$, $(-2, 0)$이고 장축의 길이가
$4\sqrt{3}$인 타원

0019 두 초점의 좌표가 $(0, \sqrt{5})$, $(0, -\sqrt{5})$이고 장축의 길
이가 8인 타원

0020 두 초점의 좌표가 $(\sqrt{3}, 0)$, $(-\sqrt{3}, 0)$이고 단축의 길
이가 6인 타원

0021 두 초점의 좌표가 $(0, \sqrt{7})$, $(0, -\sqrt{7})$이고 단축의 길
이가 6인 타원

핵심
Check

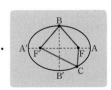

⬝　두 초점 F$(c, 0)$, F′$(-c, 0)$
으로부터의 거리의 합이 $2a$인 타원

⬝　두 초점 F$(0, c)$, F′$(0, -c)$
로부터의 거리의 합이 $2b$인 타원

$\overline{BF}+\overline{BF'}=\overline{CF}+\overline{CF'}$

$\dfrac{x^2}{a^2}+\dfrac{y^2}{b^2}=1$

04 타원의 평행이동　　　유형 12~14, 24

타원 $\dfrac{x^2}{a^2}+\dfrac{y^2}{b^2}=1$을 x축의 방향으로 m만큼, y축의 방향으로 n만큼 평행이동한 타원의 방정식

$\Rightarrow \dfrac{(x-m)^2}{a^2}+\dfrac{(y-n)^2}{b^2}=1$ — 장축과 단축의 길이는 변하지 않는다.

참고 위의 식을 전개하여 정리하면
$Ax^2+By^2+Cx+Dy+E=0\,(AB>0,\ A\neq B)$
꼴이고, 이 식을 타원의 방정식의 일반형이라 한다.

[0022~0023] 다음 타원을 x축의 방향으로 -1만큼, y축의 방향으로 2만큼 평행이동한 도형의 방정식을 구하시오.

0022 $\dfrac{x^2}{5}+\dfrac{y^2}{3}=1$

0023 $\dfrac{x^2}{15}+\dfrac{y^2}{20}=1$

[0024~0026] 다음 타원의 초점의 좌표와 장축, 단축의 길이를 구하시오.

0024 $\dfrac{(x+2)^2}{25}+\dfrac{y^2}{9}=1$

0025 $7(x-1)^2+3(y+1)^2=21$

0026 $x^2+4y^2-2x-16y+13=0$

05 쌍곡선　　　유형 15~19, 24, 25

(1) 쌍곡선의 뜻

평면 위의 서로 다른 두 점 F, F′으로부터의 거리의 차가 일정한 점들의 집합을 쌍곡선이라 한다.

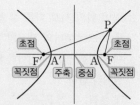

① **초점**: 두 점 F, F′
② **꼭짓점**: 쌍곡선과 선분 FF′의 교점 A, A′
③ **주축**: 선분 AA′
④ **중심**: 선분 AA′의 중점

참고 초점이 F, F′인 쌍곡선 위의 점 P에 대하여
$|\overline{PF}-\overline{PF'}|=$(일정), $|\overline{PF}-\overline{PF'}|<\overline{FF'}$

(2) 쌍곡선의 방정식

① 두 초점 F$(c, 0)$, F′$(-c, 0)$으로부터의 거리의 차가 $2a$인 쌍곡선의 방정식
$\Rightarrow \dfrac{x^2}{a^2}-\dfrac{y^2}{b^2}=1$ (단, $c>a>0$, $b^2=c^2-a^2$) — $a^2+b^2=c^2$

② 두 초점 F$(0, c)$, F′$(0, -c)$로부터의 거리의 차가 $2b$인 쌍곡선의 방정식
$\Rightarrow \dfrac{x^2}{a^2}-\dfrac{y^2}{b^2}=-1$ (단, $c>b>0$, $a^2=c^2-b^2$) — $a^2+b^2=c^2$

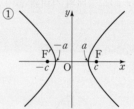 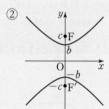

참고

	$\dfrac{x^2}{a^2}-\dfrac{y^2}{b^2}=1$	$\dfrac{x^2}{a^2}-\dfrac{y^2}{b^2}=-1$
초점의 좌표	$(\pm\sqrt{a^2+b^2},\,0)$	$(0,\,\pm\sqrt{a^2+b^2})$
꼭짓점의 좌표	$(\pm a,\,0)$	$(0,\,\pm b)$
주축의 길이	$2|a|$	$2|b|$

(3) 쌍곡선의 점근선

쌍곡선 $\dfrac{x^2}{a^2}-\dfrac{y^2}{b^2}=\pm1$의 점근선의 방정식 $\Rightarrow y=\pm\dfrac{b}{a}x$

참고 어떤 곡선이 한 직선에 한없이 가까워질 때, 이 직선을 점근선이라 한다.

 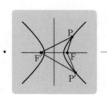 핵심 Check

$\overline{PF'}-\overline{PF}=\overline{P'F'}-\overline{P'F}$

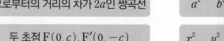

두 초점 F$(c, 0)$, F′$(-c, 0)$으로부터의 거리의 차가 $2a$인 쌍곡선 → $\dfrac{x^2}{a^2}-\dfrac{y^2}{b^2}=1$

두 초점 F$(0, c)$, F′$(0, -c)$로부터의 거리의 차가 $2b$인 쌍곡선 → $\dfrac{x^2}{a^2}-\dfrac{y^2}{b^2}=-1$

[0027~0028] 다음 쌍곡선의 방정식을 구하시오.

0027 두 초점 $F(5, 0)$, $F'(-5, 0)$으로부터의 거리의 차가 8인 쌍곡선

0028 두 초점 $F(0, \sqrt{5})$, $F'(0, -\sqrt{5})$로부터의 거리의 차가 $2\sqrt{3}$인 쌍곡선

[0029~0030] 다음 쌍곡선의 초점, 꼭짓점의 좌표와 주축의 길이를 구하고, 그 그래프를 그리시오.

0029 $\dfrac{x^2}{4} - \dfrac{y^2}{3} = 1$ **0030** $\dfrac{x^2}{4} - \dfrac{y^2}{5} = -1$

[0031~0034] 다음 쌍곡선의 방정식을 구하시오.

0031 두 초점의 좌표가 $(5, 0)$, $(-5, 0)$이고 꼭짓점의 좌표가 $(3, 0)$, $(-3, 0)$인 쌍곡선

0032 두 초점의 좌표가 $(0, 2\sqrt{2})$, $(0, -2\sqrt{2})$이고 꼭짓점의 좌표가 $(0, \sqrt{5})$, $(0, -\sqrt{5})$인 쌍곡선

0033 두 초점의 좌표가 $(7, 0)$, $(-7, 0)$이고 주축의 길이가 10인 쌍곡선

0034 두 초점의 좌표가 $(0, 2)$, $(0, -2)$이고 주축의 길이가 $2\sqrt{3}$인 쌍곡선

[0035~0036] 다음 쌍곡선의 점근선의 방정식을 구하시오.

0035 $\dfrac{x^2}{36} - \dfrac{y^2}{25} = 1$ **0036** $4x^2 - 9y^2 = -72$

06 쌍곡선의 평행이동   유형 20~22, 24

쌍곡선 $\dfrac{x^2}{a^2} - \dfrac{y^2}{b^2} = \pm 1$을 x축의 방향으로 m만큼, y축의 방향으로 n만큼 평행이동한 쌍곡선의 방정식

$\Rightarrow \dfrac{(x-m)^2}{a^2} - \dfrac{(y-n)^2}{b^2} = \pm 1$ (복호동순)   ┌ 주축의 길이는 변하지 않는다.

참고 위의 식을 전개하여 정리하면

$Ax^2 + By^2 + Cx + Dy + E = 0 \ (AB < 0)$

꼴이고, 이 식을 쌍곡선의 방정식의 일반형이라 한다.

[0037~0038] 다음 쌍곡선의 초점, 꼭짓점의 좌표를 구하시오.

0037 $\dfrac{(x-3)^2}{9} - \dfrac{(y-1)^2}{3} = 1$

0038 $10(x+1)^2 - 5y^2 = -10$

0039 쌍곡선 $5x^2 - 4y^2 + 10x + 8y + 21 = 0$에 대하여 초점의 좌표와 점근선의 방정식을 구하시오.

07 이차곡선   유형 23

계수가 실수인 두 일차식의 곱으로 인수분해되지 않는 x, y에 대한 이차방정식

$Ax^2 + By^2 + Cxy + Dx + Ey + F = 0$

$(A, B, C, D, E, F$는 상수$)$

이 나타내는 곡선을 **이차곡선**이라 한다.

참고 원, 포물선, 타원, 쌍곡선은 모두 이차곡선이다.

[0040~0043] 다음 방정식이 나타내는 도형을 말하시오.

0040 $x^2 + y^2 - 6x - 7 = 0$ **0041** $x^2 + 4y^2 - 4 = 0$

0042 $x^2 - 2x - 4y - 7 = 0$ **0043** $2x^2 - y^2 + 8y = 0$

핵심 Check
· 이차곡선의 판별 → $Ax^2 + By^2 + Cxy + Dx + Ey + F = 0$을 표준형으로 변형하기

↪ 개념 해결의 법칙 12쪽 유형 01

유형 **01** 포물선의 방정식

개념 **01**

(1) 초점이 F$(p, 0)$이고 준선이 $x=-p$인 포물선의 방정식
   ⇨ $y^2=4px$ (단, $p \neq 0$)
(2) 초점이 F$(0, p)$이고 준선이 $y=-p$인 포물선의 방정식
   ⇨ $x^2=4py$ (단, $p \neq 0$)

0044 • 대표문제

원 $(x-1)^2+y^2=1$의 중심을 초점으로 하고, 원점을 꼭짓점으로 하는 포물선이 점 $(k, 2)$를 지날 때, k의 값은?

① $\dfrac{1}{4}$ ② $\dfrac{1}{3}$ ③ $\dfrac{1}{2}$

④ 1 ⑤ 2

0045 ㉠㉡㉢

초점이 F$(0, 2)$이고 준선이 $y=-2$인 포물선의 꼭짓점을 A, 초점 F를 지나고 x축에 평행한 직선과 포물선이 만나는 두 점을 각각 B, C라 할 때, 삼각형 ABC의 넓이는?

① 5 ② 6 ③ 7

④ 8 ⑤ 9

0046 ㉠㉡㉢

좌표평면 위의 한 점 A$(-4, 0)$과 직선 $x=4$로부터 같은 거리에 있는 점 P(a, b)에 대하여 $\overline{OP}=6$일 때, a의 값을 구하시오. (단, O는 원점이다.)

↪ 개념 해결의 법칙 13쪽 유형 02

★중요

유형 **02** 포물선의 정의의 활용
– 포물선 위의 점이 주어진 경우

개념 **01**

포물선 $y^2=4px(p>0)$ 위의 임의의 점 P(x_1, y_1)에서 초점 F$(p, 0)$까지의 거리와 준선 $x=-p$까지의 거리는 서로 같다.
⇨ $\overline{PF}=\overline{PH}=x_1+p$

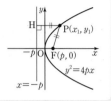

0047 • 대표문제

좌표평면 위에 점 A를 초점으로 하고, 직선 l을 준선으로 하는 포물선이 있다. 초점 A와 포물선 위의 한 점 P에서 직선 l에 내린 수선의 발을 각각 B, Q라 하면 $\overline{AB}=2, \overline{PA}=5$이다. 이때, 사각형 APQB의 넓이를 구하시오.

0048 ㉠㉡㉢

포물선 $x^2=4y$ 위의 점 P와 포물선의 초점 F 사이의 거리가 6일 때, 점 P에서 x축에 내린 수선의 길이를 구하시오.

0049 ㉠㉡㉢

오른쪽 그림과 같이 원 $x^2+y^2=9$가 포물선 $y^2=12x$의 초점 F를 지난다. 원과 포물선의 한 교점 P에서 직선 $x=3$에 내린 수선의 발을 H라 할 때, $\overline{PH}+\overline{PF}$의 값을 구하시오.

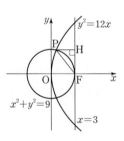

0050 ㉠㉡㉢ 서술형

포물선 $y^2=8x$ 위의 서로 다른 세 점 A, B, C를 꼭짓점으로 하는 삼각형 ABC의 무게중심이 포물선의 초점 F와 일치할 때, $\overline{AF}+\overline{BF}+\overline{CF}$의 값을 구하시오.

↻ 개념 해결의 법칙 14쪽 유형 03

유형 **03** 포물선의 정의의 활용
– 초점을 지나는 직선이 주어진 경우
개념 **01**

포물선의 초점 F를 지나는 직선이 포물선과 만나
는 두 점을 P, Q라 하고 두 점 P, Q에서 준선 l에
내린 수선의 발을 각각 H, H'이라 하면
⇨ $\overline{PQ}=\overline{PF}+\overline{QF}=\overline{PH}+\overline{QH'}$

0051 ◀ 대표문제 ▶

오른쪽 그림과 같이 포물선
$y^2=12x$와 점 F(3, 0)을 지나는
직선 l이 두 점 A, B에서 만나고
선분 AB의 길이는 14이다. 선분
AB의 중점을 M이라 할 때, 점 M
에서 y축에 내린 수선의 길이를 구
하시오.

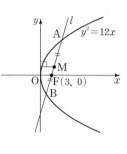

0052 상중하

오른쪽 그림과 같이 포물선 m과
직선 l에 대하여 두 점 F, O는 각
각 포물선의 초점, 꼭짓점이고 초
점 F를 지나는 직선 n이 포물선
m과 두 점 A, D에서 만난다. 세
점 A, F, D에서 직선 l에 내린 수선의 발을 각각 B, P, C라 하
자. $\overline{OF}=\overline{OP}$, $\overline{DF}=2$, $\overline{AF}=4$일 때, 사각형 ABCD의 넓이
를 구하시오.

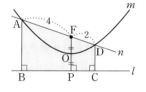

0053 상중하

오른쪽 그림과 같이 포물선
$y^2=4px(p>0)$의 초점 F를 지나
는 직선 l이 포물선과 두 점 A, B에
서 만난다. $\overline{AF}:\overline{BF}=1:4$일 때,
직선 l의 기울기를 구하시오.

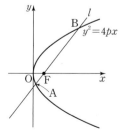

유형 **04** 포물선의 정의의 활용
– 선분의 길이의 합의 최솟값
개념 **01**

포물선 $y^2=4px(p>0)$와 점 A에 대하여
$\overline{AP}+\overline{PF}=\overline{AP}+\overline{PH}$
⇨ 세 점 A, P, H가 한 직선 위에 있을 때
$\overline{AP}+\overline{PF}$의 값이 최소이다.

0054 ◀ 대표문제 ▶

오른쪽 그림과 같이 포물선 $y^2=8x$ 위
의 임의의 점 P와 두 점 A(2, 0),
B(4, 3)에 대하여 $\overline{PA}+\overline{PB}$의 최솟
값을 구하시오.

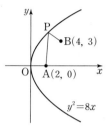

0055 상중하

좌표평면 위의 두 점 A(0, 2), B(3, 6)과 포물선 $x^2=8y$ 위의
임의의 점 P에 대하여 삼각형 PAB의 둘레의 길이의 최솟값
을 구하시오.

0056 상중하

오른쪽 그림과 같이 x축 위의 한 점
A(4, 0)과 포물선 $x^2=12y$ 위의 임
의의 점 P가 있다. 점 P에서 x축에
내린 수선의 발을 H라 할 때,
$\overline{PA}+\overline{PH}$의 최솟값은?

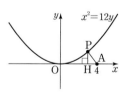

① 1　　　　② 2　　　　③ 3
④ 4　　　　⑤ 5

↻ 개념 해결의 법칙 16쪽 유형 05

유형 **05** 포물선의 평행이동 개념 **02**

(1) 포물선 $y^2=4px$를 x축의 방향으로 m만큼, y축의 방향으로 n만큼 평행이동한 포물선의 방정식 $\Rightarrow (y-n)^2=4p(x-m)$

(2) 포물선 $x^2=4py$를 x축의 방향으로 m만큼, y축의 방향으로 n만큼 평행이동한 포물선의 방정식 $\Rightarrow (x-m)^2=4p(y-n)$

0057 • 대표문제 •

포물선 $(x-k)^2=2k(y+k-1)$의 초점이 x축 위에 있을 때, 이 포물선의 준선의 방정식을 구하시오. (단, k는 상수)

0058 상중하

두 포물선 $y^2=-4(x+a)$, $y^2=16(x-b)$의 초점이 서로 일치할 때, 상수 a, b에 대하여 $a+b$의 값을 구하시오.

↻ 개념 해결의 법칙 15쪽 유형 04

유형 **06** 꼭짓점이 원점이 아닌 포물선의 방정식 개념 **02**

꼭짓점이 원점이 아닌 포물선의 방정식은
$\Rightarrow$ 포물선 위의 임의의 점 P의 좌표를 (x, y)로 놓고 점 P에서 초점과 준선에 이르는 거리가 서로 같음을 이용하여 구한다.

0059 • 대표문제 •

초점이 F$(-2, 2)$이고 준선이 $x=-4$인 포물선이 y축과 만나는 두 점을 각각 A, B라 할 때, 선분 AB의 길이를 구하시오.

0060 상중하

초점이 F$(3, 0)$이고 준선이 $x=-1$인 포물선 위의 점 A(a, b)에 대하여 $\overline{OA}=5$일 때, a의 값을 구하시오.
(단, O는 원점이다.)

유형 **07** 포물선의 방정식의 일반형 개념 **02**

주어진 포물선의 방정식을 표준형 $(y-n)^2=4p(x-m)$ 또는 $(x-m)^2=4p(y-n)$ 꼴로 고친 후 평행이동을 이용한다.

0061 • 대표문제 •

포물선 $y^2+2x+4y-2=0$의 초점의 좌표가 (a, b), 준선의 방정식이 $x=c$일 때, $a+b+c$의 값은? (단, c는 상수)

① $\dfrac{5}{2}$ ② 3 ③ $\dfrac{7}{2}$

④ 4 ⑤ $\dfrac{9}{2}$

0062 상중하

다음 보기 중 포물선 $x^2-6x-8y+1=0$에 대한 설명으로 옳은 것을 있는 대로 고르시오.

보기
ㄱ. 꼭짓점의 좌표는 $(3, -1)$이다.
ㄴ. 초점의 좌표는 $(3, 1)$이다.
ㄷ. 준선의 방정식은 $y=-1$이다.

0063 상중하

세 점 $(0, 0)$, $(0, 4)$, $(3, -2)$를 지나고 축이 x축에 평행한 포물선의 방정식을 구하시오.

유형 08 타원의 방정식

↻ 개념 해결의 법칙 21쪽 유형 01

개념 **03**

(1) 두 초점 $F(c, 0)$, $F'(-c, 0)$으로부터의 거리의 합이 $2a$인 타원의 방정식 ⇨ $\dfrac{x^2}{a^2}+\dfrac{y^2}{b^2}=1$ (단, $a>c>0$, $b^2=a^2-c^2$)

(2) 두 초점 $F(0, c)$, $F'(0, -c)$로부터의 거리의 합이 $2b$인 타원의 방정식 ⇨ $\dfrac{x^2}{a^2}+\dfrac{y^2}{b^2}=1$ (단, $b>c>0$, $a^2=b^2-c^2$)

0064 (대표문제)

두 초점이 $A(4, 0)$, $B(-4, 0)$이고, 장축과 단축의 길이의 차가 4인 타원 위의 한 점 P에 대하여 $\overline{AP}+\overline{BP}$의 값은?

① 6   ② 8   ③ 10

④ 12   ⑤ 14

0065 (상중하)

두 초점이 $A(0, \sqrt{7})$, $B(0, -\sqrt{7})$이고, 장축과 단축의 길이의 차가 2인 타원 $\dfrac{x^2}{a^2}+\dfrac{y^2}{b^2}=1(b>a>0)$이 있다. $a+b$의 값을 구하시오. (단, a, b는 상수)

★ 중요

↻ 개념 해결의 법칙 21쪽 유형 01

유형 09 타원의 초점, 장축, 단축

개념 **03**

타원 $\dfrac{x^2}{a^2}+\dfrac{y^2}{b^2}=1$에 대하여

	$a>b>0$일 때	$b>a>0$일 때
초점의 좌표	$(\pm\sqrt{a^2-b^2}, 0)$	$(0, \pm\sqrt{b^2-a^2})$
장축의 길이	$2a$	$2b$
단축의 길이	$2b$	$2a$

0066 (대표문제)

오른쪽 그림과 같이 타원 $4x^2+y^2=16$의 두 초점 F, F'과 단축 위의 한 꼭짓점 A에 대하여 ∠FAF'의 크기를 구하시오.

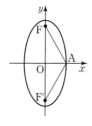

0067 (상중하)

타원 $9x^2+25y^2=225$와 타원 $\dfrac{x^2}{a^2}+\dfrac{y^2}{4}=1$의 초점이 일치할 때, 두 타원의 장축의 길이의 합을 구하시오.

0068 (상중하) (서술형)

오른쪽 그림과 같이 가로의 길이와 세로의 길이가 각각 15, 12인 직사각형에 장축이 변 AD와 평행한 타원이 내접하고 있다. 이 타원의 두 초점 사이의 거리를 구하시오.

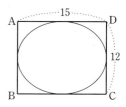

0069 (상중하)

삼각형 ABC에서 $\overline{AB}=5$, $\overline{BC}=4$, $\overline{CA}=3$일 때, 두 점 B, C를 초점으로 하고 점 A를 지나는 타원의 단축의 길이는?

① $2\sqrt{3}$ ② 4   ③ $4\sqrt{3}$

④ $5\sqrt{2}$ ⑤ 8

0070 (상중하)

오른쪽 그림과 같이 밑면인 원의 반지름의 길이가 5인 원기둥을 밑면과 60°의 각을 이루는 평면으로 자를 때 생기는 단면은 타원이다. 이 타원의 두 초점 사이의 거리를 구하시오.

↻ 개념 해결의 법칙 22쪽 유형 02

유형 10 타원의 정의의 활용
– 삼각형의 둘레의 길이와 넓이

개념 03

타원 $\dfrac{x^2}{a^2}+\dfrac{y^2}{b^2}=1$ 위의 점 P와 두 초점 F, F'에 대하여

(1) $a>b>0$일 때 ⇨ $\overline{\mathrm{PF}}+\overline{\mathrm{PF'}}=2a$

(2) $b>a>0$일 때 ⇨ $\overline{\mathrm{PF}}+\overline{\mathrm{PF'}}=2b$

0071 • 대표문제 •

오른쪽 그림과 같이 두 점 F$(4, 0)$,
F'$(-4, 0)$을 초점으로 하는 타원
$\dfrac{x^2}{a^2}+\dfrac{y^2}{b^2}=1$에서 점 F를 지나는 직
선이 타원과 만나는 두 점을 각각
A, B라 하자. 삼각형 ABF'의 둘레의 길이가 20일 때, a^2+b^2
의 값을 구하시오. (단, a, b는 상수)

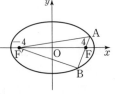

0072 상중하 서술형

오른쪽 그림과 같이 두 초점이 F, F'
인 타원 위의 두 점 A, B에 대하여
$\overline{\mathrm{AF}}=2$, $\overline{\mathrm{F'F}}=10$이고
∠BFF'$=90°$일 때, 삼각형 BFF'
의 넓이를 구하시오. (단, 점 A는 장축 위의 한 꼭짓점이다.)

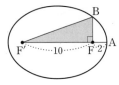

0073 상중하

오른쪽 그림과 같이 타원
$\dfrac{x^2}{25}+\dfrac{y^2}{9}=1$의 두 초점 F, F'을 지
름의 양 끝점으로 하는 원이 있다.
타원과 원의 한 교점을 P라 할 때,
삼각형 PFF'의 넓이를 구하시오.

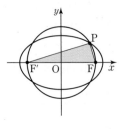

0074 상중하

오른쪽 그림과 같이 두 초점 F,
F'이 x축 위에 있는 타원
$\dfrac{x^2}{49}+\dfrac{y^2}{a}=1$이 있다. 이 타원 위
의 점 P가 $\overline{\mathrm{PF}}=9$를 만족시키고
점 F에서 선분 PF'에 내린 수선
의 발 H에 대하여 $\overline{\mathrm{FH}}=6\sqrt{2}$일
때, 상수 a의 값은?

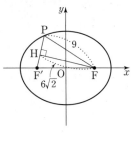

① 29   ② 30   ③ 31

④ 32   ⑤ 33

★ 중요   ↻ 개념 해결의 법칙 23쪽 유형 03

유형 11 타원의 정의의 활용 – 최대·최소

개념 03

타원 $\dfrac{x^2}{a^2}+\dfrac{y^2}{b^2}=1(a>b>0)$ 위의 점 P(x_1, y_1)과 두 초점 F, F'에 대하
여 $\dfrac{x_1^{\,2}}{a^2}+\dfrac{y_1^{\,2}}{b^2}=1$, $\overline{\mathrm{PF}}+\overline{\mathrm{PF'}}=2a$와 산술평균과 기하평균의 관계를 이용
한다.

0075 • 대표문제 •

타원 $\dfrac{x^2}{25}+\dfrac{y^2}{16}=1$의 두 초점 F, F'과 타원 위의 한 점 P에 대
하여 $\overline{\mathrm{PF}}\times\overline{\mathrm{PF'}}$의 최댓값은?

① 16   ② 25   ③ 34

④ 41   ⑤ 50

0076 상중하

가로, 세로가 각각 x축, y축과 평행하고 타원 $9x^2+4y^2=36$에
내접하는 직사각형의 넓이의 최댓값을 구하시오.

↻ 개념 해결의 법칙 25쪽 유형 05

유형 12 타원의 평행이동 　　　개념 **04**

타원 $\dfrac{x^2}{a^2}+\dfrac{y^2}{b^2}=1$을 x축의 방향으로 m만큼, y의 방향으로 n만큼 평행이동한 타원의 방정식 ⇨ $\dfrac{(x-m)^2}{a^2}+\dfrac{(y-n)^2}{b^2}=1$

0077 • 대표문제 •

타원 $\dfrac{(x-2)^2}{5}+\dfrac{(y-a)^2}{4}=1$의 한 초점의 좌표가 $(1, 1)$일 때, 상수 a의 값을 구하시오.

0078 (상)중(하)

타원 $14x^2+10y^2=140$을 x축의 방향으로 a만큼, y축의 방향으로 b만큼 평행이동하면 x축과 y축에 동시에 접할 때, a^2-b^2의 값을 구하시오.

↻ 개념 해결의 법칙 24쪽 유형 04

유형 13 중심이 원점이 아닌 타원의 방정식 　　　개념 **04**

타원의 중심의 좌표가 (m, n)일 때

(1) 두 초점의 y좌표가 같으면 ⇨ $\dfrac{(x-m)^2}{a^2}+\dfrac{(y-n)^2}{b^2}=1$ $(a>b>0)$

(2) 두 초점의 x좌표가 같으면 ⇨ $\dfrac{(x-m)^2}{a^2}+\dfrac{(y-n)^2}{b^2}=1$ $(b>a>0)$

0079 • 대표문제 •

두 점 $A(-2, 6)$, $B(-2, 0)$에 대하여 $\overline{AP}+\overline{BP}=8$을 만족시키는 점 P가 나타내는 도형의 방정식을 구하시오.

0080 (상)중(하)

중심의 좌표가 $(2, 1)$이고 x축에 평행한 직선 위에 있는 두 초점 사이의 거리가 4, 장축의 길이가 6인 타원의 방정식을 구하시오.

유형 14 타원의 방정식의 일반형 　　　개념 **04**

주어진 타원의 방정식을 표준형 $\dfrac{(x-m)^2}{a^2}+\dfrac{(y-n)^2}{b^2}=1$ 꼴로 고친 후 평행이동을 이용한다.

0081 • 대표문제 •

타원 $4x^2+9y^2-8x-18y-23=0$의 제1사분면 위에 있는 초점 $F(a, b)$에 대하여 $a-b$의 값은?

① $\sqrt{2}$　　　　② $\sqrt{3}$　　　　③ $\sqrt{5}$

④ $\sqrt{6}$　　　　⑤ $\sqrt{7}$

0082 (상)중(하)

다음 중 타원 $25x^2+16y^2-50x+64y-311=0$의 꼭짓점의 좌표가 아닌 것은?

① $(1, 3)$　　　② $(1, -7)$　　　③ $(5, -2)$

④ $(-3, 3)$　　　⑤ $(-3, -2)$

0083 (상)중(하)

타원 $9x^2+25y^2-50ay+25a^2-225=0$의 두 초점 F, F'과 원점 O를 꼭짓점으로 하는 삼각형 OFF'이 직각삼각형이 되도록 하는 양수 a의 값은?

① 1　　　　② 2　　　　③ 3

④ 4　　　　⑤ 5

↻ 개념 해결의 법칙 32쪽 유형 01

유형 15 쌍곡선의 방정식 – 초점이 주어진 경우 개념 05

(1) 두 초점 $F(c, 0)$, $F'(-c, 0)$으로부터의 거리의 차가 $2a$인 쌍곡선의 방정식 ⇒ $\dfrac{x^2}{a^2} - \dfrac{y^2}{b^2} = 1$ (단, $c > a > 0$, $b^2 = c^2 - a^2$)

(2) 두 초점 $F(0, c)$, $F'(0, -c)$로부터의 거리의 차가 $2b$인 쌍곡선의 방정식 ⇒ $\dfrac{x^2}{a^2} - \dfrac{y^2}{b^2} = -1$ (단, $c > b > 0$, $a^2 = c^2 - b^2$)

0084 ● 대표문제 ●

초점의 좌표가 $(4, 0)$, $(-4, 0)$이고 꼭짓점의 좌표가 $(2, 0)$, $(-2, 0)$인 쌍곡선의 방정식이 $px^2 - y^2 = q$일 때, pq의 값을 구하시오. (단, p, q는 상수)

0085 상중하

타원 $\dfrac{x^2}{25} + \dfrac{y^2}{9} = 1$과 초점을 공유하고, 주축의 길이가 6인 쌍곡선의 방정식은?

① $x^2 - y^2 = 8$ ② $\dfrac{x^2}{9} - \dfrac{y^2}{7} = 1$ ③ $\dfrac{x^2}{9} - \dfrac{y^2}{7} = -1$

④ $\dfrac{x^2}{7} - \dfrac{y^2}{9} = 1$ ⑤ $\dfrac{x^2}{7} - \dfrac{y^2}{9} = -1$

0086 상중하

초점의 좌표가 $(0, 3)$, $(0, -3)$이고 점 $(2, \sqrt{10})$을 지나는 쌍곡선의 주축의 길이를 구하시오.

↻ 개념 해결의 법칙 32쪽 유형 01

유형 16 쌍곡선의 방정식 – 점근선이 주어진 경우 개념 05

쌍곡선 $\dfrac{x^2}{a^2} - \dfrac{y^2}{b^2} = \pm 1$의 점근선의 방정식이 $y = kx$이면

⇒ $\left| \dfrac{b}{a} \right| = |k|$

0087 ● 대표문제 ●

초점의 좌표가 $(0, 2\sqrt{5})$, $(0, -2\sqrt{5})$이고 점근선의 방정식이 $y = \pm 2x$인 쌍곡선의 방정식을 구하시오.

0088 상중하

점 $(2, \sqrt{5})$를 지나는 쌍곡선 $\dfrac{x^2}{a^2} - \dfrac{y^2}{b^2} = 1$의 점근선의 방정식이 $y = \pm\sqrt{5}x$일 때, $a^2 + b^2$의 값은? (단, a, b는 상수)

① 12   ② 14   ③ 16

④ 18   ⑤ 20

0089 상중하

점근선의 방정식이 $y = \pm\dfrac{3}{4}x$이고, 한 초점의 좌표가 $(10, 0)$인 쌍곡선의 주축의 길이를 구하시오.

유형 17 쌍곡선의 점근선 개념 05

쌍곡선 $\dfrac{x^2}{a^2}-\dfrac{y^2}{b^2}=\pm1$의 점근선의 방정식 $\Rightarrow y=\pm\dfrac{b}{a}x$

0090 ● 대표문제 ●

쌍곡선 $x^2-3y^2=-12$의 두 점근선이 이루는 예각의 크기를 구하시오.

0091 상중하

초점의 좌표가 $(2\sqrt{2},0)$, $(-2\sqrt{2},0)$이고 주축의 길이가 $2\sqrt{2}$인 쌍곡선의 점근선의 방정식이 $y=\pm mx$일 때, m^2의 값은?

① 3 ② 4 ③ 5
④ 6 ⑤ 7

0092 상중하

쌍곡선 $3x^2-y^2=-3$의 한 초점과 이 쌍곡선의 점근선 사이의 거리를 구하시오.

0093 상중하

점 $(7,-2)$를 지나는 쌍곡선 $\dfrac{x^2}{a^2}-\dfrac{y^2}{b^2}=1$에 대하여 이 쌍곡선의 두 점근선이 서로 수직으로 만날 때, a^2+b^2의 값을 구하시오. (단, a, b는 상수)

유형 18 쌍곡선의 정의의 활용 개념 05

쌍곡선 $\dfrac{x^2}{a^2}-\dfrac{y^2}{b^2}=1$ 위의 점 P와 두 초점 F, F′에 대하여
$\Rightarrow |\overline{PF}-\overline{PF'}|=2a\ (a>0)$

0094 ● 대표문제 ●

오른쪽 그림과 같이 점 $D(2,0)$을 지나는 직선이 쌍곡선 $x^2-\dfrac{y^2}{3}=1$의 $x>0$인 부분과 만나는 두 점을 각각 A, B라 하자. 점 $C(-2,0)$에 대하여 삼각형 ABC의 둘레의 길이가 12일 때, 선분 AB의 길이를 구하시오.

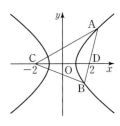

0095 상중하 서술형

쌍곡선 $\dfrac{x^2}{4}-\dfrac{y^2}{12}=1$의 두 초점 F, F′과 쌍곡선 위의 한 점 P에 대하여 $\overline{PF}:\overline{PF'}=3:2$일 때, 삼각형 PFF′의 둘레의 길이를 구하시오.

0096 상중하

쌍곡선 $\dfrac{x^2}{25}-\dfrac{y^2}{11}=1$에서 $x>0$인 부분 위의 점 $P_n(n=1,2,3,4)$과 한 초점 $F(6,0)$ 사이의 거리가 각각 2, 3, 4, 5일 때, 다른 초점 $F'(-6,0)$에 대하여 $\overline{P_1F'}+\overline{P_2F'}+\overline{P_3F'}+\overline{P_4F'}$의 값을 구하시오.

↪ 개념 해결의 법칙 35쪽 유형 04

유형 **19** 쌍곡선의 정의의 활용
    – 이차곡선이 주어진 경우

개념 **05**

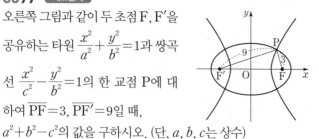

타원 $\dfrac{x^2}{a^2}+\dfrac{y^2}{b^2}=1(a>b>0)$과 쌍곡선 $\dfrac{x^2}{c^2}-\dfrac{y^2}{d^2}=1(c>0,d>0)$의
두 초점 F, F′이 일치하고 타원과 쌍곡선의 한 교점을 P라 하면
(1) $a^2-b^2=c^2+d^2$
(2) $\overline{\mathrm{PF}}+\overline{\mathrm{PF'}}=2a,\ |\overline{\mathrm{PF}}-\overline{\mathrm{PF'}}|=2c$

0097 〔대표문제〕

오른쪽 그림과 같이 두 초점 F, F′을
공유하는 타원 $\dfrac{x^2}{a^2}+\dfrac{y^2}{b^2}=1$과 쌍곡
선 $\dfrac{x^2}{c^2}-\dfrac{y^2}{b^2}=1$의 한 교점 P에 대
하여 $\overline{\mathrm{PF}}=3$, $\overline{\mathrm{PF'}}=9$일 때,
$a^2+b^2-c^2$의 값을 구하시오. (단, a, b, c는 상수)

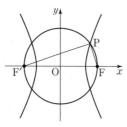

0098 〔상중하〕

오른쪽 그림과 같이 쌍곡선
$\dfrac{x^2}{4}-\dfrac{y^2}{6}=1$의 두 초점을
F$(c, 0)$, F′$(-c, 0)$이라 하자.
두 점 F, F′을 지름의 양 끝점으로
하는 원과 쌍곡선이 제1사분면에
서 만나는 점을 P라 할 때, $\cos(\angle \mathrm{F'FP})$의 값을 구하시오.
(단, $c>0$)

0099 〔상중하〕

오른쪽 그림과 같이 두 초점
F$(2, 0)$, F′$(-2, 0)$을 공유하는
타원과 쌍곡선이 점 P$(2, 1)$에서
만난다. 타원의 한 꼭짓점을 A, 쌍
곡선의 한 꼭짓점을 B라 할 때, 삼
각형 PBA의 넓이를 구하시오.
(단, 두 점 A, B의 x좌표는 모두 양수이다.)

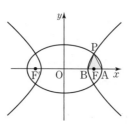

유형 **20** 쌍곡선의 평행이동

개념 **06**

쌍곡선 $\dfrac{x^2}{a^2}-\dfrac{y^2}{b^2}=\pm1$을 x축의 방향으로 m만큼, y축의 방향으로 n만큼
평행이동한 쌍곡선의 방정식
$\Rightarrow \dfrac{(x-m)^2}{a^2}-\dfrac{(y-n)^2}{b^2}=\pm1$ (복호동순)

0100 〔대표문제〕

쌍곡선 $\dfrac{(x+1)^2}{4}-\dfrac{(y-3)^2}{12}=1$의 두 초점 F, F′과 원점 O에
대하여 삼각형 OFF′의 넓이를 구하시오.

0101 〔상중하〕 〔서술형〕

쌍곡선 $3x^2-3y^2=1$의 두 점근선과 쌍곡선
$3(x+3)^2-3(y-1)^2=1$의 두 점근선으로 둘러싸인 도형의
넓이를 구하시오.

↪ 개념 해결의 법칙 36쪽 유형 05

유형 **21** 중심이 원점이 아닌 쌍곡선의 방정식

개념 **06**

쌍곡선의 중심의 좌표가 (m, n)일 때
(1) 두 초점의 y좌표가 같으면
$\Rightarrow \dfrac{(x-m)^2}{a^2}-\dfrac{(y-n)^2}{b^2}=1\ (a>0, b>0)$
(2) 두 초점의 x좌표가 같으면
$\Rightarrow \dfrac{(x-m)^2}{a^2}-\dfrac{(y-n)^2}{b^2}=-1\ (a>0, b>0)$

0102 〔대표문제〕

두 초점의 좌표가 F$(1, 6)$, F′$(1, -8)$이고 주축의 길이가 10
인 쌍곡선의 방정식을 구하시오.

0103 상중하

두 초점 $F(6, -2)$, $F'(0, -2)$로부터의 거리의 차가 4인 쌍곡선의 방정식은?

① $\dfrac{(x-3)^2}{4} - \dfrac{(y+2)^2}{5} = 1$ ② $\dfrac{(x-3)^2}{4} - \dfrac{(y+2)^2}{7} = 1$

③ $\dfrac{(x-3)^2}{5} - \dfrac{(y+2)^2}{7} = 1$ ④ $\dfrac{(x+3)^2}{4} - \dfrac{(y-2)^2}{5} = 1$

⑤ $\dfrac{(x+3)^2}{4} - \dfrac{(y-2)^2}{7} = 1$

↻ 개념 해결의 법칙 37쪽 유형 06

유형 22 쌍곡선의 방정식의 일반형

개념 **06**

주어진 쌍곡선의 방정식을 표준형 $\dfrac{(x-m)^2}{a^2} - \dfrac{(y-n)^2}{b^2} = \pm 1$ 꼴로 고친 후 평행이동을 이용한다.

0104 ● 대표문제 ●

쌍곡선 $4x^2 - y^2 - 24x + 4y + 28 = 0$의 초점의 좌표를 (a, c), (b, c)라 할 때, $a + b - c$의 값은?

① 4 ② 5 ③ 6
④ 7 ⑤ 8

0105 상중하

쌍곡선 $4x^2 - 9y^2 - 24x = 0$의 두 점근선과 y축으로 둘러싸인 부분의 넓이는?

① $\dfrac{9}{2}$ ② 5 ③ $\dfrac{11}{2}$

④ 6 ⑤ $\dfrac{13}{2}$

↻ 개념 해결의 법칙 38쪽 유형 07

유형 23 포물선, 타원, 쌍곡선이 되기 위한 조건

개념 **07**

주어진 방정식이 포물선, 타원, 쌍곡선의 방정식이 되도록 하는 조건을 생각한다.

0106 ● 대표문제 ●

방정식 $x^2 + y^2 + 2x - 1 + k(x^2 + 2y^2 - 1) = 0$이 나타내는 도형이 포물선이 되도록 하는 상수 k의 값은?

① -5 ② -4 ③ -3
④ -2 ⑤ -1

0107 상중하

방정식 $2x^2 + ky^2 + 2k - 8 = 0$이 나타내는 도형이 타원이 되도록 하는 모든 정수 k의 값의 합은?

① 3 ② 4 ③ 5
④ 6 ⑤ 7

0108 상중하

방정식 $x^2 - y^2 + 6x - 4y + k = 0$이 나타내는 도형이 x축에 평행한 주축을 갖는 쌍곡선이 되도록 하는 정수 k의 최댓값은?

① 1 ② 2 ③ 3
④ 4 ⑤ 5

발전 유형 24 자취의 방정식   개념 01~06

(i) 움직이는 점의 좌표를 (x, y)로 놓는다.
(ii) 주어진 조건을 만족시키는 x, y 사이의 관계식을 구한다.

0109 • 대표문제 •

원 $x^2+(y-2)^2=1$에 외접하고 x축에 접하는 원의 중심을 P라 할 때, 점 P의 자취의 방정식은 $x^2=ay+b$이다. 이때, $a+b$의 값은? (단, a, b는 상수)

① 1   ② 3   ③ 5
④ 7   ⑤ 9

0110 상중하

오른쪽 그림과 같이 y축에 접하고 점 F$(2, 0)$을 지나는 원의 중심 P(x, y)의 자취의 방정식은 $y^2=4p(x-q)$이다. 이때, $p+q$의 값은?

(단, p, q는 상수)

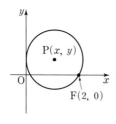

① 2   ② 4
③ 6   ④ 8   ⑤ 10

0111 상중하

점 $(0, -3)$과 x축에 이르는 거리의 비가 $2 : 1$인 점 P의 자취의 방정식은 $\dfrac{x^2}{a}-\dfrac{(y-b)^2}{c}=-1$이다. 이때, $a+b+c$의 값은? (단, a, b, c는 상수)

① 13   ② 15   ③ 17
④ 19   ⑤ 21

0112 상중하 서술형>

점 P(x, y)에서 두 직선 $2x-3y=0$, $2x+3y=0$에 내린 수선의 발을 각각 Q, R라 할 때, $\overline{PQ}\times\overline{PR}=13$인 점 P의 자취의 방정식을 구하시오.

0113 상중하

x축 위의 점 A와 y축 위의 점 B에 대하여 $\overline{AB}=3$일 때, $\overline{AB}$를 $1 : 2$로 내분하는 점 P의 자취의 방정식을 구하시오.

0114 상중하

다음 중 원 $(x-2)^2+y^2=1$에 외접하고, 원 $(x-2)^2+(y-4)^2=49$에 내접하는 원의 중심의 자취에 대한 설명으로 옳지 않은 것은?

① 타원 $\dfrac{x^2}{12}+\dfrac{y^2}{16}=1$을 x축, y축의 방향으로 각각 2만큼 평행이동한 타원이다.
② 두 초점의 좌표는 $(2, 0)$, $(2, 4)$이다.
③ 장축의 길이는 8이다.
④ 단축의 길이는 6이다.
⑤ 중심의 좌표는 $(2, 2)$이다.

발전 유형 **25** 이차곡선의 실생활에의 활용 개념 **01, 03, 05**

(1) 포물선 ⇨ 초점의 좌표, 준선의 방정식을 찾은 후 원점을 꼭짓점으로 하는 포물선의 방정식을 세우거나 정의를 이용한다.
(2) 타원 ⇨ 초점의 좌표, 장축, 단축의 길이를 찾은 후 원점을 중심으로 하는 타원의 방정식을 세우거나 정의를 이용한다.
(3) 쌍곡선 ⇨ 초점의 좌표, 주축의 길이를 찾은 후 원점을 중심으로 하는 쌍곡선의 방정식을 세우거나 정의를 이용한다.

0115 •대표문제•

오른쪽 그림과 같이 포물선 모양으로 흐르는 강가에 포물선의 초점의 위치에 있는 마을 A와 또 다른 마을 B가 있다. 강변의 한 지점 중 두 마을까지의 거리의 합이 최소가 되는 지점에 공판장을 설치하려고 할 때, 가장 적합한 지점은?

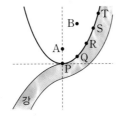

① P지점   ② Q지점   ③ R지점
④ S지점   ⑤ T지점

0116 (상종하)

오른쪽 그림과 같이 어떤 혜성이 지구를 초점으로 하는 포물선 궤도 위를 지나가고 있다. 혜성이 지구로부터 2 AU만큼 떨어져 있을 때, 혜성과 지구를 연결한 직선이 포물선의 축과 이루는 예각의 크기가 $60°$라 한다. 이 혜성이 지구와 가장 가까이 있을 때, 지구와 혜성 사이의 거리는? (단, 지구와 혜성의 크기는 무시한다.)

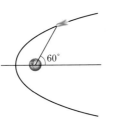

① $\dfrac{1}{32}$ AU   ② $\dfrac{1}{16}$ AU   ③ $\dfrac{1}{8}$ AU

④ $\dfrac{1}{4}$ AU   ⑤ $\dfrac{1}{2}$ AU

0117 (상종하)

오른쪽 그림과 같이 장축의 길이가 20 m, 단축의 길이가 10 m인 타원 모양의 땅에 직사각형 모양의 가축 우리를 만들려고 한다. 가축 우리의 넓이가 최대가 되도록 만들 때, 가축 우리의 가로, 세로의 길이 중 긴 쪽의 길이를 구하시오.

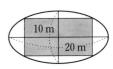

0118 (상종하)

오른쪽 그림은 영미가 검색한 스마트폰의 지도 화면이다. 폭이 $20\sqrt{6}$ m인 도로가에 오른쪽 그림과 같이 영미네 집과 수희네 집이 60 m 떨어져 있고 건너편에 도서관과 학교가 있다. 도서관에서 영미네 집과 수희네 집까지의 거리의 차와 학교에서 영미네 집과 수희네 집까지의 거리의 차가 20 m로 같을 때, 도서관과 학교 사이의 거리를 구하시오.

• 실제 학교 시험지처럼 풀어 보세요.

0119 | 유형 02 |

포물선 $y^2=-8x$ 위의 점 P와 초점 F 사이의 거리가 6일 때, 점 P의 x 좌표는? [4.5점]

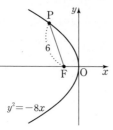

① -5 ② $-\dfrac{9}{2}$

③ -4 ④ $-\dfrac{7}{2}$

⑤ -3

0120 | 유형 03 |

오른쪽 그림과 같이 포물선 $y^2=12x$ 의 초점 F를 지나는 직선과 포물선이 만나는 두 점 A, B에서 준선 l에 내린 수선의 발을 각각 C, D라 하자. $\overline{AC}=4$일 때, 선분 BD의 길이는?

[5점]

① 12   ② $\dfrac{25}{2}$ ③ 13

④ $\dfrac{27}{2}$ ⑤ 14

0121 | 유형 04 |

오른쪽 그림과 같이 포물선 $x^2=2y$의 초점 F를 지나는 한 직선이 포물선과 만나는 두 점을 R, S라 하자. 직선 $y=2$ 위의 임의의 두 점 P, Q에 대하여 $\overline{PR}+\overline{RS}+\overline{SQ}$의 최솟값은? [5.1점]

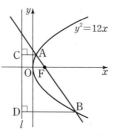

① 4   ② 5   ③ 6

④ 7   ⑤ 8

0122 | 유형 05 |

두 포물선 $y^2=4p(x+1)$, $x^2=4p(y-2)$의 초점을 각각 F, F′이라 할 때, $\overline{FF'}$의 길이의 최솟값은? (단, p는 상수) [4.8점]

① $\dfrac{\sqrt{2}}{2}$ ② $\sqrt{2}$ ③ $\dfrac{3\sqrt{2}}{2}$

④ $2\sqrt{2}$ ⑤ 4

0123 | 유형 07 |

두 포물선 $y^2-4x-2y-7=0$, $x^2-2x-4y-3+4k=0$의 초점이 원점에 대하여 대칭일 때, 상수 k의 값은? [4.6점]

① -2 ② -1 ③ 0

④ 1   ⑤ 2

0124 | 유형 10 |

오른쪽 그림과 같이 타원 $\dfrac{x^2}{8}+\dfrac{y^2}{4}=1$ 위에 서로 다른 세 점 P, Q, R가 있다. 두 점 A(2, 0), B(-2, 0)에 대하여 $\overline{AP}+\overline{AQ}+\overline{AR}=6$일 때, $\overline{BP}+\overline{BQ}+\overline{BR}$의 값은? [5점]

① 3   ② 4   ③ $3(2\sqrt{2}-1)$

④ 6   ⑤ $6(2\sqrt{2}-1)$

0125 | 유형 02 + 유형 10 |

좌표평면 위의 두 점 $A(6, 0)$, $B(-6, 0)$에 대하여 장축이 선분 AB인 타원의 두 초점을 F, F'이라 하자. 초점이 F이고 꼭짓점이 원점인 포물선이 타원과 만나는 두 점을 각각 P, Q라 하자. $\overline{PQ} = 4\sqrt{6}$일 때, $\overline{PF}^2 + \overline{PF'}^2$의 값은? [5.2점]

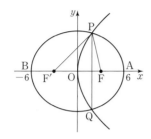

① 56   ② 64   ③ 70

④ 74   ⑤ 80

0126 | 유형 13 |

두 초점이 $F(-3, 1)$, $F'(5, 1)$이고 단축의 길이가 6인 타원에서 장축의 길이는? [4.6점]

① $2\sqrt{5}$ ② $2\sqrt{7}$ ③ $2\sqrt{10}$

④ 10   ⑤ 14

0127 | 유형 08 + 유형 15 |

쌍곡선 $\dfrac{x^2}{a^2} - \dfrac{y^2}{9} = 1$의 두 꼭짓점과 타원 $\dfrac{x^2}{13} + \dfrac{y^2}{b^2} = 1$의 두 초점이 일치할 때, $a^2 + b^2$의 값은? (단, a, b는 상수) [4.5점]

① 10   ② 11   ③ 12

④ 13   ⑤ 14

0128 | 유형 18 |

쌍곡선 $\dfrac{x^2}{16} - \dfrac{y^2}{9} = -1$의 두 초점 F, F'과 쌍곡선 위의 한 점 P에 대하여 $\overline{PF} = 2\overline{PF'}$일 때, $\overline{PF} \times \overline{PF'}$의 값은? [4.6점]

① 24   ② 36   ③ 48

④ 60   ⑤ 72

0129 | 유형 24 |

두 직선 $y = x$, $y = -x$ 위를 각각 움직이는 두 점 A, B와 원점 O에 대하여 삼각형 OAB의 넓이가 4로 일정할 때, 선분 AB의 중점 M의 자취의 방정식은? [4.9점]

① $x^2 - y^2 = \pm 1$ ② $x^2 - y^2 = \pm 2$

③ $x^2 - y^2 = \pm 4$ ④ $2x^2 - 2y^2 = \pm 1$

⑤ $4x^2 - 4y^2 = \pm 1$

0130 | 유형 25 |

태양계의 모든 행성은 태양을 한 초점으로 하는 타원 궤도를 그리면서 공전한다. 케플러의 법칙에 의하면 태양으로부터 행성까지의 거리를 r, 행성의 속력을 v라 할 때, 장축과 타원 궤도가 만나는 두 지점에서의 거리와 속력의 곱 rv의 값은 서로 같다. 두 초점 사이의 거리가 $2c$인 타원 궤도를 그리며 태양 주위를 공전하는 행성에 대하여 단축과 타원 궤도가 만나는 한 지점과 태양 사이의 거리가 a이고, 장축과 타원 궤도가 만나는 두 지점에서의 속력의 비가 $4 : 3$일 때, $\dfrac{a}{c}$의 값은? [5.2점]

① 3   ② 4   ③ 5

④ 6   ⑤ 7

서술형 문제

· 풀이 과정에 점수가 부여되니 풀이 과정 및 정답을 상세하게 서술하세요.

단답형

0131

| 유형 03 |

오른쪽 그림과 같이 포물선 $y^2=4x$의 초점 F를 지나는 직선이 포물선과 만나는 점을 각각 A, B라 하자. $\overline{AB}=4$일 때, 삼각형 AOB의 무게중심의 x좌표를 구하시오.

(단, O는 원점이다.) [7점]

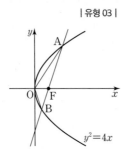

0132

| 유형 11 |

타원 $3x^2+2y^2=6$의 두 초점 F, F′과 타원 위의 한 점 P에 대하여 $\overline{PF}^2+\overline{PF'}^2$의 최솟값을 구하시오. [7점]

0133

| 유형 22 |

쌍곡선 $2x^2-5y^2+8x+10y-7=0$의 두 초점 F, F′에 대하여 삼각형 OFF′의 넓이를 구하시오.

(단, O는 원점이다.) [6점]

단계형

0134

| 유형 17 |

오른쪽 그림과 같이 쌍곡선 $\dfrac{x^2}{36}-\dfrac{y^2}{12}=1$의 두 초점 F, F′을 연결한 선분을 지름으로 하는 원이 있다. 이 원이 쌍곡선의 두 점근선과 만날 때 생기는 네 개의 교점을 꼭짓점으로 하는 직사각형의 넓이를 구하려고 한다. 다음 물음에 답하시오. [10점]

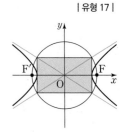

(1) 초점 F, F′의 좌표를 구하시오. [3점]

(2) 쌍곡선의 점근선의 방정식을 구하시오. [3점]

(3) 직사각형의 넓이를 구하시오. [4점]

0135

| 유형 19 |

오른쪽 그림과 같이 점 F(p, 0)을 초점으로 하는 포물선 $y^2=4px$와 두 점 F(p, 0)과 F′($-p$, 0)을 초점으로 하는 쌍곡선 $\dfrac{x^2}{a^2}-\dfrac{y^2}{b^2}=1(a>0,\ b>0)$이 제1사분면에서 만나는 점을 P, 점 P에서 x축에 내린 수선의 발을 H라 하자. $\overline{PF}=10$, $\dfrac{\overline{FF'}}{\overline{PF}}=\dfrac{4}{5}$일 때, ab의 값을 구하려고 한다. 다음 물음에 답하시오. (단, p는 양수) [12점]

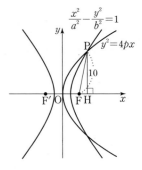

(1) p의 값을 구하시오. [2점]

(2) 선분 PF′의 길이를 구하시오. [5점]

(3) ab의 값을 구하시오. [5점]

성/취/도 Check

점수   / 100점

 STEP 1 개념+기본 문제 학습

 STEP 2 유형 대표 문제 학습

STEP 3의 틀린 문제에 해당하는 **STEP 2** 유형 학습

 STEP 3의 틀린 문제 복습

 교과서 속 심화문제 시작

0136

오른쪽 그림과 같이 포물선 $y^2=8x$의 초점을 F, 준선 l 이 x축과 만나는 점을 P, 점 P를 지나고 기울기가 양수인 직선이 포물선과 만나는 두 점을 각각 A, B라 하자. $\overline{AF}:\overline{BF}=1:4$일 때, 선분 PA의 길이를 구하시오.

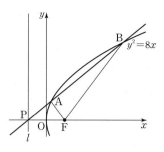

0137

다음 그림과 같이 포물선 $y^2=16(x+a)$의 초점 F_1에서 포물선 위의 점 A를 향하여 출발한 빛이 포물선에 반사되어 x축에 평행하게 진행한다. 이 빛이 포물선 $y^2=-8(x-b)$ 위의 점 B에서 다시 반사되어 이 포물선의 초점 F_2에서 x축과 만난다고 한다. $\overline{F_1A}+\overline{AB}+\overline{BF_2}=42$이고, 두 포물선이 만나는 점 C의 x좌표는 4일 때, 삼각형 CF_1F_2의 넓이를 구하시오. (단, $a>0$, $b>0$이고, 포물선 위의 점 A는 제2사분면 위에 있고 점 C는 $y>0$인 영역에 있다.)

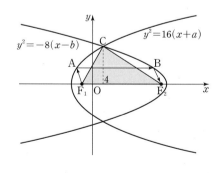

0138

다음에서 설명하는 두 도형 E_1, E_2가 서로 포개어지도록 하는 양의 실수 r에 대하여 $\dfrac{r}{\cos\theta}$의 값을 구하시오.

> ㈎ E_1은 두 점 A$(-3,0)$, B$(3,0)$을 각각 중심으로 하고 반지름의 길이가 각각 1, 9인 두 원 C_A, C_B에 대하여 원 C_A에 외접하고 원 C_B에 내접하는 원의 중심 P가 그리는 도형이다.
>
> ㈏ E_2는 오른쪽 그림과 같이 밑면의 반지름의 길이가 r인 원기둥을 밑면과 θ의 각을 이루는 평면으로 자른 단면의 둘레가 그리는 도형이다. (단, 단면과 밑면은 한 점에서 만난다.)

0139 창의력

다음 그림과 같이 쌍곡선 $\dfrac{x^2}{9}-\dfrac{y^2}{3}=1$의 두 초점을 각각 F, F$'$이라 하자. 이 쌍곡선 위를 움직이는 점 P$(a,b)$ $(a>0)$에 대하여 선분 PF$'$ 위의 점 Q가 $\overline{PF}=\overline{PQ}$를 만족시킬 때, 점 Q가 그리는 도형의 길이를 구하시오.

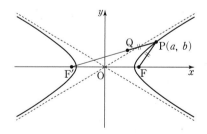

2

이차곡선과
직선

당신이 **동의**하지 않는 한
이 세상 누구도 당신이 **열등**하다고 느끼게 할 수 없다.
-엘리너 루스벨트

기출 문제 분석
빅 데이터

＊ 전국 300여 개 고등학교 기출 문제를 분석하였습니다.

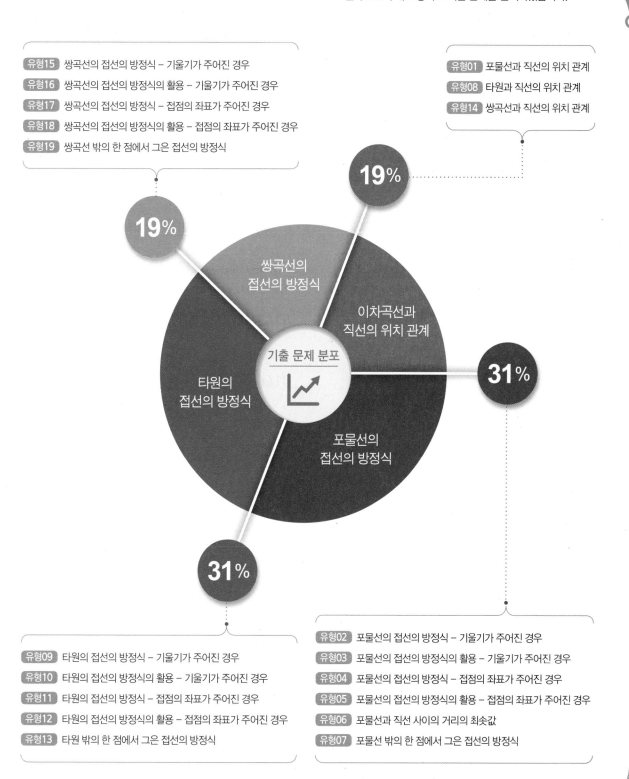

유형15 쌍곡선의 접선의 방정식 – 기울기가 주어진 경우
유형16 쌍곡선의 접선의 방정식의 활용 – 기울기가 주어진 경우
유형17 쌍곡선의 접선의 방정식 – 접점의 좌표가 주어진 경우
유형18 쌍곡선의 접선의 방정식의 활용 – 접점의 좌표가 주어진 경우
유형19 쌍곡선 밖의 한 점에서 그은 접선의 방정식

유형01 포물선과 직선의 위치 관계
유형08 타원과 직선의 위치 관계
유형14 쌍곡선과 직선의 위치 관계

19%

쌍곡선의
접선의 방정식

19%

이차곡선과
직선의 위치 관계

기출 문제 분포

타원의
접선의 방정식

31%

포물선의
접선의 방정식

31%

유형09 타원의 접선의 방정식 – 기울기가 주어진 경우
유형10 타원의 접선의 방정식의 활용 – 기울기가 주어진 경우
유형11 타원의 접선의 방정식 – 접점의 좌표가 주어진 경우
유형12 타원의 접선의 방정식의 활용 – 접점의 좌표가 주어진 경우
유형13 타원 밖의 한 점에서 그은 접선의 방정식

유형02 포물선의 접선의 방정식 – 기울기가 주어진 경우
유형03 포물선의 접선의 방정식의 활용 – 기울기가 주어진 경우
유형04 포물선의 접선의 방정식 – 접점의 좌표가 주어진 경우
유형05 포물선의 접선의 방정식의 활용 – 접점의 좌표가 주어진 경우
유형06 포물선과 직선 사이의 거리의 최솟값
유형07 포물선 밖의 한 점에서 그은 접선의 방정식

STEP 1 개념 마스터

01 이차곡선과 직선의 위치 관계 [유형] 01, 08, 14

이차곡선과 직선의 위치 관계는 다음과 같이 판별식을 이용하여 판별할 수 있다.
이차곡선과 직선의 방정식을 연립하여 얻은 이차방정식의 판별식을 D라 하면
(1) $D > 0 \iff$ 서로 다른 두 점에서 만난다.
(2) $D = 0 \iff$ 한 점에서 만난다. (접한다.)
(3) $D < 0 \iff$ 만나지 않는다.

0140 포물선 $y^2 = 8x$와 직선 $y = 2x + k$가 다음 조건을 만족시킬 때, 실수 k의 값 또는 k의 값의 범위를 구하시오.
(1) 서로 다른 두 점에서 만난다.
(2) 한 점에서 만난다.
(3) 만나지 않는다.

0141 타원 $\dfrac{x^2}{5} + \dfrac{y^2}{4} = 1$과 직선 $y = x + k$가 다음 조건을 만족시킬 때, 실수 k의 값 또는 k의 값의 범위를 구하시오.
(1) 서로 다른 두 점에서 만난다.
(2) 한 점에서 만난다.
(3) 만나지 않는다.

0142 쌍곡선 $\dfrac{x^2}{3} - \dfrac{y^2}{2} = 1$과 직선 $y = -x + k$가 다음 조건을 만족시킬 때, 실수 k의 값 또는 k의 값의 범위를 구하시오.
(1) 서로 다른 두 점에서 만난다.
(2) 한 점에서 만난다.
(3) 만나지 않는다.

02 이차곡선의 접선의 방정식 – 기울기가 주어진 경우 [유형] 02, 03, 06, 09, 10, 15, 16

포물선, 타원, 쌍곡선에 접하고 기울기가 m인 접선의 방정식은 다음과 같다.

	이차곡선	접선의 방정식
포물선	$y^2 = 4px$	$y = mx + \dfrac{p}{m}$ (단, $m \neq 0$)
타원	$\dfrac{x^2}{a^2} + \dfrac{y^2}{b^2} = 1$	$y = mx \pm \sqrt{a^2m^2 + b^2}$
쌍곡선	$\dfrac{x^2}{a^2} - \dfrac{y^2}{b^2} = 1$	$y = mx \pm \sqrt{a^2m^2 - b^2}$ (단, $a^2m^2 - b^2 > 0$)
	$\dfrac{x^2}{a^2} - \dfrac{y^2}{b^2} = -1$	$y = mx \pm \sqrt{b^2 - a^2m^2}$ (단, $b^2 - a^2m^2 > 0$)

[참고] 위의 공식이 기억나지 않을 때는 접선의 방정식을 $y = mx + n$으로 놓고 이차곡선의 방정식에 대입한 후 $D = 0$임을 이용한다.

[0143~0144] 다음 포물선에 접하고 기울기가 m인 접선의 방정식을 구하시오.

0143 $y^2 = -4x, \ m = -1$

0144 $y^2 = 12x, \ m = \dfrac{1}{2}$

[0145~0146] 다음 타원에 접하고 기울기가 m인 접선의 방정식을 구하시오.

0145 $\dfrac{x^2}{3} + \dfrac{y^2}{2} = 1, \ m = 1$

0146 $\dfrac{x^2}{4} + \dfrac{y^2}{20} = 1, \ m = -2$

핵심 Check

· 이차곡선 $f(x, y) = 0$과 직선 $y = mx + n$의 위치 관계 → 이차방정식 $f(x, mx + n) = 0$의 판별식을 이용

· 기울기가 m인 접선의 방정식

$y^2 = 4px$ → $y = mx + \dfrac{p}{m}$

$\dfrac{x^2}{a^2} + \dfrac{y^2}{b^2} = 1$ → $y = mx \pm \sqrt{a^2m^2 + b^2}$

$\dfrac{x^2}{a^2} - \dfrac{y^2}{b^2} = 1$ → $y = mx \pm \sqrt{a^2m^2 - b^2}$

[0147~0148] 다음 쌍곡선에 접하고 기울기가 m인 접선의 방정식을 구하시오.

0147 $4x^2-9y^2=36$, $m=2$

0148 $3x^2-y^2=-9$, $m=-1$

---

03 이차곡선의 접선의 방정식 – 접점의 좌표가 주어진 경우 유형 04~06, 11, 12, 17, 18

포물선, 타원, 쌍곡선 위의 점 $(x_1,\ y_1)$에서의 접선의 방정식은 다음과 같다.

이차곡선		접선의 방정식
포물선	$y^2=4px$	$y_1y=2p(x+x_1)$
	$x^2=4py$	$x_1x=2p(y+y_1)$
타원	$\dfrac{x^2}{a^2}+\dfrac{y^2}{b^2}=1$	$\dfrac{x_1x}{a^2}+\dfrac{y_1y}{b^2}=1$
쌍곡선	$\dfrac{x^2}{a^2}-\dfrac{y^2}{b^2}=\pm1$	$\dfrac{x_1x}{a^2}-\dfrac{y_1y}{b^2}=\pm1$ (복호동순)

참고 미적분을 이수한 학생은 음함수의 미분법을 이용하여 위의 공식을 유도할 수 있다. (해설 24쪽 Lecture참고)

[0149~0150] 다음 포물선 위의 점에서의 접선의 방정식을 구하시오.

0149 $y^2=8x$ $(2,\ 4)$

0150 $x^2=-9y$ $(3,\ -1)$

[0151~0152] 다음 타원 위의 점에서의 접선의 방정식을 구하시오.

0151 $\dfrac{x^2}{12}+\dfrac{y^2}{4}=1$ $(-3,\ 1)$

0152 $\dfrac{x^2}{2}+\dfrac{y^2}{8}=1$ $(1,\ -2)$

[0153~0154] 다음 쌍곡선 위의 점에서의 접선의 방정식을 구하시오.

0153 $\dfrac{x^2}{5}-\dfrac{y^2}{4}=1$ $(5,\ 4)$

0154 $x^2-3y^2=-3$ $(3,\ 2)$

---

04 이차곡선 밖의 한 점에서 그은 접선의 방정식 유형 07, 13, 19

이차곡선 밖의 한 점에서 이차곡선에 그은 접선의 방정식은 다음과 같은 순서로 구한다.
(i) 접점의 좌표를 $(x_1,\ y_1)$로 놓고 접선의 방정식을 구한다.
(ii) 접선이 주어진 점을 지나고, 접점이 이차곡선 위의 점임을 이용하여 $x_1,\ y_1$의 값을 구한다.
(iii) (ii)에서 구한 $x_1,\ y_1$의 값을 (i)에 대입하여 접선의 방정식을 구한다.

0155 점 $(-1,\ 1)$에서 포물선 $y^2=24x$에 그은 접선의 방정식을 구하려고 한다. 다음 물음에 답하시오.
(1) 접점의 좌표를 $(x_1,\ y_1)$이라 하고 접선의 방정식을 세우시오.
(2) (1)의 직선이 점 $(-1,\ 1)$을 지남을 이용하여 $x_1,\ y_1$의 값을 구하시오.
(3) 접선의 방정식을 구하시오.

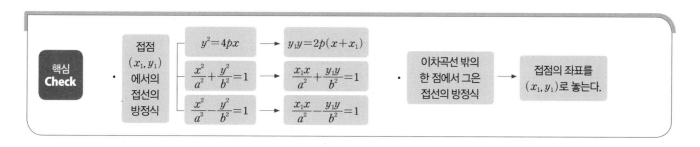

↻ 개념 해결의 법칙 46쪽 유형 01

유형 **01** 포물선과 직선의 위치 관계

개념 **01**

포물선과 직선의 방정식을 연립하여 얻은 이차방정식의 판별식을 D라 하면
(1) $D>0 \iff$ 서로 다른 두 점에서 만난다.
(2) $D=0 \iff$ 한 점에서 만난다. (접한다.)
(3) $D<0 \iff$ 만나지 않는다.

0156 대표문제

포물선 $x^2=\dfrac{1}{4}(y-5)$가 직선 $y=ax-4$보다 항상 위쪽에 있도록 하는 정수 a의 개수는?

① 15 　　　　② 17 　　　　③ 19
④ 21 　　　　⑤ 23

0157 상중하 서술형

포물선 $y^2=\dfrac{1}{2}x$와 직선 $kx-2y+1=0$이 한 점에서 만나도록 하는 모든 상수 k의 값의 합을 구하시오.

0158 상중하

포물선 $x^2=y$와 직선 $y=2x+k$가 만나는 두 점을 각각 A, B라 할 때, 선분 AB의 길이가 $4\sqrt{5}$가 되도록 하는 상수 k의 값을 구하시오.

0159 상중하

자연수 n에 대하여 직선 $nx-y-4=0$이 포물선 $y^2=4(x-1)$과 만나는 점의 개수를 a_n이라 할 때, $a_1+a_2+a_3+\cdots+a_{10}$의 값을 구하시오.

↻ 개념 해결의 법칙 52쪽 유형 01

유형 **02** 포물선의 접선의 방정식
－ 기울기가 주어진 경우

개념 **02**

포물선 $y^2=4px$에 접하고 기울기가 m인 접선의 방정식
$\Rightarrow y=mx+\dfrac{p}{m}$ (단, $m\neq 0$)

0160 대표문제

포물선 $y^2=-8x$에 접하고 직선 $y=2x-3$에 수직인 접선의 방정식이 $y=mx+n$일 때, 상수 m, n에 대하여 $m+n$의 값을 구하시오.

0161 상중하

포물선 $y^2=24x$에 접하고 직선 $3x-y+1=0$과 평행한 접선이 점 $(3, a)$를 지날 때, a의 값은?

① 3 　　　　② 5 　　　　③ 7
④ 9 　　　　⑤ 11

0162 상중하

포물선 $y^2=16x$에 접하고 기울기가 m인 접선이 점 $(2, 6)$을 지날 때, 모든 실수 m의 값의 곱을 구하시오.

0163 상중하

포물선 $y^2=8x$에 접하는 두 접선 l_1, l_2의 기울기가 각각 m_1, m_2이다. m_1, m_2가 이차방정식 $2x^2-3x+1=0$의 서로 다른 두 근일 때, 두 직선 l_1, l_2의 교점의 x좌표는?

① 1 　　　　② 2 　　　　③ 3
④ 4 　　　　⑤ 5

↻ 개념 해결의 법칙 53쪽 유형 02

유형 **03** 포물선의 접선의 방정식의 활용
– 기울기가 주어진 경우

개념 **02**

주어진 기울기를 이용하여 포물선의 접선의 방정식을 구한 후 접선의 x절편, y절편과 점과 직선 사이의 거리 등을 이용하여 문제를 해결한다.

0164 • 대표문제 •

오른쪽 그림과 같이 포물선 $y^2=-4x$ 위의 점 P에서의 접선 l 이 y축과 만나는 점을 A, 접선 l에 수직이고 점 P를 지나는 직선이 y축 과 만나는 점을 B라 하자. 접선 l의 기울기가 -1일 때, 삼각형 PAB의 넓이를 구하시오.

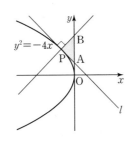

0165 (상중하)

포물선 $y^2=8x$에 접하고 x축의 양의 방향과 이루는 각의 크기 가 $60°$인 접선과 x축의 교점을 T라 할 때, 점 T와 이 포물선 의 초점 F 사이의 거리를 구하시오.

0166 (상중하)

오른쪽 그림과 같이 x축 위의 점 A 에서 포물선 $y^2=4x$에 접선을 그었 을 때, 그 접점을 각각 B, D라 하자. 사각형 ADCB가 정사각형이 되도 록 x축 위에 점 C를 잡을 때, 점 C의 좌표를 구하시오.

(단, 점 A의 x좌표는 음수이다.)

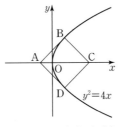

★ 중요   ↻ 개념 해결의 법칙 54쪽 유형 03

유형 **04** 포물선의 접선의 방정식
– 접점의 좌표가 주어진 경우

개념 **03**

(1) 포물선 $y^2=4px$ 위의 점 (x_1, y_1)에서의 접선의 방정식
  ⇨ $y_1y=2p(x+x_1)$
(2) 포물선 $x^2=4py$ 위의 점 (x_1, y_1)에서의 접선의 방정식
  ⇨ $x_1x=2p(y+y_1)$

0167 • 대표문제 •

포물선 $y^2=16x$ 위의 점 $(1, -4)$에서의 접선에 수직이고 이 포물선의 초점을 지나는 직선의 y절편을 구하시오.

0168 (상중하)

포물선 $x^2=-3y$ 위의 점 $(3, -3)$에서의 접선과 평행하고 점 $(2, 1)$을 지나는 직선의 방정식이 $y=ax+b$일 때, 상수 a, b 에 대하여 $a+b$의 값을 구하시오.

0169 (상중하)

포물선 $y^2=6x$ 위의 점 $(2, 2\sqrt{3})$에서의 접선이 포물선 $y^2=ax$의 초점을 지날 때, 상수 a의 값은?

① -10 ② -9 ③ -8
④ -7 ⑤ -6

0170 (상중하)

포물선 $y^2=4px(p>0)$와 직선 $x=2p$가 만나는 점 중에서 y좌표가 양수인 점을 P라 하자. 점 P에서 이 포물선의 준선까 지의 거리가 9일 때, 점 P에서의 접선의 방정식을 구하시오.

개념 해결의 법칙 55쪽 유형 04

유형 **05** 포물선의 접선의 방정식의 활용
– 접점의 좌표가 주어진 경우

개념 **03**

포물선 $y^2=4px$ 위의 점 (x_1, y_1)에서의 접선 $y_1 y=2p(x+x_1)$에서

⇨ 접선의 기울기는 $\dfrac{2p}{y_1}$, x절편은 $-x_1$, y절편은 $\dfrac{2px_1}{y_1}$임을 이용한다.

0171 • 대표문제 •
포물선 $y^2=4x$ 위의 점 $(9, 6)$에서의 접선이 x축, y축과 만나는 점을 각각 A, B라 할 때, 삼각형 AOB의 넓이를 구하시오.
(단, O는 원점이다.)

0172 상중하
포물선 $y^2=16x$ 위의 서로 다른 두 점 $P(x_1, y_1)$, $Q(x_2, y_2)$에서의 접선이 서로 수직일 때, $y_1 y_2$의 값을 구하시오.

0173 상중하
포물선 $y^2=4x$ 위의 점 $P(a, b)$에서의 접선이 x축과 만나는 점을 Q라 하자. $\overline{PQ}=4\sqrt{5}$일 때, a^2+b^2의 값은?

① 21 ② 32 ③ 45
④ 60 ⑤ 77

0174 상중하
포물선 $y^2=4px$와 원 $(x-p)^2+y^2=r^2$의 한 교점 P에서의 접선이 x축과 만나는 점의 좌표를 $(a, 0)$이라 할 때, a를 p와 r로 나타내면? (단, $r>p>0$)

① $p+r$ ② $p-r$ ③ $r-p$
④ $2p-r$ ⑤ $2r-p$

유형 **06** 포물선과 직선 사이의 거리의 최솟값

개념 **02, 03**

기울기가 m인 직선 l과 포물선 사이의 거리의 최솟값은

⇨ 기울기가 m인 포물선의 접선과 직선 l 사이의 거리와 같음을 이용한다.

0175 • 대표문제 •
포물선 $y^2=4x$와 직선 $x+y+3=0$ 사이의 거리의 최솟값은?

① $\sqrt{2}$ ② $2\sqrt{2}$ ③ $2\sqrt{3}$
④ $4\sqrt{2}$ ⑤ $4\sqrt{3}$

0176 상중하
포물선 $x^2=-8y$ 위의 점 $P(a, b)$와 직선 $y=x+3$ 사이의 거리가 최소일 때, ab의 값은?

① -8 ② -6 ③ -4
④ 4 ⑤ 8

0177 상중하
점 $A(1, 4)$와 포물선 $y^2=2x$ 위의 임의의 점 P 사이의 거리의 최솟값은?

① $\sqrt{2}$ ② $\sqrt{3}$ ③ 2
④ $\sqrt{5}$ ⑤ $\sqrt{6}$

↻ 개념 해결의 법칙 56쪽 유형 05

유형 **07** 포물선 밖의 한 점에서 그은 접선의 방정식   개념 **04**

포물선 $y^2=4px$ 밖의 한 점 (a, b)에서 그은 접선의 방정식을 구할 때는
⇨ 포물선 위의 점 (x_1, y_1)에서의 접선 $y_1y=2p(x+x_1)$이 점 (a, b)를
지남을 이용한다.

0178 •대표문제•

점 $(-1, 1)$에서 포물선 $y^2=8x$에 그은 두 접선의 접점을 각각 P, Q라 하자. 두 점 P, Q를 지나는 직선이 점 $(3, a)$를 지날 때, a의 값은?

① 5   ② 6   ③ 7
④ 8   ⑤ 9

0179 상충하

점 $(1, 2)$에서 포물선 $x^2=-4y$에 그은 두 접선의 기울기의 곱을 구하시오.

0180 상충하 서술형

오른쪽 그림과 같이 점 $P\left(-\dfrac{1}{2}, 0\right)$에서 포물선 $y^2=2x$에 그은 접선의 제1사분면 위의 접점을 Q라 하고, 점 Q를 지나고 점 Q에서의 접선에 수직인 직선이 x축과 만나는 점을 R라 하자. 이때, 삼각형 PQR의 넓이를 구하시오.

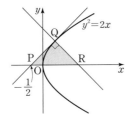

0181 상충하

점 $P(-2, 1)$에서 포물선 $y^2=4x$에 그은 두 접선의 접점을 각각 A, B라 할 때, 삼각형 PAB의 넓이는 $\dfrac{b}{a}$이다. $a+b$의 값을 구하시오. (단, a, b는 서로소인 자연수이다.)

유형 **07** Plus 포물선의 두 접선이 서로 수직일 때

0182~   포물선의 두 접선이 서로 수직일 때
0183   (i) 포물선 $y^2=4px$ 위의 점 (x_1, y_1)에서의 접선의 기울기는
    ⇨ $\dfrac{2p}{y_1}$
   (ii) 두 접선이 서로 수직이면 두 접선의 기울기의 곱이 -1임을 이용한다.

0182 상충하

점 $P(a, 0)$에서 포물선 $y^2=-4x$에 그은 두 접선이 서로 수직일 때, a의 값을 구하시오.

0183 상충하

직선 $y=x-3$ 위의 한 점 $P(a, b)$에서 포물선 $x^2=12y$에 그은 두 접선이 서로 수직일 때, $a+b$의 값을 구하시오.

↻ 개념 해결의 법칙 46쪽 유형 01

유형 **08** 타원과 직선의 위치 관계

개념 **01**

타원과 직선의 방정식을 연립하여 얻은 이차방정식의 판별식을 D라 하면
(1) $D > 0 \iff$ 서로 다른 두 점에서 만난다.
(2) $D = 0 \iff$ 한 점에서 만난다. (접한다.)
(3) $D < 0 \iff$ 만나지 않는다.

0184 • 대표문제 •

타원 $3x^2 + 4y^2 = 12$와 직선 $y = mx + 2$가 만나지 않도록 하는 정수 m의 개수는?

① 1   ② 2   ③ 3
④ 5   ⑤ 7

0185 상중하

타원 $4x^2 + y^2 = 4$와 직선 $y = mx - 3$이 한 점에서 만나도록 하는 상수 m의 값을 구하시오.

0186 상중하

타원 $\dfrac{x^2}{3} + \dfrac{y^2}{5} = 1$ 위의 점 (x, y)에 대하여 $3x + y$의 최댓값을 M, 최솟값을 m이라 할 때, $M - m$의 값은?

① $2\sqrt{3}$ ② $4\sqrt{2}$ ③ $6\sqrt{3}$
④ $8\sqrt{2}$ ⑤ $10\sqrt{5}$

0187 상중하

타원 $x^2 + 4y^2 - 2x - 8y + 1 = 0$과 직선 $k(x+1) + y - 2 = 0$이 서로 다른 두 점에서 만나도록 하는 실수 k의 값의 범위는?

① $-2 < k < 2$ ② $-2 \le k \le 0$ ③ $0 \le k \le 2$
④ $k < 0$ ⑤ $k > 0$

↻ 개념 해결의 법칙 52쪽 유형 01

유형 **09** 타원의 접선의 방정식
     – 기울기가 주어진 경우

개념 **02**

타원 $\dfrac{x^2}{a^2} + \dfrac{y^2}{b^2} = 1$에 접하고 기울기가 m인 접선의 방정식
$\Rightarrow y = mx \pm \sqrt{a^2 m^2 + b^2}$

0188 • 대표문제 •

타원 $\dfrac{x^2}{3} + \dfrac{y^2}{4} = 1$에 접하고 직선 $y = \dfrac{1}{2}x - 2$에 수직인 접선의 방정식을 구하시오.

0189 상중하

타원 $\dfrac{x^2}{5} + \dfrac{y^2}{4} = 1$에 접하고 x축의 양의 방향과 이루는 각의 크기가 $45°$인 접선의 방정식이 $y = ax + b$일 때, 상수 a, b에 대하여 $a^2 + b^2$의 값은?

① 1   ② 4   ③ 5
④ 9   ⑤ 10

↻ 개념 해결의 법칙 53쪽 유형 02

유형 **10** 타원의 접선의 방정식의 활용
     – 기울기가 주어진 경우

개념 **02**

주어진 기울기를 이용하여 타원의 접선의 방정식을 구한 후 접선의 x절편, y절편과 점과 직선 사이의 거리 등을 이용하여 문제를 해결한다.

0190 • 대표문제 •

타원 $\dfrac{x^2}{9} + \dfrac{y^2}{4} = 1$ 위의 한 점에서 직선 $x - 2y + 10 = 0$에 내린 수선의 길이의 최솟값을 구하시오.

0191 상중하

타원 $9x^2+4y^2=36$에 접하고 직선 $2x+y-1=0$에 평행한 두 접선 사이의 거리는?

① 2   ② $\sqrt{5}$ ③ $2\sqrt{5}$

④ 5   ⑤ 10

0192 상중하 서술형

오른쪽 그림과 같이 타원 $\dfrac{x^2}{4}+y^2=1$의 두 꼭짓점 A, B를 지나는 직선이 있다. 이 직선에 평행한 타원의 접선 중 x절편, y절편이 양수인 접선이 x축, y축과 만나는 점을 각각 C, D라 할 때, 삼각형 OCD의 넓이를 구하시오. (단, O는 원점이다.)

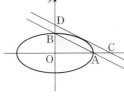

0193 상중하

오른쪽 그림과 같이 타원 모양의 연못에 외접하는 직각이등변삼각형 모양의 잔디밭이 있다. 연못을 이루는 타원의 방정식이 $9x^2+16y^2=144$일 때, 삼각형 ABC의 넓이는?

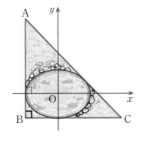

① 24   ② 36

③ 48   ④ 60   ⑤ 72

↻ 개념 해결의 법칙 54쪽 유형 03

유형 **11** ★ 중요 **타원의 접선의 방정식**
– 접점의 좌표가 주어진 경우

개념 **03**

타원 $\dfrac{x^2}{a^2}+\dfrac{y^2}{b^2}=1$ 위의 점 (x_1, y_1)에서의 접선의 방정식

⇨ $\dfrac{x_1 x}{a^2}+\dfrac{y_1 y}{b^2}=1$ — x^2 대신 $x_1 x$, y^2 대신 $y_1 y$ 대입

0194 대표문제

타원 $3x^2+4y^2=48$ 위의 점 $(2, 3)$에서의 접선에 수직이고 점 $(3, 4)$를 지나는 직선의 방정식을 구하시오.

0195 상중하

타원 $\dfrac{x^2}{9}+\dfrac{y^2}{2}=1$ 위의 점 (a, b)에서의 접선의 x절편이 9일 때, ab의 값은? (단, $b>0$)

① $\dfrac{2}{3}$ ② $\dfrac{4}{3}$ ③ 2

④ $\dfrac{8}{3}$ ⑤ $\dfrac{10}{3}$

0196 상중하

포물선 $y^2=4x$ 위의 점 $(1, 2)$에서의 접선과 타원 $\dfrac{x^2}{3}+\dfrac{y^2}{12}=1$ 위의 점 (a, b)에서의 접선이 평행할 때, a^2-b^2의 값은?

① -11 ② -9 ③ -7

④ -5 ⑤ -3

↪ 개념 해결의 법칙 55쪽 유형 04

유형 **12** 타원의 접선의 방정식의 활용
– 접점의 좌표가 주어진 경우
개념 **03**

타원 $\dfrac{x^2}{a^2}+\dfrac{y^2}{b^2}=1$ 위의 점 (x_1, y_1)에서의 접선 $\dfrac{x_1 x}{a^2}+\dfrac{y_1 y}{b^2}=1$에서

⇨ x절편은 $\dfrac{a^2}{x_1}$, y절편은 $\dfrac{b^2}{y_1}$임을 이용한다.

0197 ◦ 대표문제 ◦

오른쪽 그림과 같이 타원
$\dfrac{x^2}{9}+\dfrac{y^2}{5}=1$ 위의 꼭짓점이 아닌
임의의 점 P에서의 접선이 x축과
만나는 점을 Q, 점 P에서 x축에 내
린 수선의 발을 H라 할 때,
$\overline{\mathrm{OH}}\times\overline{\mathrm{OQ}}$의 값은? (단, O는 원점이다.)

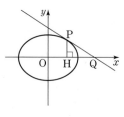

① 3   ② 6   ③ 9

④ 12   ⑤ 15

0198 상충하

타원 $4x^2+y^2=8$ 위의 점 $(a, 2a)$에서의 접선이 x축, y축과
만나는 점을 각각 P, Q라 할 때, 삼각형 POQ의 넓이는?

(단, O는 원점이다.)

① 2   ② 3   ③ 4

④ 5   ⑤ 6

0199 상충하 서술형

타원 $2x^2+y^2=6$ 위의 꼭짓점이 아닌 임의의 점 $P(x_1, y_1)$에
서의 접선과 x축, y축으로 둘러싸인 삼각형의 넓이의 최솟값
을 구하시오.

↪ 개념 해결의 법칙 56쪽 유형 05

유형 **13** 타원 밖의 한 점에서 그은 접선의 방정식
개념 **04**

타원 $\dfrac{x^2}{a^2}+\dfrac{y^2}{b^2}=1$ 밖의 한 점 (p, q)에서 그은 접선의 방정식을 구할 때는

⇨ 타원 위의 점 (x_1, y_1)에서의 접선 $\dfrac{x_1 x}{a^2}+\dfrac{y_1 y}{b^2}=1$이 점 (p, q)를 지남
을 이용한다.

0200 ◦ 대표문제 ◦

점 $(4, 0)$에서 타원 $\dfrac{x^2}{9}+y^2=1$에 그은 두 접선의 기울기를
m_1, m_2라 할 때, $m_1 m_2$의 값을 구하시오.

0201 상충하

점 $(4, 3)$에서 타원 $9x^2+4y^2=36$에 그은 두 접선의 접점을
각각 A, B라 할 때, 다음 중 직선 AB 위의 점은?

① $(-1, 6)$ ② $(0, 5)$ ③ $(1, 1)$

④ $(2, 3)$ ⑤ $(3, -1)$

0202 상충하

점 $A(0, a)$에서 타원 $\dfrac{x^2}{7}+\dfrac{y^2}{3}=1$에 그은 접선의 접점을 P
라 할 때, $\overline{\mathrm{OA}}=\overline{\mathrm{AP}}$가 성립하도록 하는 양수 a의 값은?

(단, O는 원점이다.)

① 2   ② $2\sqrt{2}$ ③ $2\sqrt{3}$

④ $3\sqrt{2}$ ⑤ $3\sqrt{3}$

↻ 개념 해결의 법칙 46쪽 유형 01

유형 14 쌍곡선과 직선의 위치 관계 개념 **01**

쌍곡선과 직선의 방정식을 연립하여 얻은 이차방정식의 판별식을 D라 하면

(1) $D>0 \Longleftrightarrow$ 서로 다른 두 점에서 만난다.

(2) $D=0 \Longleftrightarrow$ 한 점에서 만난다. (접한다.)

(3) $D<0 \Longleftrightarrow$ 만나지 않는다.

0203 • 대표문제 •

쌍곡선 $x^2-y^2=2$와 직선 $y=m(x+1)$이 교점을 갖게 하는 정수 m의 개수는?

① 1   ② 2   ③ 3

④ 5   ⑤ 7

0204 상중하

직선 $4x-3y+2=0$이 쌍곡선 $\dfrac{x^2}{a}-\dfrac{y^2}{4}=-1$에 접할 때, 양수 a의 값은?

① 1   ② 2   ③ 3

④ 4   ⑤ 6

0205 상중하

쌍곡선 $\dfrac{x^2}{2}-\dfrac{y^2}{8}=1$과 직선 $y=mx+1$이 한 점에서 만나도록 하는 모든 상수 m의 값의 곱은?

① -9 ② $-\dfrac{9}{2}$ ③ $\dfrac{9}{2}$

④ 9   ⑤ 18

↻ 개념 해결의 법칙 52쪽 유형 01

유형 15 쌍곡선의 접선의 방정식 – 기울기가 주어진 경우 개념 **02**

(1) 쌍곡선 $\dfrac{x^2}{a^2}-\dfrac{y^2}{b^2}=1$에 접하고 기울기가 m인 접선의 방정식

$\Rightarrow y=mx\pm\sqrt{a^2m^2-b^2}$ (단, $a^2m^2-b^2>0$)

(2) 쌍곡선 $\dfrac{x^2}{a^2}-\dfrac{y^2}{b^2}=-1$에 접하고 기울기가 m인 접선의 방정식

$\Rightarrow y=mx\pm\sqrt{b^2-a^2m^2}$ (단, $b^2-a^2m^2>0$)

0206 • 대표문제 •

쌍곡선 $2x^2-3y^2=6$에 접하고 x축의 양의 방향과 이루는 각의 크기가 $60°$인 접선의 방정식이 $y=mx-n$일 때, 상수 m, n에 대하여 m^2+n^2의 값은?

① 3   ② 7   ③ 10

④ 13   ⑤ 17

0207 상중하

쌍곡선 $4x^2-y^2+8=0$에 접하고 직선 $y=\sqrt{2}x+5$에 평행한 접선의 방정식을 구하시오.

0208 상중하

직선 $y=3x+5$가 쌍곡선 $\dfrac{x^2}{a}-\dfrac{y^2}{2}=1$에 접할 때, 이 쌍곡선의 두 초점 사이의 거리는? (단, a는 상수)

① $\sqrt{7}$ ② $2\sqrt{3}$ ③ 4

④ $2\sqrt{5}$ ⑤ $4\sqrt{3}$

2 이차곡선과 직선

↻ 개념 해결의 법칙 53쪽 유형 02

유형 **16** 쌍곡선의 접선의 방정식의 활용
― 기울기가 주어진 경우

개념 **02**

주어진 기울기를 이용하여 쌍곡선의 접선의 방정식을 구한 후 접선의 x절편, y절편과 점과 직선 사이의 거리 등을 이용하여 문제를 해결한다.

0209 • 대표문제 •

쌍곡선 $\dfrac{x^2}{3} - \dfrac{y^2}{2} = 1$ 위의 점과 직선 $y = 3x$ 사이의 거리의 최솟값을 구하시오.

0210 상중하

쌍곡선 $\dfrac{x^2}{7} - \dfrac{y^2}{12} = 1$에 접하고 직선 $2x + 4y + 5 = 0$에 수직인

두 접선 사이의 거리가 $\dfrac{b\sqrt{5}}{a}$일 때, ab의 값은?

(단, a, b는 서로소인 자연수이다.)

① 15   ② 20   ③ 35

④ 40   ⑤ 55

0211 상중하

두 점 P$(2, 1)$, Q$(-1, -2)$와 쌍곡선 $\dfrac{x^2}{7} - \dfrac{y^2}{3} = 1$ 위의 점

R에 대하여 삼각형 PQR의 넓이의 최솟값은?

① $\dfrac{1}{2}$ ② 1   ③ $\dfrac{3}{2}$

④ 2   ⑤ $\dfrac{5}{2}$

 중요

↻ 개념 해결의 법칙 54쪽 유형 03

유형 **17** 쌍곡선의 접선의 방정식
― 접점의 좌표가 주어진 경우

개념 **03**

쌍곡선 $\dfrac{x^2}{a^2} - \dfrac{y^2}{b^2} = \pm 1$ 위의 점 (x_1, y_1)에서의 접선의 방정식

$\Rightarrow \dfrac{x_1 x}{a^2} - \dfrac{y_1 y}{b^2} = \pm 1$ (복호동순) ― x^2 대신 $x_1 x$, y^2 대신 $y_1 y$ 대입

0212 • 대표문제 •

쌍곡선 $x^2 - 3y^2 = 15$ 위의 점 (a, b)에서의 접선이 점 $(3, 0)$을 지날 때, $a^2 + b^2$의 값은?

① 27   ② $\dfrac{83}{3}$ ③ $\dfrac{85}{3}$

④ 29   ⑤ $\dfrac{89}{3}$

0213 상중하

쌍곡선 $6x^2 - y^2 = -3$ 위의 점 P$(-1, 3)$에서의 접선과 수직이고 점 P를 지나는 직선의 방정식을 구하시오.

0214 상중하

쌍곡선 $x^2 - 4y^2 = a$ 위의 점 $(b, 1)$에서의 접선이 쌍곡선의 한 점근선과 수직이다. $a + b$의 값은? (단, a, b는 양수)

① 68   ② 77   ③ 86

④ 95   ⑤ 104

0215 상중하

점근선의 방정식이 $y = \pm \dfrac{\sqrt{3}}{2} x$인 쌍곡선이 있다. 이 쌍곡선

위의 점 $(4, 3)$에서의 접선의 방정식이 $ax + by = 1$일 때, ab의 값을 구하시오. (단, a, b는 상수)

↻ 개념 해결의 법칙 55쪽 유형 04

유형 18 ⭐ 중요

쌍곡선의 접선의 방정식의 활용
– 접점의 좌표가 주어진 경우

개념 **03**

쌍곡선 $\dfrac{x^2}{a^2}-\dfrac{y^2}{b^2}=1$ 위의 점 (x_1, y_1)에서의 접선 $\dfrac{x_1 x}{a^2}-\dfrac{y_1 y}{b^2}=1$에서

⇨ x절편은 $\dfrac{a^2}{x_1}$, y절편은 $-\dfrac{b^2}{y_1}$임을 이용한다.

0216 ⦗ 대표문제 ⦘

오른쪽 그림과 같이 쌍곡선 $x^2-y^2=5$ 위의 점 $(3, 2)$에서의 접선이 두 점근선과 만나는 두 점을 각각 P, Q라 할 때, 삼각형 OPQ의 넓이를 구하시오. (단, O는 원점이다.)

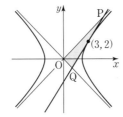

0217 상중하

오른쪽 그림과 같이 쌍곡선 $x^2-y^2=32$ 위의 점 P$(-6, 2)$에서의 접선을 l이라 하자. 원점 O에서 직선 l에 내린 수선의 발을 H, 직선 OH와 이 쌍곡선이 제1사분면에서 만나는 점을 Q라 할 때, $\overline{OH} \times \overline{OQ}$의 값을 구하시오.

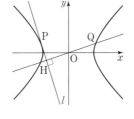

0218 상중하 ⦗ 서술형 ⦘

오른쪽 그림과 같이 타원 $\dfrac{x^2}{4}+\dfrac{y^2}{2}=1$과 쌍곡선 $\dfrac{x^2}{a^2}-y^2=1$이 제1사분면 위의 점 P(x_1, y_1)에서 만난다. 점 P에서의 타원과 쌍곡선의 접선이 서로 수직일 때, 상수 a의 값을 구하시오. (단, $a>0$)

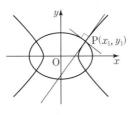

↻ 개념 해결의 법칙 56쪽 유형 05

유형 19 쌍곡선 밖의 한 점에서 그은 접선의 방정식

개념 **04**

쌍곡선 $\dfrac{x^2}{a^2}-\dfrac{y^2}{b^2}=1$ 밖의 한 점 (p, q)에서 그은 접선의 방정식을 구할 때는

⇨ 쌍곡선 위의 점 (x_1, y_1)에서의 접선 $\dfrac{x_1 x}{a^2}-\dfrac{y_1 y}{b^2}=1$이 점 (p, q)를 지남을 이용한다.

0219 ⦗ 대표문제 ⦘

점 $(2, 2)$에서 쌍곡선 $x^2-y^2=5$에 그은 접선의 접점을 (a, b)라 할 때, $a+b$의 값을 구하시오.

0220 상중하

좌표평면 위의 점 $(-1, 0)$에서 쌍곡선 $x^2-y^2=2$에 그은 접선의 방정식을 $y=mx+n$이라 할 때, m^2+n^2의 값은? (단, m, n은 상수)

① $\dfrac{5}{2}$ 　　② 3 　　③ $\dfrac{7}{2}$

④ 4 　　⑤ $\dfrac{9}{2}$

0221 상중하

점 P$(0, 1)$에서 쌍곡선 $\dfrac{x^2}{2}-\dfrac{y^2}{4}=-1$에 그은 두 접선의 접점을 각각 A, B라 할 때, 삼각형 PAB의 넓이를 구하시오.

• 실제 학교 시험지처럼 풀어 보세요.

0222 | 유형 01 |

초점이 $F(3, p)$이고 준선의 방정식이 $x=1$인 포물선이 직선 $y=2x-3$과 만나지 않을 때, 다음 중 실수 p의 값이 될 수 있는 것은? [4.4점]

① 0 　　　② $\dfrac{1}{2}$ 　　　③ 1

④ $\dfrac{3}{2}$ 　　　⑤ 2

0223 | 유형 02 |

점 $(2, 5)$에서 포물선 $y^2=ax$에 그은 한 접선의 기울기가 3일 때, 상수 a의 값은? [4.2점]

① -12 　　　② -8 　　　③ -4

④ -2 　　　⑤ -1

0224 | 유형 05 |

자연수 n에 대하여 직선 $y=nx-\dfrac{n}{n+1}$이 꼭짓점의 좌표가 $(0, 0)$이고 초점의 좌표가 $(0, a_n)$인 포물선에 접할 때, $a_1+a_2+\cdots+a_9$의 값은? [4.5점]

① $\dfrac{8}{9}$ 　　　② $\dfrac{10}{9}$ 　　　③ $\dfrac{9}{10}$

④ $\dfrac{11}{10}$ 　　　⑤ $\dfrac{10}{11}$

0225 | 유형 05 |

포물선 $y^2=8x$의 초점 F와 이 포물선 위의 점 $P(a, b)$에 대하여 $\overline{PF}=10$이다. 점 P에서의 접선이 직선 $x=-2$와 만나는 점을 Q라 할 때, 삼각형 FPQ의 넓이는? (단, $a>0, b>0$) [4.7점]

① 12 　　　② 15 　　　③ 18

④ 22 　　　⑤ 25

0226 | 유형 07 |

점 $A(k, 0)$에서 포물선 $y^2=16x$에 그은 두 접선이 서로 수직이다. 두 접선과 포물선이 만나는 점을 각각 P, Q라 할 때, 선분 PQ의 길이는? [4.6점]

① 16 　　　② 18 　　　③ 20

④ 22 　　　⑤ 24

0227 | 유형 08 |

타원 $\dfrac{x^2}{6}+\dfrac{y^2}{3}=1$과 직선 $x+y=k$가 만나도록 하는 실수 k의 최댓값을 M, 최솟값을 m이라 할 때, $M+m$의 값은? [4.4점]

① -3 　　　② -1 　　　③ 0

④ 1 　　　⑤ 3

0228 | 유형 09 |

직선 $y=-2x+3$을 x축의 방향으로 k만큼 평행이동한 직선이 타원 $\dfrac{x^2}{4}+\dfrac{y^2}{9}=1$에 접할 때, 상수 k의 값은? (단, $k>0$) [4.4점]

① 1 　　　② 2 　　　③ 3

④ 4 　　　⑤ 5

0229

| 유형 11 |

타원 $\dfrac{x^2}{a^2}+\dfrac{y^2}{b^2}=1$ 위의 점 $(1,4)$에서의 접선의 기울기가

$-\dfrac{1}{2}$일 때, 상수 a, b에 대하여 a^2+b^2의 값은? [4.5점]

① 9   ② 18   ③ 27

④ 36   ⑤ 45

0230

| 유형 12 |

오른쪽 그림과 같이 타원

$\dfrac{x^2}{4}+y^2=1$이 직사각형 ABCD

에 내접하고, 점 $P\left(\sqrt{3},\dfrac{1}{2}\right)$이 접

점일 때, 선분 AD의 길이는?

[4.5점]

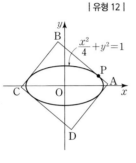

① $\dfrac{4\sqrt{5}}{5}$ ② $\dfrac{4\sqrt{7}}{5}$

③ $\dfrac{6\sqrt{5}}{7}$ ④ $\dfrac{8\sqrt{7}}{7}$ ⑤ $\dfrac{9\sqrt{5}}{8}$

0231

| 유형 13 |

오른쪽 그림과 같이 점 $(2\sqrt{2},0)$

에서 타원 $\dfrac{x^2}{4}+\dfrac{y^2}{8}=1$에 그은 두

접선의 접점을 각각 P, Q 하고,

타원의 두 초점 중 하나를 F라 할

때, 삼각형 PFQ의 둘레의 길이

는? [4.6점]

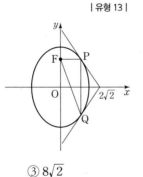

① $4+4\sqrt{2}$ ② $4+4\sqrt{3}$ ③ $8\sqrt{2}$

④ $8\sqrt{3}$ ⑤ 12

0232

| 유형 15 |

직선 $y=\sqrt{5}x-5$가 쌍곡선 $\dfrac{x^2}{k}-\dfrac{y^2}{5}=1$에 접할 때, 이 쌍곡선

의 두 초점 사이의 거리는? (단, k는 상수) [4.4점]

① $2\sqrt{5}$ ② $2\sqrt{6}$ ③ $2\sqrt{7}$

④ $2\sqrt{10}$ ⑤ $2\sqrt{11}$

0233

| 유형 15 |

쌍곡선 $\dfrac{x^2}{2}-y^2=1$에 접하고 기울기가 1인 두 접선이 y축과

만나는 점을 각각 A, B라 할 때, 선분 AB의 길이는? [4.3점]

① 2   ② $2\sqrt{2}$ ③ $2\sqrt{3}$

④ 4   ⑤ $2\sqrt{5}$

0234

| 유형 18 |

쌍곡선 $\dfrac{x^2}{8}-y^2=1$ 위의 점 $A(4,1)$에서의 접선이 x축과 만

나는 점을 B라 하자. 이 쌍곡선의 두 초점 중 x좌표가 양수인

점을 F라 할 때, 삼각형 FAB의 넓이는? [4.5점]

① $\dfrac{5}{12}$ ② $\dfrac{1}{2}$ ③ $\dfrac{7}{12}$

④ $\dfrac{2}{3}$ ⑤ $\dfrac{3}{4}$

서술형 문제

· 풀이 과정에 점수가 부여되니 풀이 과정 및 정답을 상세하게 서술하세요.

단답형

0235
| 유형 04 |

포물선 $y^2=x$ 위의 두 점 $A(1, 1)$, $B(1, -1)$에서의 두 접선이 만나는 점의 좌표를 (a, b)라 할 때, $a+b$의 값을 구하시오. [6점]

0236
| 유형 06 |

오른쪽 그림과 같이 포물선 $x^2=y$ 위를 움직이는 점 P와 원 $(x-3)^2+y^2=4$ 위를 움직이는 점 Q에 대하여 선분 PQ의 길이의 최솟값을 구하시오. [7점]

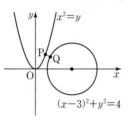

0237
| 유형 19 |

점 $A(0, a)$에서 쌍곡선 $x^2-y^2=1$에 그은 두 접선의 접점을 각각 P, Q라 하자. 삼각형 APQ가 정삼각형일 때, a의 값을 구하시오. (단, $a>0$) [7점]

단계형

0238
| 유형 10 |

오른쪽 그림과 같이 타원 $\dfrac{x^2}{8}+\dfrac{y^2}{4}=1$의 한 초점을 $F(c, 0)$, 한 꼭짓점을 $A(0, a)$라 하자. 타원 위의 점 P가 제3사분면 위의 점일 때, 삼각형 AFP의 넓이의 최댓값을 구하려고 한다. 다음 물음에 답하시오. (단, $a>0$, $c>0$) [10점]

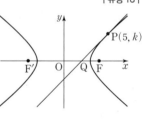

(1) 삼각형 AFP의 넓이가 최대가 될 때, 점 P에서의 타원의 접선의 방정식을 구하시오. [4점]

(2) 점 P와 직선 AF 사이의 거리의 최댓값을 구하시오. [4점]

(3) 삼각형 AFP의 넓이의 최댓값을 구하시오. [2점]

0239
| 유형 18 |

오른쪽 그림과 같이 두 초점이 $F(4, 0)$, $F'(-4, 0)$인 쌍곡선 $\dfrac{x^2}{a^2}-\dfrac{y^2}{b^2}=1$ 위의 점 $P(5, k)$에서의 접선이 x축과 만나는 점을 Q라 하자. 점 Q가 선분 $F'F$를 $3:1$로 내분할 때, k^2의 값을 구하려고 한다. 다음 물음에 답하시오. [12점]

(1) 점 Q의 좌표를 a를 사용하여 나타내시오. [6점]

(2) 쌍곡선의 방정식을 구하시오. [4점]

(3) k^2의 값을 구하시오. [2점]

성/취/도 Check

점수   / 100점

 STEP 1 개념+기본 문제 학습

 STEP 2 유형 대표 문제 학습

STEP 3의 틀린 문제에 해당하는 **STEP 2** 유형 학습

 STEP 3의 틀린 문제 복습

 교과서 속 심화문제 시작

0240

다음 그림과 같이 직선 $y=x+4$ 위의 임의의 점 P에서 포물선 $y^2=4x$에 그은 두 접선과 포물선이 만나는 두 접점을 연결하는 직선을 l이라 하면 직선 l은 항상 점 (p, q)를 지난다. $p+q$의 값을 구하시오.

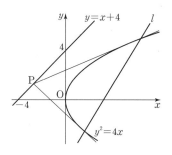

0241

타원 $\dfrac{x^2}{5}+y^2=1$과 원 $(x-5)^2+(y+1)^2=r^2$이 서로 다른 두 점에서 만난다고 한다. 두 교점 중 한 점에서 타원의 접선과 원의 접선이 서로 수직이 되도록 하는 모든 r의 값의 곱이 $\dfrac{q\sqrt{5}}{p}$일 때, $p+q$의 값을 구하시오.

(단, p, q는 서로소인 자연수이다.)

0242 융합형

다음 그림과 같이 쌍곡선 $x^2-y^2=2$ 위의 점 $P(a, b)$에서의 접선을 l이라 하자. 또, 원점을 지나고 접선 l에 수직인 직선을 m, 직선 m이 쌍곡선 $x^2-y^2=2$와 제2사분면에서 만나는 점을 Q라 하자. $\cos(\angle OPQ)=\dfrac{3}{4}$일 때, a의 값을 구하시오.

(단, O는 원점이고 점 P는 제1사분면 위의 점이다.)

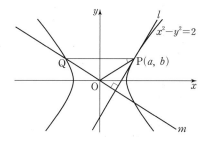

0243

제1사분면 또는 제2사분면 위의 점 P에서 쌍곡선 $\dfrac{x^2}{25}-\dfrac{y^2}{9}=1$에 그은 두 접선의 기울기의 곱이 -1일 때, 점 P가 그리는 도형의 길이를 구하시오.

3

벡터의 연산

최후의 승리는 출발선의 비약이 아니라
결승점에 이르기까지의 **끈기와 노력**이다.

- 워나 매커

기출 문제 분석
빅 데이터

＊ 전국 300여 개 고등학교 기출 문제를 분석하였습니다.

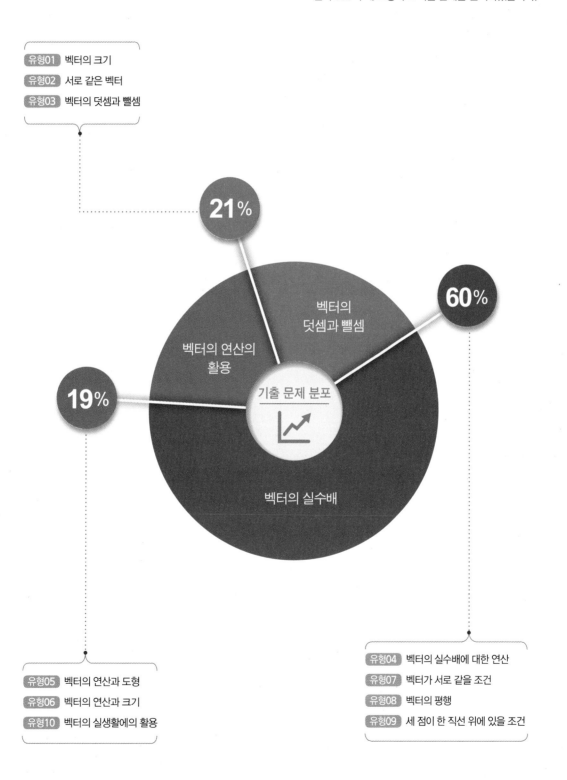

유형01 벡터의 크기
유형02 서로 같은 벡터
유형03 벡터의 덧셈과 뺄셈

21%

벡터의
덧셈과 뺄셈

벡터의 연산의
활용

기출 문제 분포

60%

19%

벡터의 실수배

유형05 벡터의 연산과 도형
유형06 벡터의 연산과 크기
유형10 벡터의 실생활에의 활용

유형04 벡터의 실수배에 대한 연산
유형07 벡터가 서로 같을 조건
유형08 벡터의 평행
유형09 세 점이 한 직선 위에 있을 조건

01 벡터의 뜻

유형 01, 02

(1) 벡터의 뜻

① **벡터**: 크기와 방향을 함께 갖는 양

② **평면벡터**: 평면에서의 벡터

③ **벡터 AB($\overrightarrow{AB}$)**: 점 A에서 점 B로 향하는 방향과 크기가 주어진 선분 AB

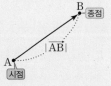

④ **벡터 $\overrightarrow{AB}$의 크기($|\overrightarrow{AB}|$)**: 선분 AB의 길이

⑤ **단위벡터**: 크기가 1인 벡터

⑥ **영벡터($\vec{0}$)**: 시점과 종점이 일치하는 벡터 — 크기는 0이고 방향은 생각하지 않는다.

참고 • 크기만을 가지는 양을 '스칼라'라 한다.
• 벡터를 한 문자로 $\vec{a}, \vec{b}, \vec{c}$와 같이 나타내고, 벡터 $\vec{a}$의 크기는 $|\vec{a}|$와 같이 나타낸다.

(2) 서로 같은 벡터

두 벡터 $\vec{a}, \vec{b}$의 크기와 방향이 각각 같을 때, 두 벡터는 서로 같다고 하고 기호로 $\vec{a}=\vec{b}$와 같이 나타낸다.

참고 두 벡터가 시점과 종점이 다르더라도 크기와 방향이 같으면 두 벡터는 서로 같다. 즉, 한 벡터를 평행이동하여 포개지는 벡터는 모두 같은 벡터이다.

(3) 크기가 같고 방향이 반대인 벡터

벡터 $\vec{a}$와 크기는 같지만 방향이 반대인 벡터를 기호로 $-\vec{a}$와 같이 나타낸다.

참고 벡터 $\overrightarrow{AB}$에 대하여 $\overrightarrow{BA}=-\overrightarrow{AB}$, $|\overrightarrow{AB}|=|-\overrightarrow{AB}|$

[0244~0245] 다음 벡터의 시점과 종점을 각각 말하시오.

0244 $\overrightarrow{OA}$

0245 $\overrightarrow{BC}$

0246 오른쪽 그림과 같이 $\overline{AB}=2$, $\overline{AD}=3$인 직사각형에서 두 벡터 $\overrightarrow{BC}$, $\overrightarrow{AC}$의 크기를 각각 구하시오.

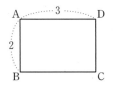

0247 오른쪽 그림을 보고 다음을 구하시오.

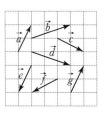

(1) $\vec{a}$와 크기가 같은 벡터

(2) $\vec{a}$와 같은 벡터

(3) $\vec{a}$와 크기는 같고 방향이 반대인 벡터

02 벡터의 덧셈과 뺄셈

유형 03, 05, 06, 10

(1) 벡터의 덧셈

① 두 벡터 $\vec{a}, \vec{b}$에 대하여 $\vec{a}=\overrightarrow{AB}, \vec{b}=\overrightarrow{BC}$일 때, $\vec{a}+\vec{b}=\overrightarrow{AB}+\overrightarrow{BC}=\overrightarrow{AC}$

② 평행사변형 ABCD에서 $\vec{a}=\overrightarrow{AB}, \vec{b}=\overrightarrow{AD}$일 때, $\vec{a}+\vec{b}=\overrightarrow{AB}+\overrightarrow{AD}=\overrightarrow{AC}$
$\;\;\;\;\;\;\;\;\;\;\;\;\;\;\;\;\overset{\underbrace{\qquad}}{=\overrightarrow{AB}+\overrightarrow{BC}}$

참고 두 벡터의 덧셈에서 한 벡터의 종점과 다른 벡터의 시점이 일치하는 경우는 삼각형을 이용하고, 두 벡터의 시점이 일치하는 경우는 평행사변형을 이용한다.

(2) 벡터의 덧셈에 대한 성질

세 벡터 $\vec{a}, \vec{b}, \vec{c}$에 대하여

① **교환법칙**: $\vec{a}+\vec{b}=\vec{b}+\vec{a}$

② **결합법칙**: $(\vec{a}+\vec{b})+\vec{c}=\vec{a}+(\vec{b}+\vec{c})$

참고 벡터의 덧셈에서 결합법칙이 성립하므로 괄호를 사용하지 않고 $\vec{a}+\vec{b}+\vec{c}$로 나타낸다.

(3) 영벡터의 성질

영벡터 $\vec{0}$와 임의의 벡터 $\vec{a}$에 대하여

① $\vec{a}+\vec{0}=\vec{0}+\vec{a}=\vec{a}$

② $\vec{a}+(-\vec{a})=(-\vec{a})+\vec{a}=\vec{0}$

(4) 벡터의 뺄셈

두 벡터 $\vec{a}, \vec{b}$에 대하여 $\vec{a}=\overrightarrow{AB}, \vec{b}=\overrightarrow{AC}$일 때, $\vec{a}-\vec{b}=\overrightarrow{AB}-\overrightarrow{AC}=\overrightarrow{CB}$

핵심 Check

• 크기가 같은 두 벡터 $\vec{a}, \vec{b}$ — 방향이 같다. → $\vec{a}=\vec{b}$ — 방향이 반대이다. → $\vec{a}=-\vec{b}$

• 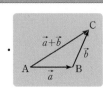 → $\overrightarrow{AB}+\overrightarrow{BC}=\overrightarrow{AC}$

[0248~0249] 두 벡터 $\vec{a}, \vec{b}$가 다음과 같을 때, $\vec{a}+\vec{b}$를 그림으로 나타내시오.

0248
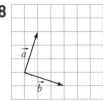

0249
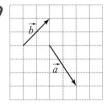

0250 다음은 오른쪽 그림의 삼각형 ABC에서 $\overrightarrow{AB}=\vec{a}$, $\overrightarrow{BC}=\vec{b}$, $\overrightarrow{CA}=\vec{c}$ 일 때, $\vec{a}+\vec{b}+\vec{c}=\vec{0}$임을 증명하는 과정이다. (가), (나)에 알맞은 것을 써넣으시오.

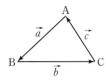

─ 증명 ─

삼각형 ABC에서

$\vec{a}+\vec{b}+\vec{c}=\overrightarrow{AB}+\overrightarrow{BC}+\overrightarrow{CA}$

$\qquad = \boxed{(가)} + \overrightarrow{CA}$

$\qquad = \boxed{(나)} = \vec{0}$

[0251~0252] 두 벡터 $\vec{a}, \vec{b}$가 다음과 같을 때, $\vec{a}-\vec{b}$를 그림으로 나타내시오.

0251
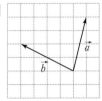

0252
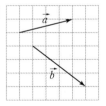

[0253~0255] 다음을 간단히 하시오.

0253 $\overrightarrow{CA}+\overrightarrow{BD}+\overrightarrow{DC}$

0254 $\overrightarrow{BC}+\overrightarrow{AB}+\overrightarrow{DA}+\overrightarrow{CD}$

0255 $\overrightarrow{AB}+\overrightarrow{BC}-\overrightarrow{AC}$

0256 오른쪽 그림의 정육각형 ABCDEF에서 세 대각선의 교점을 O라 하고, $\overrightarrow{AB}=\vec{a}$, $\overrightarrow{BC}=\vec{b}$라 할 때, 다음 벡터를 $\vec{a}, \vec{b}$로 나타내시오.

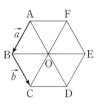

(1) $\overrightarrow{OE}$

(2) $\overrightarrow{DF}$

03 벡터의 실수배 　유형 04~06, 10

(1) 벡터의 실수배

실수 k와 벡터 $\vec{a}$의 곱 $k\vec{a}$를 $\vec{a}$의 **실수배**라 한다.

① $\vec{a}\neq\vec{0}$일 때,

　(ⅰ) $k>0$이면 $k\vec{a}$는 $\vec{a}$와 방향이 같고, 크기가 $k|\vec{a}|$인 벡터

　(ⅱ) $k<0$이면 $k\vec{a}$는 $\vec{a}$와 방향이 반대이고, 크기가 $|k||\vec{a}|$인 벡터

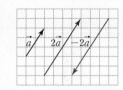

　(ⅲ) $k=0$이면 $k\vec{a}=\vec{0}$

② $\vec{a}=\vec{0}$일 때, $k\vec{a}=\vec{0}$

참고 $1\vec{a}=\vec{a}, (-1)\vec{a}=-\vec{a}, 0\vec{a}=\vec{0}$

(2) 벡터의 실수배에 대한 성질

두 실수 k, l과 두 벡터 $\vec{a}, \vec{b}$에 대하여

① 결합법칙: $k(l\vec{a})=(kl)\vec{a}$

② 분배법칙: $(k+l)\vec{a}=k\vec{a}+l\vec{a}$, $k(\vec{a}+\vec{b})=k\vec{a}+k\vec{b}$

참고 $\vec{a}\neq\vec{0}$일 때, 벡터 $\dfrac{\vec{a}}{|\vec{a}|}$는 $\vec{a}$와 방향이 같고 크기가 1인 벡터이다.

즉, 벡터 $\dfrac{\vec{a}}{|\vec{a}|}$는 벡터 $\vec{a}$와 방향이 같은 단위벡터이다.

0257 두 벡터 $\vec{a}, \vec{b}$가 오른쪽 그림과 같을 때, 다음 벡터를 점 P를 시점으로 하여 그림으로 나타내시오.

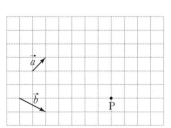

(1) $3\vec{a}$

(2) $-2\vec{b}$

(3) $3\vec{a}-2\vec{b}$

핵심 Check

· → $\overrightarrow{AB}-\overrightarrow{AC}=\overrightarrow{CB}$

· 두 실수 k, l　→결합법칙→ $k(l\vec{a})=(kl)\vec{a}$

　두 벡터 $\vec{a}, \vec{b}$　→분배법칙→ $(k+l)\vec{a}=k\vec{a}+l\vec{a}$, $k(\vec{a}+\vec{b})=k\vec{a}+k\vec{b}$

0258 두 벡터 $\vec{a}$, $\vec{b}$가 오른쪽 그림과 같을 때, 다음 벡터를 $\vec{a}$, $\vec{b}$로 나타내시오.

(1) $\overrightarrow{PQ}$

(2) $\overrightarrow{RS}$

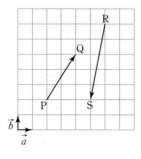

[0259~0261] 다음을 간단히 하시오.

0259 $\vec{a}+2\vec{b}-(\vec{a}-\vec{b})$

0260 $3(\vec{a}-\vec{b})+2(-\vec{a}+2\vec{b})$

0261 $4(\vec{a}-2\vec{b})-3(-\vec{a}+3\vec{b})$

[0262~0264] 다음 등식을 만족시키는 벡터 $\vec{x}$를 $\vec{a}$, $\vec{b}$로 나타내시오.

0262 $\vec{a}+2\vec{b}-2\vec{x}=3\vec{a}-2\vec{b}$

0263 $3(\vec{a}+2\vec{b}-\vec{x})=-(3\vec{a}-2\vec{b}+\vec{x})$

0264 $2(\vec{x}-\vec{a}+2\vec{b})=3\left(2\vec{a}-\dfrac{2}{3}\vec{b}\right)+\vec{x}$

04 벡터의 평행   유형 07~10

(1) 벡터의 평행

영벡터가 아닌 두 벡터 $\vec{a}$, $\vec{b}$의 방향이 같거나 반대일 때, $\vec{a}$와 $\vec{b}$는 서로 평행하다고 하고 기호로 $\vec{a}\parallel\vec{b}$와 같이 나타낸다.

(2) 두 벡터가 평행할 조건

① 영벡터가 아닌 두 벡터 $\vec{a}$, $\vec{b}$에 대하여

$\vec{a}\parallel\vec{b}\Longleftrightarrow\vec{b}=k\vec{a}$ (단, $k\neq 0$인 실수)

② 서로 다른 세 점 A, B, C가 한 직선 위에 있다.

$\Longleftrightarrow\overrightarrow{AB}\parallel\overrightarrow{AC}\Longleftrightarrow\overrightarrow{AC}=k\overrightarrow{AB}$ (단, $k\neq 0$인 실수)

참고 • 영벡터가 아닌 두 벡터 $\vec{a}$, $\vec{b}$가 서로 평행하지 않을 때, 실수 m, n, m', n'에 대하여

① $m\vec{a}+n\vec{b}=\vec{0}\Longleftrightarrow m=n=0$

② $m\vec{a}+n\vec{b}=m'\vec{a}+n'\vec{b}\Longleftrightarrow m=m'$, $n=n'$

• 영벡터가 아닌 두 벡터 $\vec{a}$, $\vec{b}$가 서로 평행하지 않을 때, $\vec{p}=m\vec{a}+n\vec{b}$, $\vec{q}=m'\vec{a}+n'\vec{b}$에 대하여

$\vec{p}\parallel\vec{q}\Longleftrightarrow\vec{p}=k\vec{q}$ (단, $k\neq 0$인 실수) $\underline{m\vec{a}+n\vec{b}=km'\vec{a}+kn'\vec{b}}$

$\Longleftrightarrow m=km'$, $n=kn'$ (단, m, n, m', n'은 실수)

0265 영벡터가 아닌 두 벡터 $\vec{a}$, $\vec{b}$가 서로 평행하지 않을 때, $(2k+4)\vec{a}+(l-3)\vec{b}=\vec{0}$를 만족시키는 실수 k, l의 값을 각각 구하시오.

0266 서로 평행하지 않고 영벡터가 아닌 두 벡터 $\vec{a}$, $\vec{b}$에 대하여 $\overrightarrow{AB}=2\vec{a}+\vec{b}$, $\overrightarrow{CD}=6\vec{a}+t\vec{b}$이고, $\overrightarrow{AB}\parallel\overrightarrow{CD}$일 때, 실수 t의 값을 구하시오.

0267 평면 위의 서로 다른 네 점 O, A, B, C에 대하여

$$\overrightarrow{OA}=\vec{a}, \overrightarrow{OB}=2\vec{b}, \overrightarrow{OC}=4\vec{b}-\vec{a}$$

일 때, 다음 물음에 답하시오.

(1) 벡터 $\overrightarrow{AB}$를 $\vec{a}$, $\vec{b}$로 나타내시오.

(2) 벡터 $\overrightarrow{AC}$를 $\vec{a}$, $\vec{b}$로 나타내시오.

(3) 세 점 A, B, C가 한 직선 위에 있음을 증명하시오.

 핵심 Check

• $\boxed{\vec{a}\parallel\vec{b}}$ $\Longleftrightarrow$ $\boxed{\vec{b}=k\vec{a}}$ (단, $k\neq 0$인 실수)

• 서로 다른 세 점 A, B, C가 한 직선 위에 있다. $\Longleftrightarrow$ $\boxed{\overrightarrow{AB}\parallel\overrightarrow{AC}}$ $\Longleftrightarrow$ $\boxed{\overrightarrow{AC}=k\overrightarrow{AB}}$ (단, $k\neq 0$인 실수)

↻ 개념 해결의 법칙 65쪽 유형 01

유형 **01** 벡터의 크기
개념 **01**

벡터 $\overrightarrow{AB}$의 크기는 선분 AB의 길이와 같다.
⇨ $|\overrightarrow{AB}| = \overline{AB}$

0268 ·대표문제·

오른쪽 그림과 같이 한 변의 길이가 2인 정육각형 ABCDEF에서 세 대각선 AD, BE, CF의 교점을 O라 할 때, 다음 보기 중 옳은 것을 있는 대로 고른 것은?

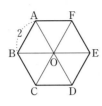

┌─ 보기 ─────────────────────────┐
ㄱ. $|\overrightarrow{AB}| = |\overrightarrow{OE}|$ ㄴ. $|\overrightarrow{FC}| = 4$
ㄷ. $\overrightarrow{CO} = \overrightarrow{FO}$
└──────────────────────────────┘

① ㄱ   ② ㄴ   ③ ㄱ, ㄴ
④ ㄴ, ㄷ   ⑤ ㄱ, ㄴ, ㄷ

0269 상중하

오른쪽 그림과 같이 정삼각형 ABC의 각 변의 중점을 D, E, F라 하자. 선분 AD의 길이가 $\dfrac{\sqrt{3}}{3}$일 때, 6개의 점 A, B, C, D, E, F를 시점과 종점으로 하는 벡터 중에서 단위벡터의 개수를 구하시오.

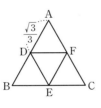

0270 상중하

오른쪽 그림과 같이 한 변의 길이가 1인 정육각형 ABCDEF에서 $|\overrightarrow{AE}|$의 값을 구하시오.

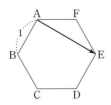

↻ 개념 해결의 법칙 66쪽 유형 02

유형 **02** 서로 같은 벡터
개념 **01**

크기가 같은 두 벡터 $\vec{a}, \vec{b}$에 대하여
(1) 두 벡터 $\vec{a}, \vec{b}$의 방향이 같다. ⇨ $\vec{a} = \vec{b}$
(2) 두 벡터 $\vec{a}, \vec{b}$의 방향이 반대이다. ⇨ $\vec{a} = -\vec{b}$

0271 ·대표문제·

오른쪽 그림과 같이 삼각형 ABC의 세 변 AB, BC, CA의 중점을 각각 D, E, F라 할 때, 6개의 점 A, B, C, D, E, F를 시점과 종점으로 하는 벡터 중에서 $\overrightarrow{DE}$와 같은 벡터의 개수를 구하시오.

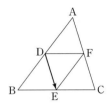

0272 상중하

오른쪽 그림과 같이 중심이 모두 O이고 반지름의 길이가 각각 1, 2, 3, 4인 네 개의 원이 있다. 직선 l 위의 9개의 점 O, A, B, C, D, E, F, G, H를 시점과 종점으로 하는 벡터 중에서 $\overrightarrow{OA}$와 방향이 반대이고, 크기가 $|\overrightarrow{OA}|$의 4배인 벡터의 개수를 구하시오.

0273 상중하

삼각형 ABC에서 $\overline{AB} = 2$, $\angle B = 90°$, $\angle C = 30°$이다. 점 P가 $\overrightarrow{PB} + \overrightarrow{PC} = \vec{0}$를 만족시킬 때, $|\overrightarrow{PA}|^2$의 값은?

① 5   ② 6   ③ 7
④ 8   ⑤ 9

↻ 개념 해결의 법칙 71쪽 유형 01

유형 03 벡터의 덧셈과 뺄셈 개념 02

벡터의 덧셈에 대한 교환법칙과 결합법칙이 성립함을 이용하여 계산하고, 크기와 방향이 같은 두 벡터는 서로 같은 벡터임을 이용한다.

0274 · 대표문제 ·

오른쪽 그림과 같은 평행사변형 ABCD에서 두 대각선의 교점을 O라 하고, $\overrightarrow{OA}=\vec{a}$, $\overrightarrow{OB}=\vec{b}$라 할 때, 다음 중 옳지 <u>않은</u> 것은?

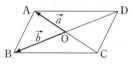

① $\overrightarrow{CO}=\vec{a}$ ② $\overrightarrow{OD}=-\vec{b}$

③ $\overrightarrow{BC}=-\vec{a}-\vec{b}$ ④ $\overrightarrow{CD}=\vec{a}-\vec{b}$

⑤ $\overrightarrow{AB}=\vec{a}+\vec{b}$

0275 상중하

임의의 네 점 A, B, C, D에 대하여 다음 중 $\overrightarrow{BC}+\overrightarrow{CD}+\overrightarrow{DB}+\overrightarrow{BA}+\overrightarrow{AC}$와 같은 벡터는?

① $\overrightarrow{AB}$ ② $\overrightarrow{BC}$ ③ $\overrightarrow{CA}$

④ $\overrightarrow{CD}$ ⑤ $\overrightarrow{DA}$

0276 상중하 서술형

사각형 PQRS와 임의의 점 T에 대하여

$$\overrightarrow{TP}+\overrightarrow{TR}=\overrightarrow{TQ}+\overrightarrow{TS}$$

가 성립할 때, 사각형 PQRS는 어떤 사각형인지 말하시오.

0277 상중하

평면 위의 서로 다른 네 점 A, B, C, D에 대하여 다음 보기 중 옳은 것을 있는 대로 고른 것은?

┌ 보기 ┐
ㄱ. $\overrightarrow{AB}+\overrightarrow{BC}+\overrightarrow{CA}=\vec{0}$
ㄴ. $\overrightarrow{BD}+\overrightarrow{AB}-\overrightarrow{CD}=\overrightarrow{AC}$
ㄷ. $\overrightarrow{CD}+\overrightarrow{DA}+\overrightarrow{AB}+\overrightarrow{BD}+\overrightarrow{DB}=\overrightarrow{BC}$
└─────────┘

① ㄱ   ② ㄴ   ③ ㄱ, ㄴ

④ ㄴ, ㄷ   ⑤ ㄱ, ㄴ, ㄷ

↻ 개념 해결의 법칙 77쪽 유형 01

유형 04 벡터의 실수배에 대한 연산 개념 03

실수를 계수, 벡터를 문자로 생각하여 다항식의 연산과 같은 방법으로 간단히 한다.

⇨ 두 실수 k, l과 두 벡터 $\vec{a}$, $\vec{b}$에 대하여
$$k(\vec{a}+\vec{b})+l(\vec{a}-\vec{b})=k\vec{a}+k\vec{b}+l\vec{a}-l\vec{b}$$
$$=(k+l)\vec{a}+(k-l)\vec{b}$$

0278 · 대표문제 ·

$2\vec{x}+\vec{y}=4\vec{a}-5\vec{b}$, $\vec{x}-3\vec{y}=-5\vec{a}-6\vec{b}$일 때, $-\vec{x}+2\vec{y}$를 두 벡터 $\vec{a}$, $\vec{b}$로 나타낸 것은?

① $-2\vec{a}+2\vec{b}$ ② $\vec{a}-2\vec{b}$ ③ $\vec{a}+2\vec{b}$

④ $3\vec{a}+5\vec{b}$ ⑤ $5\vec{a}+4\vec{b}$

0279 상중하

$\vec{x}-3\vec{y}=-\vec{a}$, $2\vec{x}-5\vec{y}=\vec{b}$일 때, $\vec{x}+2\vec{y}$를 두 벡터 $\vec{a}$, $\vec{b}$로 나타낸 것은?

① $\vec{a}$ ② $-3\vec{a}+\vec{b}$ ③ $-3\vec{a}-\vec{b}$

④ $9\vec{a}-5\vec{b}$ ⑤ $9\vec{a}+5\vec{b}$

0280 상중하

$\vec{x}=3\vec{a}+2\vec{b}, \vec{y}=2(\vec{a}-\vec{b})+3\vec{b}$일 때, $\vec{a}-\vec{b}$를 두 벡터 $\vec{x}, \vec{y}$로 나타낸 것은?

① $-3\vec{x}-2\vec{y}$　　② $-3\vec{x}+5\vec{y}$　　③ $3\vec{x}+5\vec{y}$

④ $2\vec{x}-\vec{y}$　　⑤ $2\vec{x}+\vec{y}$

유형 **05** 벡터의 연산과 도형　　　개념 **02,03**

★중요　　　↻ 개념 해결의 법칙 78쪽 유형 02

주어진 벡터의 시점과 종점을 도형의 꼭짓점을 이용하여 나타낸다.
이때, $\overrightarrow{AB}/\!/\overrightarrow{CD}$이고 $\overline{AB}=\overline{CD}$이면 $\overrightarrow{AB}=\overrightarrow{CD}$ 또는 $\overrightarrow{AB}=\overrightarrow{DC}$임을 이용한다.

0281 대표문제

오른쪽 그림과 같이 평행사변형 ABCD의 세 변 AB, BC, CD의 중점을 각각 E, F, G라 하고 두 선분 DF와 EG의 교점을 K라 하자. $\overrightarrow{AB}=\vec{a}, \overrightarrow{AD}=\vec{b}$라 할 때, 다음 중 $\overrightarrow{KF}$와 같은 벡터는?

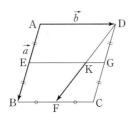

① $\frac{1}{2}\vec{a}-\frac{1}{4}\vec{b}$　　② $\frac{1}{2}\vec{a}+\frac{1}{4}\vec{b}$　　③ $-\frac{1}{2}\vec{a}+\frac{1}{4}\vec{b}$

④ $\frac{1}{4}\vec{a}-\frac{1}{2}\vec{b}$　　⑤ $\frac{1}{4}\vec{a}+\frac{1}{2}\vec{b}$

0282 상중하

오른쪽 그림과 같은 정육각형 ABCDEF에서 $\overrightarrow{AB}=\vec{a}, \overrightarrow{AF}=\vec{b}$라 하자. $\overrightarrow{CE}+\overrightarrow{AD}=p\vec{a}+q\vec{b}$일 때, 실수 p, q에 대하여 $p+q$의 값은?

① 1　　② 2

③ 3　　④ 4

⑤ 5

0283 상중하

오른쪽 그림과 같이 합동인 정육각형 3개가 한 변을 각각 공유하고 있다. $\overrightarrow{OA}=\vec{a}, \overrightarrow{OB}=\vec{b}$라 할 때, $\overrightarrow{PQ}$를 $\vec{a}, \vec{b}$로 나타낸 것은?

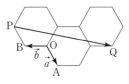

① $4\vec{a}-\vec{b}$　　② $2\vec{a}-2\vec{b}$　　③ $2\vec{a}-4\vec{b}$

④ $\vec{a}-4\vec{b}$　　⑤ $\vec{a}+4\vec{b}$

0284 상중하

오른쪽 그림과 같은 사각형 ABCD에서 두 변 AB, CD의 중점을 각각 M, N이라 하고 $\overrightarrow{AD}=\vec{a}, \overrightarrow{BC}=\vec{b}$라 할 때, $\overrightarrow{MN}$을 $\vec{a}, \vec{b}$로 나타낸 것은?

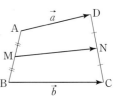

① $-\frac{1}{8}\vec{a}+\vec{b}$　　② $-\frac{1}{7}\vec{a}+\vec{b}$

③ $\frac{1}{3}\vec{a}+\frac{1}{3}\vec{b}$　　④ $\frac{1}{2}\vec{a}+\frac{1}{2}\vec{b}$　　⑤ $\vec{a}-\frac{1}{8}\vec{b}$

0285 상중하

오른쪽 그림과 같이 평행사변형 ABCD의 두 대각선의 교점을 O라 하고, $2\overrightarrow{AP}=\overrightarrow{DP}$를 만족시키는 점 P와 점 O를 지나는 직선이 변 BC와 만나는 점을 Q라 하자. $\overrightarrow{AB}=\vec{a}, \overrightarrow{AD}=\vec{b}$라 할 때, 다음 보기 중 옳은 것을 있는 대로 고르시오.

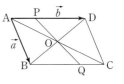

보기

ㄱ. $\overrightarrow{BQ}=\frac{2}{3}\vec{b}$　　ㄴ. $\overrightarrow{OC}=\frac{1}{2}\vec{a}+\frac{1}{2}\vec{b}$　　ㄷ. $\overrightarrow{OQ}=\frac{1}{2}\vec{a}+\frac{1}{6}\vec{b}$

발전 유형 **06** 벡터의 연산과 크기 개념 **02, 03**

벡터의 연산을 통하여 구하려고 하는 벡터를 하나의 벡터로 표현한 후 선분의 길이를 이용하여 벡터의 크기를 구한다.

0286 ● 대표문제 ●

오른쪽 그림과 같이 한 변의 길이가 2인 정삼각형 ABC에서 $|\overrightarrow{AB}-\overrightarrow{BC}+\overrightarrow{CA}|$의 값은?

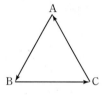

① 2
② $2\sqrt{2}$
③ 3
④ $2\sqrt{3}$
⑤ 4

0287 상중하

오른쪽 그림과 같이 한 변의 길이가 3인 정사각형 ABCD에서 $\overrightarrow{AB}=\vec{a}$, $\overrightarrow{BC}=\vec{b}$, $\overrightarrow{AC}=\vec{c}$라 할 때, $|\vec{a}+\vec{b}-\vec{c}|+|\vec{a}-\vec{b}+\vec{c}|$의 값은?

① $2\sqrt{2}$
② 4
③ 6
④ $6\sqrt{2}$
⑤ 10

0288 상중하

오른쪽 그림과 같이 $\overline{AB}=10$, $\overline{AD}=12$, $\angle A=30°$인 평행사변형 ABCD에서 변 AB, AD 위를 움직이는 점을 각각 P, Q라 하자. 두 점 P, Q에 대하여 $2\le|\overrightarrow{AP}|\le8$, $3\le|\overrightarrow{AQ}|\le6$일 때, $\overrightarrow{AP}+\overrightarrow{AQ}=\overrightarrow{AR}$를 만족시키는 점 R가 존재하는 영역의 넓이를 구하시오.

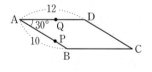

0289 상중하 서술형 >

오른쪽 그림과 같이 정육각형 ABCDEF에서 세 대각선의 교점을 O라 하자. $|\overrightarrow{AC}+\overrightarrow{AD}+\overrightarrow{AE}|=20$일 때, 이 정육각형의 넓이를 구하시오.

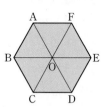

0290 상중하

한 변의 길이가 1인 정삼각형 ABC에서 $\overrightarrow{AB}=\vec{a}$, $\overrightarrow{BC}=\vec{b}$, $\overrightarrow{CA}=\vec{c}$라 할 때, $2\vec{a}+\vec{b}+3\vec{c}$의 크기는?

① 1
② $\sqrt{2}$
③ $\sqrt{3}$
④ 2
⑤ $\sqrt{5}$

0291 상중하

쌍곡선 $\dfrac{x^2}{4}-y^2=1$의 두 초점을 F, F′이라 하자. 이 쌍곡선 위의 점 P가 $|\overrightarrow{OP}+\overrightarrow{OF}|=1$을 만족시킬 때, 선분 PF의 길이를 구하시오. (단, O는 원점이다.)

↻ 개념 해결의 법칙 79쪽 유형 03

유형 **07** 벡터가 서로 같을 조건 개념 **04**

영벡터가 아닌 두 벡터 $\vec{a}, \vec{b}$가 서로 평행하지 않을 때,
$m\vec{a}+n\vec{b}=m'\vec{a}+n'\vec{b} \iff m=m', n=n'$ (단, m, n, m', n'은 실수)

0292 ◀대표문제▶

영벡터가 아닌 두 벡터 $\vec{a}, \vec{b}$가 서로 평행하지 않을 때,
$(2m-n)\vec{a}+(-m+2n)\vec{b}=(-2m+n+2)\vec{a}+(n+2)\vec{b}$
를 만족시키는 실수 m, n에 대하여 $m+n$의 값은?

① 2   ② 4   ③ 6
④ 8   ⑤ 10

0293 상중하

영벡터가 아닌 두 벡터 $\vec{a}, \vec{b}$가 서로 평행하지 않을 때,
$(3-t)\vec{a}+t\vec{b}=s\vec{a}+(1+s)\vec{b}$
를 만족시키는 실수 s, t에 대하여 s^2+t^2의 값은?

① 1   ② 2   ③ 4
④ 5   ⑤ 10

0294 상중하

영벡터가 아닌 두 벡터 $\vec{a}, \vec{b}$가 서로 평행하지 않을 때,
$\overrightarrow{OA}=\vec{a}-\vec{b}, \overrightarrow{OB}=3\vec{a}+2\vec{b}, \overrightarrow{OC}=5\vec{a}+k\vec{b}$
이다. $2\overrightarrow{AC}=m\overrightarrow{AB}$일 때, 실수 k의 값을 구하시오.

(단, m은 실수)

⭐ 중요   ↻ 개념 해결의 법칙 80쪽 유형 04

유형 **08** 벡터의 평행 개념 **04**

영벡터가 아닌 두 벡터 $\vec{a}, \vec{b}$가 서로 평행하지 않을 때,
$\vec{p}=m\vec{a}+n\vec{b}, \vec{q}=m'\vec{a}+n'\vec{b}$에 대하여
$\vec{p}/\!/\vec{q} \iff \vec{p}=k\vec{q}$ (단, $k\neq0$인 실수)
           $\iff m=km', n=kn'$ (단, m, n, m', n'은 실수)

0295 ◀대표문제▶

서로 평행하지 않고 영벡터가 아닌 두 벡터 $\vec{a}, \vec{b}$에 대하여
$\vec{p}=2\vec{a}+\vec{b}, \vec{q}=\vec{a}-2\vec{b}, \vec{r}=k\vec{a}-5\vec{b}$
일 때, 두 벡터 $\vec{p}+\vec{q}$와 $\vec{q}-\vec{r}$가 서로 평행하도록 하는 실수 k의 값은?

① 6   ② 7   ③ 8
④ 9   ⑤ 10

0296 상중하

서로 평행하지 않고 영벡터가 아닌 두 벡터 $\vec{x}, \vec{y}$에 대하여
$\vec{p}=a\vec{x}+b\vec{y}, \vec{q}=2\vec{x}+c\vec{y}, \vec{r}=c\vec{x}+\vec{y}$
이다. $\vec{p}-\vec{q}=\vec{0}$일 때, $\vec{q}/\!/\vec{r}$가 되도록 하는 실수 a, b, c에 대하여 abc의 값은?

① 2   ② 3   ③ 4
④ 6   ⑤ 12

0297 상중하

서로 평행하지 않고 영벡터가 아닌 두 벡터 $\vec{a}, \vec{b}$에 대하여 벡터 $2\vec{a}-\vec{b}$가 두 벡터 $k\vec{a}+\vec{b}, (k+1)\vec{a}+l\vec{b}$와 각각 서로 평행하도록 할 때, 실수 k, l에 대하여 kl의 값을 구하시오.

유형 **09** 세 점이 한 직선 위에 있을 조건 개념 **04**

서로 다른 세 점 A, B, C가 한 직선 위에 있다.
$\iff \overrightarrow{AB} /\!/ \overrightarrow{AC}$
$\iff \overrightarrow{AC} = k\overrightarrow{AB}$ (단, $k \neq 0$인 실수)
$\iff \overrightarrow{OC} = m\overrightarrow{OA} + n\overrightarrow{OB}$ (단, $m+n=1$)

0298 ● 대표문제 ●

서로 평행하지 않고 영벡터가 아닌 두 벡터 $\vec{a}, \vec{b}$에 대하여
$$\overrightarrow{OA} = -\vec{a} + \vec{b}, \quad \overrightarrow{OB} = -3\vec{a} - \vec{b}, \quad \overrightarrow{OC} = 4\vec{a} + t\vec{b}$$
일 때, 세 점 A, B, C가 한 직선 위에 있도록 하는 실수 t의 값은?

① 2 ② 3 ③ 4
④ 5 ⑤ 6

0299 상중하 서술형

서로 평행하지 않고 영벡터가 아닌 두 벡터 $\vec{a}, \vec{b}$에 대하여
$$\overrightarrow{OA} = \vec{a}, \quad \overrightarrow{OB} = \vec{b}, \quad \overrightarrow{OC} = m\vec{a} + 2\vec{b}$$
일 때, 세 점 A, B, C가 한 직선 위에 있도록 하는 실수 m의 값을 구하시오.

0300 상중하

서로 평행하지 않고 영벡터가 아닌 두 벡터 $\overrightarrow{OA}, \overrightarrow{OB}$에 대하여 등식 $\overrightarrow{OC} = (2-t)\overrightarrow{OA} + 2t\overrightarrow{OB}$가 성립할 때, 세 점 A, B, C가 한 직선 위에 있도록 하는 실수 t의 값은?

① -2 ② -1 ③ 1
④ 2 ⑤ 3

발전 유형 **10** 벡터의 실생활에의 활용 개념 **02~04**

벡터의 연산을 이용하여 식을 세운 후 도형의 길이를 이용하여 벡터의 크기를 구한다.

0301 ● 대표문제 ●

바람이 불지 않을 때, 지면과 수직 방향으로 12 m/초의 속력으로 상승하는 열기구가 있다. 동쪽 방향으로 5 m/초의 속력으로 바람이 불 때, 열기구의 비행 속력은?

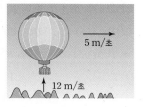

① 10 m/초 ② 11 m/초 ③ 12 m/초
④ 13 m/초 ⑤ 14 m/초

0302 상중하

오른쪽 그림과 같이 수평의 위치에 있는 두 점 A, B에 끈의 양 끝을 고정하고, 끈의 중앙 C에 무게가 20 kg중인 물체를 매달아 놓았다. ∠ACB=90°일 때, 끈 CA에 걸리는 힘의 크기를 구하시오.
(단, 1 kg중은 질량이 1 kg인 물체에 작용하는 지구 중력의 크기를 나타낸다.)

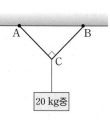

0303 상중하

시속 4 km로 흐르는 강에서 철호가 강물이 흐르는 방향과 θ의 각을 이루면서 시속 p km의 속력으로 수영하여 강을 건넜다. 강물이 흐르는 영향으로 실제로는 강물이 흐르는 방향과 30°의 각을 이루면서 시속 $4\sqrt{3}$ km로 수영을 하였다고 할 때, θ의 크기와 p의 값을 각각 구하시오.

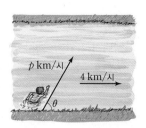

• 실제 학교 시험지처럼 풀어 보세요.

0304 | 유형 01 |

오른쪽 그림과 같이 한 변의 길이가 1이고 한 내각의 크기가 60°인 마름모에서 $\overrightarrow{BD}$의 크기는? [4.8점]

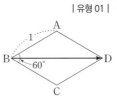

① $\sqrt{2}$　　② $\sqrt{3}$
③ 2　　④ $\sqrt{5}$　　⑤ 3

0305 | 유형 03 |

평면 위의 서로 다른 네 점 A, B, C, D에 대하여
$$\overrightarrow{AC}+\overrightarrow{CD}+\overrightarrow{BC}+\overrightarrow{CD}=\vec{0}, \ |\overrightarrow{AB}|=10$$
일 때, $\overrightarrow{AD}$의 크기는? [5.1점]

① 1　　② 2　　③ 3
④ 4　　⑤ 5

0306 | 유형 04 |

$2\vec{x}-\vec{y}=-\vec{a}, \ -3\vec{x}+2\vec{y}=\vec{b}$일 때, $\vec{x}+\vec{y}$를 두 벡터 $\vec{a}, \vec{b}$로 나타낸 것은? [5점]

① $-5\vec{a}+3\vec{b}$　　② $-3\vec{a}-2\vec{b}$　　③ $-3\vec{a}+5\vec{b}$
④ $2\vec{a}-4\vec{b}$　　⑤ $3\vec{a}-5\vec{b}$

0307 | 유형 05 |

오른쪽 그림과 같이 $\overline{AD} /\!/ \overline{BC}$, $\overline{BC}=2\overline{AD}$인 사다리꼴 ABCD에서 $\overrightarrow{AB}=\vec{a}, \overrightarrow{AD}=\vec{b}$라 할 때, $\overrightarrow{DB}+\overrightarrow{CA}$를 $\vec{a}, \vec{b}$로 나타낸 것은?

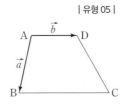

[4.7점]

① $-3\vec{b}$　　② $-2\vec{a}-\vec{b}$　　③ $\vec{a}-2\vec{b}$
④ $2\vec{a}-\vec{b}$　　⑤ $2\vec{a}$

0308 | 유형 05 |

오른쪽 그림과 같이 꼭짓점이 T_1, T_2, T_3, …, T_6인 정육각형이 있다. 이 정육각형 내부의 임의의 점 P에 대하여 다음 중
$$\overrightarrow{PT_1}+\overrightarrow{PT_2}+\overrightarrow{PT_3}+\cdots+\overrightarrow{PT_6}$$
과 같은 것은? (단, O는 세 대각선의 교점이다.) [5.4점]

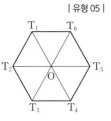

① $3(\overrightarrow{OP}-\overrightarrow{OT_1})$　　② $3(\overrightarrow{PO}-\overrightarrow{OT_1})$　　③ $\vec{0}$
④ $6\overrightarrow{OP}$　　⑤ $6\overrightarrow{PO}$

0309 | 유형 06 |

한 변의 길이가 15인 정사각형 ABCD에서 변 AB, AD 위를 움직이는 점을 각각 P, Q라 하자. 두 점 P, Q에 대하여 $5\le|\overrightarrow{AP}|\le10, \ 3\le|\overrightarrow{AQ}|\le12$일 때, $\overrightarrow{AP}+\overrightarrow{AQ}=\overrightarrow{AR}$를 만족시키는 점 R가 존재하는 영역의 넓이는? [5.2점]

① 39　　② 42　　③ 45
④ 48　　⑤ 51

0310 | 유형 07 |

영벡터가 아닌 두 벡터 $\vec{a}, \vec{b}$가 서로 평행하지 않을 때,
$$\overrightarrow{OA}=\vec{a}-2\vec{b}, \ \overrightarrow{OB}=2\vec{a}-\vec{b}, \ \overrightarrow{OC}=5\vec{a}+k\vec{b}$$
이다. $4m\overrightarrow{AB}=\overrightarrow{AC}$일 때, 실수 k의 값은? (단, m은 실수)

[5점]

① $\dfrac{3}{2}$　　② 2　　③ $\dfrac{5}{2}$
④ 3　　⑤ $\dfrac{7}{2}$

3 벡터의 연산

0311 | 유형 08 |

서로 평행하지 않고 영벡터가 아닌 두 벡터 $\vec{a}$, $\vec{b}$에 대하여

$$\overrightarrow{OP}=\vec{a}-2\vec{b}, \ \overrightarrow{OQ}=2\vec{a}+3\vec{b},$$
$$\overrightarrow{OR}=m\vec{a}+5\vec{b}, \ \overrightarrow{OS}=\vec{a}-(m+2)\vec{b}$$

이다. $\overrightarrow{PQ}/\!/\overrightarrow{RS}$일 때, 실수 m의 값은? [5.1점]

① 1   ② 2   ③ 3

④ 4   ⑤ 5

0312 | 유형 09 |

점 O를 지나지 않는 한 직선 위의 서로 다른 세 점 A, B, C에 대하여 $\overrightarrow{OC}=a\overrightarrow{OA}+b\overrightarrow{OB}$가 성립한다. 실수 a, b에 대하여 a^2+b^2의 최솟값은? [5.3점]

① $\dfrac{1}{2}$ ② 1   ③ $\dfrac{3}{2}$

④ 2   ⑤ $\dfrac{5}{2}$

0313 | 유형 05 + 유형 09 |

오른쪽 그림과 같이 반지름의 길이가 1인 사분원에서 $\overrightarrow{OA}=\vec{a}$, $\overrightarrow{OB}=\vec{b}$라 하자. ∠AOB의 이등분선과 호 AB의 교점을 P라 할 때, $\overrightarrow{OP}=k(\vec{a}+\vec{b})$를 만족시키는 실수 k에 대하여 k^2의 값은?

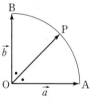

[5.4점]

① $\dfrac{1}{3}$ ② $\dfrac{1}{2}$ ③ $\dfrac{2}{3}$

④ $\dfrac{3}{4}$ ⑤ $\dfrac{4}{5}$

서술형 문제

• 풀이 과정에 점수가 부여되니 풀이 과정 및 정답을 상세하게 서술하세요.

단답형

0314 | 유형 04 + 유형 07 |

오른쪽 그림과 같이 일정한 간격의 평행선으로 이루어진 도형 위에 네 점 O, P, Q, R가 있다. $\overrightarrow{OR}=s\overrightarrow{OP}+t\overrightarrow{OQ}$일 때, 실수 s, t에 대하여 $s+t$의 값을 구하시오.

[7점]

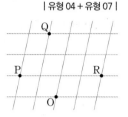

단계형

0315 | 유형 06 |

오른쪽 그림과 같이 평면에서 한 변의 길이가 모두 $\sqrt{2}$인 세 정사각형 R_1, R_2, R_3이 한 변을 각각 공유하고 있다. 정사각형 R_1의 대각선의 교점을 A라 하고, 두 정사각형 R_2, R_3의 교점을 B라 하자. 정사각형 R_2의 변 위를 움직이는 점 P와 정사각형 R_3의 변 위를 움직이는 점 Q에 대하여 ∠BAP=∠BAQ일 때, $|\overrightarrow{AP}+\overrightarrow{AQ}|$의 최댓값을 구하려고 한다. 다음 물음에 답하시오. [12점]

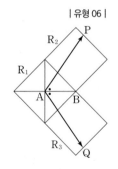

(1) 선분 PQ의 중점을 M이라 할 때, $|\overrightarrow{AP}+\overrightarrow{AQ}|=k\overrightarrow{AM}$을 만족시키는 실수 k의 값을 구하시오. [4점]

(2) 선분 AM의 길이의 최댓값을 구하시오. [6점]

(3) $|\overrightarrow{AP}+\overrightarrow{AQ}|$의 최댓값을 구하시오. [2점]

성/취/도 Check

• 이 단원은 70점 만점입니다.

점수   / 70점

 STEP 1 개념+기본 문제 학습

 STEP 2 유형 대표 문제 학습

 STEP 3의 틀린 문제에 해당하는 **STEP 2** 유형 학습

 STEP 3의 틀린 문제 복습

교과서 속 심화문제 시작

0316

오른쪽 그림과 같이 한 변의 길이가
2인 정오각형 OABCD의 둘레 위
의 점 중에서 점 O가 아닌 점 P에 대
하여 벡터 $\overrightarrow{OQ}=\dfrac{\overrightarrow{OP}}{|\overrightarrow{OP}|}$ 로 정의하

자. 점 P가 선분 AB와 선분 BC, 선
분 CD를 따라 꼭짓점 A에서 꼭짓점 D까지 움직일 때, 벡터
$\overrightarrow{OQ}$의 종점 Q가 나타내는 도형의 길이를 구하시오.

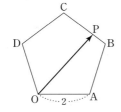

0317 창의력

오른쪽 그림과 같이 평면 위에
반지름의 길이가 4인 두 원 C_1
과 C_2, 반지름의 길이가 2인 원
C가 서로 외접하고 있다. 원 C
의 중심 O와 원 C_1 위를 움직이
는 점 P와 원 C_2 위를 움직이는 점 Q에 대하여 $|\overrightarrow{OP}+\overrightarrow{OQ}|$의
최댓값을 구하시오.

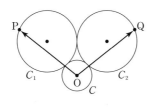

0318

다음 그림과 같이 반지름의 길이가 2인 원에 내접하는 정육각
형 ABCDEF와 외접하는 정육각형 A′B′C′D′E′F′이 있다.
$\overline{A'A}=\overline{AF'}$일 때,

$$|\overrightarrow{AB}+\overrightarrow{AC}+\overrightarrow{AD}+\overrightarrow{AE}+\overrightarrow{AF}$$
$$+\overrightarrow{A'B'}+\overrightarrow{A'C'}+\overrightarrow{A'D'}+\overrightarrow{A'E'}+\overrightarrow{A'F'}|^2$$

의 값을 구하시오.

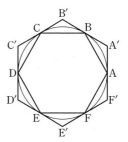

0319

서로 다른 두 점 A, B에 대하여 $\overrightarrow{OA}=\vec{a}$, $\overrightarrow{OB}=\vec{b}$이고
$|\overrightarrow{AB}|=2$이다. 다음 조건을 만족시키는 세 점 P, Q, R 중에
서 두 점만이 직선 AB 위에 존재하도록 하는 실수 s, t에 대하
여 $s+t$가 최대일 때, 세 점 P, Q, R 중에서 직선 AB 위에 존
재하는 두 점 사이의 거리를 구하시오.

(단, $\vec{a}$, $\vec{b}$는 영벡터가 아니고 서로 평행하지 않다.)

$$\overrightarrow{OP}=s\vec{a}-5\vec{b}, \quad \overrightarrow{OQ}=-2\vec{a}+s\vec{b}, \quad \overrightarrow{OR}=-\vec{a}+t\vec{b}$$

4

평면벡터의
성분과 내적

인간의 가장 놀라운 특성은
마이너스를 플러스로 바꾸는 힘이다.
- 알프레드 애들러

* 전국 300여 개 고등학교 기출 문제를 분석하였습니다.

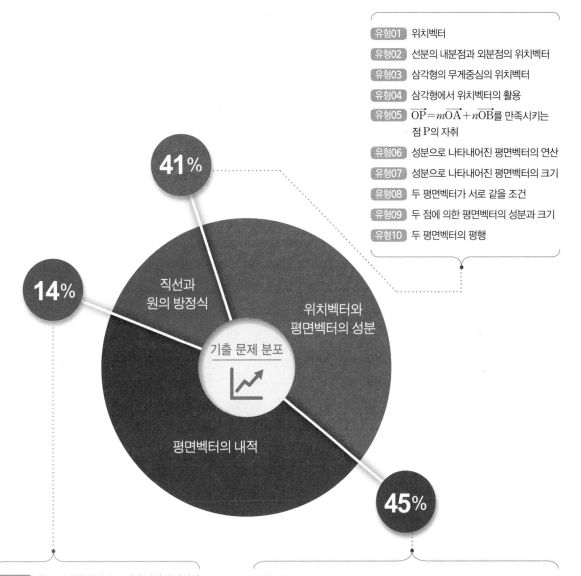

유형01 위치벡터

유형02 선분의 내분점과 외분점의 위치벡터

유형03 삼각형의 무게중심의 위치벡터

유형04 삼각형에서 위치벡터의 활용

유형05 $\overrightarrow{\mathrm{OP}}=m\overrightarrow{\mathrm{OA}}+n\overrightarrow{\mathrm{OB}}$를 만족시키는
점 P의 자취

유형06 성분으로 나타내어진 평면벡터의 연산

유형07 성분으로 나타내어진 평면벡터의 크기

유형08 두 평면벡터가 서로 같을 조건

유형09 두 점에 의한 평면벡터의 성분과 크기

유형10 두 평면벡터의 평행

41%

직선과
원의 방정식

14%

위치벡터와
평면벡터의 성분

기출 문제 분포

평면벡터의 내적

45%

유형20 한 점과 방향벡터가 주어진 직선의 방정식

유형21 한 점과 법선벡터가 주어진 직선의 방정식

유형22 두 직선이 이루는 각의 크기

유형23 두 직선의 수직과 평행

유형24 평면벡터를 이용한 원의 방정식

유형11 평면벡터의 내적

유형12 성분으로 나타내어진 평면벡터의 내적

유형13 평면벡터의 내적의 연산법칙 (1)

유형14 평면벡터의 내적의 연산법칙 (2)

유형15 평면벡터에서의 점의 자취

유형16 두 평면벡터가 이루는 각의 크기 – 내적이 주어진 경우

유형17 두 평면벡터가 이루는 각의 크기 – 성분이 주어진 경우

유형18 두 평면벡터가 이루는 각의 크기 – 내적의 연산법칙을 이용하는 경우

유형19 두 평면벡터의 수직

STEP 1 개념 마스터

01 위치벡터
유형 01~05

(1) **위치벡터:** 한 점 O를 시점으로 하는 벡터 $\overrightarrow{OA}$를 점 O에 대한 점 A의 **위치벡터**라 한다.

(2) **위치벡터의 성질:** 두 점 A, B의 위치벡터를 각각 $\vec{a}, \vec{b}$라 하면 $\overrightarrow{AB} = \overrightarrow{OB} - \overrightarrow{OA} = \vec{b} - \vec{a}$

참고 일반적으로 위치벡터의 시점 O는 좌표평면의 원점으로 잡는다.

(3) **선분의 내분점과 외분점의 위치벡터**

두 점 A, B의 위치벡터를 각각 $\vec{a}, \vec{b}$라 할 때, 선분 AB를 $m : n(m>0, n>0)$으로 내분하는 점 P와 외분하는 점 Q의 위치벡터를 각각 $\vec{p}, \vec{q}$라 하면

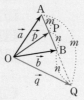

$$\vec{p} = \frac{m\vec{b} + n\vec{a}}{m+n}, \quad \vec{q} = \frac{m\vec{b} - n\vec{a}}{m-n} \text{ (단, } m \neq n)$$

참고 세 점 A, B, C의 위치벡터가 각각 $\vec{a}, \vec{b}, \vec{c}$일 때

① 선분 AB의 중점 M의 위치벡터를 $\vec{m}$이라 하면 $\vec{m} = \dfrac{\vec{a} + \vec{b}}{2}$

② 삼각형 ABC의 무게중심 G의 위치벡터를 $\vec{g}$라 하면

$$\vec{g} = \frac{\vec{a} + \vec{b} + \vec{c}}{3}$$

0320 세 점 A, B, C의 위치벡터를 각각 $\vec{a}, \vec{b}, 2\vec{a} - \vec{b}$라 할 때, 다음 벡터를 $\vec{a}, \vec{b}$로 나타내시오.

(1) $\overrightarrow{AC}$

(2) $\overrightarrow{CB}$

0321 두 점 A, B의 위치벡터를 각각 $\vec{a}, \vec{b}$라 할 때, 다음 위치벡터를 $\vec{a}, \vec{b}$로 나타내시오.

(1) 선분 AB를 $2 : 1$로 내분하는 점 P의 위치벡터 $\vec{p}$

(2) 선분 AB를 $2 : 3$으로 외분하는 점 Q의 위치벡터 $\vec{q}$

(3) 선분 AB의 중점 M의 위치벡터 $\vec{m}$

02 평면벡터의 성분
유형 06~10, 15

평면벡터 $\vec{a} = (a_1, a_2), \vec{b} = (b_1, b_2)$에 대하여

(1) $\vec{e_1} = (1, 0), \vec{e_2} = (0, 1)$일 때,

$\vec{a} = a_1 \vec{e_1} + a_2 \vec{e_2}$ ← 벡터 $\vec{a}$의 성분

(2) $|\vec{a}| = \sqrt{a_1^2 + a_2^2}$

(3) $\vec{a} = \vec{b} \iff a_1 = b_1, a_2 = b_2$

(4) $\vec{a} \pm \vec{b} = (a_1 \pm b_1, a_2 \pm b_2)$ (복호동순)

(5) $k\vec{a} = (ka_1, ka_2)$ (단, k는 실수)

참고 좌표평면 위의 두 점 $(1, 0), (0, 1)$의 위치벡터를 각각 단위벡터 $\vec{e_1}, \vec{e_2}$로 나타낸다.

0322 $\vec{e_1} = (1, 0), \vec{e_2} = (0, 1)$일 때, 다음 평면벡터를 성분으로 나타내시오.

(1) $\vec{a} = 3\vec{e_1}$ (2) $\vec{b} = \vec{e_1} - 3\vec{e_2}$

0323 $\vec{e_1} = (1, 0), \vec{e_2} = (0, 1)$일 때, 좌표평면의 원점 O와 점 A$(2, 5)$에 대하여 벡터 $\overrightarrow{OA}$를 $\vec{e_1}, \vec{e_2}$로 나타내시오.

[0324~0325] 다음 벡터의 크기를 구하시오.

0324 $\vec{a} = (1, 1)$ **0325** $\vec{b} = (-3, 4)$

0326 두 벡터 $\vec{a} = (2k+1, -1), \vec{b} = (3, l+1)$에 대하여 $\vec{a} = \vec{b}$일 때, 실수 k, l의 값을 각각 구하시오.

0327 $\vec{a} = (-1, 1), \vec{b} = (2, 3)$일 때, 다음 벡터를 성분으로 나타내시오.

(1) $\vec{a} + 2\vec{b}$ (2) $-3\vec{a} + \vec{b}$

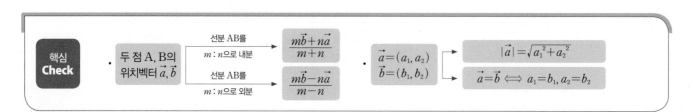

03 평면벡터의 내적 유형 11~15

(1) 평면벡터의 내적
두 평면벡터 $\vec{a}, \vec{b}$가 이루는 각의 크기가 θ일 때
① $0° \leq \theta \leq 90°$이면 $\vec{a} \cdot \vec{b} = |\vec{a}||\vec{b}|\cos\theta$
② $90° < \theta \leq 180°$이면 $\vec{a} \cdot \vec{b} = -|\vec{a}||\vec{b}|\cos(180°-\theta)$
참고 · 임의의 벡터 $\vec{a}$에 대하여 $\vec{a} \cdot \vec{a} = |\vec{a}||\vec{a}|\cos 0° = |\vec{a}|^2$이다.
· 두 벡터 $\vec{a}, \vec{b}$의 내적 $\vec{a} \cdot \vec{b}$는 실수이다.

(2) 평면벡터의 내적과 성분
두 평면벡터 $\vec{a}=(a_1, a_2), \vec{b}=(b_1, b_2)$에 대하여
$$\vec{a} \cdot \vec{b} = a_1 b_1 + a_2 b_2$$

(3) 평면벡터의 내적의 성질
세 평면벡터 $\vec{a}, \vec{b}, \vec{c}$와 실수 k에 대하여
① 교환법칙: $\vec{a} \cdot \vec{b} = \vec{b} \cdot \vec{a}$
② 분배법칙: $\vec{a} \cdot (\vec{b}+\vec{c}) = \vec{a} \cdot \vec{b} + \vec{a} \cdot \vec{c}$
$\quad\quad\quad\quad (\vec{a}+\vec{b}) \cdot \vec{c} = \vec{a} \cdot \vec{c} + \vec{b} \cdot \vec{c}$
③ 결합법칙: $(k\vec{a}) \cdot \vec{b} = \vec{a} \cdot (k\vec{b}) = k(\vec{a} \cdot \vec{b})$

0328 $|\vec{a}|=2, |\vec{b}|=3$인 두 벡터 $\vec{a}, \vec{b}$가 이루는 각의 크기가 다음과 같을 때, $\vec{a} \cdot \vec{b}$를 구하시오.

(1) $30°$ (2) $120°$

[0329~0330] 다음 두 벡터 $\vec{a}, \vec{b}$의 내적을 구하시오.

0329 $\vec{a}=(2, -1), \vec{b}=(3, 2)$

0330 $\vec{a}=(1, 1), \vec{b}=(2, -3)$

0331 세 벡터 $\vec{a}, \vec{b}, \vec{c}$에 대하여 $\vec{a} \cdot \vec{b}=2, \vec{a} \cdot \vec{c}=3$일 때, 다음을 구하시오.

(1) $\vec{a} \cdot (\vec{b}+2\vec{c})$ (2) $(2\vec{b}-\vec{c}) \cdot \vec{a}$

04 두 평면벡터가 이루는 각 유형 16~19

(1) 두 평면벡터가 이루는 각의 크기
영벡터가 아닌 두 평면벡터 $\vec{a}=(a_1, a_2), \vec{b}=(b_1, b_2)$가 이루는 각의 크기가 $\theta(0° \leq \theta \leq 180°)$일 때
① $\vec{a} \cdot \vec{b} \geq 0$이면
$$\cos\theta = \frac{\vec{a} \cdot \vec{b}}{|\vec{a}||\vec{b}|} = \frac{a_1 b_1 + a_2 b_2}{\sqrt{a_1^2 + a_2^2}\sqrt{b_1^2 + b_2^2}}$$
② $\vec{a} \cdot \vec{b} < 0$이면
$$\cos(180°-\theta) = -\frac{\vec{a} \cdot \vec{b}}{|\vec{a}||\vec{b}|}$$
$$= -\frac{a_1 b_1 + a_2 b_2}{\sqrt{a_1^2 + a_2^2}\sqrt{b_1^2 + b_2^2}}$$

(2) 두 평면벡터의 수직 조건과 평행 조건
영벡터가 아닌 두 평면벡터 $\vec{a}, \vec{b}$에 대하여
① 수직 조건: $\vec{a} \perp \vec{b} \Longleftrightarrow \vec{a} \cdot \vec{b} = 0$
② 평행 조건: $\vec{a} /\!/ \vec{b} \Longleftrightarrow \vec{a} \cdot \vec{b} = \pm|\vec{a}||\vec{b}|$
참고 $\vec{a}=(a_1, a_2), \vec{b}=(b_1, b_2)$일 때
① $\vec{a} \perp \vec{b} \Longleftrightarrow a_1 b_1 + a_2 b_2 = 0$
② $\vec{a} /\!/ \vec{b} \Longleftrightarrow \vec{b} = k\vec{a}$
$\quad\quad\quad\quad \Longleftrightarrow b_1 = ka_1, b_2 = ka_2$ (단, $k \neq 0$인 실수)

[0332~0333] 다음 두 벡터 $\vec{a}, \vec{b}$가 이루는 각의 크기 θ를 구하시오.

0332 $\vec{a}=(2, -1), \vec{b}=(3, 1)$

0333 $\vec{a}=(3, 0), \vec{b}=(-1, \sqrt{3})$

0334 두 벡터 $\vec{a}=(1, -1), \vec{b}=(-2, x)$에 대하여 다음을 만족시키는 실수 x의 값을 구하시오.

(1) $\vec{a} \perp \vec{b}$

(2) $\vec{a} /\!/ \vec{b}$

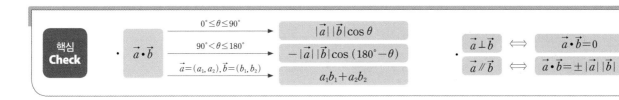

핵심 Check

· $\vec{a} \cdot \vec{b}$
- $\xrightarrow{0° \leq \theta \leq 90°}$ $|\vec{a}||\vec{b}|\cos\theta$
- $\xrightarrow{90° < \theta \leq 180°}$ $-|\vec{a}||\vec{b}|\cos(180°-\theta)$
- $\xrightarrow{\vec{a}=(a_1, a_2), \vec{b}=(b_1, b_2)}$ $a_1 b_1 + a_2 b_2$

· $\vec{a} \perp \vec{b} \Longleftrightarrow \vec{a} \cdot \vec{b} = 0$
· $\vec{a} /\!/ \vec{b} \Longleftrightarrow \vec{a} \cdot \vec{b} = \pm|\vec{a}||\vec{b}|$

4 평면벡터의 성분과 내적

05 평면벡터를 이용한 직선의 방정식 유형 20, 21

(1) 한 점과 방향벡터가 주어진 직선의 방정식
점 $A(x_1, y_1)$을 지나고 방향벡터가 $\vec{u}=(a, b)$인 직선의
방정식은

$$\frac{x-x_1}{a}=\frac{y-y_1}{b} \text{ (단, } ab \neq 0)$$

참고 서로 다른 두 점 $A(x_1, y_1)$, $B(x_2, y_2)$를 지나는 직선의 방정식은
$\frac{x-x_1}{x_2-x_1}=\frac{y-y_1}{y_2-y_1}$ (단, $x_1 \neq x_2, y_1 \neq y_2$)

(2) 한 점과 법선벡터가 주어진 직선의 방정식
점 $A(x_1, y_1)$을 지나고 법선벡터가 $\vec{n}=(a, b)$인 직선의
방정식은

$$a(x-x_1)+b(y-y_1)=0$$

[0335~0336] 다음 직선의 방정식을 구하시오.

0335 점 $(-1, 1)$을 지나고 방향벡터가 $\vec{u}=(2, -3)$인
직선

0336 점 $(3, -2)$를 지나고 직선 $\frac{x-1}{2}=\frac{y+3}{4}$에 평행한
직선

[0337~0338] 다음 두 점을 지나는 직선의 방정식을 구하시오.

0337 $A(2, 1)$, $B(5, 3)$

0338 $A(-1, 1)$, $B(3, -4)$

[0339~0340] 다음 직선의 방정식을 구하시오.

0339 점 $(2, -2)$를 지나고 법선벡터가 $\vec{n}=(1, 3)$인 직선

0340 점 $(-1, -3)$을 지나고 벡터 $\vec{n}=(5, -2)$에 수직인
직선

06 두 직선의 위치 관계 유형 22, 23

(1) 두 직선이 이루는 각의 크기
방향벡터가 각각 $\vec{u_1}=(a_1, b_1)$, $\vec{u_2}=(a_2, b_2)$인 두 직선 l_1,
l_2가 이루는 각의 크기를 $\theta(0° \leq \theta \leq 90°)$라 하면

$$\cos\theta = \frac{|\vec{u_1} \cdot \vec{u_2}|}{|\vec{u_1}||\vec{u_2}|} = \frac{|a_1 a_2 + b_1 b_2|}{\sqrt{a_1^2+b_1^2}\sqrt{a_2^2+b_2^2}}$$

(2) 두 직선의 수직 조건과 평행 조건
두 직선 l_1, l_2의 방향벡터가 각각 $\vec{u_1}$, $\vec{u_2}$일 때
① $l_1 \perp l_2 \iff \vec{u_1} \perp \vec{u_2} \iff \vec{u_1} \cdot \vec{u_2} = 0$
② $l_1 /\!/ l_2 \iff \vec{u_1} /\!/ \vec{u_2} \iff \vec{u_1} = k\vec{u_2}$ (단, $k \neq 0$인 실수)

0341 두 직선 $\frac{x-2}{2}=1-y$, $x+3=\frac{y-2}{3}$가 이루는 각의
크기를 $\theta(0° \leq \theta \leq 90°)$라 할 때, $\cos\theta$의 값을 구하시오.

0342 두 직선 $\frac{x-2}{2}=\frac{y}{a+1}$, $x-1=\frac{y}{2}$에 대하여 다음을
구하시오.

(1) 두 직선이 서로 수직일 때, 실수 a의 값
(2) 두 직선이 서로 평행할 때, 실수 a의 값

07 평면벡터를 이용한 원의 방정식 유형 24

원의 중심 C와 원 위의 임의의
점 P의 위치벡터를 각각 $\vec{c}$, $\vec{p}$라
할 때, 반지름의 길이가 r인 원의
방정식을 벡터로 나타내면
$|\vec{p}-\vec{c}|=r$
$\iff (\vec{p}-\vec{c}) \cdot (\vec{p}-\vec{c}) = r^2$

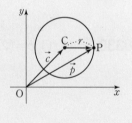

0343 두 점 $C(1, 2)$, $P(x, y)$의 위치벡터를 각각 $\vec{c}$, $\vec{p}$라
할 때, $|\vec{p}-\vec{c}|=3$을 만족시키는 점 P가 나타내는 도형을 말
하시오.

핵심 Check
· 점 $A(x_1, y_1)$을 지나고 방향벡터가 $\vec{u}=(a, b)$인 직선 → $\frac{x-x_1}{a}=\frac{y-y_1}{b}$ $(ab \neq 0)$

· 점 $A(x_1, y_1)$을 지나고 법선벡터가 $\vec{n}=(a, b)$인 직선 → $a(x-x_1)+b(y-y_1)=0$

○ 개념 해결의 법칙 90쪽 유형 01

유형 **01** 위치벡터

개념 **01**

두 점 A, B의 위치벡터를 각각 $\vec{a}, \vec{b}$라 하면
⇨ $\overrightarrow{AB} = \overrightarrow{OB} - \overrightarrow{OA} = \vec{b} - \vec{a}$

0344 • 대표문제 •

세 점 A, B, C의 위치벡터를 각각 $\vec{a}, \vec{b}, \vec{c}$라 할 때, 벡터 $\overrightarrow{AB} + 2\overrightarrow{BC}$를 $\vec{a}, \vec{b}, \vec{c}$로 나타내면?

① $\vec{a} + \vec{b} + 2\vec{c}$ ② $-\vec{a} + \vec{b} + 2\vec{c}$ ③ $-\vec{a} - \vec{b} + 2\vec{c}$
④ $-\vec{a} + 2\vec{b} + 2\vec{c}$ ⑤ $-\vec{a} - 2\vec{b} + 2\vec{c}$

0345 상중하

세 점 A, B, C의 위치벡터를 각각 $\vec{a}, \vec{b}, \vec{c}$라 할 때, 벡터 $2\overrightarrow{AB} - \overrightarrow{BC} + 3\overrightarrow{AC}$를 $\vec{a}, \vec{b}, \vec{c}$로 나타내시오.

★중요

○ 개념 해결의 법칙 91쪽 유형 02

유형 **02** 선분의 내분점과 외분점의 위치벡터

개념 **01**

두 점 A, B의 위치벡터를 각각 $\vec{a}, \vec{b}$라 할 때, 선분 AB를
$m : n(m > 0, n > 0)$으로 내분하는 점 P와 외분하는 점 Q의 위치벡터를
각각 $\vec{p}, \vec{q}$라 하면
⇨ $\vec{p} = \dfrac{m\vec{b} + n\vec{a}}{m+n}$, $\vec{q} = \dfrac{m\vec{b} - n\vec{a}}{m-n}$ (단, $m \neq n$)

0346 • 대표문제 •

오른쪽 그림과 같은 삼각형 ABC에서 $\overrightarrow{AB} = \vec{a}$, $\overrightarrow{AC} = \vec{b}$라 하자. 변 AB의 중점을 M, 변 BC를 $1 : 2$로 내분하는 점을 N이라 할 때, $\overrightarrow{MN} = s\vec{a} + t\vec{b}$를 만족시키는 실수 s, t에 대하여 $s+t$의 값은?

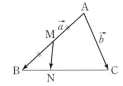

① $\dfrac{1}{6}$ ② $\dfrac{1}{3}$ ③ $\dfrac{1}{2}$
④ $\dfrac{2}{3}$ ⑤ 1

0347 상중하

선분 AB를 $3 : 4$로 내분하는 점과 외분하는 점을 각각 P, Q라 하자. 네 점 A, B, P, Q의 위치벡터를 각각 $\vec{a}, \vec{b}, \vec{p}, \vec{q}$라 할 때, $\vec{p} + \vec{q} = m\vec{a} + n\vec{b}$를 만족시키는 실수 m, n에 대하여 $m+n$의 값은?

① 1 ② 2 ③ 3
④ 4 ⑤ 5

0348 상중하

오른쪽 그림과 같은 삼각형 OAB에서 변 OA의 중점을 M, 선분 MB를 $3 : 1$로 내분하는 점을 N이라 하자. 이때, $\overrightarrow{ON} = s\overrightarrow{OA} + t\overrightarrow{OB}$를 만족시키는 실수 s, t에 대하여 $s-t$의 값은?

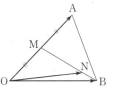

① $-\dfrac{1}{2}$ ② $-\dfrac{5}{8}$ ③ $-\dfrac{3}{4}$
④ $-\dfrac{7}{8}$ ⑤ -1

0349 상중하

오른쪽 그림과 같은 삼각형 OAB에서 $\overline{OA} = 3$, $\overline{OB} = 2$이고, 점 P는 ∠AOB의 이등분선이 변 AB와 만나는 점이다. 이때, $\overrightarrow{OP} = s\overrightarrow{OA} + t\overrightarrow{OB}$를 만족시키는 실수 s, t에 대하여 st의 값은?

① $\dfrac{2}{25}$ ② $\dfrac{3}{25}$ ③ $\dfrac{6}{25}$
④ $\dfrac{9}{25}$ ⑤ $\dfrac{18}{25}$

4 평면벡터의 성분과 내적

↻ 개념 해결의 법칙 92쪽 유형 03

유형 03 삼각형의 무게중심의 위치벡터 개념 01

세 점 A, B, C의 위치벡터가 각각 $\vec{a}, \vec{b}, \vec{c}$일 때, 삼각형 ABC의 무게중심 G의 위치벡터를 $\vec{g}$라 하면

⇨ $\vec{g} = \dfrac{\vec{a} + \vec{b} + \vec{c}}{3}$

0350 • 대표문제 •

세 점 A, B, C의 위치벡터를 각각 $\vec{a}, \vec{b}, \vec{c}$라 하고 삼각형 ABC의 무게중심을 G, 변 AB를 1 : 3으로 내분하는 점을 P라 할 때, $\overrightarrow{PG} = l\vec{a} + m\vec{b} + n\vec{c}$이다. 이때, 실수 l, m, n에 대하여 $l + m + n$의 값은?

① $-\dfrac{1}{3}$ ② $-\dfrac{1}{6}$ ③ $-\dfrac{1}{12}$

④ 0   ⑤ $\dfrac{1}{12}$

0351 상중하

삼각형 ABC의 무게중심을 G라 할 때, 다음 중 $\overrightarrow{AG} + \overrightarrow{BG} + \overrightarrow{CG}$와 같은 벡터는?

① $\vec{0}$ ② $\dfrac{1}{2}\overrightarrow{AB}$ ③ $\overrightarrow{CA}$

④ $\dfrac{1}{3}\overrightarrow{BC}$ ⑤ $-\overrightarrow{BA}$

0352 상중하

오른쪽 그림과 같이 좌표평면 위에 점 P(12, 5)를 중심으로 하는 원이 있다. 이 원에 내접하는 정삼각형의 세 꼭짓점 A, B, C의 위치벡터를 각각 $\vec{a}, \vec{b}, \vec{c}$라 할 때, $\vec{a} + \vec{b} + \vec{c}$의 크기를 구하시오.

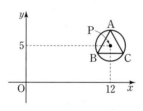

유형 04 삼각형에서 위치벡터의 활용 개념 01

$\overrightarrow{PB} = -k\overrightarrow{PC}\ (k>0)$이면

(1) 점 P는 $\overline{BC}$를 k : 1로 내분하는 점이다.

(2) $\triangle ABP : \triangle ACP = k : 1$

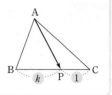

0353 • 대표문제 •

평면 위의 점 P와 삼각형 ABC에 대하여 $\overrightarrow{PA} + 3\overrightarrow{PB} + \overrightarrow{PC} = \overrightarrow{BC}$가 성립할 때, 삼각형 ACP와 삼각형 BCP의 넓이의 비는?

① 1 : 1   ② 2 : 1   ③ 3 : 2

④ 4 : 1   ⑤ 4 : 3

0354 상중하

평면 위의 점 P와 삼각형 ABC에 대하여 $2\overrightarrow{PA} + \overrightarrow{PB} + \overrightarrow{PC} = \overrightarrow{CB}$가 성립할 때, 다음 보기 중 옳은 것을 있는 대로 고르시오.

┌─ 보기 ─
ㄱ. 세 점 P, A, C는 한 직선 위에 있다.
ㄴ. 점 P는 삼각형 ABC 내부의 점이다.
ㄷ. 점 P는 변 AC의 중점이다.
ㄹ. $\triangle BAP : \triangle BCP = 2 : 1$
└─

0355 상중하 서술형

넓이가 60인 삼각형 ABC의 내부의 한 점 P에 대하여 $3\overrightarrow{PA} + 2\overrightarrow{PB} + \overrightarrow{PC} = \vec{0}$일 때, 삼각형 PBC의 넓이를 구하시오.

↪ 개념 해결의 법칙 **97**쪽 유형 01

 05 $\overrightarrow{\mathrm{OP}}=m\overrightarrow{\mathrm{OA}}+n\overrightarrow{\mathrm{OB}}$를 만족시키는
점 P의 자취   개념 **01**

$\overrightarrow{\mathrm{OP}}=m\overrightarrow{\mathrm{OA}}+n\overrightarrow{\mathrm{OB}}$를 만족시키는 점 P의 자취
(1) $m+n=1$ ⇨ 직선 AB
(2) $m+n=1,\ m\geq0,\ n\geq0$ ⇨ 선분 AB
(3) $m+n\leq1,\ m\geq0,\ n\geq0$ ⇨ 삼각형 OAB의 내부와 그 둘레
(4) $0\leq m\leq1,\ 0\leq n\leq1$ ⇨ $\overrightarrow{\mathrm{OA}},\ \overrightarrow{\mathrm{OB}}$를 이웃하는 두 변으로 하는 평행사변
형의 내부와 그 둘레

0356 ● 대표문제 ●
평면 위의 세 점 O, A, B에 대하여
$$|\overrightarrow{\mathrm{OA}}|=3,\ |\overrightarrow{\mathrm{OB}}|=4,\ \angle\mathrm{AOB}=45°$$
일 때, $\overrightarrow{\mathrm{OP}}=m\overrightarrow{\mathrm{OA}}+n\overrightarrow{\mathrm{OB}},\ 0\leq m\leq2,\ 0\leq n\leq3$을 만족시키
는 점 P가 나타내는 도형의 넓이는?

① 12   ② $12\sqrt{2}$ ③ 24
④ $24\sqrt{2}$ ⑤ $36\sqrt{2}$

0357 상중하
$\overline{\mathrm{OA}}=3,\ \overline{\mathrm{OB}}=4,\ \angle\mathrm{AOB}=30°$인 삼각형 AOB에 대하여
$$\overrightarrow{\mathrm{OP}}=m\overrightarrow{\mathrm{OA}}+n\overrightarrow{\mathrm{OB}},\ m+n\leq2,\ m\geq0,\ n\geq0$$
을 만족시키는 점 P가 나타내는 도형의 넓이를 구하시오.

0358 상중하
한 직선 위에 있지 않은 세 점 O, A, B에 대하여
$$\overrightarrow{\mathrm{OP}}=m\overrightarrow{\mathrm{OA}}+n\overrightarrow{\mathrm{OB}},\ 2m+4n=3,\ m\geq0,\ n\geq0$$
을 만족시키는 점 P의 자취는?

① 삼각형 OAB의 둘레
② 삼각형 OAB의 내부
③ $\overline{\mathrm{OA}}$를 3 : 1로 내분하는 점과 $\overline{\mathrm{OB}}$를 1 : 3으로 내분하는 점
   을 이은 선분
④ $\overline{\mathrm{OA}}$의 중점과 $\overline{\mathrm{OB}}$를 3 : 1로 내분하는 점을 이은 선분
⑤ $\overline{\mathrm{OA}}$를 3 : 1로 외분하는 점과 $\overline{\mathrm{OB}}$를 3 : 1로 내분하는 점을
   이은 선분

↪ 개념 해결의 법칙 **97**쪽 유형 01

유형 06 성분으로 나타내어진 평면벡터의 연산   개념 **02**

두 평면벡터 $\vec{a}=(a_1,\ a_2),\ \vec{b}=(b_1,\ b_2)$와 실수 $m,\ n$에 대하여
⇨ $m\vec{a}+n\vec{b}=(ma_1+nb_1,\ ma_2+nb_2)$

0359 ● 대표문제 ●
세 벡터 $\vec{a}=(1,\ 2),\ \vec{b}=(-6,\ 3),\ \vec{c}=(2,\ -1)$에 대하여 벡터
$2(\vec{a}-2\vec{b})+3(\vec{b}+\vec{c})$를 성분으로 나타내면 $(m,\ n)$이다. 이
때, $m+n$의 값은?

① 8   ② 10   ③ 12
④ 14   ⑤ 16

0360 상중하 서술형〉
두 벡터 $\vec{a},\ \vec{b}$에 대하여 $\vec{a}+2\vec{b}=(5,\ 4),\ 3\vec{a}-\vec{b}=(-6,\ 5)$일
때, 벡터 $\vec{a}-\vec{b}$를 성분으로 나타내시오.

↪ 개념 해결의 법칙 **98**쪽 유형 02

유형 07 성분으로 나타내어진 평면벡터의 크기   개념 **02**

두 평면벡터 $\vec{a}=(a_1,\ a_2),\ \vec{b}=(b_1,\ b_2)$와 실수 $m,\ n$에 대하여
⇨ $|m\vec{a}+n\vec{b}|=\sqrt{(ma_1+nb_1)^2+(ma_2+nb_2)^2}$

0361 ● 대표문제 ●
두 벡터 $\vec{a}=(-1,\ 1),\ \vec{b}=(2,\ 4)$에 대하여 $|-t\vec{a}+\vec{b}|$의 값이
최소가 되도록 하는 실수 t의 값은?

① -3 ② -2 ③ -1
④ 0   ⑤ 1

4 평면벡터의 성분과 내적

↻ 개념 해결의 법칙 100쪽 유형 04

0362 상중하

벡터 $\vec{a}=\left(2t+1, \dfrac{3}{5}\right)$이 단위벡터가 되도록 하는 모든 실수 t의 값의 합을 구하시오.

유형 **09** 두 점에 의한 평면벡터의 성분과 크기 　개념 **02**

두 점 $A(a_1, a_2), B(b_1, b_2)$에 대하여
(1) $\overrightarrow{AB}=(b_1-a_1, b_2-a_2)$
(2) $|\overrightarrow{AB}|=\sqrt{(b_1-a_1)^2+(b_2-a_2)^2}$

0366 • 대표문제 •

좌표평면 위의 세 점 $A(3, 1), B(-2, 1), C(-3, 4)$에 대하여 $\overrightarrow{AB}=\overrightarrow{CD}$를 만족시키는 점 D의 좌표는?

① $(8, -4)$ 　　② $(-8, 4)$ 　　③ $(4, 8)$

④ $(-4, 8)$ 　　⑤ $(-4, -8)$

0363 상중하

두 벡터 $\vec{a}=(6, -2), \vec{b}=(0, 2)$에 대하여 $\vec{a}+x\vec{b}$의 크기가 10이 되도록 하는 모든 실수 x의 값의 합은?

① -4 　　② -2 　　③ 0

④ 2 　　⑤ 4

↻ 개념 해결의 법칙 99쪽 유형 03

유형 **08** 두 평면벡터가 서로 같을 조건 　개념 **02**

세 평면벡터 $\vec{a}=(a_1, a_2), \vec{b}=(b_1, b_2), \vec{c}=(c_1, c_2)$와 실수 m, n에 대하여
$\vec{c}=m\vec{a}+n\vec{b} \Longleftrightarrow c_1=ma_1+nb_1, c_2=ma_2+nb_2$

0364 • 대표문제 •

세 벡터 $\vec{a}=(5, -1), \vec{b}=(-2, 3), \vec{c}=(5, 12)$에 대하여 $\vec{c}=m\vec{a}+n\vec{b}$일 때, 두 실수 m, n의 합 $m+n$의 값은?

① 6 　　② 7 　　③ 8

④ 9 　　⑤ 10

0367 상중하 서술형

좌표평면 위의 세 점 $A(2, 2), B(-2, -2), C(-1, 2)$에 대하여 $\overrightarrow{PA}+\overrightarrow{PB}+\overrightarrow{PC}=\overrightarrow{AB}$를 만족시키는 점 P의 좌표를 (a, b)라 할 때, $a+b$의 값을 구하시오.

0368 상중하

좌표평면 위의 두 점 $A(2, 3), B(3, 2)$와 직선 $y=-x+4$ 위를 움직이는 점 P에 대하여 $|\overrightarrow{AP}+\overrightarrow{BP}|$의 최솟값은?

① $\sqrt{2}$ 　　② $\sqrt{3}$ 　　③ 2

④ $\sqrt{5}$ 　　⑤ $\sqrt{6}$

0365 상중하

세 벡터 $\vec{a}=(2, 3), \vec{b}=(x, -1), \vec{c}=(-4, y)$에 대하여 $2\vec{a}-\vec{b}=\vec{b}+\vec{c}$가 성립할 때, xy의 값을 구하시오.

↻ 개념 해결의 법칙 108쪽 유형 01

유형 10 두 평면벡터의 평행 개념 02

영벡터가 아닌 두 평면벡터 $\vec{a}=(a_1, a_2), \vec{b}=(b_1, b_2)$에 대하여
$\vec{a} /\!/ \vec{b} \Longleftrightarrow \vec{b}=k\vec{a} \Longleftrightarrow b_1=ka_1, b_2=ka_2$ (단, $k \neq 0$인 실수)

0369 ● 대표문제 ●

세 벡터 $\vec{a}=(2, 3), \vec{b}=(4, -2), \vec{c}=(-2, -2)$에 대하여 두 벡터 $3\vec{a}+t\vec{b}, \vec{b}+\vec{c}$가 서로 평행할 때, 실수 t의 값은?

① -4 　　② $-\dfrac{7}{2}$ 　　③ -3

④ $-\dfrac{5}{2}$ 　　⑤ -2

0370 상중하

두 벡터 $\vec{a}=(-5, t), \vec{b}=(3, -6)$에 대하여 두 벡터 $\vec{a}+\vec{b}$, $\vec{a}-\vec{b}$가 서로 평행할 때, 실수 t의 값은?

① 2 　　② 4 　　③ 6
④ 8 　　⑤ 10

0371 상중하

네 점 $A(-1, 5), B(3, t), C(-2, -5), D(6, 3)$에 대하여 $\overrightarrow{AB} /\!/ \overrightarrow{CD}$일 때, 실수 t의 값은?

① 5 　　② 7 　　③ 9
④ 11 　　⑤ 13

유형 11 ★중요 평면벡터의 내적 개념 03

(i) 도형의 성질을 이용하여 두 평면벡터 $\vec{a}, \vec{b}$가 이루는 각의 크기
　$\theta (0° \le \theta \le 180°)$를 구한다.
(ii) $0° \le \theta \le 90°$이면 $\vec{a} \cdot \vec{b}=|\vec{a}||\vec{b}|\cos\theta$,
　$90° < \theta \le 180°$이면 $\vec{a} \cdot \vec{b}=-|\vec{a}||\vec{b}|\cos(180°-\theta)$
　임을 이용한다.

0372 ● 대표문제 ●

오른쪽 그림과 같이 $\overline{AB}=3, \overline{BC}=6$이고, $\angle CAB=90°$인 직각삼각형 ABC에서 변 BC의 중점을 M이라 할 때, $\overrightarrow{MA} \cdot \overrightarrow{MB}$를 구하시오.

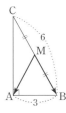

0373 상중하

오른쪽 그림과 같이 한 변의 길이가 2인 정육각형 ABCDEF에서 $\overrightarrow{BA} \cdot \overrightarrow{FE}$를 구하시오.

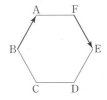

0374 상중하

오른쪽 그림과 같이 한 변의 길이가 1인 정육각형 ABCDEF에서 $\overrightarrow{AD} \cdot \overrightarrow{AE}$를 구하시오.

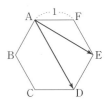

0375 상중하

오른쪽 그림과 같이 한 변의 길이가 1인 정삼각형 OAB에서 변 AB의 중점을 M이라 할 때, 다음 중 내적이 가장 큰 것은?

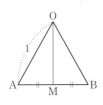

① $\overrightarrow{OA} \cdot \overrightarrow{OB}$ 　　② $\overrightarrow{OA} \cdot \overrightarrow{OA}$
③ $\overrightarrow{OB} \cdot \overrightarrow{OM}$ 　　④ $\overrightarrow{OA} \cdot \overrightarrow{AB}$
⑤ $\overrightarrow{AB} \cdot \overrightarrow{OM}$

4 평면벡터의 성분과 내적

↻ 개념 해결의 법칙 108쪽 유형 01

유형 **12** 성분으로 나타내어진 평면벡터의 내적　개념 **03**

두 평면벡터 $\vec{a}=(a_1, a_2)$, $\vec{b}=(b_1, b_2)$에 대하여
⇨ $\vec{a}\cdot\vec{b}=a_1 b_1 + a_2 b_2$

0376 대표문제

두 벡터 $\vec{a}=(2, x-1)$, $\vec{b}=(-3, x+2)$에 대하여
$\vec{a}\cdot\vec{b}=-2$일 때, 양수 x의 값을 구하시오.

0377 상중하 서술형

두 벡터 $\vec{a}=(x, x-2)$, $\vec{b}=(x-1, x+1)$에 대하여 $|\vec{a}|=\sqrt{2}$
일 때, $\vec{a}\cdot\vec{b}$를 구하시오.

0378 상중하

좌표평면에서 포물선 $y=\dfrac{1}{4}x^2$ 위의 두 점 P, Q와 원점 O에
대하여 $\overrightarrow{\mathrm{OP}}\cdot\overrightarrow{\mathrm{OQ}}$의 최솟값은?

① -4 ② -2 ③ 0
④ 2 ⑤ 4

↻ 개념 해결의 법칙 109쪽 유형 02

유형 **13** 평면벡터의 내적의 연산법칙 (1)　개념 **03**

두 평면벡터 $\vec{a}, \vec{b}$와 실수 p, q, r, s에 대하여
⇨ $(p\vec{a}+q\vec{b})\cdot(r\vec{a}+s\vec{b})=pr|\vec{a}|^2+(ps+qr)\vec{a}\cdot\vec{b}+qs|\vec{b}|^2$

0379 대표문제

$|\vec{a}|=3$, $|\vec{b}|=1$이고 두 벡터 $\vec{a}, \vec{b}$가 이루는 각의 크기가 $60°$
일 때, $(\vec{a}+2\vec{b})\cdot(3\vec{a}-4\vec{b})$는?

① 20 ② 21 ③ 22
④ 23 ⑤ 24

0380 상중하

두 벡터 $\vec{a}, \vec{b}$가 이루는 각의 크기가 $60°$이고 $|\vec{a}|=2$,
$(2\vec{a}+\vec{b})\cdot(\vec{a}-3\vec{b})=6$일 때, $|\vec{b}|$의 값은?

① $\dfrac{1}{6}$ ② $\dfrac{1}{4}$ ③ $\dfrac{1}{3}$
④ $\dfrac{1}{2}$ ⑤ 1

0381 상중하

두 벡터 $\vec{a}=(-1, -2)$, $\vec{b}=(2, 0)$에 대하여
$f(t)=(\vec{a}+t\vec{b})\cdot(\vec{a}-t\vec{b})$일 때, $f(t)$의 최댓값을 구하시오.
(단, t는 실수)

↻ 개념 해결의 법칙 109쪽 유형 02

유형 ★중요 **14** 평면벡터의 내적의 연산법칙 (2)　　개념 **03**

두 평면벡터 $\vec{a}, \vec{b}$와 실수 p, q에 대하여
$$|p\vec{a}+q\vec{b}|=k \Rightarrow |p\vec{a}+q\vec{b}|^2=k^2$$
$$\Rightarrow p^2|\vec{a}|^2+2pq\vec{a}\cdot\vec{b}+q^2|\vec{b}|^2=k^2 \text{ (단, } k>0)$$

0382 ● 대표문제 ●

두 벡터 $\vec{a}, \vec{b}$에 대하여 $|\vec{a}|=3, |\vec{b}|=2, |\vec{a}+\vec{b}|=\sqrt{15}$일 때, $|2\vec{a}-\vec{b}|$의 값을 구하시오.

0383 상중하

두 벡터 $\vec{a}, \vec{b}$에 대하여 $|\vec{a}+\vec{b}|=2, |\vec{a}-\vec{b}|=4$일 때, $|3\vec{a}-\vec{b}|^2+|\vec{a}+3\vec{b}|^2$의 값은?

① 40　　　　② 60　　　　③ 80

④ 100　　　⑤ 120

0384 상중하

오른쪽 그림과 같이 한 변의 길이가 1인 정육각형 ABCDEF에서 $\overrightarrow{BA}=\vec{a}$, $\overrightarrow{BC}=\vec{b}$라 할 때, $|2\vec{a}+5\vec{b}|$의 값을 구하시오.

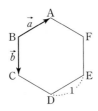

발전 유형 **15** 평면벡터에서의 점의 자취　　개념 **02,03**

(i) 움직이는 점의 좌표를 (x, y)로 놓는다.

(ii) 주어진 벡터를 성분으로 나타낸 후 x, y 사이의 관계식을 구한다.

0385 ● 대표문제 ●

좌표평면 위의 세 점 A($-1, -1$), B($2, -1$), C($-1, 2$)에 대하여 $|\overrightarrow{PA}+\overrightarrow{PB}+\overrightarrow{PC}|=2$일 때, 점 P가 나타내는 도형의 넓이를 구하시오.

0386 상중하

좌표평면 위의 두 점 A($3, -2$), B($-3, 4$)에 대하여 $|\overrightarrow{AP}|=|\overrightarrow{BP}|$를 만족시키는 점 P의 자취의 방정식을 구하시오.

0387 상중하

오른쪽 그림과 같이 $\overline{AB}=2$, $\overline{BC}=4$인 직사각형 ABCD의 둘레 또는 내부를 움직이는 점 P가 있다. 이때, $(\overrightarrow{PA}+\overrightarrow{PB})\cdot(\overrightarrow{PC}+\overrightarrow{PD})=0$을 만족시키는 점 P가 나타내는 도형의 길이는?

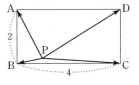

① $\dfrac{5}{6}\pi$　　　　② π　　　　③ $\dfrac{7}{6}\pi$

④ $\dfrac{4}{3}\pi$　　　　⑤ $\dfrac{3}{2}\pi$

4 평면벡터의 성분과 내적

↪ 개념 해결의 법칙 110쪽 유형 03

유형 **16** 두 평면벡터가 이루는 각의 크기
　　　　　　 – 내적이 주어진 경우

개념 **04**

영벡터가 아닌 두 평면벡터 $\vec{a}$, $\vec{b}$가 이루는 각의 크기가 $\theta(0°\leq\theta\leq180°)$ 일 때

(1) $\vec{a}\cdot\vec{b}\geq0 \Rightarrow \cos\theta=\dfrac{\vec{a}\cdot\vec{b}}{|\vec{a}||\vec{b}|}$

(2) $\vec{a}\cdot\vec{b}<0 \Rightarrow \cos(180°-\theta)=-\dfrac{\vec{a}\cdot\vec{b}}{|\vec{a}||\vec{b}|}$

0388 ● 대표문제 ●

오른쪽 그림과 같은 삼각형 ABC에서
$|\overrightarrow{BA}|=3$, $|\overrightarrow{BC}|=4$,
$\overrightarrow{BA}\cdot\overrightarrow{BC}=6\sqrt{2}$일 때, 삼각형 ABC
의 넓이를 구하시오.

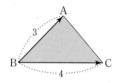

(단, 삼각형 ABC는 예각삼각형이다.)

0389 상중하

세 점 O, A, B에 대하여 두 벡터 $\vec{a}=\overrightarrow{OA}$, $\vec{b}=\overrightarrow{OB}$가 다음 조건을 만족시킨다.

(가) $\vec{a}\cdot\vec{b}=2$	(나) $|\vec{a}|=2$, $|\vec{b}|=3$

이때, 두 선분 OA, OB를 두 변으로 하는 평행사변형의 넓이를 구하시오. (단, 두 벡터 $\vec{a}$, $\vec{b}$가 이루는 각은 예각이다.)

0390 상중하

두 벡터 $\overrightarrow{OA}=\vec{a}$, $\overrightarrow{OB}=\vec{b}$에 대하여
$$|\vec{a}+\vec{b}|=|2\vec{a}+\vec{b}|=|\vec{a}|=1$$
이 성립할 때, 다음 보기 중 옳은 것을 있는 대로 고르시오.

ㄱ. $\vec{a}\cdot\vec{b}=-\dfrac{1}{2}$	ㄴ. $|\vec{b}|=\sqrt{3}$
ㄷ. ∠AOB=150°	

↪ 개념 해결의 법칙 110쪽 유형 03

유형 **17** 두 평면벡터가 이루는 각의 크기
　　　　　　 – 성분이 주어진 경우

개념 **04**

영벡터가 아닌 두 평면벡터 $\vec{a}=(a_1, a_2)$, $\vec{b}=(b_1, b_2)$가 이루는 각의 크기가 $\theta(0°\leq\theta\leq180°)$일 때

(1) $\vec{a}\cdot\vec{b}\geq0 \Rightarrow \cos\theta=\dfrac{a_1b_1+a_2b_2}{\sqrt{a_1{}^2+a_2{}^2}\sqrt{b_1{}^2+b_2{}^2}}$

(2) $\vec{a}\cdot\vec{b}<0 \Rightarrow \cos(180°-\theta)=-\dfrac{a_1b_1+a_2b_2}{\sqrt{a_1{}^2+a_2{}^2}\sqrt{b_1{}^2+b_2{}^2}}$

0391 ● 대표문제 ●

세 벡터 $\vec{a}=(3, 1)$, $\vec{b}=(1, 2)$, $\vec{c}=(4, -2)$에 대하여
$\vec{a}-\vec{b}$와 $\vec{a}-\vec{c}$가 이루는 각의 크기를 구하시오.

0392 상중하

두 벡터 $\vec{a}=(1, -x)$, $\vec{b}=(x, 0)$에 대하여 $\vec{b}-\vec{a}$의 크기가 $\sqrt{5}$
이다. 두 벡터 $\vec{a}$, $\vec{b}$가 이루는 각의 크기를 $\theta(0°\leq\theta\leq180°)$라
할 때, $\cos\theta$의 값을 구하시오. (단, $x>0$)

↪ 개념 해결의 법칙 110쪽 유형 03

유형 **18** 두 평면벡터가 이루는 각의 크기
　　　　　　 – 내적의 연산법칙을 이용하는 경우

개념 **04**

영벡터가 아닌 두 평면벡터 $\vec{a}$, $\vec{b}$가 이루는 각의 크기가 $\theta(0°\leq\theta\leq180°)$ 일 때

(1) $0°\leq\theta\leq90°$이면
$$|\vec{a}\pm\vec{b}|^2=|\vec{a}|^2\pm2\vec{a}\cdot\vec{b}+|\vec{b}|^2$$
$$=|\vec{a}|^2\pm2|\vec{a}||\vec{b}|\cos\theta+|\vec{b}|^2 \text{ (복호동순)}$$

(2) $90°<\theta\leq180°$이면
$$|\vec{a}\pm\vec{b}|^2=|\vec{a}|^2\pm2\vec{a}\cdot\vec{b}+|\vec{b}|^2$$
$$=|\vec{a}|^2\mp2|\vec{a}||\vec{b}|\cos(180°-\theta)+|\vec{b}|^2 \text{ (복호동순)}$$

0393 ● 대표문제 ●

두 벡터 $\vec{a}$, $\vec{b}$에 대하여
$$|\vec{a}|=2\sqrt{2}, |\vec{b}|=2, |\vec{a}+\vec{b}|=2$$
일 때, 두 벡터 $\vec{a}$, $\vec{b}$가 이루는 둔각의 크기를 구하시오.

0394 상중하
영벡터가 아닌 두 벡터 $\vec{a}, \vec{b}$에 대하여 $|2\vec{a}+\vec{b}|=|2\vec{a}-\vec{b}|$일 때, 두 벡터 $\vec{a}, \vec{b}$가 이루는 각의 크기를 구하시오.

0395 상중하
세 벡터 $\vec{a}, \vec{b}, \vec{c}$에 대하여 $\vec{a}+\vec{b}+\vec{c}=\vec{0}$이고, $|\vec{a}|=2$, $|\vec{b}|=\sqrt{7}$, $|\vec{c}|=1$일 때, 두 벡터 $\vec{a}, \vec{c}$가 이루는 예각의 크기를 구하시오.

↻ 개념 해결의 법칙 111쪽 유형 04

유형 **19** **두 평면벡터의 수직** 개념 **04**

영벡터가 아닌 두 평면벡터 $\vec{a}=(a_1, a_2), \vec{b}=(b_1, b_2)$에 대하여
$\vec{a}\perp\vec{b}\Longleftrightarrow\vec{a}\cdot\vec{b}=0\Longleftrightarrow a_1b_1+a_2b_2=0$

0396 •대표문제
두 벡터 $\vec{a}=(2, 3), \vec{b}=(-1, 2)$에 대하여 $\vec{a}-\vec{b}$와 $\vec{a}+t\vec{b}$가 평행할 때의 t의 값을 α라 하고, 수직일 때의 t의 값을 β라 하자. 이때, $\beta-\alpha$의 값은?

① 7 　　　② 8 　　　③ 9
④ 10 　　　⑤ 11

0397 상중하
오른쪽 그림과 같이 한 변의 길이가 2인 정사각형 ABCD에서 $\overrightarrow{AB}=\vec{a}, \overrightarrow{AD}=\vec{b}$라 할 때, $(\vec{a}+3\vec{b})\cdot(2\vec{a}-\vec{b})$는?

① -4 　　　② -3
③ -2 　　　④ -1
⑤ 0

0398 상중하 서술형
두 벡터 $\vec{a}, \vec{b}$에 대하여 $|\vec{a}|=2$, $|\vec{b}|=1$이고, $\vec{a}-3\vec{b}$와 $-2\vec{a}+\vec{b}$가 서로 수직이다. 두 벡터 $\vec{a}, \vec{b}$가 이루는 각의 크기를 $\theta(0°\leq\theta\leq180°)$라 할 때, $\cos\theta$의 값을 구하시오.

0399 상중하
영벡터가 아닌 두 벡터 $\vec{a}, \vec{b}$에 대하여 $(3\vec{a}+\vec{b})\perp(2\vec{a}-\vec{b})$이고, $|\vec{b}|=2|\vec{a}|$이다. 두 벡터 $\vec{a}, \vec{b}$가 이루는 각의 크기를 $\theta(0°\leq\theta\leq90°)$라 할 때, $\cos\theta$의 값은?

① 0 　　　② $\dfrac{1}{2}$ 　　　③ $\dfrac{\sqrt{2}}{2}$
④ $\dfrac{\sqrt{3}}{2}$ 　　　⑤ 1

↻ 개념 해결의 법칙 120쪽 유형 01

유형 20 한 점과 방향벡터가 주어진 직선의 방정식 개념 **05**

(1) 점 $A(x_1, y_1)$을 지나고 방향벡터가 $\vec{u} = (a, b)$인 직선의 방정식

$\Rightarrow \dfrac{x-x_1}{a} = \dfrac{y-y_1}{b}$ (단, $ab \neq 0$)

(2) 두 점 $A(x_1, y_1)$, $B(x_2, y_2)$를 지나는 직선의 방정식

$\Rightarrow \dfrac{x-x_1}{x_2-x_1} = \dfrac{y-y_1}{y_2-y_1}$ (단, $x_1 \neq x_2, y_1 \neq y_2$)

0400 · 대표문제 ·

점 $A(3, -4)$를 지나고 직선 $x-3 = 2(y+1)$에 평행한 직선이 점 $(-1, k)$를 지날 때, k의 값을 구하시오.

0401 상중하

두 점 $A(1, -2)$, $B(2, 4)$를 지나는 직선에 평행하고 점 $(-3, 1)$을 지나는 직선의 방정식은?

① $x+3 = \dfrac{y-1}{6}$ ② $x-3 = \dfrac{y+1}{6}$

③ $\dfrac{x+3}{6} = y-1$ ④ $\dfrac{x-3}{6} = y+1$

⑤ $\dfrac{x+1}{3} = y+3$

↻ 개념 해결의 법칙 121쪽 유형 02

유형 21 한 점과 법선벡터가 주어진 직선의 방정식 개념 **05**

점 $A(x_1, y_1)$을 지나고 법선벡터가 $\vec{n} = (a, b)$인 직선의 방정식

$\Rightarrow a(x-x_1) + b(y-y_1) = 0$

0402 · 대표문제 ·

점 $A(2, 5)$를 지나고 직선 $x-1 = \dfrac{2-y}{3}$에 수직인 직선이 점 $(a, 4)$를 지날 때, a의 값을 구하시오.

0403 상중하

두 점 $A(2, 3)$, $B(-1, 4)$를 지나는 직선에 수직이고 점 $P(-2, 6)$을 지나는 직선과 x축, y축으로 둘러싸인 도형의 넓이를 S라 할 때, S의 값을 구하시오.

↻ 개념 해결의 법칙 122쪽 유형 03

유형 22 두 직선이 이루는 각의 크기 개념 **06**

방향벡터가 각각 $\vec{u_1} = (a_1, b_1)$, $\vec{u_2} = (a_2, b_2)$인 두 직선 l_1, l_2가 이루는 각의 크기를 $\theta(0° \leq \theta \leq 90°)$라 하면

$\cos \theta = \dfrac{|\vec{u_1} \cdot \vec{u_2}|}{|\vec{u_1}||\vec{u_2}|} = \dfrac{|a_1 a_2 + b_1 b_2|}{\sqrt{a_1^2 + b_1^2}\sqrt{a_2^2 + b_2^2}}$

0404 · 대표문제 ·

두 직선 $\dfrac{x+1}{2} = 2-y$, $\dfrac{x-1}{4} = \dfrac{y+2}{3}$가 이루는 각의 크기를 $\theta(0° \leq \theta \leq 90°)$라 할 때, $5\cos^2 \theta$의 값을 구하시오.

0405 상중하

두 직선 $\dfrac{x-1}{a} = y+3$, $x+1 = \dfrac{y-2}{\sqrt{3}}$가 이루는 각의 크기가 $30°$일 때, 양수 a의 값은?

① $\sqrt{3}$ ② 2 ③ $\sqrt{5}$

④ $\sqrt{6}$ ⑤ $2\sqrt{2}$

↻ 개념 해결의 법칙 123쪽 유형 04

유형 23 두 직선의 수직과 평행   개념 **06**

두 직선 l_1, l_2의 방향벡터가 각각 $\overrightarrow{u_1}$, $\overrightarrow{u_2}$일 때
(1) $l_1 \perp l_2 \Longleftrightarrow \overrightarrow{u_1} \perp \overrightarrow{u_2} \Longleftrightarrow \overrightarrow{u_1} \cdot \overrightarrow{u_2} = 0$
(2) $l_1 /\!/ l_2 \Longleftrightarrow \overrightarrow{u_1} /\!/ \overrightarrow{u_2} \Longleftrightarrow \overrightarrow{u_1} = k\overrightarrow{u_2}$ (단, $k \neq 0$인 실수)

0406 ◦ 대표문제 ◦

직선 $l: \dfrac{x-2}{3} = \dfrac{y+1}{2}$이 직선 $m: \dfrac{x-3}{6} = \dfrac{y+2}{-a}$와는 서로

평행하고, 직선 $n: \dfrac{3-x}{2} = \dfrac{y-1}{b}$과는 서로 수직일 때, 실수

a, b에 대하여 $a+b$의 값은?

① -3 ② -1 ③ 1
④ 3 ⑤ 5

0407 상중하 서술형

두 점 $A(-2, 6)$, $B(5, 1)$을 지나는 직선과 직선

$\dfrac{x+1}{k} = \dfrac{y-5}{k+2}$가 서로 수직일 때, 실수 k의 값을 구하시오.

0408 상중하

점 $A(-5, 1)$에서 직선 $l: \dfrac{x+1}{3} = 3-y$에 내린 수선의 발을

H라 할 때, 두 점 A, H를 지나는 직선의 방정식을 구하시오.

↻ 개념 해결의 법칙 124쪽 유형 05

유형 24 평면벡터를 이용한 원의 방정식   개념 **07**

두 점 A, P의 위치벡터를 각각 $\vec{a}$, $\vec{p}$라 할 때,
$|\vec{p} - \vec{a}| = r$ 또는 $(\vec{p} - \vec{a}) \cdot (\vec{p} - \vec{a}) = r^2$
⇨ 점 A를 중심으로 하고 반지름의 길이가 r인 원

0409 ◦ 대표문제 ◦

벡터 $\vec{a} = (3, 4)$에 대하여 점 $P(x, y)$의 위치벡터 $\vec{p}$는
$|\vec{p} - \vec{a}| = |\vec{a}|$를 만족시킨다. 점 P가 나타내는 도형이 x축과
만나는 두 점 사이의 거리를 구하시오.

0410 상중하

두 점 $A(2, 4)$, $B(-2, 2)$에 대하여 $\overrightarrow{AP} \cdot \overrightarrow{BP} = 0$을 만족시
키는 점 P가 나타내는 도형의 둘레의 길이를 구하시오.

0411 상중하

좌표평면 위의 두 점 $A(2, 1)$, $B(4, 5)$와 한 점 P에 대하여
$\overrightarrow{OA} = \vec{a}$, $\overrightarrow{OB} = \vec{b}$, $\overrightarrow{OP} = \vec{p}$라 할 때, $(\vec{p} - \vec{a}) \cdot (\vec{p} - \vec{b}) = 0$을 만
족시키는 점 P가 나타내는 도형의 넓이는?

① π ② 3π ③ 5π
④ 7π ⑤ 9π

4 평면벡터의 성분과 내적

0412 | 유형 02 |

오른쪽 그림과 같은 평행사변형 ABCD에서 변 BC를 1 : 2로 내분하는 점을 M, 변 CD를 1 : 2로 내분하는 점을 N이라 하자. $\overrightarrow{AB}=\vec{a}$ $\overrightarrow{AD}=\vec{b}$일 때, $\overrightarrow{MN}=p\vec{a}+q\vec{b}$를 만족시키는 실수 p, q에 대하여 $p-q$의 값은? [4.4점]

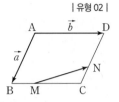

① -3 ② -2 ③ -1
④ 0 ⑤ 1

0413 | 유형 03 |

오른쪽 그림과 같이 삼각형 ABC의 무게중심을 G, 선분 BC를 2 : 3으로 내분하는 점을 P라 하자.
$$\overrightarrow{PG}=m\overrightarrow{AB}+n\overrightarrow{AC}$$
를 만족시키는 두 실수 m, n에 대하여 $m+n$의 값은? [4.4점]

① $-\dfrac{2}{3}$ ② $-\dfrac{1}{3}$ ③ 0
④ $\dfrac{1}{3}$ ⑤ 2

0414 | 유형 04 |

삼각형 ABC의 내부의 한 점 P에 대하여 $3\overrightarrow{PA}+3\overrightarrow{PB}+4\overrightarrow{PC}=\vec{0}$이고, 삼각형 PBC의 넓이가 12일 때, 삼각형 PAB의 넓이는? [4.8점]

① 8 ② 10 ③ 12
④ 14 ⑤ 16

0415 | 유형 07 |

두 벡터 $\vec{a}=(3,\ -1)$, $\vec{b}=(-1,\ 1)$에 대하여 $|\vec{a}+t\vec{b}|^2$의 최댓값을 M, 최솟값을 m이라 할 때, $M+m$의 값은?

(단, $1\le t\le 4$) [4.6점]

① 6 ② 8 ③ 10
④ 12 ⑤ 14

0416 | 유형 08 |

세 벡터 $\vec{a}=(x+1,\ 3)$, $\vec{b}=(y-1,\ 2y)$, $\vec{c}=(2,\ -3)$에 대하여 $\vec{c}=\vec{a}-3\vec{b}$가 성립할 때, $x+y$의 값은? [4.1점]

① 2 ② 3 ③ 4
④ 5 ⑤ 6

0417 | 유형 09 |

좌표평면 위의 두 점 $A(3,\ 1)$, $B(1,\ -3)$과 직선 $x-y=0$ 위를 움직이는 점 P에 대하여 $|\overrightarrow{PA}+\overrightarrow{PB}|$의 최솟값은? [4.5점]

① $\sqrt{2}$ ② $2\sqrt{2}$ ③ $3\sqrt{2}$
④ $4\sqrt{2}$ ⑤ $5\sqrt{2}$

0418 | 유형 11 |

오른쪽 그림과 같이 선분 AB를 지름으로 하는 원 위에 $\overline{AP}=5$, $\overline{AQ}=10$이 되는 점 P, Q를 각각 잡는다. $\overrightarrow{AP}\cdot\overrightarrow{AB}+\overrightarrow{AQ}\cdot\overrightarrow{AB}$의 값은?

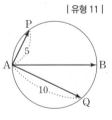

[4.8점]

① 100 ② 125 ③ 150
④ 175 ⑤ 200

0419

| 유형 12 |

타원 $\dfrac{x^2}{25}+\dfrac{y^2}{9}=1$의 두 초점 F,

F′과 타원 위의 한 점 P에 대하여
$\overrightarrow{\mathrm{FP}}\cdot\overrightarrow{\mathrm{F'P}}$의 최댓값은? [5점]

① 7   ② 8

③ 9   ④ 10

⑤ 11

0420

| 유형 18 |

영벡터가 아닌 두 벡터 $\vec{a}, \vec{b}$에 대하여
$$|\vec{a}|=|\vec{b}|,\ \sqrt{2}|\vec{a}-\vec{b}|=|\vec{a}+\vec{b}|$$
이다. 두 벡터 $\vec{a}, \vec{b}$가 이루는 예각의 크기를 θ라 할 때, $\cos\theta$의 값은? [4.7점]

① $\dfrac{1}{4}$ ② $\dfrac{1}{3}$ ③ $\dfrac{1}{2}$

④ $\dfrac{\sqrt{2}}{2}$ ⑤ 1

0421

| 유형 19 |

두 벡터 $\vec{a}=(1+t,\ t^2),\ \vec{b}=(4t^2+kt+1,\ -4t)$가 모든 실수 t에 대하여 서로 수직이 되지 않도록 하는 실수 k의 값의 범위는? [4.8점]

① $k<-3$ ② $k<5$ ③ $-5<k<1$

④ $-5<k<5$ ⑤ $-3<k<5$

0422

| 유형 20 |

점 $(-1,4)$를 지나고 직선 $3(x-1)=2(y+2)$에 평행한 직선을 l이라 할 때, 다음 중 직선 l 위의 점은? [4.6점]

① $(-5,-1)$ ② $(-2,1)$ ③ $(1,6)$

④ $(3,10)$ ⑤ $(5,12)$

0423

| 유형 22 |

두 직선 $\dfrac{x+1}{a}=y-2,\ \dfrac{x-1}{2}=5-y$가 이루는 각의 크기가 $45°$일 때, 양수 a의 값은? [4.6점]

① 3   ② 4   ③ 5

④ 6   ⑤ 7

0424

| 유형 23 |

직선 $ax+by+c=0$이 직선 $\dfrac{x+1}{3}=\dfrac{y-1}{k}$과 서로 수직이고

직선 $\dfrac{x+1}{2}=\dfrac{1-y}{3}$와 서로 평행하다. 직선 $ax+by+c=0$이 점 $(2,3)$을 지날 때, $a+b+c$의 값은?

(단, a, b는 서로소인 자연수, c, k는 실수이다.) [4.7점]

① $-\dfrac{17}{3}$ ② -6 ③ $-\dfrac{19}{3}$

④ $-\dfrac{20}{3}$ ⑤ -7

서술형 문제

• 풀이 과정에 점수가 부여되니 풀이 과정 및 정답을 상세하게 서술하세요.

단답형

0425
| 유형 05 + 유형 17 |

좌표평면 위의 세 점 $O(0, 0)$, $A(3, 0)$, $B(\sqrt{2}, \sqrt{2})$에 대하여 $\overrightarrow{OP} = m\overrightarrow{OA} + n\overrightarrow{OB}$, $0 \le m \le 1$, $0 \le n \le 1$을 만족시키는 점 P가 나타내는 도형의 넓이를 구하시오. [7점]

0426
| 유형 18 |

영벡터가 아닌 세 벡터 $\vec{a}, \vec{b}, \vec{c}$에 대하여 $|\vec{a}| = 3|\vec{b}| = 2|\vec{c}|$이고, $\vec{a} - 3\vec{b} + 2\vec{c} = \vec{0}$이다. 두 벡터 $\vec{b}, \vec{c}$가 이루는 각의 크기 θ를 구하시오. (단, $0° \le \theta \le 180°$) [7점]

0427
| 유형 21 |

두 직선 $\dfrac{x-1}{3} = 4 - y$, $x - 2 = \dfrac{y+1}{2}$의 교점을 지나는 직선이 직선 $\dfrac{x-5}{3} = \dfrac{y+3}{2}$과 서로 수직일 때, 이 직선의 방정식을 구하시오. [6점]

단계형

0428
| 유형 19 |

오른쪽 그림과 같이 $\overline{AB} = 4$, $\overline{AD} = 2$이고 $\angle DAB = 60°$인 평행사변형이 있다. 점 D에서 대각선 AC에 내린 수선의 발을 E라 하고, $\overrightarrow{AB} = \vec{a}$, $\overrightarrow{AD} = \vec{b}$라 하자. $\overrightarrow{AE} = p\vec{a} + p\vec{b}$를 만족시키는 실수 p의 값을 구하려고 한다. 다음 물음에 답하시오.
[10점]

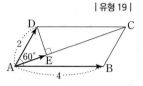

(1) $\overrightarrow{AC} \cdot \overrightarrow{DE}$를 구하시오. [3점]

(2) p의 값을 구하시오. [7점]

0429
| 유형 02 + 유형 24 |

두 점 $A(4, 0)$, $B(12, 0)$에 대하여 선분 AB를 $1 : 3$으로 내분하는 점을 C, 선분 AB의 중점을 D라 하자. $\overrightarrow{PC} \cdot \overrightarrow{PD} = 0$을 만족시키는 점 P가 나타내는 도형의 둘레의 길이를 구하려고 한다. 다음 물음에 답하시오. [10점]

(1) $\overrightarrow{OC}$, $\overrightarrow{OD}$를 성분으로 나타내시오. [3점]

(2) 점 P가 나타내는 도형의 방정식을 구하시오. [5점]

(3) 점 P가 나타내는 도형의 둘레의 길이를 구하시오. [2점]

성/취/도 Check
점수   / 100점

 STEP 1 개념+기본 문제 학습

 STEP 2 유형 대표 문제 학습

 STEP 3의 틀린 문제에 해당하는 **STEP 2** 유형 학습

 STEP 3의 틀린 문제 복습

교과서 속 심화문제 시작

0430

오른쪽 그림과 같이 반지름의 길이가 r 인 원에 내접하는 삼각형 ABC의 외심을 O라 하고, $\overrightarrow{OA}=\vec{a}$, $\overrightarrow{OB}=\vec{b}$, $\overrightarrow{OC}=\vec{c}$ 라 하자. $2\vec{a}+3\vec{b}+4\vec{c}=\vec{0}$이 성립하고, 선분 BC의 길이가 30일 때, r의 값을 구하시오.

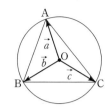

0431

오른쪽 그림과 같이 $\overline{AC}=2$인 직사각형 ABCD와 이 직사각형과 한 변을 공유하는 정삼각형 EAD가 있다. 선분 AE 위의 모든 점 P에 대하여 $\overrightarrow{CA}\cdot\overrightarrow{CP}=4$가 성립할 때, $|\overrightarrow{BA}+\overrightarrow{CP}|$의 최솟값을 구하시오.

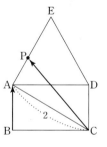

0432 창의·융합

다음 그림과 같이 점 O를 중심으로 하고 길이가 3인 선분 AB 를 지름으로 하는 반원이 있다. 이 반원의 내부에 $\overline{AC}=1$인 점 C를 잡고, 삼각형 ABC의 내접원의 중심을 O'이라 하자. 선분 AO'의 연장선과 선분 BC의 교점을 N, 반원과의 교점을 P라 하고, 선분 BN을 $3:2$로 내분하는 점을 M, 선분 AM 의 연장선과 선분 BP의 교점을 Q라 하자. $\overrightarrow{AQ}=k\overrightarrow{AM}$을 만족시키는 실수 k의 값을 구하시오.

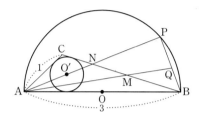

0433

두 벡터 $\vec{a}=(1,1)$, $\vec{b}=(3,k)$에 대하여 두 점 P, Q의 위치벡터 $\vec{p}$, $\vec{q}$는 각각 $|\vec{p}-\vec{a}|=3$, $|\vec{q}-\vec{b}|=1$을 만족시킨다. 점 P 가 나타내는 원을 C_1, 점 Q가 나타내는 원을 C_2라 할 때, 원 C_1 이 원 C_2의 둘레의 길이를 이등분하기 위한 모든 실수 k의 값의 곱은?

① -3 ② -1 ③ 0

④ 1 ⑤ 3

5

공간도형

지식보다는 상상력이 더욱 중요하다.

-알베르트 아인슈타인

＊ 전국 300여 개 고등학교 기출 문제를 분석하였습니다.

유형01 평면의 결정조건
유형02 공간에서의 위치 관계
유형03 직선과 평면의 평행과 수직
유형04 꼬인 위치에 있는 두 직선이 이루는 각
유형05 직선과 평면이 이루는 각
유형06 수선의 길이

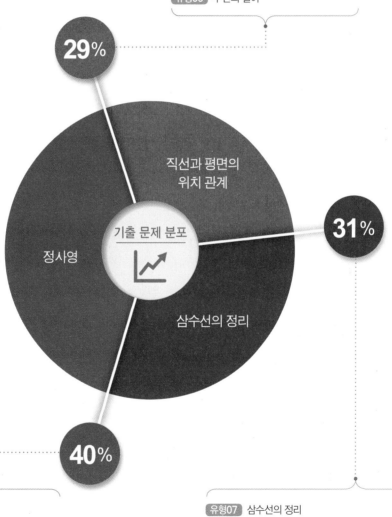

29%

직선과 평면의
위치 관계

정사영

기출 문제 분포

31%

삼수선의 정리

40%

유형11 정사영의 길이
유형12 정사영의 길이를 이용하여 각의 크기 구하기
유형13 정사영의 넓이
유형14 정사영의 넓이를 이용하여 각의 크기 구하기
유형15 정사영의 넓이의 활용
유형16 정사영의 넓이의 실생활에의 활용

유형07 삼수선의 정리
유형08 삼수선의 정리의 활용
유형09 삼수선의 정리의 활용 – 두 직선이 이루는 각
유형10 두 평면이 이루는 각

STEP 1 개념 마스터

---

01 직선과 평면의 위치 관계 [유형 01~03]

(1) 평면의 결정조건
① 한 직선 위에 있지 않은 세 점
② 한 직선과 그 직선 위에 있지 않은 한 점
③ 한 점에서 만나는 두 직선
④ 평행한 두 직선

(2) 두 직선의 위치 관계
① 한 점에서 만난다.　　② 평행하다. ─①, ② 한 평면 위에 있다.
③ 꼬인 위치에 있다. ─ ③ 한 평면 위에 있지 않다.

　참고　공간에서 한 평면 위에 있지 않은 두 직선이 만나지도 않고 평행
　　　하지도 않을 때, 두 직선은 꼬인 위치에 있다고 한다.

(3) 직선과 평면의 위치 관계
① 직선이 평면에 포함된다.　② 한 점에서 만난다. ─①, ② 만난다.
③ 평행하다. ─ ③ 만나지 않는다.

(4) 두 평면의 위치 관계
① 한 직선에서 만난다.　　② 평행하다.

　참고　서로 다른 두 평면이 만나서 공유하는 한 직선을 두 평면의 교선
　　　이라 한다.

0434 한 직선 위에 있지 않은 세 점 A, B, C가 한 평면 위에 있고 평면 밖에 한 점 P가 있다. 이 4개의 점으로 만들 수 있는 서로 다른 평면의 개수를 구하시오.

[0435~0438] 오른쪽 그림과 같은 직육면체에서 다음을 구하시오.

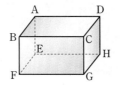

0435 직선 AB와 평행한 직선

0436 직선 AB와 꼬인 위치에 있는 직선

0437 직선 CD를 포함하는 평면

0438 평면 ABCD와 한 직선에서 만나는 평면

---

02 직선과 평면의 평행과 수직 [유형 03~06]

(1) 직선과 평면의 평행
① 두 직선 l, m이 평행할 때, 직선 l을 포함하고 직선 m을 포함하지 않는 평면 α는 직선 m과 평행하다.
② 직선 l과 평면 α가 평행할 때, 직선 l을 포함하는 평면 β와 평면 α의 교선을 m이라 하면 직선 m과 직선 l은 평행하다.
③ 평행한 두 평면 α, β와 다른 평면 γ가 만나서 생기는 두 교선을 각각 l, m이라 하면 두 직선 l, m은 평행하다.
④ 평면 α 위에 있지 않은 한 점 P에서 만나는 두 직선 l, m이 모두 평면 α에 평행하면 두 직선 l, m을 포함하는 평면 β는 평면 α와 평행하다.
⑤ 서로 다른 세 평면 α, β, γ에 대하여 $\alpha /\!/ \beta$, $\beta /\!/ \gamma$이면 $\alpha /\!/ \gamma$이다.

　참고　② 직선 l과 평면 α가 평행하다고 해서 직선 l이 평면 α 위의 모든 직선과 평행한 것은 아니다.

(2) 꼬인 위치에 있는 두 직선이 이루는 각
두 직선 l, m이 꼬인 위치에 있을 때, 직선 l을 직선 m과 한 점에서 만나도록 평행이동한 직선 l'과 직선 m이 이루는 각 중에서 크기가 작은 쪽의 각을 두 직선 l, m이 이루는 각이라 한다.

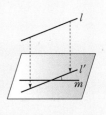

　참고　두 직선 l, m이 이루는 각이 직각일 때, l, m은 서로 수직이라 하고, 기호로 $l \perp m$과 같이 나타낸다.

(3) 직선과 평면의 수직
공간에서 직선 l이 평면 α와 점 O에서 만나고, 점 O를 지나는 평면 α 위의 모든 직선과 수직일 때, 직선 l은 평면 α와 수직이라 하고, 기호로 $l \perp \alpha$와 같이 나타낸다.

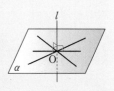

　참고　직선 l이 평면 α와 수직임을 보이기 위해서는 직선 l이 평면 α 위의 평행하지 않은 두 직선과 각각 수직임을 보이면 된다.

핵심 Check
• 꼬인 위치에 있는 두 직선이 이루는 각 → 두 직선이 한 점에서 만나도록 한 직선을 평행이동 → 두 직선이 이루는 각 중 크기가 작은 각 구하기
• 직선 l과 평면 α의 수직 → 직선 l이 평면 α 위의 평행하지 않은 두 직선과 각각 수직임을 보이기

[0439~0440] 오른쪽 그림과 같은 정육면체에서 다음 두 직선이 이루는 각의 크기를 구하시오.

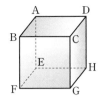

0439 직선 BD와 직선 CG

0440 직선 FC와 직선 BD

0441 다음은 오른쪽 그림과 같은 정육면체에서 $\overline{BD}\perp$(평면 AEGC)임을 증명한 것이다. ㈎, ㈏에 알맞은 것을 써넣으시오.

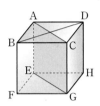

── 증명 ●

사각형 ABCD는 정사각형이므로 $\overline{BD}\perp$ ㈎

또, $\overline{CG}/\!/\overline{BF}$, $\overline{BD}\perp\overline{BF}$이므로 $\overline{BD}\perp$ ㈏

따라서 $\overline{BD}$는 평면 AEGC 위의 평행하지 않은 두 직선과 각각 수직이므로 $\overline{BD}\perp$(평면 AEGC)

0442 오른쪽 그림과 같이 평면 α 위에 있지 않은 한 점 P에서 α에 내린 수선의 발을 O라 하고, 점 O에서 평면 α 위의 선분 AB에 내린 수선의 발을 H라 하자. 다음은 $\overline{PA}=\sqrt{29}$, $\overline{AH}=2$, $\overline{OH}=4$일 때, $\overline{PO}$의 길이를 구하는 과정이다. ㈎, ㈏, ㈐에 알맞은 것을 써넣으시오.

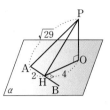

$\overline{PO}\perp\alpha$, $\overline{OH}\perp\overline{AB}$이므로 삼수선의 정리에 의하여

$\overline{PH}\perp$ ㈎

즉, 삼각형 PAH는 직각삼각형이므로

$\overline{PH}=$ ㈏

또, 삼각형 PHO도 직각삼각형이므로

$\overline{PO}=$ ㈐

---

03 삼수선의 정리   유형 07~09

평면 α 위에 있지 않은 한 점 P, 평면 α 위의 한 점 O, 점 O를 지나지 않고 평면 α 위에 있는 한 직선 l, 직선 l 위의 한 점 H에 대하여 다음이 성립하고, 이것을 **삼수선의 정리**라 한다.

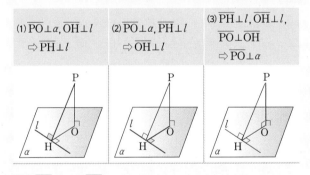

| (1) $\overline{PO}\perp\alpha$, $\overline{OH}\perp l$ $\Rightarrow\overline{PH}\perp l$ | (2) $\overline{PO}\perp\alpha$, $\overline{PH}\perp l$ $\Rightarrow\overline{OH}\perp l$ | (3) $\overline{PH}\perp l$, $\overline{OH}\perp l$, $\overline{PO}\perp\overline{OH}$ $\Rightarrow\overline{PO}\perp\alpha$ |

참고 $\overline{PO}\perp\alpha$이면 $\overline{PO}$는 평면 α 위의 모든 직선과 수직이다.

---

04 이면각   유형 10

(1) **이면각**: 직선 l을 공유하는 두 반평면 α, β로 이루어진 도형을 **이면각**이라 하고, 직선 l을 **이면각의 변**, 두 반평면 α, β를 **이면각의 면**이라 한다.

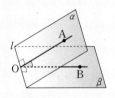

참고 평면 위의 한 직선은 그 평면을 두 부분으로 나누는데, 그 각각을 반평면이라 한다.

(2) **이면각의 크기**: 이면각의 변 l 위의 한 점 O를 지나고 직선 l에 수직인 두 반직선 OA, OB를 반평면 α, β 위에 각각 그을 때, $\angle$AOB의 크기를 **이면각의 크기**라 한다.

(3) **두 평면이 이루는 각**: 서로 다른 두 평면이 만나서 생기는 이면각 중에서 그 크기가 작은 쪽의 각을 두 평면이 이루는 각이라 한다.

참고 두 평면 α, β가 이루는 각이 직각일 때, 이 두 평면은 수직이라 하고, 기호로 $\alpha\perp\beta$와 같이 나타낸다.

핵심 Check

• 삼수선의 정리
(1) $\overline{PO}\perp\alpha$, $\overline{OH}\perp l$ $\Rightarrow\overline{PH}\perp l$
(2) $\overline{PO}\perp\alpha$, $\overline{PH}\perp l$ $\Rightarrow\overline{OH}\perp l$
(3) $\overline{PH}\perp l$, $\overline{OH}\perp l$, $\overline{PO}\perp\overline{OH}$ $\Rightarrow\overline{PO}\perp\alpha$

• 이면각의 크기
$\Rightarrow\angle$AOB

0443 다음은 직선 l이 평면 α에 수직일 때, 직선 l을 포함하는 평면 β가 평면 α와 수직임을 증명한 것이다. (가), (나)에 알맞은 것을 써넣으시오.

> ┌─ 증명 ─────────────────────┐
>
> 평면 α, β의 교선을 m이라 하고, 직선 l과 평면 α의 교점을 O라 하자.
>
>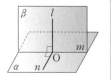
>
> 평면 α 위에서 점 O를 지나고 직선 m과 수직인 직선 n을 그으면
>
> $l \perp m$, $m \perp$ (가)
>
> 그런데 $l \perp \alpha$이므로 $l \perp$ (나)
>
> 이때, 두 평면 α, β가 이루는 각의 크기는 두 직선 l, n이 이루는 각의 크기와 같으므로 $\alpha \perp \beta$

[0444~0447] 오른쪽 그림과 같은 정육면체에서 다음을 구하시오.

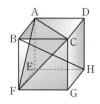

0444 점 B의 평면 CGHD 위로의 정사영

0445 선분 BH의 평면 EFGH 위로의 정사영

0446 선분 AC의 평면 ABFE 위로의 정사영

0447 삼각형 AFC의 평면 EFGH 위로의 정사영

(05) 정사영   유형 11~16

(1) **정사영**: 한 점 P에서 평면 α에 내린 수선의 발 P′을 점 P의 평면 α 위로의 **정사영**이라 한다. 또, 도형 F에 속하는 각 점의 평면 α 위로의 정사영으로 이루어진 도형 F'을 도형 F의 평면 α 위로의 정사영이라 한다.

(2) **정사영의 길이**: 선분 AB의 평면 α 위로의 정사영을 선분 A′B′이라 할 때, 직선 AB와 평면 α가 이루는 각의 크기를 $\theta(0° \leq \theta \leq 90°)$라 하면 $\overline{A'B'} = \overline{AB}\cos\theta$

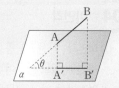

> **참고** 직선과 평면이 이루는 각
>
> 직선 l이 평면 α와 한 점에서 만나고 수직이 아닐 때, 직선 l의 평면 α 위로의 정사영을 직선 l'이라 하면 두 직선 l, l'이 이루는 각의 크기를 직선 l과 평면 α가 이루는 각의 크기라 한다.
>
>

(3) **정사영의 넓이**: 평면 α 위에 있는 도형의 넓이를 S, 이 도형의 평면 β 위로의 정사영의 넓이를 S'이라 할 때, 두 평면 α, β가 이루는 각의 크기를 $\theta(0° \leq \theta \leq 90°)$라 하면 $S' = S\cos\theta$

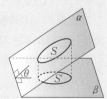

[0448~0449] 선분 AB의 평면 α 위로의 정사영을 선분 A′B′이라 하고 직선 AB와 평면 α가 이루는 각의 크기를 θ라 할 때, 다음을 구하시오.

0448 $\overline{AB} = 10$, $\theta = 60°$일 때, $\overline{A'B'}$의 길이

0449 $\overline{AB} = 10$, $\overline{A'B'} = 5\sqrt{3}$일 때, θ의 값

0450 두 평면 α, β가 이루는 각의 크기가 30°일 때, 평면 α에 포함되며 한 변의 길이가 4인 정삼각형의 평면 β 위로의 정사영의 넓이를 구하시오.

핵심 Check

· 정사영의 길이
$\Rightarrow \overline{A'B'} = \overline{AB}\cos\theta$
(단, $0° \leq \theta \leq 90°$)

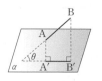

· 정사영의 넓이
$\Rightarrow S' = S\cos\theta$
(단, $0° \leq \theta \leq 90°$)

개념 해결의 법칙 139쪽 유형 01

유형 01 평면의 결정조건   개념 01

(1) 한 직선 위에 있지 않은 세 점
(2) 한 직선과 그 직선 위에 있지 않은 한 점
(3) 한 점에서 만나는 두 직선
(4) 평행한 두 직선

0451 ●대표문제●

공간에서 어느 네 점도 같은 평면 위에 있지 않고, 어느 세 점
도 한 직선 위에 있지 않은 서로 다른 5개의 점이 있다. 이 5개
의 점으로 만들 수 있는 서로 다른 평면의 개수는?

① 6   ② 8   ③ 10
④ 12   ⑤ 14

0452 상중하

오른쪽 그림과 같은 사각뿔의 꼭짓점으
로 만들 수 있는 서로 다른 평면의 개수
는?

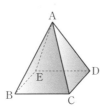

① 5   ② 6
③ 7   ④ 8
⑤ 9

0453 상중하

오른쪽 그림과 같은 정육면체에서 두 직
선 AC, AG와 네 점 B, D, F, H로 만
들 수 있는 서로 다른 평면의 개수는?

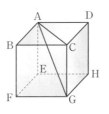

① 7   ② 8
③ 9   ④ 10
⑤ 11

개념 해결의 법칙 140쪽 유형 02

유형 02 공간에서의 위치 관계   개념 01

(1) 두 직선의 위치 관계
  ① 한 점에서 만난다.   ② 평행하다.
  ③ 꼬인 위치에 있다.
(2) 직선과 평면의 위치 관계
  ① 직선이 평면에 포함된다.   ② 한 점에서 만난다.
  ③ 평행하다.
(3) 두 평면의 위치 관계
  ① 한 직선에서 만난다.   ② 평행하다.

0454 ●대표문제●

오른쪽 그림과 같은 삼각기둥에서
직선 AC와 평행한 직선의 개수는
m, 꼬인 위치에 있는 직선의 개수
는 n이다. $m-n$의 값을 구하시오.

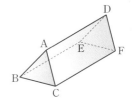

0455 상중하

오른쪽 그림과 같이 직육면체의 모
서리 DC와 평행한 선분 AB에서
밑면 EFGH에 비스듬히 잘라 만든
입체도형이 있다. 직선 BF와 꼬인
위치에 있는 직선의 개수를 a, 직선
BF와 한 점에서 만나는 평면의 개수를 b, 평면 AEHD와 평
행한 평면의 개수를 c라 할 때, $a+b+c$의 값은?

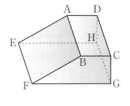

① 6   ② 7   ③ 8
④ 9   ⑤ 10

0456 상중하

오른쪽 그림과 같은 정육면체에서 세 꼭
짓점에 의하여 결정되는 평면 중 직선
AF를 포함하는 서로 다른 평면의 개수
를 구하시오.

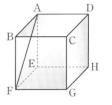

↻ 개념 해결의 법칙 141쪽 유형 03

유형 **03** 직선과 평면의 평행과 수직   개념 **01.02**

직선과 평면의 평행과 수직 관계는 직육면체를 이용한다.

⇨ 모서리는 직선, 면은 평면으로 생각하여 주어진 관계를 알아본다.

0457 대표문제

공간에서 직선 l과 서로 다른 세 평면 α, β, γ에 대하여 다음 보기 중 옳은 것의 개수를 구하시오.

⎯• 보기 •⎯
ㄱ. $\alpha \perp \beta$, $\alpha \perp \gamma$이면 $\beta /\!/ \gamma$이다.
ㄴ. $l /\!/ \alpha$, $\alpha \perp \beta$이면 $l \perp \beta$이다.
ㄷ. $l \perp \alpha$, $l \perp \beta$이면 $\alpha /\!/ \beta$이다.

0458 상중하

다음 설명 중 옳지 <u>않은</u> 것은?

① 평행한 두 직선은 한 평면 위에 있다.

② 한 직선에 수직인 두 직선은 서로 평행하다.

③ 한 평면에 수직인 직선을 포함하는 평면은 처음 평면과 수직이다.

④ 평면 α가 평행한 두 평면 β, γ와 만날 때 생기는 두 교선은 서로 평행하다.

⑤ 한 평면 α에 수직인 평행하지 않은 두 평면 β, γ의 교선 l은 평면 α에 수직이다.

0459 상중하

공간에서 서로 다른 세 직선 l, m, n과 서로 다른 두 평면 α, β에 대하여 다음 보기 중 옳은 것을 있는 대로 고르시오.

⎯• 보기 •⎯
ㄱ. $l \perp \alpha$, $m \perp \alpha$이면 $l /\!/ m$이다.
ㄴ. $l /\!/ m$, $m /\!/ n$이면 $l /\!/ n$이다.
ㄷ. $l /\!/ \alpha$, $l /\!/ \beta$이면 $\alpha /\!/ \beta$이다.

↻ 개념 해결의 법칙 142쪽 유형 04

★중요

유형 **04** 꼬인 위치에 있는 두 직선이 이루는 각   개념 **02**

(ⅰ) 두 직선이 한 점에서 만나도록 한 직선을 평행이동한다.

(ⅱ) 평행이동한 후 두 직선이 이루는 각 중에서 크기가 작은 각을 구한다.

0460 대표문제

오른쪽 그림과 같은 정육면체에서 두 직선 AG와 CD가 이루는 각의 크기를 θ라 할 때, $\cos\theta$의 값을 구하시오.

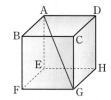

0461 상중하

오른쪽 그림과 같은 정팔면체에서 두 직선 AB와 CF가 이루는 각의 크기는?

① $0°$ ② $30°$
③ $45°$ ④ $60°$
⑤ $90°$

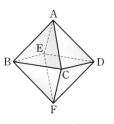

0462 상중하

오른쪽 그림과 같은 정육면체에서 선분 DH의 중점을 M이라 하자. 두 직선 CM과 FE가 이루는 각의 크기를 θ라 할 때, $\cos\theta$의 값을 구하시오.

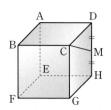

0463 상중하 서술형

오른쪽 그림과 같은 정육면체에서 두 직선 BH와 DG가 이루는 각의 크기를 구하시오.

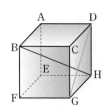

↺ 개념 해결의 법칙 142쪽 유형 04

유형 **05** 직선과 평면이 이루는 각 개념 **02**

직선 l이 평면 α와 점 O에서 만나고 직선 l 위의 임의의 점 A에서 평면 α에 내린 수선의 발을 H라 할 때, $\angle AOH$를 직선 l과 평면 α가 이루는 각이라 한다.

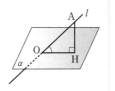

0464 • 대표문제 •

오른쪽 그림과 같은 정사면체에서 직선 AD와 평면 BCD가 이루는 각의 크기를 θ라 할 때, $\cos\theta$의 값을 구하시오.

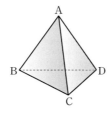

0465 상중하

오른쪽 그림과 같은 정육면체에서 직선 BH와 평면 EFGH가 이루는 각의 크기를 θ라 할 때, $\cos^2\theta$의 값을 구하시오.

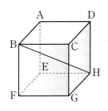

0466 상중하

오른쪽 그림과 같이 $\angle BAC = 90°$, $\angle ABC = \angle EBF = 30°$인 삼각기둥에서 직선 BF와 평면 ABED가 이루는 각의 크기를 θ라 할 때, $\cos\theta$의 값을 구하시오.

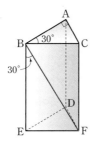

유형 **06** 수선의 길이 개념 **02**

(1) 주어진 공간도형에서 수선을 한 변으로 하는 직각삼각형을 찾는다.
(2) 삼각비, 피타고라스 정리 등을 이용하여 선분의 길이를 구한다.

0467 • 대표문제 •

오른쪽 그림과 같이 한 모서리의 길이가 3인 정사면체에서 점 P는 모서리 AB 위를 움직이고, 점 Q는 모서리 CD 위를 움직인다. $\overline{PQ}$의 길이의 최솟값을 구하시오.

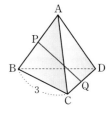

0468 상중하

오른쪽 그림과 같이 한 모서리의 길이가 2인 정사면체가 있다. $\overline{AB}$의 중점 E에서 평면 BCD에 내린 수선의 발을 F라 할 때, $\overline{EF}$의 길이를 구하시오.

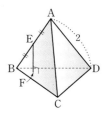

0469 상중하

오른쪽 그림과 같이 한 모서리의 길이가 4인 정육면체에서 두 점 P, Q는 각각 $\overline{AC}$, $\overline{BH}$ 위에 있고 $\overline{PQ}$는 $\overline{AC}$, $\overline{BH}$에 모두 수직일 때, $\overline{PQ}$의 길이는?

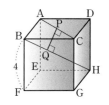

① $\dfrac{\sqrt{6}}{3}$ ② $\dfrac{2\sqrt{6}}{3}$

③ $\sqrt{6}$ ④ $\dfrac{4\sqrt{6}}{3}$ ⑤ $2\sqrt{6}$

↻ 개념 해결의 법칙 148쪽 유형 01

유형 **07** 삼수선의 정리　　　　　　　　개념 **03**

평면 α 위에 있지 않은 한 점 P, 평면 α 위의 한
점 O, 점 O를 지나지 않고 평면 α 위에 있는 한
직선 l, 직선 l 위의 한 점 H에 대하여

(1) $\overline{PO}\perp\alpha$, $\overline{OH}\perp l$ $\Rightarrow$ $\overline{PH}\perp l$
(2) $\overline{PO}\perp\alpha$, $\overline{PH}\perp l$ $\Rightarrow$ $\overline{OH}\perp l$
(3) $\overline{PH}\perp l$, $\overline{OH}\perp l$, $\overline{PO}\perp\overline{OH}$ $\Rightarrow$ $\overline{PO}\perp\alpha$

0470 • 대표문제 •

오른쪽 그림과 같이 평면 α 밖의 한 점
P에서 평면 α에 내린 수선의 발을 Q
라 하고, 점 Q에서 평면 α 위의 선분
AB에 내린 수선의 발을 R라 하자.
$\overline{PQ}=6$, $\overline{QR}=5$, $\overline{AR}=2\sqrt{5}$일 때,
$\overline{AP}$의 길이를 구하시오.

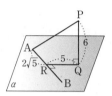

0471 상중하

오른쪽 그림과 같은 사면체에서
$\overline{OA}\perp\overline{AB}$, $\overline{OA}\perp\overline{AC}$, $\overline{AB}\perp\overline{BC}$이고
$\overline{OA}=3$, $\overline{AB}=4$, $\overline{BC}=2$일 때,
삼각형 OBC의 넓이를 구하시오.

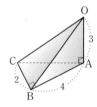

0472 상중하

오른쪽 그림과 같이 평면 α 위에
있는 서로 다른 두 점 A, B를 지
나는 직선을 l이라 하고, 평면 α
위에 있지 않은 점 P에서 평면 α
에 내린 수선의 발을 H라 하자.
$\overline{AB}=\overline{PA}=\overline{PB}=6$, $\overline{PH}=4$일 때, 점 H와 직선 l 사이의 거
리는?

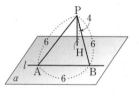

① $\sqrt{11}$　　　② $2\sqrt{3}$　　　③ $\sqrt{13}$
④ $\sqrt{14}$　　　⑤ $\sqrt{15}$

↻ 개념 해결의 법칙 149쪽 유형 02

유형 **08** ★중요 삼수선의 정리의 활용　　개념 **03**

(i) 삼수선의 정리를 이용하여 길이를 구하려는 선분을 한 변으로
하는 직각삼각형을 찾는다.
(ii) 직각삼각형의 넓이, 삼각비, 피타고라스 정리 등을 이용하여 선
분의 길이를 구한다.

0473 • 대표문제 •

오른쪽 그림과 같이 $\overline{AB}=\overline{AE}=2$,
$\overline{AD}=1$인 직육면체의 꼭짓점 D에서 밑
면의 대각선 EG에 내린 수선의 발을 I라
할 때, $\overline{DI}$의 길이를 구하시오.

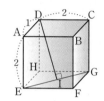

0474 상중하

공간에서 서로 직각으로 만나는 세 선분 OA, OB, OC의 길이
가 각각 3, 4, 2일 때, 삼각형 ABC의 넓이는?

① $\sqrt{59}$　　　② $2\sqrt{15}$　　　③ $\sqrt{61}$
④ $\sqrt{62}$　　　⑤ $3\sqrt{7}$

0475 상중하

오른쪽 그림과 같이 평면 α 위에 있
지 않은 한 점 A에 대하여 $\overline{AP}=8$,
$\overline{PQ}=6$, $\angle APQ=90°$인 삼각형
APQ가 되도록 평면 α 위에 두 점 P,
Q를 잡을 때, 선분 PQ가 그리는 도
형의 넓이를 구하시오.

（단, 점 A에서 평면 α까지의 거리는 8보다 작다.）

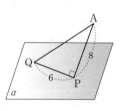

↻ 개념 해결의 법칙 150쪽 유형 03

유형 **09** 삼수선의 정리의 활용 – 두 직선이 이루는 각   개념 **03**

두 직선이 이루는 각의 크기가 θ일 때, 삼수선의 정리를 이용하여 두 직선을 변으로 하는 직각삼각형을 찾은 다음 직각삼각형의 변의 길이를 이용하여 $\cos\theta$의 값을 구한다.

유형 **10** 두 평면이 이루는 각   개념 **04**

두 평면 α, β가 이루는 각의 크기를 θ라 하면 θ는 두 평면 α, β의 교선 위의 한 점 H에서 교선과 수직으로 각 평면에 그은 두 직선이 이루는 각의 크기와 같다. 즉, $\angle$AHB$=\theta$

0476 · 대표문제 ·

오른쪽 그림과 같이 한 모서리의 길이가 2인 정육면체에서 두 선분 DG와 EG가 이루는 각의 크기를 θ라 할 때, $\cos\theta$의 값을 구하시오.

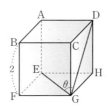

0479 · 대표문제 ·

오른쪽 그림과 같은 정팔면체에서 이웃하는 두 평면 ABC와 BCF가 이루는 각의 크기를 2θ라 할 때, $\cos\theta$의 값을 구하시오.

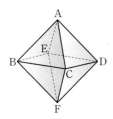

0477 상중하 서술형

오른쪽 그림에서 두 평면 α, β는 서로 수직이고 두 직선 l, m은 각각 평면 α, β 위에 있다. l, m은 α, β의 교선 AB 위의 점 P에서 만나고 교선 AB와 각각 45°, 60°의 각을 이룬다. 두 직선 l, m이 이루는 각의 크기를 θ라 할 때, $\cos\theta$의 값을 구하시오.

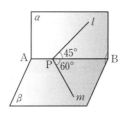

0480 상중하

오른쪽 그림과 같이 $\overline{AB}=\overline{AC}=\overline{AD}=6$, $\overline{BC}=\overline{CD}=\overline{DB}=4$인 사면체에서 두 평면 ABC와 BCD가 이루는 각의 크기를 θ라 할 때, $\cos\theta$의 값을 구하시오.

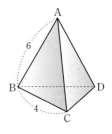

0478 상중하

오른쪽 그림과 같이 평면 α에 포함되는 $\overline{BC}$를 한 변으로 하는 정삼각형 ABC에 대하여 평면 ABC는 평면 α와 수직이다. 평면 α에 포함되는 직선 중 점 B를 지나고 $\overline{BC}$와 이루는 각의 크기가 30°인 직선을 l이라 할 때, $\overline{AB}$와 l이 이루는 각의 크기 θ에 대하여 $\sin\theta$의 값을 구하시오.

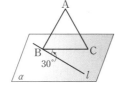

0481 상중하

오른쪽 그림과 같은 사면체에서 $\overline{AB}=\overline{AC}=7$, $\overline{BD}=\overline{CD}=5$, $\overline{BC}=6$, $\overline{AD}=4$이다. 두 평면 ABC와 BCD가 이루는 각의 크기를 θ라 할 때, $\cos\theta$의 값은?

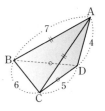

① $\dfrac{\sqrt{2}}{3}$ ② $\dfrac{\sqrt{3}}{3}$ ③ $\dfrac{3}{4}$

④ $\dfrac{\sqrt{10}}{4}$ ⑤ $\dfrac{\sqrt{10}}{5}$

5

공간도형

개념 해결의 법칙 155쪽 유형 01

유형 **11** 정사영의 길이
개념 **05**

선분 AB의 평면 α 위로의 정사영을 선분 A'B'이라 할 때, 직선 AB와 평면 α가 이루는 각의 크기를 $\theta(0°\leq\theta\leq90°)$라 하면 $\Rightarrow \overline{A'B'}=\overline{AB}\cos\theta$

0482 • 대표문제 •

오른쪽 그림과 같이 두 평면 α, β가 이루는 각의 크기가 60°이고, 평면 α 위에 교선 l과 30°의 각을 이루고 한 점 A가 교선 위에 놓이는 선분 AB가 있다. $\overline{AB}=8$일 때, 선분 AB의 평면 β 위로의 정사영의 길이를 구하시오.

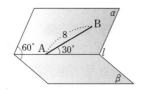

0483 상중하

오른쪽 그림과 같이 $\overline{AB}=\overline{AD}=4$, $\overline{BF}=3$인 직육면체에서 선분 DG의 평면 AEGC 위로의 정사영의 길이는?

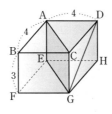

① $\sqrt{13}$　　② $\sqrt{14}$
③ $\sqrt{15}$　　④ 4
⑤ $\sqrt{17}$

0484 상중하

오른쪽 그림과 같이 밑면의 반지름의 길이가 2인 원기둥에 $\overline{BC}=2$인 직사각형 ABCD가 내접하고 있다. 선분 BC는 원기둥의 밑면과 평행하고 직사각형 ABCD와 원기둥의 밑면이 이루는 각의 크기가 45°일 때, 선분 AB의 길이는?

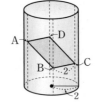

① $2\sqrt{2}$　　② $2\sqrt{3}$　　③ 4
④ $2\sqrt{5}$　　⑤ $2\sqrt{6}$

0485 상중하 서술형

다음 그림과 같이 직선 l을 교선으로 하는 두 평면 α, β의 이면각의 크기는 30°이고, 평면 α 위에 $\overline{BC}/\!/l$, $\angle A=30°$, $\angle C=90°$, $\overline{BC}=2$인 직각삼각형 ABC가 있다. 삼각형 ABC의 평면 β 위로의 정사영을 삼각형 A'B'C'이라 할 때, $\overline{A'B'}$의 길이를 구하시오.

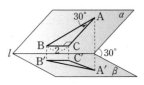

개념 해결의 법칙 156쪽 유형 02

유형 **12** 정사영의 길이를 이용하여 각의 크기 구하기
개념 **05**

직선 AB와 평면 α가 이루는 각의 크기가 θ이고, 선분 AB의 평면 α 위로의 정사영이 선분 A'B'일 때 $\Rightarrow \cos\theta=\dfrac{\overline{A'B'}}{\overline{AB}}$

0486 • 대표문제 •

오른쪽 그림과 같이 밑면의 반지름의 길이가 2인 원기둥을 밑면과 θ의 각을 이루는 평면으로 잘랐을 때 생기는 단면은 타원이다. 이 타원의 두 초점 사이의 거리가 4일 때, $\cos\theta$의 값을 구하시오.

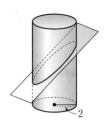

0487 상중하

오른쪽 그림과 같이 $\overline{AB}=\overline{BF}=1$, $\overline{AD}=2$인 직육면체에서 대각선 AG가 세 평면 ABCD, BFGC, ABFE와 이루는 각의 크기를 각각 α, β, γ라 할 때, $\cos^2\alpha+\cos^2\beta+\cos^2\gamma$의 값을 구하시오.

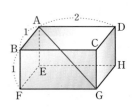

↻ 개념 해결의 법칙 157쪽 유형 03

유형 **13** 정사영의 넓이   개념 **05**

평면 α 위에 있는 도형의 넓이를 S, 이 도형의 평면 β 위로의 정사영의 넓이를 S'이라 할 때, 두 평면 α, β가 이루는 각의 크기를 $\theta(0° \leq \theta \leq 90°)$라 하면 ⇨ $S' = S\cos\theta$

유형 ★중요 **14** 정사영의 넓이를 이용하여 각의 크기 구하기   개념 **05**

두 평면 α, β가 이루는 각의 크기가 θ이고, 평면 α 위의 도형 F의 평면 β 위로의 정사영이 F'일 때 ⇨ $\cos\theta = \dfrac{(F'\text{의 넓이})}{(F\text{의 넓이})}$

0488 〔 대표문제 〕

오른쪽 그림과 같이 밑면의 반지름의 길이가 4인 원기둥을 밑면과 45°의 각을 이루는 평면으로 잘랐을 때 생기는 단면의 넓이는?

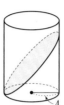

① $8\sqrt{2}\pi$ ② $8\sqrt{3}\pi$

③ $16\sqrt{2}\pi$ ④ $\dfrac{32\sqrt{3}}{3}\pi$

⑤ 32π

0491 〔 대표문제 〕

오른쪽 그림과 같은 정육면체에서 삼각형 BGD가 평면 EFGH와 이루는 각의 크기를 θ라 할 때, $\cos\theta$의 값을 구하시오.

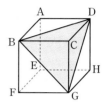

0489 상중하

오른쪽 그림과 같이 반지름의 길이가 a인 반구를 밑면과 30°의 각을 이루는 평면으로 자를 때 생기는 단면의 밑면 위로의 정사영의 넓이가 $6\sqrt{3}\pi$이다. a의 값을 구하시오.

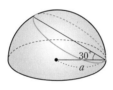

0492 상중하

오른쪽 그림과 같이 모든 모서리의 길이가 1인 정사각뿔에서 두 평면 OAD와 ABCD가 이루는 각의 크기를 θ라 할 때, $\cos\theta$의 값을 구하시오.

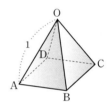

0490 상중하

오른쪽 그림과 같이 원기둥을 두 평면 α, β로 자른 단면의 넓이를 각각 S_1, S_2라 하자. 평면 α와 원기둥의 밑면이 이루는 각의 크기가 30°, 평면 α와 평면 β가 이루는 각의 크기가 75°이고 $S_1 = 4\pi$일 때, S_2의 값은?

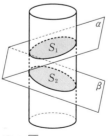

① $3\sqrt{2}\pi$ ② $2\sqrt{5}\pi$ ③ $2\sqrt{6}\pi$

④ $3\sqrt{3}\pi$ ⑤ $2\sqrt{7}\pi$

0493 상중하

오른쪽 그림과 같이 한 모서리의 길이가 2인 정육면체에서 $\overline{AD}$, $\overline{FG}$의 중점을 각각 M, N이라 하자. 두 평면 MBNH와 EFGH가 이루는 각의 크기를 θ라 할 때, $\cos\theta$의 값은?

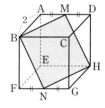

① $\dfrac{\sqrt{6}}{6}$ ② $\dfrac{\sqrt{22}}{6}$ ③ $\dfrac{\sqrt{6}}{3}$

④ $\dfrac{\sqrt{7}}{3}$ ⑤ $\dfrac{\sqrt{30}}{6}$

5 공간도형

유형 15 정사영의 넓이의 활용 🔄 개념 해결의 법칙 158쪽 유형 04

개념 05

두 평면이 이루는 각의 크기 θ에 대하여 $\cos\theta$의 값을 구한 다음 정사영의 넓이를 구한다.

0494 • 대표문제 •

오른쪽 그림과 같이 한 모서리의 길이가 1인 정육면체에서 삼각형 EFG의 평면 AFC 위로의 정사영의 넓이는?

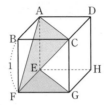

① $\dfrac{\sqrt{3}}{6}$

② $\dfrac{1}{3}$

③ $\dfrac{\sqrt{6}}{6}$

④ $\dfrac{\sqrt{3}}{3}$

⑤ $\dfrac{\sqrt{6}}{3}$

0495 상중하 서술형

오른쪽 그림과 같이 $\overline{AB}=\overline{AD}=4$, $\overline{BF}=5$인 직육면체에서 $\overline{DH}$를 $3:2$로 내분하는 점을 P라 할 때, 삼각형 EGH의 평면 PEG 위로의 정사영의 넓이를 구하시오.

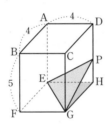

0496 상중하

오른쪽 그림과 같이 한 모서리의 길이가 4인 정육면체의 내부에 밑면의 반지름의 길이가 1인 원기둥이 있다. 원기둥의 밑면의 중심은 두 정사각형 ABCD, EFGH의 두 대각선의 교점과 각각 일치한다. 이 원기둥이 세 점 A, F, H를 지나는 평면에 의하여 잘린 단면의 넓이를 구하시오.

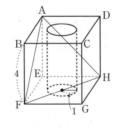

발전 유형 16 정사영의 넓이의 실생활에의 활용

개념 05

주어진 문제에서 원래 도형의 넓이 S, 정사영의 넓이 S', 두 평면이 이루는 각의 크기 θ를 찾은 다음 $S'=S\cos\theta$에 대입한다.

0497 • 대표문제 •

오른쪽 그림과 같이 태양 광선이 지면과 $60°$의 각을 이루면서 지름의 길이가 16 cm인 공을 비추고 있다. 이때, 이 공의 그림자의 넓이를 구하시오.

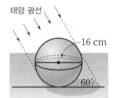

0498 상중하

다음 그림과 같이 밑면의 지름의 길이가 8 cm, 높이가 12 cm인 원기둥 모양의 컵에 9 cm의 높이까지 물이 채워져 있다. 이 컵을 물이 쏟아지기 직전까지 기울였을 때, 수면의 넓이를 구하시오. (단, 컵의 두께는 고려하지 않는다.)

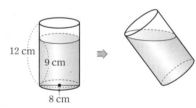

0499 상중하

다음 그림과 같이 차광막이 운동장과 $30°$의 각을 이루고 있다. 운동장이 태양 빛과 이루는 각의 크기가 $30°$일 때, 차광막의 그림자의 넓이는 12이다. 이때, 차광막의 넓이는?

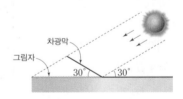

① $4\sqrt{2}$

② 6

③ $4\sqrt{3}$

④ $6\sqrt{2}$

⑤ $6\sqrt{3}$

0500 | 유형 01 |

오른쪽 그림과 같은 정육면체에서 직선 BH와 네 점 A, C, E, G로 만들 수 있는 서로 다른 평면의 개수는? [5.4점]

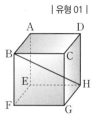

① 1 　　　　② 2

③ 3 　　　　④ 4

⑤ 5

0501 | 유형 02 |

오른쪽 그림과 같은 정팔면체에 대하여 다음 보기 중 옳은 것을 있는 대로 고른 것은? [5.4점]

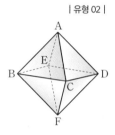

> ─● 보기 ●─
> ㄱ. 직선 AB와 꼬인 위치에 있는 직선은 3개이다.
> ㄴ. 직선 AC와 평행한 직선은 1개이다.
> ㄷ. 직선 AD와 만나지 않는 직선은 5개이다.

① ㄱ 　　　　② ㄴ 　　　　③ ㄷ

④ ㄴ, ㄷ 　　　　⑤ ㄱ, ㄴ, ㄷ

0502 | 유형 03 |

다음 설명 중 옳지 않은 것은? [5.5점]

① 평행한 두 평면 α, β가 다른 평면 γ와 만나서 생기는 교선을 각각 l, m이라 하면 $l \parallel m$이다.

② 직선 l과 평면 α가 평행하고 직선 l을 포함하는 평면 β와 평면 α와의 교선을 m이라 하면 $l \parallel m$이다.

③ 평행한 두 평면 α, β에 대하여 직선 l이 평면 α에 포함되면 $l \parallel \beta$이다.

④ 평면 α와 평행한 서로 다른 두 직선 l, m에 대하여 $l \parallel m$이다.

⑤ 두 직선 l, m이 평행할 때, 직선 m을 포함하고 직선 l을 포함하지 않는 평면 α에 대하여 $l \parallel \alpha$이다.

0503 | 유형 04 |

오른쪽 그림과 같이 모든 모서리의 길이가 2인 정사각뿔에서 $\overline{DE}$의 중점을 M이라 하자. 두 직선 AM과 CE가 이루는 각의 크기를 θ라 할 때, $\cos\theta$의 값은? [5.8점]

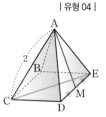

① $\dfrac{\sqrt{6}}{6}$ 　　　② $\dfrac{\sqrt{6}}{3}$ 　　　③ $\dfrac{\sqrt{6}}{2}$

④ $\dfrac{2\sqrt{6}}{3}$ 　　　⑤ $\sqrt{6}$

0504 | 유형 08 |

오른쪽 그림과 같이 밑면의 가로, 세로의 길이가 각각 2, $\sqrt{3}$이고, 높이가 3인 직육면체에서 모서리 FG의 중점을 M이라 할 때, 꼭짓점 A에서 $\overline{MH}$에 내린 수선의 길이는? [5.7점]

① $\sqrt{6}$ 　　　　② $2\sqrt{2}$

③ $\sqrt{10}$ 　　　　④ $2\sqrt{3}$ 　　　　⑤ $\sqrt{14}$

0505 | 유형 10 |

오른쪽 그림과 같이 $\overline{AB}=1$, $\overline{AC}=2$, $\overline{BE}=3$이고 밑면이 직각삼각형인 삼각기둥에서 두 평면 AEF와 DEF가 이루는 각의 크기를 θ라 할 때, $\cos\theta$의 값은? [5.7점]

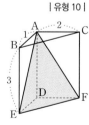

① $\dfrac{2}{7}$ 　　　② $\dfrac{3}{7}$ 　　　③ $\dfrac{4}{7}$

④ $\dfrac{5}{7}$ 　　　⑤ $\dfrac{6}{7}$

0506

| 유형 11 |

오른쪽 그림과 같이 한 모서리의 길이가 12인 정사면체에서 모서리 AB와 CB의 중점을 각각 M, N이라 할 때, 선분 MN의 평면 BCD 위로의 정사영의 길이는? [6점]

① 3   ② $\sqrt{10}$

③ $2\sqrt{3}$ ④ 4   ⑤ $3\sqrt{2}$

0507

| 유형 15 |

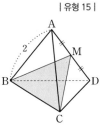

오른쪽 그림과 같이 한 모서리의 길이가 2인 정사면체에서 선분 AD의 중점을 M이라 할 때, 삼각형 MBC의 평면 BCD 위로의 정사영의 넓이는? [5.8점]

① $\dfrac{\sqrt{2}}{4}$ ② $\dfrac{\sqrt{2}}{2}$

③ $\dfrac{\sqrt{3}}{3}$ ④ $\dfrac{2\sqrt{3}}{3}$ ⑤ $\dfrac{4\sqrt{3}}{3}$

0508

| 유형 16 |

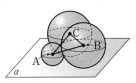

밑면의 반지름의 길이가 4, 높이가 $4\sqrt{3}$인 원뿔 모양의 그릇에 물이 가득 담겨져 있다. 오른쪽 그림과 같이 그릇을 모선 AB가 지면에 수직이 되도록 기울였을 때, 그릇에 남아 있는 물의 수면의 넓이는? [5.7점]

① $2\sqrt{3}\pi$ ② $4\sqrt{2}\pi$ ③ $4\sqrt{3}\pi$

④ $8\sqrt{2}\pi$ ⑤ $8\sqrt{3}\pi$

서술형 문제

• 풀이 과정에 점수가 부여되니 풀이 과정 및 정답을 상세하게 서술하세요.

단답형

0509

| 유형 06 |

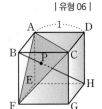

오른쪽 그림과 같이 한 모서리의 길이가 1인 정육면체에서 $\overline{BH}$가 평면 AFC와 만나는 점을 P라 할 때, $\overline{PH}$의 길이를 구하시오. [7점]

단계형

0510

| 유형 12 |

다음 그림과 같이 반지름의 길이가 각각 2, 4, 4인 세 개의 구가 서로 외접하면서 동시에 평면 α에 모두 접하고 있다. 세 구의 중심을 연결하여 만든 삼각형 ABC와 평면 α가 이루는 각의 크기를 θ라 할 때, cos θ의 값을 구하려고 한다. 다음 물음에 답하시오. [12점]

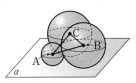

(1) 점 A에서 $\overline{BC}$에 내린 수선의 발을 H라 할 때, $\overline{AH}$의 길이를 구하시오. [3점]

(2) 세 점 A, B, C에서 평면 α에 내린 수선의 발을 각각 D, E, F라 할 때, $\overline{DE}$의 길이를 구하시오. [3점]

(3) 점 H에서 $\overline{EF}$에 내린 수선의 발을 H'이라 할 때, $\overline{DH'}$의 길이를 구하시오. [3점]

(4) cos θ의 값을 구하시오. [3점]

성/취/도 Check   • 이 단원은 70점 만점입니다.   점수   / 70점

30점 STEP 1 개념+기본 문제 학습   **40점** STEP 2 유형 대표 문제 학습   **50점** STEP 3의 틀린 문제에 해당하는 STEP 2 유형 학습   **60점** STEP 3의 틀린 문제 복습   **65점** 교과서 속 심화문제 시작

094 | Ⅲ. 공간도형과 공간좌표

0511

다음 그림과 같이 평면 α 위에 밑면의 반지름의 길이가 2인 원기둥이 놓여 있다. 평면 α와 60°의 각을 이루는 직선 l이 원기둥의 옆면에 있는 한 점 P에서 원기둥과 접하고, 원기둥의 밑면의 중심 O에서 점 P까지의 거리가 $2\sqrt{2}$일 때, 점 O에서 직선 l까지의 거리는?

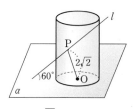

① $\sqrt{5}$
② $\dfrac{4\sqrt{3}}{3}$
③ $\sqrt{6}$
④ $\dfrac{4\sqrt{10}}{5}$
⑤ $\sqrt{7}$

0512

다음 그림과 같이 평면 α에 포함되는 선분 BC를 빗변으로 하고 ∠ACB=60°인 직각삼각형 ABC에 대하여 평면 ABC는 평면 α와 수직이다. 평면 α에 포함되는 직선 중 점 B를 지나고 $\overline{BC}$와 이루는 각의 크기가 45°인 직선을 l이라 할 때, 두 직선 AC와 l이 이루는 각의 크기 θ에 대하여 $\tan^2\theta$의 값을 구하시오.

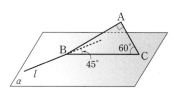

0513

다음 그림과 같은 정사면체에서 $\overline{AB}, \overline{BC}, \overline{CD}, \overline{AD}$의 중점을 각각 E, F, G, H라 하자. 이 중점들을 연결한 사각형 EFGH의 넓이가 2일 때, 삼각형 EFG의 평면 BCD 위로의 정사영의 넓이를 구하시오.

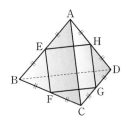

0514 **창의력**

다음 그림과 같이 밑면의 반지름의 길이가 2, 높이가 8인 원기둥 모양의 그릇에 높이가 6이 되도록 물을 채웠다. 이 그릇을 물이 쏟아지기 직전까지 기울일 때 수면의 넓이를 S_A라 하고, 이렇게 기울어진 상태에서 지면과 수직으로 비추는 태양 광선에 의하여 생기는 그릇의 그림자의 넓이를 S_B라 할 때, $S_B - S_A$의 값을 구하시오.

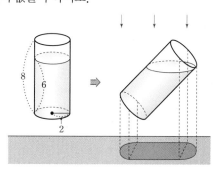

6

공간좌표

한 번의 실패와
영원한 실패를 혼동하지 마라.
-스콧 피츠제럴드

＊ 전국 300여 개 고등학교 기출 문제를 분석하였습니다.

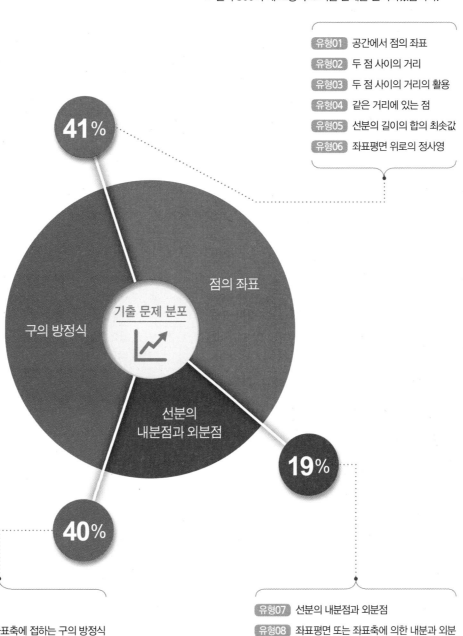

41%

19%

40%

점의 좌표

구의 방정식

기출 문제 분포

선분의
내분점과 외분점

유형01 공간에서 점의 좌표
유형02 두 점 사이의 거리
유형03 두 점 사이의 거리의 활용
유형04 같은 거리에 있는 점
유형05 선분의 길이의 합의 최솟값
유형06 좌표평면 위로의 정사영

유형11 구의 방정식
유형12 좌표평면 또는 좌표축에 접하는 구의 방정식
유형13 구와 좌표축의 교점
유형14 구와 좌표평면의 교선
유형15 구에 그은 접선의 길이
유형16 자취의 방정식
유형17 두 구의 위치 관계
유형18 점과 구 사이의 최단 거리

유형07 선분의 내분점과 외분점
유형08 좌표평면 또는 좌표축에 의한 내분과 외분
유형09 선분의 중점의 활용 – 평행사변형
유형10 삼각형의 무게중심

STEP 1 개념 마스터

01 공간좌표

(1) 좌표공간

공간의 한 점 O에서 서로 직교하는 세 수직선을 그었을 때, 점 O를 원점, 각각의 수직선을 x축, y축, z축이라 하고, 이들을 좌표축이라 한다.

또, x축과 y축에 의하여 결정되는 평면을 xy평면, y축과 z축에 의하여 결정되는 평면을 yz평면, z축과 x축에 의하여 결정되는 평면을 zx평면이라 하고, 이들을 통틀어 좌표평면이라 한다.

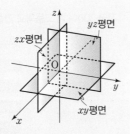

이와 같이 좌표축과 좌표평면이 정해진 공간을 **좌표공간**이라 한다.

> 참고 xy평면은 z축과 수직이고, yz평면은 x축과 수직이다. 또, zx평면은 y축과 수직이다.

(2) 공간좌표

공간의 한 점 P에 대응하는 세 실수의 순서쌍 (a, b, c)를 점 P의 **공간좌표**라 하고, 기호로 **P(a, b, c)**와 같이 나타낸다.

> 참고 점 $P(a, b, c)$에서 a, b, c를 차례로 점 P의 x좌표, y좌표, z좌표라 한다.

0515 아래 그림과 같이 좌표공간에 놓인 직육면체에 대하여 다음 점의 좌표를 구하시오.

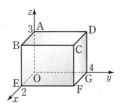

(1) 점 B

(2) 점 C

(3) 점 D

(4) 점 F

02 공간에서 점의 좌표 <유형 01~06>

(1) 수선의 발의 좌표 ─관계없는 좌표 0으로 놓기

좌표공간의 점 $A(a, b, c)$에서

① x축, y축, z축에 내린 수선의 발을 각각 P, Q, R라 하면
$$P(a, 0, 0), Q(0, b, 0), R(0, 0, c)$$

② xy평면, yz평면, zx평면에 내린 수선의 발을 각각 P, Q, R라 하면
$$P(a, b, 0), Q(0, b, c), R(a, 0, c)$$

> 참고 좌표공간의 점에서 좌표평면에 내린 수선의 발은 좌표평면 위로의 정사영과 같다.

(2) 점의 대칭이동 ─관계없는 좌표의 부호 바꾸기

좌표공간의 점 $A(a, b, c)$를

① x축, y축, z축에 대하여 대칭이동한 점을 각각 P, Q, R라 하면
$$P(a, -b, -c), Q(-a, b, -c), R(-a, -b, c)$$

② xy평면, yz평면, zx평면에 대하여 대칭이동한 점을 각각 P, Q, R라 하면
$$P(a, b, -c), Q(-a, b, c), R(a, -b, c)$$

③ 원점에 대하여 대칭이동한 점을 P라 하면
$$P(-a, -b, -c)$$

> 참고 좌표축 또는 좌표평면 위의 점의 좌표는 다음과 같이 나타낸다.
> (1) x축 위의 점 ⇨ $(a, 0, 0)$　　(2) y축 위의 점 ⇨ $(0, b, 0)$
> (3) z축 위의 점 ⇨ $(0, 0, c)$　　(4) xy평면 위의 점 ⇨ $(a, b, 0)$
> (5) yz평면 위의 점 ⇨ $(0, b, c)$　　(6) zx평면 위의 점 ⇨ $(a, 0, c)$

0516 점 $P(-2, 6, 4)$에 대하여 다음 점의 좌표를 구하시오.

(1) 점 P에서 x축에 내린 수선의 발

(2) 점 P에서 z축에 내린 수선의 발

(3) 점 P에서 yz평면에 내린 수선의 발

(4) 점 P에서 zx평면에 내린 수선의 발

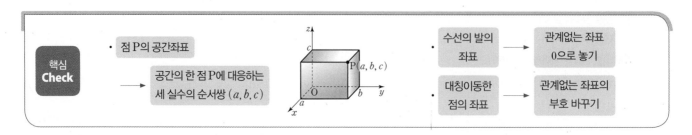

핵심 Check

· 점 P의 공간좌표 → 공간의 한 점 P에 대응하는 세 실수의 순서쌍 (a, b, c)

· 수선의 발의 좌표 → 관계없는 좌표 0으로 놓기

· 대칭이동한 점의 좌표 → 관계없는 좌표의 부호 바꾸기

0517 점 $P(-4, -5, 1)$을 다음에 대하여 대칭이동한 점의 좌표를 구하시오.

(1) x축

(2) y축

(3) zx평면

(4) 원점

03 두 점 사이의 거리 　　　　유형 02~06

(1) 좌표공간에서 두 점 $A(x_1, y_1, z_1)$, $B(x_2, y_2, z_2)$ 사이의 거리는
$$\overline{AB} = \sqrt{(x_2-x_1)^2 + (y_2-y_1)^2 + (z_2-z_1)^2}$$

(2) 좌표공간에서 원점 O와 점 $P(x, y, z)$ 사이의 거리는
$$\overline{OP} = \sqrt{x^2 + y^2 + z^2}$$

　예　(1) 두 점 $A(1, -2, 4)$, $B(3, 1, 2)$ 사이의 거리는
$$\sqrt{(3-1)^2 + \{1-(-2)\}^2 + (2-4)^2} = \sqrt{17}$$
(2) 원점 O와 점 $P(-3, 5, -4)$ 사이의 거리는
$$\sqrt{(-3)^2 + 5^2 + (-4)^2} = 5\sqrt{2}$$

　참고　• 좌표평면 위의 두 점 $A(x_1, y_1)$, $B(x_2, y_2)$ 사이의 거리는
$$\overline{AB} = \sqrt{(x_2-x_1)^2 + (y_2-y_1)^2}$$
• 수직선 위의 두 점 $A(x_1)$, $B(x_2)$ 사이의 거리는 $\overline{AB} = |x_2 - x_1|$

[0518~0520] 다음 두 점 사이의 거리를 구하시오.

0518 $O(0, 0, 0)$, $A(-1, -3, -4)$

0519 $A(1, 2, 3)$, $B(3, 0, -2)$

0520 $A(2, 5, -3)$, $B(4, 1, -3)$

0521 점 $P(6, -4, 1)$과 x축에 대하여 대칭인 점을 Q라 할 때, 다음을 구하시오.

(1) 점 Q의 좌표　　　　　　(2) $\overline{PQ}$의 길이

04 선분의 내분점과 외분점 　　유형 07~10

좌표공간에서 두 점 $A(x_1, y_1, z_1)$, $B(x_2, y_2, z_2)$에 대하여

(1) 선분 AB를 $m : n (m>0, n>0)$으로 내분하는 점 P의 좌표는
$$\left(\frac{mx_2 + nx_1}{m+n}, \frac{my_2 + ny_1}{m+n}, \frac{mz_2 + nz_1}{m+n} \right)$$

(2) 선분 AB를 $m : n (m>0, n>0, m \neq n)$으로 외분하는 점 Q의 좌표는
$$\left(\frac{mx_2 - nx_1}{m-n}, \frac{my_2 - ny_1}{m-n}, \frac{mz_2 - nz_1}{m-n} \right)$$

　참고　• 좌표공간에서 세 점 $A(x_1, y_1, z_1)$, $B(x_2, y_2, z_2)$, $C(x_3, y_3, z_3)$에 대하여

(1) 선분 AB의 중점 M의 좌표는 $\left(\frac{x_1+x_2}{2}, \frac{y_1+y_2}{2}, \frac{z_1+z_2}{2} \right)$

(2) 삼각형 ABC의 무게중심 G의 좌표는
$$\left(\frac{x_1+x_2+x_3}{3}, \frac{y_1+y_2+y_3}{3}, \frac{z_1+z_2+z_3}{3} \right)$$

• 좌표평면에서 두 점 $A(x_1, y_1)$, $B(x_2, y_2)$에 대하여

(1) 선분 AB를 $m : n (m>0, n>0)$으로 내분하는 점 P의 좌표는
$$\left(\frac{mx_2 + nx_1}{m+n}, \frac{my_2 + ny_1}{m+n} \right)$$

(2) 선분 AB를 $m : n (m>0, n>0, m \neq n)$으로 외분하는 점 Q의 좌표는
$$\left(\frac{mx_2 - nx_1}{m-n}, \frac{my_2 - ny_1}{m-n} \right)$$

0522 두 점 $A(-3, 5, 1)$, $B(3, 2, -5)$에 대하여 다음을 구하시오.

(1) 선분 AB를 $2 : 1$로 내분하는 점 P의 좌표

(2) 선분 AB를 $3 : 2$로 외분하는 점 Q의 좌표

(3) 선분 AB의 중점 M의 좌표

0523 삼각형 ABC에 대하여 세 꼭짓점의 좌표가 $A(2, -3, 5)$, $B(4, -1, 2)$, $C(-3, -5, 5)$일 때, 삼각형 ABC의 무게중심 G의 좌표를 구하시오.

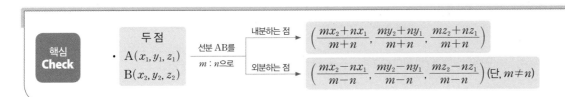

핵심 Check

• 두 점
$A(x_1, y_1, z_1)$
$B(x_2, y_2, z_2)$

선분 AB를 $m : n$으로

내분하는 점 → $\left(\dfrac{mx_2 + nx_1}{m+n}, \dfrac{my_2 + ny_1}{m+n}, \dfrac{mz_2 + nz_1}{m+n} \right)$

외분하는 점 → $\left(\dfrac{mx_2 - nx_1}{m-n}, \dfrac{my_2 - ny_1}{m-n}, \dfrac{mz_2 - nz_1}{m-n} \right)$ (단, $m \neq n$)

05 구의 방정식   유형 11~18

(1) 구의 방정식

중심이 $C(a, b, c)$이고 반지름의 길이가 r인 구의 방정식은
$$(x-a)^2 + (y-b)^2 + (z-c)^2 = r^2$$

참고 ㆍ중심이 원점이고 반지름의 길이가 r인 구의 방정식은
$$x^2 + y^2 + z^2 = r^2$$

ㆍ좌표평면에 접하는 구의 방정식
  중심이 $C(a, b, c)$이고
  ① xy평면에 접하는 구의 방정식
    $(x-a)^2 + (y-b)^2 + (z-c)^2 = c^2$←(반지름의 길이)=|중심의 z좌표|
  ② yz평면에 접하는 구의 방정식
    $(x-a)^2 + (y-b)^2 + (z-c)^2 = a^2$←(반지름의 길이)=|중심의 x좌표|
  ③ zx평면에 접하는 구의 방정식
    $(x-a)^2 + (y-b)^2 + (z-c)^2 = b^2$←(반지름의 길이)=|중심의 y좌표|

(2) 방정식 $x^2+y^2+z^2+Ax+By+Cz+D=0$이 나타내는 도형

x, y, z에 대한 이차방정식
$$x^2 + y^2 + z^2 + Ax + By + Cz + D = 0$$
$$(A^2 + B^2 + C^2 - 4D > 0)$$

은 중심의 좌표가 $\left(-\dfrac{A}{2}, -\dfrac{B}{2}, -\dfrac{C}{2}\right)$이고 반지름의 길이가 $\dfrac{\sqrt{A^2+B^2+C^2-4D}}{2}$인 구를 나타낸다.

0524 $(x+1)^2 + (y-6)^2 + (z-3)^2 = 4$가 나타내는 구의 중심의 좌표와 반지름의 길이를 구하시오.

[0525~0527] 다음 구의 방정식을 구하시오.

0525 중심이 $C(3, -2, -4)$이고 반지름의 길이가 6인 구

0526 중심이 원점이고 점 $A(4, -2, 5)$를 지나는 구

0527 중심이 $C(1, -4, 3)$이고 점 $A(2, -1, 1)$을 지나는 구

0528 중심이 $C(3, -2, -5)$이고 다음 평면에 접하는 구의 방정식을 구하시오.
(1) yz평면   (2) zx평면

[0529~0530] 다음 방정식이 나타내는 구의 중심의 좌표와 반지름의 길이를 구하시오.

0529 $x^2 + y^2 + z^2 + 2x - 4y + 2z - 10 = 0$

0530 $x^2 + y^2 + z^2 + 6x + 2y - 8z + 1 = 0$

[0531~0532] 다음 구의 방정식을 구하시오.

0531 두 점 $A(3, -1, -2)$, $B(-1, 3, 2)$를 지름의 양 끝점으로 하는 구

0532 두 점 $A(4, 2, 3)$, $B(2, -4, -5)$를 지름의 양 끝점으로 하는 구

[0533~0534] 다음 구의 방정식을 구하시오.

0533 네 점 $O(0, 0, 0)$, $A(0, 0, -1)$, $B(0, 1, 2)$, $C(2, 0, 2)$를 지나는 구

0534 네 점 $O(0, 0, 0)$, $A(2, 0, 0)$, $B(1, 1, 0)$, $C(-1, 1, -1)$을 지나는 구

핵심 Check ㆍ 중심이 $C(a, b, c)$, 반지름의 길이가 r인 구의 방정식 ⟶ $(x-a)^2 + (y-b)^2 + (z-c)^2 = r^2$

STEP 2 유형 마스터

↻ 개념 해결의 법칙 168쪽 유형 01

유형 01 공간에서 점의 좌표

개념 02

좌표공간의 점 $P(a, b, c)$에 대하여

	수선의 발의 좌표	대칭이동한 점의 좌표
x축	$(a, 0, 0)$	$(a, -b, -c)$
y축	$(0, b, 0)$	$(-a, b, -c)$
z축	$(0, 0, c)$	$(-a, -b, c)$
xy평면	$(a, b, 0)$	$(a, b, -c)$
yz평면	$(0, b, c)$	$(-a, b, c)$
zx평면	$(a, 0, c)$	$(a, -b, c)$
원점		$(-a, -b, -c)$

0535 • 대표문제 •

점 $(1, -2, 4)$에서 xy평면에 내린 수선의 발을 P라 하고, 점 P를 y축에 대하여 대칭이동한 점을 $Q(a, b, c)$라 할 때, $a+b+c$의 값은?

① -4　　② -3　　③ -2

④ -1　　⑤ 0

0536 상중하

점 $(3, -4, -5)$를 zx평면에 대하여 대칭이동한 점을 P라 하고, 점 P를 원점에 대하여 대칭이동한 점을 Q라 할 때, 점 Q의 좌표를 구하시오.

0537 상중하 서술형

점 $P(a, b, c)$를 x축에 대하여 대칭이동한 점과
점 $Q(a-2b, 4-2c, 3-a)$를 zx평면에 대하여 대칭이동한 점이 같을 때, $a+b+c$의 값을 구하시오.

↻ 개념 해결의 법칙 169쪽 유형 02

유형 02 두 점 사이의 거리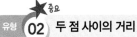

개념 02, 03

두 점 $A(x_1, y_1, z_1)$, $B(x_2, y_2, z_2)$ 사이의 거리
$\Rightarrow \overline{AB} = \sqrt{(x_2-x_1)^2 + (y_2-y_1)^2 + (z_2-z_1)^2}$

0538 • 대표문제 •

점 $A(1, -3, 2)$와 x축에 대하여 대칭인 점을 P, yz평면에 대하여 대칭인 점을 Q라 할 때, 두 점 P, Q 사이의 거리는?

① $5\sqrt{2}$　　② $2\sqrt{13}$　　③ $3\sqrt{6}$

④ $2\sqrt{14}$　　⑤ $\sqrt{58}$

0539 상중하

좌표공간에서 점 $P(0, 3, 0)$과 점 $A(-1, 1, a)$ 사이의 거리는 점 P와 점 $B(1, 2, -1)$ 사이의 거리의 2배이다. 양수 a의 값은?

① $\sqrt{3}$　　② 2　　③ $\sqrt{5}$

④ $\sqrt{6}$　　⑤ $\sqrt{7}$

0540 상중하

오른쪽 그림과 같이 한 모서리의 길이가 각각 2, 3인 두 정육면체를 붙여 놓았을 때, 두 점 A, B 사이의 거리를 구하시오.

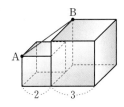

↻ 개념 해결의 법칙 169쪽 유형 02

유형 **03** 두 점 사이의 거리의 활용 　개념 **02, 03**

두 점 사이의 거리와 피타고라스 정리를 이용하여 조건을 만족시키는 점의 좌표, 삼각형의 넓이 등을 구한다.

0541 • 대표문제 •

두 점 $A(3, 4, 1)$, $B(5, 1, 2)$와 z축 위의 점 C를 세 꼭짓점으로 하는 삼각형 ABC가 선분 BC를 빗변으로 하는 직각삼각형일 때, 점 C의 좌표를 구하시오.

0542 (상)(중)(하)

좌표공간의 점 $P(3, 4, 5)$에서 x축, y축, z축에 내린 수선의 발을 각각 A, B, C라 할 때, 삼각형 ABC의 넓이는?

① $\dfrac{11\sqrt{5}}{2}$ ② $4\sqrt{10}$ ③ $\dfrac{23\sqrt{5}}{4}$

④ $\sqrt{170}$ ⑤ $\dfrac{\sqrt{769}}{2}$

0543 (상)(중)(하)

오른쪽 그림과 같이 밑면의 지름의 길이가 40이고, 높이가 50인 원뿔의 옆면에 있는 두 점 A, B가 다음 두 조건을 만족시킨다.

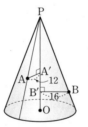

> (가) 두 점 A, B에서 중심축 PO에 내린 수선의 발을 각각 A′, B′이라 하면 $\overline{AA'}=12$, $\overline{BB'}=16$이다.
> (나) $\overline{AA'} \perp \overline{BB'}$

두 점 A, B 사이의 거리는?

① $7\sqrt{5}$ ② $8\sqrt{5}$ ③ $9\sqrt{5}$

④ $10\sqrt{5}$ ⑤ $11\sqrt{5}$

↻ 개념 해결의 법칙 170쪽 유형 03

유형 **04** 같은 거리에 있는 점 　개념 **02, 03**

구하는 점의 좌표를 미지수로 놓고, 주어진 조건에 대한 식을 세운다.

(1) x축 위의 점은 y좌표, z좌표가 0이다. ⇨ $(a, 0, 0)$

(2) xy평면 위의 점은 z좌표가 0이다. ⇨ $(a, b, 0)$

0544 • 대표문제 •

두 점 $A(-3, 2, 4)$, $B(1, 3, 1)$에서 같은 거리에 있는 y축 위의 점 P의 좌표를 구하시오.

0545 (상)(중)(하)

세 점 $O(0, 0, 0)$, $A(2, 5, -2)$, $B(2, 1, 2)$에서 같은 거리에 있는 zx평면 위의 점 P의 좌표를 구하시오.

0546 (상)(중)(하)

두 점 $A(1, 2, 0)$, $B(2, 0, 1)$과 yz평면 위의 점 $C(a, b, c)$에 대하여 삼각형 ABC가 정삼각형이 되도록 할 때, $a+b+c$의 값은? (단, a, b, c는 정수)

① -3 ② -2 ③ 1

④ 2 ⑤ 3

유형 **05** 선분의 길이의 합의 최솟값 개념 **02, 03**

○ 개념 해결의 법칙 171쪽 유형 04

두 점 A, B와 좌표평면 위의 점 P에 대하여 $\overline{AP} + \overline{BP}$의 최솟값 구하기

(1) 두 점 A, B가 좌표평면을 기준으로 같은 쪽에 있는 경우
  ⇨ 점 A를 좌표평면에 대하여 대칭이동한 점을 A′이라 하면
  $\overline{AP} + \overline{BP}$의 최솟값은 $\overline{A'B}$의 길이이다.

(2) 두 점 A, B가 좌표평면을 기준으로 서로 반대쪽에 있는 경우
  ⇨ $\overline{AP} + \overline{BP}$의 최솟값은 $\overline{AB}$의 길이이다.

0547 • 대표문제 •

두 점 $A(2, 1, 4)$, $B(3, -2, 1)$과 xy평면 위를 움직이는 점 P에 대하여 $\overline{AP} + \overline{BP}$의 최솟값을 구하시오.

0548 상중하

두 점 $A(-3, 2, -2)$, $B(1, -2, -4)$와 zx평면 위를 움직이는 점 P에 대하여 $\overline{AP} + \overline{BP}$의 최솟값을 구하시오.

0549 상중하

두 점 $A(4, -2, -1)$, $B(2, -1, 1)$과 yz평면 위를 움직이는 점 P에 대하여 삼각형 APB의 둘레의 길이의 최솟값을 구하시오.

0550 상중하 서술형〉

두 점 $A(1, 4, 3)$, $B(2, 2, 3)$과 xy평면 위를 움직이는 점 P, yz평면 위를 움직이는 점 Q에 대하여 $\overline{AP} + \overline{PQ} + \overline{QB}$의 최솟값을 구하시오.

발전 유형 **06** 좌표평면 위로의 정사영 개념 **02, 03**

세 점 A, B, C에서 좌표평면에 내린 수선의 발을 각각 A′, B′, C′이라 하면
(1) $\overline{AB}$의 좌표평면 위로의 정사영은 $\overline{A'B'}$이다.
(2) △ABC의 좌표평면 위로의 정사영은 △A′B′C′이다.

0551 • 대표문제 •

두 점 $A(3, 2, 5)$, $B(4, 1, 3)$을 이은 선분 AB의 yz평면 위로의 정사영의 길이는?

① $\sqrt{5}$ ② $\sqrt{6}$ ③ $2\sqrt{2}$
④ $2\sqrt{3}$ ⑤ $2\sqrt{5}$

0552 상중하

두 점 $A(3, -\sqrt{2}, 2)$, $B(4, 0, -1)$에 대하여 직선 AB와 xy평면이 이루는 각의 크기를 θ라 할 때, $\cos\theta$의 값은?

① $\dfrac{1}{4}$ ② $\dfrac{1}{2}$ ③ $\dfrac{\sqrt{2}}{2}$
④ $\dfrac{\sqrt{3}}{2}$ ⑤ 1

0553 상중하

세 점 $A(0, 0, 1)$, $B(0, 1, 1)$, $C(\sqrt{2}, 0, 0)$에 대하여 삼각형 ABC와 xy평면이 이루는 각의 크기를 θ라 할 때, $\cos\theta$의 값은?

① $\dfrac{1}{3}$ ② $\dfrac{\sqrt{6}}{6}$ ③ $\dfrac{1}{2}$
④ $\dfrac{\sqrt{6}}{3}$ ⑤ $\dfrac{\sqrt{6}}{2}$

↻ 개념 해결의 법칙 176쪽 유형 01

유형 **07** ★중요 선분의 내분점과 외분점 개념 **04**

두 점 $A(x_1, y_1, z_1)$, $B(x_2, y_2, z_2)$에 대하여
(1) $\overline{AB}$를 $m : n (m>0, n>0)$으로 내분하는 점 P의 좌표는
$$\Rightarrow \left(\frac{mx_2+nx_1}{m+n}, \frac{my_2+ny_1}{m+n}, \frac{mz_2+nz_1}{m+n} \right)$$
(2) $\overline{AB}$를 $m : n (m>0, n>0, m \neq n)$으로 외분하는 점 Q의 좌표는
$$\Rightarrow \left(\frac{mx_2-nx_1}{m-n}, \frac{my_2-ny_1}{m-n}, \frac{mz_2-nz_1}{m-n} \right)$$

0554 • 대표문제 •
두 점 $A(5, -1, -4)$, $B(-4, 0, 5)$에 대하여 선분 AB를 $2 : 1$로 내분하는 점을 P, 선분 PB를 $4 : 3$으로 외분하는 점을 Q라 할 때, 점 Q의 좌표를 구하시오.

0555 상중하
점 $P(3, -2, 7)$을 점 $A(-2, -1, 4)$에 대하여 대칭이동한 점 Q의 좌표를 구하시오.

0556 상중하
세 점 $O(0, 0, 0)$, $A(-4, 0, 2)$, $B(-2, 4, 5)$를 꼭짓점으로 하는 삼각형 OAB에서 $\angle AOB$의 이등분선과 선분 AB가 만나는 점을 $P(a, b, c)$라 할 때, $a-b-c$의 값을 구하시오.

0557 상중하
오른쪽 그림과 같이 두 점 $A(8, 0, 0)$, $B(0, 8, 0)$에 대하여 선분 AB의 중점을 M, z축 위의 점 C에 대하여 선분 CM을 $3 : 1$로 내분하는 점을 D라 하자. 삼각형 ABC의 넓이가 $16\sqrt{6}$일 때, 선분 OD의 길이를 구하시오.
(단, O는 원점이고, 점 C의 z좌표는 양수이다.)

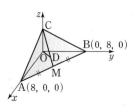

↻ 개념 해결의 법칙 177쪽 유형 02

유형 **08** 좌표평면 또는 좌표축에 의한 내분과 외분 개념 **04**

두 점 $A(x_1, y_1, z_1)$, $B(x_2, y_2, z_2)$에 대하여
(1) $\overline{AB}$를 $m : n (m>0, n>0)$으로 내분하는 점이 xy평면 위에 있다.
$\Rightarrow$ 내분점의 z좌표가 0이므로 $\frac{mz_2+nz_1}{m+n}=0$.
(2) $\overline{AB}$를 $m : n (m>0, n>0, m \neq n)$으로 외분하는 점이 x축 위에 있다.
$\Rightarrow$ 외분점의 y좌표와 z좌표가 0이므로 $\frac{my_2-ny_1}{m-n}=0$, $\frac{mz_2-nz_1}{m-n}=0$

0558 • 대표문제 •
두 점 $A(-1, 3, -2)$, $B(3, -5, 4)$를 이은 선분 AB가 yz평면과 만나는 점을 P라 할 때, $\overline{AP} : \overline{BP}=m : n$이다. 이때, $m+n$의 값을 구하시오. (단, m, n은 서로소인 자연수이다.)

0559 상중하 서술형
두 점 $A(-2, 5, 4)$, $B(a, b, c)$에 대하여 선분 AB가 xy평면에 의하여 $1 : 2$로 내분되고, z축에 의하여 $3 : 2$로 외분될 때, $a+b+c$의 값을 구하시오.

0560 상중하
세 점 $A(6, 2, -4)$, $B(-8, 5, 3)$, $C(2, 4, -4)$가 있다. 한 점 P에 대하여 세 선분 AP, BP, CP를 $4 : 1$로 내분하는 점이 각각 xy평면, yz평면, zx평면 위에 있을 때, 선분 OP의 길이는? (단, O는 원점이다.)
① $\sqrt{3}$ ② $\sqrt{6}$ ③ 3
④ $\sqrt{11}$ ⑤ $\sqrt{14}$

↻ 개념 해결의 법칙 178쪽 유형 03

유형 **09** 선분의 중점의 활용 – 평행사변형 개념 **04**

네 점 A, B, C, D를 꼭짓점으로 하는 사각형 ABCD가 평행사변형이면
⇨ $\overline{AC}$의 중점과 $\overline{BD}$의 중점이 일치한다.

0561 • 대표문제 •
평행사변형 ABCD에서 A$(3, -1, 1)$, B$(1, -4, 2)$,
C$(0, 3, -4)$일 때, 꼭짓점 D의 좌표를 구하시오.

0562 상중하
평행사변형 ABCD에서 A$(3, -1, 4)$, B$(5, -3, 2)$이고 두
대각선의 교점의 좌표가 $\left(2, \dfrac{3}{2}, 5\right)$일 때, 선분 BC의 길이는?

① 1   ② 3   ③ 5
④ 7   ⑤ 9

0563 상중하
마름모 ABCD에서 A$(a, -3, 0)$, B$(b, 1, 5)$, C$(-1, 8, 5)$,
D$(2, 4, 0)$일 때, $a+b$의 값은? (단, $a>2$)

① 1   ② 2   ③ 3
④ 4   ⑤ 5

↻ 개념 해결의 법칙 179쪽 유형 04

유형 **10** 삼각형의 무게중심 개념 **04**

세 점 A(x_1, y_1, z_1), B(x_2, y_2, z_2), C(x_3, y_3, z_3)을 꼭짓점으로 하는 삼각형 ABC의 무게중심 G의 좌표는
⇨ $\left(\dfrac{x_1+x_2+x_3}{3}, \dfrac{y_1+y_2+y_3}{3}, \dfrac{z_1+z_2+z_3}{3}\right)$

0564 • 대표문제 •
삼각형 ABC에서 A$(-2, 0, 3)$, B$(4, -1, 5)$이고, 삼각형
ABC의 무게중심 G의 좌표가 $(3, -2, 3)$일 때, 점 C의 좌표를 구하시오.

0565 상중하
점 P$(3, 7, -2)$를 xy평면에 대하여 대칭이동한 점을 Q, 점 Q를 zx평면에 대하여 대칭이동한 점을 R라 할 때, 삼각형 PQR의 무게중심의 좌표를 구하시오.

0566 상중하
삼각형 ABC에서 선분 AB의 중점 M의 좌표가 $(5, 2, -8)$이고, 삼각형 ABC의 무게중심 G의 좌표가 $(3, 1, -5)$일 때, 점 C의 좌표를 구하시오.

0567 상중하
오른쪽 그림은 이집트의 피라미드를 좌표공간에 나타낸 것이다. 이 피라미드의 밑면은 한 변의 길이가 216 m인 정사각형이고, 옆면을 이루고 있는 네 개의 삼각형은 모두 합동이다. 피라미드의 높이가 180 m일 때, 삼각형 OAD의 무게중심 G의 좌표를 구하시오.

(단, O는 원점이고, 1 m를 단위로 하여 좌표를 잡는다.)

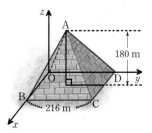

↻ 개념 해결의 법칙 184쪽 유형 01

유형 **11** 구의 방정식　　　　　개념 **05**

(1) 지름의 양 끝점 A, B의 좌표를 알 때

　⇨ 구의 중심은 $\overline{AB}$의 중점이고, 반지름의 길이는 $\frac{1}{2}\overline{AB}$이다.

(2) 구가 지나는 네 점의 좌표를 알 때

　⇨ 구의 방정식을 $x^2+y^2+z^2+Ax+By+Cz+D=0$으로 놓고 네 점의 좌표를 대입하여 A, B, C, D의 값을 구한다.

0568 ● 대표문제 ●

구 $x^2+y^2+z^2-4x-2y+10z+d=0$은 중심의 좌표가 (a, b, c)이고, 반지름의 길이가 6이다. $a+b+c+d$의 값은? (단, d는 상수)

① -8　　　　② -4　　　　③ 0

④ 4　　　　⑤ 8

0569 상충하 서술형▷

두 점 $A(3, -4, -2)$, $B(-1, 0, 2)$를 이은 선분 AB를 $1:1$로 내분하는 점 C와 $2:1$로 외분하는 점 D를 지름의 양 끝점으로 하는 구의 방정식을 구하시오.

0570 상충하

네 점 $O(0, 0, 0)$, $A(5, 3, -4)$, $B(0, 7, -1)$, $C(0, -1, -1)$을 지나는 구의 반지름의 길이는?

① 2　　　　② 3　　　　③ 4

④ 5　　　　⑤ 6

↻ 개념 해결의 법칙 185쪽 유형 02

유형 **12** 좌표평면 또는 좌표축에 접하는 구의 방정식　개념 **05**

중심이 $C(a, b, c)$이고, 좌표평면 또는 좌표축에 접하는 구의 방정식은

(1) xy평면에 접할 때: $(x-a)^2+(y-b)^2+(z-c)^2=c^2$

(2) yz평면에 접할 때: $(x-a)^2+(y-b)^2+(z-c)^2=a^2$

(3) zx평면에 접할 때: $(x-a)^2+(y-b)^2+(z-c)^2=b^2$

(4) x축에 접할 때: $(x-a)^2+(y-b)^2+(z-c)^2=b^2+c^2$

(5) y축에 접할 때: $(x-a)^2+(y-b)^2+(z-c)^2=a^2+c^2$

(6) z축에 접할 때: $(x-a)^2+(y-b)^2+(z-c)^2=a^2+b^2$

0571 ● 대표문제 ●

구 $x^2+y^2+z^2-6x+2y-2z+k=0$이 yz평면에 접할 때, 상수 k의 값은?

① 1　　　　② 2　　　　③ 3

④ 4　　　　⑤ 5

0572 상충하

점 $(3, 2, 5)$를 지나고 xy평면, yz평면, zx평면에 모두 접하는 구가 2개 있다. 이 두 구의 반지름의 길이의 곱은?

① 10　　　　② 13　　　　③ 15

④ 19　　　　⑤ 21

0573 상충하

반지름의 길이가 $\sqrt{2}$이고 x축, y축, z축에 동시에 접하는 구의 중심의 좌표를 (a, b, c)라 할 때, $a+b+c$의 값은? (단, $a<0, b<0, c<0$)

① $-3\sqrt{2}$　　　② -4　　　③ -3

④ $-2\sqrt{2}$　　　⑤ -2

유형 13 구와 좌표축의 교점

개념 **05**

구 $(x-a)^2+(y-b)^2+(z-c)^2=r^2$과
(1) x축의 교점 ⇨ $y=0$, $z=0$을 대입
(2) y축의 교점 ⇨ $x=0$, $z=0$을 대입
(3) z축의 교점 ⇨ $x=0$, $y=0$을 대입

0574 • 대표문제 •

구 $(x-3)^2+(y+2)^2+(z-1)^2=16$이 y축과 서로 다른 두 점 A, B에서 만날 때, 선분 AB의 길이는?

① $\sqrt{2}$　　　　② 2　　　　③ $2\sqrt{2}$
④ $2\sqrt{3}$　　　　⑤ $2\sqrt{6}$

0575 상중하

점 $(0, 3, -2)$를 중심으로 하는 구가 z축에 의하여 잘린 선분의 길이가 8일 때, 구의 반지름의 길이는?

① 3　　　　② 4　　　　③ 5
④ 6　　　　⑤ 7

0576 상중하

구 $(x-4)^2+(y-1)^2+(z-2)^2=9$가 x축과 서로 다른 두 점 A, B에서 만난다. 구의 중심을 C라 할 때, 삼각형 ABC의 넓이를 구하시오.

★중요 유형 14 구와 좌표평면의 교선

↻ 개념 해결의 법칙 186쪽 유형 03

개념 **05**

구 $(x-a)^2+(y-b)^2+(z-c)^2=r^2$과
(1) xy평면의 교선 $\xrightarrow{z=0 \text{을 대입}}$ $(x-a)^2+(y-b)^2=r^2-c^2$
(2) yz평면의 교선 $\xrightarrow{x=0 \text{을 대입}}$ $(y-b)^2+(z-c)^2=r^2-a^2$
(3) zx평면의 교선 $\xrightarrow{y=0 \text{을 대입}}$ $(x-a)^2+(z-c)^2=r^2-b^2$

0577 • 대표문제 •

두 점 $A(1, 2, 5)$, $B(-3, 4, -1)$을 지름의 양 끝점으로 하는 구와 zx평면이 만나서 생기는 원의 반지름의 길이는?

① $\sqrt{2}$　　　　② $\sqrt{3}$　　　　③ 2
④ $\sqrt{5}$　　　　⑤ $2\sqrt{2}$

0578 상중하

반지름의 길이가 13이고 yz평면과의 교선의 방정식이 $(y-3)^2+(z-1)^2=25$인 구가 있다. 이 구의 중심을 $C(a, b, c)$라 할 때, $a+b+c$의 값을 구하시오. (단, $a<0$)

0579 상중하

구 $x^2+y^2+z^2+4x-2ay-6z+5=0$이 yz평면과 만나서 생기는 원의 넓이가 xy평면과 만나서 생기는 원의 넓이의 2배일 때, a의 값은? (단, $a>1$)

① $\sqrt{5}$　　　　② $\sqrt{6}$　　　　③ $2\sqrt{2}$
④ 3　　　　⑤ $2\sqrt{5}$

개념 해결의 법칙 187쪽 유형 04

유형 **15** 구에 그은 접선의 길이
개념 **05**

구 밖의 한 점 P에서 중심이 C인 구에 그은
접선의 접점을 Q라 하면 접선의 길이는
$$\Rightarrow \overline{PQ}=\sqrt{\overline{PC}^2-\overline{CQ}^2}$$

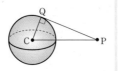

0580 • 대표문제 •
점 $P(1, 2, -\sqrt{3})$에서 구 $(x-3)^2+(y-5)^2+z^2=4$에 그은
접선의 길이는?

① $\sqrt{2}$ ② $\sqrt{3}$ ③ $2\sqrt{2}$

④ $2\sqrt{3}$ ⑤ $2\sqrt{5}$

0581 상중하 서술형
점 $A(-3, 4, 1)$에서 구 $x^2+y^2+z^2+10x-2y-4z+a=0$
에 그은 접선의 길이가 $\sqrt{6}$일 때, 상수 a의 값을 구하시오.

0582 상중하
점 $A(2, -2, -3)$에서 구 $x^2+y^2+z^2-6x+2z+7=0$에
접선을 그을 때, 접점의 자취는 원이다. 이 원의 둘레의 길이
는?

① $\sqrt{2}\pi$ ② $\sqrt{3}\pi$ ③ $2\sqrt{2}\pi$

④ $2\sqrt{3}\pi$ ⑤ $2\sqrt{5}\pi$

유형 **16** 자취의 방정식
개념 **05**

(ⅰ) 자취를 구하려는 점의 좌표를 (x, y, z)로 놓는다.
(ⅱ) 주어진 조건을 이용하여 x, y, z 사이의 관계식을 세운다.

0583 • 대표문제 •
두 점 $A(-3, 0, 0)$, $B(7, 0, 0)$에서의 거리의 비가 $2:3$인 점
P의 자취가 이루는 도형의 겉넓이를 구하시오.

0584 상중하
원점 O와 구 $x^2+y^2+z^2-6x+10y-2z+31=0$ 위의 점 P
에 대하여 선분 OP의 중점의 자취는 구이다. 이 구의 중심의
좌표를 (a, b, c), 반지름의 길이를 r라 할 때, $a+b+c+r$의
값은?

① $\frac{1}{2}$ ② 1 ③ $\frac{3}{2}$

④ 2 ⑤ $\frac{5}{2}$

0585 상중하
점 $A(4, -2, 0)$과 구 $(x+2)^2+y^2+(z-1)^2=81$ 위의 점
P를 이은 선분 AP를 $1:2$로 내분하는 점의 자취가 이루는 도
형의 부피는?

① 12π ② 24π ③ 36π

④ 48π ⑤ 60π

발전 유형 17 **두 구의 위치 관계** 개념 **05**

두 구 S, S'의 반지름의 길이를 각각 r, r' $(r > r')$, 중심 사이의 거리를 d라 할 때

(1) $d > r + r'$ ⟺ 구 S의 외부에 구 S'이 있다.

(2) $d = r + r'$ ⟺ 두 구 S, S'이 외접한다.

(3) $r - r' < d < r + r'$ ⟺ 두 구 S, S'의 교선이 원이다.

(4) $d = r - r'$ ⟺ 구 S에 구 S'이 내접한다.

(5) $0 \leq d < r - r'$ ⟺ 구 S의 내부에 구 S'이 있다.

0586 • 대표문제 •

두 구 $x^2 + y^2 + z^2 - 2y - 6z + 9 = 0$,

$(x-2)^2 + (y-4)^2 + (z-k)^2 = 9$가 외접할 때, 모든 상수 k의 값의 곱을 구하시오.

0587 상중하

구 $x^2 + y^2 + z^2 - 4x + 2y - 4z - 7 = 0$에 내접하고 중심의 좌표가 $(4, 0, 0)$인 구의 반지름의 길이는?

① 1   ② 2   ③ 3

④ 4   ⑤ 5

0588 상중하

두 구 $x^2 + y^2 + z^2 - 6x + 10y + 30 = 0$,

$x^2 + y^2 + z^2 - 2x + 2y - 2\sqrt{5}z - a = 0$이 만나도록 하는 모든 자연수 a의 개수를 구하시오. (단, $a \geq 2$)

발전 유형 18 **점과 구 사이의 최단 거리** 개념 **05**

중심이 C이고 반지름의 길이가 r인 구 위의 점 P와 구 밖의 점 A에 대하여

⇨ $\overline{AC} - r \leq \overline{AP} \leq \overline{AC} + r$

0589 • 대표문제 •

구 $x^2 + y^2 + z^2 - 2x + 4y - 6z + 5 = 0$ 위의 점 P와

점 Q$(1, 0, 0)$에 대하여 두 점 P, Q 사이의 거리의 최댓값을 M, 최솟값을 m이라 하자. 이때, Mm의 값은?

① 4   ② 5   ③ 6

④ 7   ⑤ 8

0590 상중하

구 $x^2 + y^2 + z^2 - 2x - 6y - 4z + 13 = 0$ 위의 점 P와 구

$x^2 + y^2 + z^2 - 6x - 8y - 10z + 46 = 0$ 위의 점 Q 사이의 거리의 최솟값을 구하시오.

0591 상중하

반지름의 길이가 2이고 x축, y축, z축에 동시에 접하는 구의 중심의 좌표를 (a, b, c)라 하자. 구 위의 점 P(x, y, z)에 대하여 $x^2 + y^2 + z^2$의 최댓값을 구하시오.

(단, $a > 0, b > 0, c > 0$)

0592　　　　　　　　　| 유형 01 |

점 A$(1, a, 3)$을 xy평면에 대하여 대칭이동한 점을 A′, 점 B$(b, 4, c)$를 yz평면에 대하여 대칭이동한 점을 B′이라 할 때, 점 A′과 점 B′은 원점에 대하여 대칭이다. 이때, abc의 값은?

[4점]

① -12　　　　② -8　　　　③ -4
④ 4　　　　　⑤ 8

0593　　　　　　　　　| 유형 02 |

오른쪽 그림과 같이 xy평면 위의 점 P와 yz평면 위의 점 Q가 $\overline{OP}=\overline{OQ}=2$를 만족시키고, 반직선 OP가 x축의 양의 방향과 이루는 각의 크기는 $60°$, 반직선 OQ가 y축의 양의 방향과 이루는 각의 크기는 $30°$이다. 두 점 P, Q 사이의 거리는? (단, O는 원점이다.)

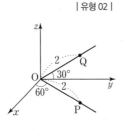

[4.4점]

① 1　　　　　② $\sqrt{2}$　　　　③ $\sqrt{3}$
④ 2　　　　　⑤ $\sqrt{5}$

0594　　　　　　　　　| 유형 04 |

두 점 A$(-2, 2, -1)$, B$(1, 3, 1)$에서 같은 거리에 있는 x축 위의 점을 P$(p, 0, 0)$, z축 위의 점을 Q$(0, 0, q)$라 할 때, pq의 값은? [4.2점]

① $\dfrac{1}{15}$　　　② $\dfrac{1}{12}$　　　③ $\dfrac{1}{6}$
④ $\dfrac{1}{4}$　　　⑤ $\dfrac{1}{3}$

0595　　　　　　　　　| 유형 05 |

두 점 A$(1, 2, -1)$, B$(3, -2, a)$와 yz평면 위의 점 P에 대하여 $\overline{AP}+\overline{BP}$의 최솟값이 6일 때, 모든 실수 a의 값의 합은?

[4.4점]

① -4　　　　② -2　　　　③ 0
④ 2　　　　　⑤ 4

0596　　　　　　　　　| 유형 06 + 유형 07 |

세 점 A$(3, 0, 0)$, B$(0, 3, 0)$, C$(0, 0, 3)$에 대하여 선분 BC를 2 : 1로 내분하는 점을 P, 선분 AC를 1 : 2로 내분하는 점을 Q라 하자. 두 점 P, Q의 xy평면 위로의 정사영을 각각 P′, Q′이라 할 때, 삼각형 OP′Q′의 넓이는? (단, O는 원점이다.)

[4.5점]

① 1　　　　　② 2　　　　③ 3
④ 4　　　　　⑤ 5

0597　　　　　　　　　| 유형 08 |

세 점 A$(a, 2, 5)$, B$(6, b, -2)$, C$(-5, 1, c)$에 대하여 선분 AB가 z축에 의하여 2 : 1로 내분되고, 선분 AC가 xy평면에 의하여 1 : 2로 내분될 때, $a+b+c$의 값은? [4.3점]

① -26　　　② -25　　　③ -24
④ -23　　　⑤ -22

0598　　　　　　　　　| 유형 07 + 유형 10 |

오른쪽 그림과 같이 한 모서리의 길이가 6인 정육면체에서 선분 AH의 중점을 P, 선분 EF를 2 : 1로 내분하는 점을 Q, 선분 CD의 중점을 R라 하자. 삼각형 PQR의 무게중심을 S라 할 때, 선분 FS의 길이는? [4.8점]

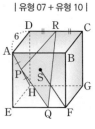

① $\dfrac{\sqrt{265}}{3}$　　② $\dfrac{\sqrt{274}}{3}$　　③ $\dfrac{\sqrt{283}}{3}$
④ $\dfrac{2\sqrt{73}}{3}$　　⑤ $\dfrac{\sqrt{301}}{3}$

0599 | 유형 11 |

구 $x^2+y^2+z^2+Ax+By+Cz+D=0$의 중심의 좌표가 $(3, -4, 1)$이고 반지름의 길이가 1일 때, $A+B+C+D$의 값은? (단, A, B, C, D는 상수) [4.2점]

① -18　　　② -16　　　③ 20
④ 23　　　⑤ 25

0600 | 유형 12 + 유형 14 |

중심이 C$(3, a, b)$이고 반지름의 길이가 5인 구가 x축에 접하고 이 구가 xy평면과 만나서 생기는 원의 넓이가 16π일 때, 두 양수 a, b에 대하여 $a+b$의 값은? [4.8점]

① 3　　　② 4　　　③ 5
④ 6　　　⑤ 7

0601 | 유형 18 |

구 $(x+4)^2+(y-3)^2+(z+1)^2=1$ 위의 점 P에서 zx평면에 이르는 거리의 최솟값은? [4.4점]

① $\dfrac{1}{2}$　　　② 1　　　③ $\dfrac{3}{2}$
④ 2　　　⑤ $\dfrac{5}{2}$

서술형 문제

• 풀이 과정에 점수가 부여되니 풀이 과정 및 정답을 상세하게 서술하세요.

단답형

0602 | 유형 03 |

점 A$(-4, 3, 1)$과 z축에 대하여 대칭인 점을 B, zx평면에 대하여 대칭인 점을 C라 하자. 세 점 A, B, C를 지나는 원의 반지름의 길이를 구하시오. [7점]

0603 | 유형 07 |

세 점 O$(0, 0, 0)$, A$(1, -1, 2)$, B$(-2, 4, 2)$를 꼭짓점으로 하는 삼각형 OAB에서 각 AOB의 이등분선이 선분 AB와 만나는 점을 P(a, b, c)라 할 때, $30(a+b+c)$의 값을 구하시오. [7점]

단계형

0604 | 유형 17 |

두 구 $S_1: (x-2)^2+y^2+(z+1)^2=16$, $S_2: x^2+y^2+z^2-4x+6y-6z+13=0$이 만나서 생기는 원의 둘레의 길이를 구하려고 한다. 다음 물음에 답하시오. [12점]

(1) S_1, S_2의 중심의 좌표와 반지름의 길이를 각각 구하시오. [4점]

(2) S_1, S_2의 중심 사이의 거리를 구하시오. [2점]

(3) S_1, S_2가 만나서 생기는 원의 반지름의 길이를 구하시오. [4점]

(4) S_1, S_2가 만나서 생기는 원의 둘레의 길이를 구하시오. [2점]

성/취/도 Check • 이 단원은 70점 만점입니다.

점수 　 / 70점

 STEP 1 개념+기본 문제 학습

 STEP 2 유형 대표 문제 학습

 STEP 3의 틀린 문제에 해당하는 **STEP 2** 유형 학습

 STEP 3의 틀린 문제 복습

 교과서 속 심화문제 시작

0605

오른쪽 그림과 같이 한 모서리의 길이가 6인 정육면체에서 선분 BF의 중점을 M이라 하고, 선분 DH를 1 : 2로 내분하는 점을 N이라 하자. 면 EFGH 위의 점 P와 면 ABCD 위의 점 Q에 대하여 $\overline{MP}+\overline{PN}+\overline{NQ}+\overline{QM}$의 최솟값이 $a+\sqrt{b}$일 때, $a+b$의 값을 구하시오. (단, a, b는 유리수)

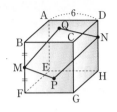

0606 창의력

오른쪽 그림과 같이 좌표공간에 있는 정육면체에 대하여 $A(0, 4, 4)$, $E(0, 4, 0)$, $F(4, 4, 0)$, $H(0, 8, 0)$이다. 점 $M(1, k, 8)(6<k<8)$과 정육면체의 모서리 위를 움직이는 점 P에 대하여 직선 MP가 xy평면과 만나는 점을 Q라 하자. 이때, 선분 MQ의 길이에 대한 다음 보기의 설명 중 옳은 것을 있는 대로 고르시오.

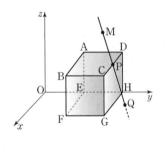

┌─ 보기 ─────────────────────────
ㄱ. 선분 MQ의 길이의 최댓값은 $2\sqrt{(k-4)^2+25}$이다.

ㄴ. $6<k<7$인 경우 선분 MQ의 길이의 최솟값은 8이다.

ㄷ. $7 \leq k<8$인 경우 선분 MQ의 길이의 최솟값은 $\sqrt{(k-8)^2+64}$이다.
└────────────────────────────

0607

세 점 $A(1, 0, 0)$, $B(0, k, 0)$, $C(0, 0, 1)$을 지나는 평면과 xy, yz, zx평면으로 둘러싸인 사면체가 있다. 이 사면체에 외접하는 구가 xy평면과 만나서 생기는 원의 반지름의 길이가 zx평면과 만나서 생기는 원의 반지름의 길이의 2배가 되도록 하는 k의 값을 구하시오. (단, $k>0$)

0608

구 $(x-2)^2+(y+6)^2+(z+3)^2=36$에 내접하고 이 구와 xy평면의 교선을 한 밑면으로 하는 원기둥의 모서리 위에 점 P가 있다. 점 $A(2, 1, 0)$에 대하여 선분 AP의 길이가 최대가 되도록 하는 점 P의 좌표를 (a, b, c)라 할 때, $a(c-b)$의 값을 구하시오.

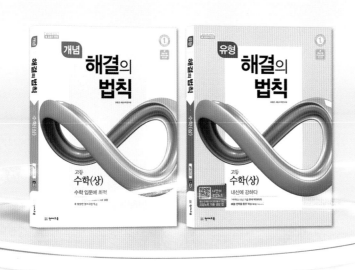

2015 개정 교육과정 반영

시작부터 앞서가는
고등수학 기본서

개념 해결의 법칙
수학의 기본인 개념! 쉬운 설명으로 빠르고 확실하게!

유형 해결의 법칙
문제를 푸는 힘 유형! 어떤 문제도 틀리지 않는 탄탄함

해결의 법칙

해결의 법칙 수학 시리즈

- ⊙ 개념 해결의 법칙 : 수학 (상), 수학 (하), 수학Ⅰ, 수학Ⅱ, 미적분, 확률과 통계, 기하
- ⊙ 유형 해결의 법칙 : 수학 (상), 수학 (하), 수학Ⅰ, 수학Ⅱ, 미적분, 확률과 통계, 기하

유형

해결의 법칙

고등 **기하**

정답과 해설

고등

기하

자세하고 친절한 해설

전 략
문제를 접근할 수 있는 실마리를 제공

다른 풀이
다른 여러 가지 풀이 방법으로
수학적 사고력을 강화

Lecture
문제 풀이에 대한 보충 설명, 문제 해결의
노하우 소개

서술형 답안
서술형 문제의 모범 답안과 단계별 채점
비율 제시

이책의

정답과 해설

기하

1 | 이차곡선

STEP 1 개념 마스터

0001

$y^2=4\times2\times x$, 즉 $y^2=8x$ 　　　　　　　　　$y^2=8x$

0002

$y^2=4\times(-1)\times x$, 즉 $y^2=-4x$ 　　　　　　$y^2=-4x$

0003

$x^2=4\times5\times y$, 즉 $x^2=20y$ 　　　　　　　　$x^2=20y$

0004

$x^2=4\times(-4)\times y$, 즉 $x^2=-16y$ 　　　　　$x^2=-16y$

0005

$y^2=4x=4\times1\times x$이므로 $p=1$

초점의 좌표는 $(1,0)$

준선의 방정식은 $x=-1$

또, 그래프는 오른쪽 그림과 같다.

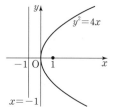

　　　　　　　　　　　　　　　　　　　풀이 참조

0006

$y^2=-\dfrac{1}{2}x=4\times\left(-\dfrac{1}{8}\right)\times x$이므로

$p=-\dfrac{1}{8}$

초점의 좌표는 $\left(-\dfrac{1}{8},0\right)$

준선의 방정식은 $x=\dfrac{1}{8}$

또, 그래프는 오른쪽 그림과 같다.

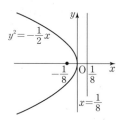

　　　　　　　　　　　　　　　　　　　풀이 참조

0007

$x^2=12y=4\times3\times y$이므로 $p=3$

초점의 좌표는 $(0,3)$

준선의 방정식은 $y=-3$

또, 그래프는 오른쪽 그림과 같다.

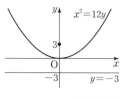

　　　　　　　　　　　　　　　　　　　풀이 참조

0008

$x^2=-8y=4\times(-2)\times y$이므로

$p=-2$

초점의 좌표는 $(0,-2)$

준선의 방정식은 $y=2$

또, 그래프는 오른쪽 그림과 같다.

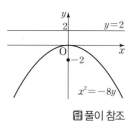

　　　　　　　　　　　　　　　　　　　풀이 참조

0009 　$(y+1)^2=-(x-2)$

0010 　$(x-2)^2=2(y+1)$

0011

포물선 $(y-1)^2=4(x-2)$는 포물선 $y^2=4x$를 x축의 방향으로 2만 큼, y축의 방향으로 1만큼 평행이동한 것이다.

이때, 포물선 $y^2=4x=4\times1\times x$의 초점의 좌표는 $(1,0)$, 준선의 방 정식은 $x=-1$이므로 주어진 포물선의 초점의 좌표는 $(3,1)$, 준선 의 방정식은 $x=1$이다. 　초점의 좌표: $(3,1)$, 준선의 방정식: $x=1$

◎ Lecture

점과 도형의 평행이동

점 (a,b) 도형 $y=f(x)$	x축의 방향으로 m만큼, y축의 방향으로 n만큼 평행이동	점 $(a+m,b+n)$ 도형 $y-n=f(x-m)$

0012

포물선 $(x+1)^2=-16(y-3)$은 포물선 $x^2=-16y$를 x축의 방향 으로 -1만큼, y축의 방향으로 3만큼 평행이동한 것이다.

이때, 포물선 $x^2=-16y=4\times(-4)\times y$의 초점의 좌표는 $(0,-4)$, 준선의 방정식은 $y=4$이므로 주어진 포물선의 초점의 좌표는 $(-1,-1)$, 준선의 방정식은 $y=7$이다.

　　　　초점의 좌표: $(-1,-1)$, 준선의 방정식: $y=7$

0013

$y^2+8x-4y+28=0$에서 $y^2-4y+4=-8x-24$

$\therefore (y-2)^2=-8(x+3)$

주어진 포물선은 포물선 $y^2=-8x$를 x축의 방향으로 -3만큼, y축 의 방향으로 2만큼 평행이동한 것이다.

이때, 포물선 $y^2=-8x=4\times(-2)\times x$의 초점의 좌표는 $(-2,0)$, 준선의 방정식은 $x=2$이므로 주어진 포물선의 초점의 좌표는 $(-5,2)$, 준선의 방정식은 $x=-1$이다.

　　　　초점의 좌표: $(-5,2)$, 준선의 방정식: $x=-1$

0014

구하는 타원의 방정식을 $\dfrac{x^2}{a^2}+\dfrac{y^2}{b^2}=1(a>b>0)$이라 하면

（초점이 x축 위에 있으므로 $a>b>0$）

$2a=6$에서 $a=3$

$a^2-b^2=2^2$에서 $b^2=3^2-2^2=5$

$\therefore \dfrac{x^2}{9}+\dfrac{y^2}{5}=1$ 　　　　　　　　　　　$\dfrac{x^2}{9}+\dfrac{y^2}{5}=1$

0015

구하는 타원의 방정식을 $\frac{x^2}{a^2}+\frac{y^2}{b^2}=1(b>a>0)$이라 하면

$2b=12$에서 $b=6$ ├─ 초점이 y축 위에 있으므로 $b>a>0$

$b^2-a^2=4^2$에서 $a^2=6^2-4^2=20$

$\therefore \frac{x^2}{20}+\frac{y^2}{36}=1$　　　　　　🔲 $\frac{x^2}{20}+\frac{y^2}{36}=1$

0016

타원 $\frac{x^2}{9}+\frac{y^2}{4}=1$에서

$\sqrt{9-4}=\sqrt{5}$이므로 초점의 좌표는

$(\sqrt{5},\,0),\,(-\sqrt{5},\,0)$

장축의 길이는 $2\times3=6$

단축의 길이는 $2\times2=4$

또, 그래프는 오른쪽 그림과 같다.

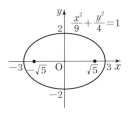

🔲 풀이 참조

0017

타원 $\frac{x^2}{16}+\frac{y^2}{25}=1$에서

$\sqrt{25-16}=3$이므로 초점의 좌표는

$(0,\,3),\,(0,\,-3)$

장축의 길이는 $2\times5=10$

단축의 길이는 $2\times4=8$

또, 그래프는 오른쪽 그림과 같다.

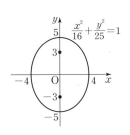

🔲 풀이 참조

0018

구하는 타원의 방정식을 $\frac{x^2}{a^2}+\frac{y^2}{b^2}=1(a>b>0)$이라 하면

장축의 길이가 $4\sqrt{3}$이므로

$2a=4\sqrt{3}$　$\therefore a=2\sqrt{3}$

$a^2-b^2=2^2$에서 $b^2=(2\sqrt{3})^2-2^2=8$

$\therefore \frac{x^2}{12}+\frac{y^2}{8}=1$　　　　　　🔲 $\frac{x^2}{12}+\frac{y^2}{8}=1$

0019

구하는 타원의 방정식을 $\frac{x^2}{a^2}+\frac{y^2}{b^2}=1(b>a>0)$이라 하면

장축의 길이가 8이므로

$2b=8$　$\therefore b=4$

$b^2-a^2=(\sqrt{5})^2$에서 $a^2=4^2-(\sqrt{5})^2=11$

$\therefore \frac{x^2}{11}+\frac{y^2}{16}=1$　　　　　　🔲 $\frac{x^2}{11}+\frac{y^2}{16}=1$

0020

구하는 타원의 방정식을 $\frac{x^2}{a^2}+\frac{y^2}{b^2}=1(a>b>0)$이라 하면

단축의 길이가 6이므로

$2b=6$　$\therefore b=3$

$a^2-b^2=(\sqrt{3})^2$에서 $a^2=3^2+(\sqrt{3})^2=12$

$\therefore \frac{x^2}{12}+\frac{y^2}{9}=1$　　　　　　🔲 $\frac{x^2}{12}+\frac{y^2}{9}=1$

0021

구하는 타원의 방정식을 $\frac{x^2}{a^2}+\frac{y^2}{b^2}=1(b>a>0)$이라 하면

단축의 길이가 6이므로

$2a=6$　　$\therefore a=3$

$b^2-a^2=(\sqrt{7})^2$에서 $b^2=3^2+(\sqrt{7})^2=16$

$\therefore \frac{x^2}{9}+\frac{y^2}{16}=1$　　　　　　🔲 $\frac{x^2}{9}+\frac{y^2}{16}=1$

0022 🔲 $\frac{(x+1)^2}{5}+\frac{(y-2)^2}{3}=1$

0023 🔲 $\frac{(x+1)^2}{15}+\frac{(y-2)^2}{20}=1$

0024

타원 $\frac{(x+2)^2}{25}+\frac{y^2}{9}=1$은 타원 $\frac{x^2}{25}+\frac{y^2}{9}=1$을 x축의 방향으로 -2만큼 평행이동한 것이다.

이때, 타원 $\frac{x^2}{25}+\frac{y^2}{9}=1$의 초점의 좌표는 $(4,\,0),\,(-4,\,0)$이므로 ├─ $\sqrt{25-9}=4$

주어진 타원의 초점의 좌표는 $(2,\,0),\,(-6,\,0)$이다.

한편, 타원을 평행이동하여도 장축, 단축의 길이는 변하지 않으므로

장축의 길이는 $2\times5=10$

단축의 길이는 $2\times3=6$

🔲 초점의 좌표: $(2,\,0),\,(-6,\,0)$, 장축, 단축의 길이: $10,\,6$

0025

$7(x-1)^2+3(y+1)^2=21$에서 $\frac{(x-1)^2}{3}+\frac{(y+1)^2}{7}=1$

타원 $\frac{(x-1)^2}{3}+\frac{(y+1)^2}{7}=1$은 타원 $\frac{x^2}{3}+\frac{y^2}{7}=1$을 x축의 방향으로 1만큼, y축의 방향으로 -1만큼 평행이동한 것이다.

이때, 타원 $\frac{x^2}{3}+\frac{y^2}{7}=1$의 초점의 좌표는 $(0,\,2),\,(0,\,-2)$이므로 ├─ $\sqrt{7-3}=2$

주어진 타원의 초점의 좌표는 $(1,\,1),\,(1,\,-3)$이다.

한편, 타원을 평행이동하여도 장축, 단축의 길이는 변하지 않으므로

장축의 길이는 $2\times\sqrt{7}=2\sqrt{7}$

단축의 길이는 $2\times\sqrt{3}=2\sqrt{3}$

🔲 초점의 좌표: $(1,\,1),\,(1,\,-3)$, 장축, 단축의 길이: $2\sqrt{7},\,2\sqrt{3}$

0026

$x^2+4y^2-2x-16y+13=0$에서 $(x-1)^2+4(y-2)^2=4$

$\therefore \dfrac{(x-1)^2}{4}+(y-2)^2=1$

주어진 타원은 타원 $\dfrac{x^2}{4}+y^2=1$을 x축의 방향으로 1만큼, y축의 방향으로 2만큼 평행이동한 것이다.

이때, 타원 $\dfrac{x^2}{4}+y^2=1$의 초점의 좌표는 $(\sqrt{3},\,0)$, $(-\sqrt{3},\,0)$이므로 ($\sqrt{4-1}=\sqrt{3}$)

주어진 타원의 초점의 좌표는 $(1+\sqrt{3},\,2)$, $(1-\sqrt{3},\,2)$이다.

한편, 타원을 평행이동하여도 장축, 단축의 길이는 변하지 않으므로

장축의 길이는 $2\times2=4$

단축의 길이는 $2\times1=2$

　　　🔳 초점의 좌표: $(1+\sqrt{3},\,2)$, $(1-\sqrt{3},\,2)$, 장축, 단축의 길이: 4, 2

0027

구하는 쌍곡선의 방정식을 $\dfrac{x^2}{a^2}-\dfrac{y^2}{b^2}=1\,(a>0,\,b>0)$이라 하면

$2a=8$에서 $a=4$

$a^2+b^2=5^2$에서 $b^2=5^2-4^2=9$

$\therefore \dfrac{x^2}{16}-\dfrac{y^2}{9}=1$　　　🔳 $\dfrac{x^2}{16}-\dfrac{y^2}{9}=1$

0028

구하는 쌍곡선의 방정식을 $\dfrac{x^2}{a^2}-\dfrac{y^2}{b^2}=-1\,(a>0,\,b>0)$이라 하면

$2b=2\sqrt{3}$에서 $b=\sqrt{3}$

$a^2+b^2=(\sqrt{5})^2$에서 $a^2=(\sqrt{5})^2-(\sqrt{3})^2=2$

$\therefore \dfrac{x^2}{2}-\dfrac{y^2}{3}=-1$　　　🔳 $\dfrac{x^2}{2}-\dfrac{y^2}{3}=-1$

0029

쌍곡선 $\dfrac{x^2}{4}-\dfrac{y^2}{3}=1$에서

$\sqrt{4+3}=\sqrt{7}$이므로 초점의 좌표는 $(\sqrt{7},\,0)$, $(-\sqrt{7},\,0)$

꼭짓점의 좌표는 $(2,\,0)$, $(-2,\,0)$

주축의 길이는 $2\times2=4$

또, 그래프는 오른쪽 그림과 같다.

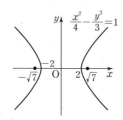

　　　🔳 풀이 참조

0030

쌍곡선 $\dfrac{x^2}{4}-\dfrac{y^2}{5}=-1$에서

$\sqrt{4+5}=3$이므로 초점의 좌표는 $(0,\,3)$, $(0,\,-3)$

꼭짓점의 좌표는 $(0,\,\sqrt{5})$, $(0,\,-\sqrt{5})$

주축의 길이는 $2\times\sqrt{5}=2\sqrt{5}$

또, 그래프는 오른쪽 그림과 같다.

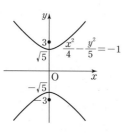

　　　🔳 풀이 참조

0031

구하는 쌍곡선의 방정식을 $\dfrac{x^2}{3^2}-\dfrac{y^2}{b^2}=1$이라 하면

$3^2+b^2=5^2$에서 $b^2=5^2-3^2=16$

$\therefore \dfrac{x^2}{9}-\dfrac{y^2}{16}=1$　　　🔳 $\dfrac{x^2}{9}-\dfrac{y^2}{16}=1$

0032

구하는 쌍곡선의 방정식을 $\dfrac{x^2}{a^2}-\dfrac{y^2}{(\sqrt{5})^2}=-1$이라 하면

$a^2+(\sqrt{5})^2=(2\sqrt{2})^2$에서 $a^2=(2\sqrt{2})^2-(\sqrt{5})^2=3$

$\therefore \dfrac{x^2}{3}-\dfrac{y^2}{5}=-1$　　　🔳 $\dfrac{x^2}{3}-\dfrac{y^2}{5}=-1$

0033

구하는 쌍곡선의 방정식을 $\dfrac{x^2}{a^2}-\dfrac{y^2}{b^2}=1\,(a>0,\,b>0)$이라 하면

주축의 길이가 10이므로

$2a=10$　$\therefore a=5$

$a^2+b^2=7^2$에서 $b^2=7^2-5^2=24$

$\therefore \dfrac{x^2}{25}-\dfrac{y^2}{24}=1$　　　🔳 $\dfrac{x^2}{25}-\dfrac{y^2}{24}=1$

0034

구하는 쌍곡선의 방정식을 $\dfrac{x^2}{a^2}-\dfrac{y^2}{b^2}=-1\,(a>0,\,b>0)$이라 하면

주축의 길이가 $2\sqrt{3}$이므로

$2b=2\sqrt{3}$　$\therefore b=\sqrt{3}$

$a^2+b^2=2^2$에서 $a^2=2^2-(\sqrt{3})^2=1$

$\therefore x^2-\dfrac{y^2}{3}=-1$　　　🔳 $x^2-\dfrac{y^2}{3}=-1$

0035

$\dfrac{x^2}{6^2}-\dfrac{y^2}{5^2}=1$이므로 점근선의 방정식은

$y=\pm\dfrac{5}{6}x$　　　🔳 $y=\pm\dfrac{5}{6}x$

0036

$4x^2-9y^2=-72$에서 $\dfrac{x^2}{(3\sqrt{2})^2}-\dfrac{y^2}{(2\sqrt{2})^2}=-1$이므로 점근선의 방정식은

$y=\pm\dfrac{2\sqrt{2}}{3\sqrt{2}}x$, 즉 $y=\pm\dfrac{2}{3}x$　　　🔳 $y=\pm\dfrac{2}{3}x$

0037

쌍곡선 $\dfrac{(x-3)^2}{9}-\dfrac{(y-1)^2}{3}=1$은 쌍곡선 $\dfrac{x^2}{9}-\dfrac{y^2}{3}=1$을 x축의 방향으로 3만큼, y축의 방향으로 1만큼 평행이동한 것이다.

이때, 쌍곡선 $\dfrac{x^2}{9}-\dfrac{y^2}{3}=1$의 초점의 좌표는 $(2\sqrt{3},\,0)$, $(-2\sqrt{3},\,0)$

이고 꼭짓점의 좌표는 $(3,\,0)$, $(-3,\,0)$이므로 주어진 쌍곡선의 초점의

$\underset{\sqrt{9+3}=2\sqrt{3}}{}$

좌표는 $(3+2\sqrt{3},\,1)$, $(3-2\sqrt{3},\,1)$이고 꼭짓점의 좌표는 $(6,\,1)$,

$(0,\,1)$이다.

📝 초점의 좌표: $(3+2\sqrt{3},\,1)$, $(3-2\sqrt{3},\,1)$

꼭짓점의 좌표: $(6,\,1)$, $(0,\,1)$

0038

$10(x+1)^2-5y^2=-10$에서 $(x+1)^2-\dfrac{y^2}{2}=-1$

주어진 쌍곡선은 쌍곡선 $x^2-\dfrac{y^2}{2}=-1$을 x축의 방향으로 -1만큼

평행이동한 것이다.

이때, 쌍곡선 $x^2-\dfrac{y^2}{2}=-1$의 초점의 좌표는 $(0,\,\sqrt{3})$, $(0,\,-\sqrt{3})$이

$\underset{\sqrt{1+2}=\sqrt{3}}{}$

고 꼭짓점의 좌표는 $(0,\,\sqrt{2})$, $(0,\,-\sqrt{2})$이므로 주어진 쌍곡선의 초점

의 좌표는 $(-1,\,\sqrt{3})$, $(-1,\,-\sqrt{3})$이고 꼭짓점의 좌표는 $(-1,\,\sqrt{2})$,

$(-1,\,-\sqrt{2})$이다.

📝 초점의 좌표: $(-1,\,\sqrt{3})$, $(-1,\,-\sqrt{3})$

꼭짓점의 좌표: $(-1,\,\sqrt{2})$, $(-1,\,-\sqrt{2})$

0039

$5x^2-4y^2+10x+8y+21=0$에서 $5(x+1)^2-4(y-1)^2=-20$

$\therefore \dfrac{(x+1)^2}{4}-\dfrac{(y-1)^2}{5}=-1$

주어진 쌍곡선은 쌍곡선 $\dfrac{x^2}{4}-\dfrac{y^2}{5}=-1$을 x축의 방향으로 -1만큼,

y축의 방향으로 1만큼 평행이동한 것이다.

이때, 쌍곡선 $\dfrac{x^2}{4}-\dfrac{y^2}{5}=-1$의 초점의 좌표는 $(0,\,3)$, $(0,\,-3)$이므

$\underset{\sqrt{4+5}=3}{}$

로 주어진 쌍곡선의 초점의 좌표는 $(-1,\,4)$, $(-1,\,-2)$이다.

또, 쌍곡선 $\dfrac{x^2}{4}-\dfrac{y^2}{5}=-1$의 점근선의 방정식은 $y=\pm\dfrac{\sqrt{5}}{2}x$이므로

주어진 쌍곡선의 점근선의 방정식은

$y-1=\pm\dfrac{\sqrt{5}}{2}(x+1)$

$\therefore y=\dfrac{\sqrt{5}}{2}x+\dfrac{\sqrt{5}}{2}+1,\ y=-\dfrac{\sqrt{5}}{2}x-\dfrac{\sqrt{5}}{2}+1$

📝 초점의 좌표: $(-1,\,4)$, $(-1,\,-2)$

점근선의 방정식: $y=\dfrac{\sqrt{5}}{2}x+\dfrac{\sqrt{5}}{2}+1,\ y=-\dfrac{\sqrt{5}}{2}x-\dfrac{\sqrt{5}}{2}+1$

0040

$x^2+y^2-6x-7=0$에서 $(x-3)^2+y^2=16$

따라서 주어진 방정식은 원을 나타낸다. 📝 원

0041

$x^2+4y^2-4=0$에서 $x^2+4y^2=4$

$\therefore \dfrac{x^2}{4}+y^2=1$

따라서 주어진 방정식은 타원을 나타낸다. 📝 타원

0042

$x^2-2x-4y-7=0$에서 $(x-1)^2=4y+8$

$\therefore (x-1)^2=4(y+2)$

따라서 주어진 방정식은 포물선을 나타낸다. 📝 포물선

0043

$2x^2-y^2+8y=0$에서 $2x^2-(y-4)^2=-16$

$\therefore \dfrac{x^2}{8}-\dfrac{(y-4)^2}{16}=-1$

따라서 주어진 방정식은 쌍곡선을 나타낸다. 📝 쌍곡선

STEP2 유형 마스터

0044

|전략| 초점이 $\mathrm{F}(p,\,0)$이고 준선이 $x=-p$인 포물선의 방정식은

$y^2=4px(p\neq0)$이다.

원의 중심 $(1,\,0)$을 초점으로 하고 원점을 꼭짓점으로 하는 포물선의

방정식은

$y^2=4\times1\times x=4x$

이 포물선이 점 $(k,\,2)$를 지나므로

$4=4k$ $\therefore k=1$ 📝 ④

0045

주어진 포물선의 방정식은

$x^2=4\times2\times y=8y$ $\therefore \mathrm{A}(0,\,0)$

포물선의 초점을 지나고 x축에 평행한 직선의 방정식은 $y=2$이므로

$x^2=8\times2$ $\therefore x=\pm4$

따라서 두 점 B, C의 좌표가 $(-4,\,2)$, $(4,\,2)$이므로 구하는 삼각형

ABC의 넓이는

$\dfrac{1}{2}\times8\times2=8$ 📝 ④

0046

점 $\mathrm{A}(-4,\,0)$과 직선 $x=4$로부터 같은 거리에 있는 점 $\mathrm{P}(a,\,b)$는

포물선

$y^2=4\times(-4)\times x=-16x$

위의 점이므로 $b^2=-16a$ ……… ㉠

$\overline{\mathrm{OP}}=6$에서 $\sqrt{a^2+b^2}=6$ $\therefore a^2+b^2=36$ ……… ㉡

㉠을 ㉡에 대입하면

$a^2-16a-36=0,\ (a+2)(a-18)=0$

$\therefore a=-2$ 또는 $a=18$

이때, $b^2=-16a$에서 $a\leq0$이므로 $a=-2$ 📝 -2

0047

|전략| 포물선 위의 한 점에서 초점과 준선에 이르는 거리는 서로 같음을 이용한다.

$\overline{PQ} = \overline{PA} = 5$

오른쪽 그림과 같이 점 A에서 선분 PQ에 내린 수선의 발을 H라 하면 $\overline{HQ} = \overline{AB} = 2$ 이므로

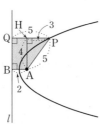

$\overline{PH} = 5 - 2 = 3$

$\therefore \overline{AH} = \sqrt{5^2 - 3^2} = 4$

따라서 사각형 APQB의 넓이는

$\dfrac{1}{2} \times (2+5) \times 4 = 14$ 　　目 14

0048

포물선 $x^2 = 4y = 4 \times 1 \times y$의 준선의 방정식은 $y = -1$이다.

오른쪽 그림과 같이 점 P에서 준선 $y = -1$과 x축에 내린 수선의 발을 각각 H, H'이라 하면 $\overline{PH} = \overline{PF} = 6$이므로

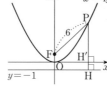

$\overline{PH'} = \overline{PH} - \overline{HH'} = 6 - 1 = 5$ 　　目 5

0049

포물선 $y^2 = 12x = 4 \times 3 \times x$의 초점은 $F(3, 0)$, 준선의 방정식은 $x = -3$이다.

오른쪽 그림과 같이 점 P에서 준선에 내린 수선의 발을 H'이라 하면 $\overline{PF} = \overline{PH'}$ 이므로

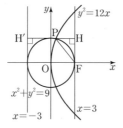

$\overline{PH} + \overline{PF} = \overline{PH} + \overline{PH'} = \overline{HH'}$

이때, $\overline{HH'}$은 원의 지름의 길이와 같으므로

$\overline{PH} + \overline{PF} = 6$ 　　目 6

0050

포물선 $y^2 = 8x = 4 \times 2 \times x$의 초점은 $F(2, 0)$, 준선의 방정식은 $x = -2$이다. ··· ❶

세 점 A, B, C의 x좌표를 각각 x_1, x_2, x_3이라 하면 삼각형 ABC의 무게중심이 초점 $F(2, 0)$과 일치하므로

$\dfrac{x_1 + x_2 + x_3}{3} = 2$ 　　$\therefore x_1 + x_2 + x_3 = 6$ ··· ❷

오른쪽 그림과 같이 세 점 A, B, C에서 준선 $x = -2$에 내린 수선의 발을 각각 A', B', C'이라 하면

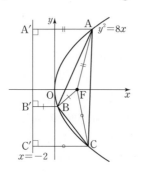

$\overline{AF} = \overline{AA'} = x_1 - (-2) = x_1 + 2$

$\overline{BF} = \overline{BB'} = x_2 - (-2) = x_2 + 2$

$\overline{CF} = \overline{CC'} = x_3 - (-2) = x_3 + 2$

$\therefore \overline{AF} + \overline{BF} + \overline{CF} = (x_1 + x_2 + x_3) + 6$
$= 6 + 6 = 12$ ··· ❸

目 12

채점 기준	비율
❶ 초점의 좌표와 준선의 방정식을 구할 수 있다.	20 %
❷ 세 점 A, B, C의 x좌표 사이의 관계를 구할 수 있다.	30 %
❸ $\overline{AF} + \overline{BF} + \overline{CF}$의 값을 구할 수 있다.	50 %

0051

|전략| 포물선 위의 한 점에서 초점과 준선에 이르는 거리는 서로 같음을 이용한다.

포물선 $y^2 = 12x = 4 \times 3 \times x$의 초점은 $F(3, 0)$, 준선의 방정식은 $x = -3$이다.

오른쪽 그림과 같이 두 점 A, B에서 준선에 내린 수선의 발을 각각 A', B'이라 하면

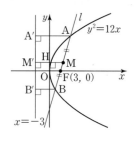

$\overline{AA'} = \overline{AF}$, $\overline{BB'} = \overline{BF}$

$\overline{AB}$의 중점 M에서 y축과 준선 $x = -3$에 내린 수선의 발을 각각 H, M'이라 하면 사다리꼴의 성질에 의하여

$\overline{MM'} = \dfrac{\overline{AA'} + \overline{BB'}}{2} = \dfrac{\overline{AF} + \overline{BF}}{2} = \dfrac{\overline{AB}}{2} = \dfrac{14}{2} = 7$

$\therefore \overline{MH} = \overline{MM'} - \overline{M'H} = 7 - 3 = 4$ 　　目 4

Lecture

사다리꼴에서 삼각형의 중점 연결 정리의 응용

$\overline{AD} /\!/ \overline{BC}$인 사다리꼴 ABCD에서 $\overline{AB}$, $\overline{CD}$의 중점을 각각 M, N이라 하면

$\overline{MN} = \dfrac{1}{2}(\overline{AD} + \overline{BC})$

0052

두 점 F, O가 각각 포물선 m의 초점, 꼭짓점이고, $\overline{FP} \perp l$, $\overline{OF} = \overline{OP}$ 이므로 직선 l은 포물선 m의 준선이다.

$\therefore \overline{AB} = \overline{AF} = 4$, $\overline{DC} = \overline{DF} = 2$

오른쪽 그림과 같이 점 D에서 $\overline{AB}$에 내린 수선의 발을 H라 하면

$\overline{AH} = \overline{AB} - \overline{HB}$
$= \overline{AB} - \overline{DC}$
$= 4 - 2 = 2$

직각삼각형 AHD에서

$\overline{DH} = \sqrt{6^2 - 2^2} = 4\sqrt{2}$

따라서 사각형 ABCD의 넓이는

$\dfrac{1}{2} \times (4+2) \times 4\sqrt{2} = 12\sqrt{2}$ 　　目 $12\sqrt{2}$

0053

포물선 $y^2=4px$ $(p>0)$의 초점은 $F(p, 0)$, 준선의 방정식은
$x=-p$이다.

오른쪽 그림과 같이 두 점 A, B에서 준
선 $x=-p$에 내린 수선의 발을 각각
A′, B′이라 하고, 점 A에서 $\overline{BB'}$에 내
린 수선의 발을 H라 하자.

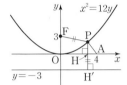

$\overline{AF} : \overline{BF} = 1 : 4$이므로
$\overline{AF}=k$, $\overline{BF}=4k$ $(k>0)$로 놓으면
$\overline{AA'}=\overline{AF}=k$, $\overline{BB'}=\overline{BF}=4k$
$\therefore \overline{BH}=\overline{BB'}-\overline{HB'}=\overline{BB'}-\overline{AA'}=4k-k=3k$
직각삼각형 ABH에서
$\overline{AH}=\sqrt{(5k)^2-(3k)^2}=4k$
따라서 직선 l의 기울기는
$\dfrac{4k}{3k}=\dfrac{4}{3}$ 답 $\dfrac{4}{3}$

0054

|전략| 점 B에서 준선에 내린 수선의 발을 H′이라 하면 세 점 B, P, H′이 한 직
선 위에 있을 때 $\overline{PA}+\overline{PB}$의 값이 최소이다.

포물선 $y^2=8x=4\times2\times x$의 초점은 $A(2, 0)$, 준선의 방정식은
$x=-2$이다.

오른쪽 그림과 같이 점 P에서 준선
$x=-2$에 내린 수선의 발을 H라 하면
$\overline{PA}=\overline{PH}$이므로
$\overline{PA}+\overline{PB}=\overline{PH}+\overline{PB}$

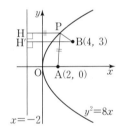

이때, 점 B에서 준선에 내린 수선의 발을
H′이라 하면 점 P가 $\overline{BH'}$ 위에 있을 때
$\overline{PH}+\overline{PB}$는 최솟값을 가지므로
$\overline{PA}+\overline{PB}=\overline{PH}+\overline{PB}$
$\qquad\qquad\quad \geq \overline{BH'}=4-(-2)=6$
따라서 $\overline{PA}+\overline{PB}$의 최솟값은 6이다.   답 6

0055

포물선 $x^2=8y=4\times2\times y$의 초점은 $A(0, 2)$, 준선의 방정식은
$y=-2$이다.

오른쪽 그림과 같이 점 P에서 준선
$y=-2$에 내린 수선의 발을 P′이라 하
면 $\overline{PA}=\overline{PP'}$이므로
$\overline{PA}+\overline{PB}=\overline{PP'}+\overline{PB}$

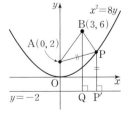

이때, 점 B에서 준선에 내린 수선의 발
을 Q라 하면 점 P가 $\overline{BQ}$ 위에 있을 때
$\overline{PP'}+\overline{PB}$는 최솟값을 가지므로
$\overline{PA}+\overline{PB}=\overline{PP'}+\overline{PB}$
$\qquad\qquad\quad \geq \overline{BQ}=6-(-2)=8$

한편,
$\overline{AB}=\sqrt{(3-0)^2+(6-2)^2}=5$이므로 삼각형 PAB의 둘레의 길이
의 최솟값은
$\overline{AB}+\overline{PA}+\overline{PB}=\overline{AB}+\overline{PP'}+\overline{PB}$
$\qquad\qquad\qquad\qquad \geq \overline{AB}+\overline{BQ}$
$\qquad\qquad\qquad\qquad =5+8=13$ 답 13

0056

포물선 $x^2=12y=4\times3\times y$의 초점을 F라 하면 $F(0, 3)$, 준선의 방
정식은 $y=-3$이다.

오른쪽 그림과 같이 점 P에서 준선
$y=-3$에 내린 수선의 발을 H′이라
하면
$\overline{PF}=\overline{PH'}=\overline{PH}+3$
$\therefore \overline{PH}=\overline{PF}-3$

이때, 점 P가 $\overline{AF}$ 위에 있을 때 $\overline{PA}+\overline{PF}$는 최솟값을 가지므로
$\overline{PA}+\overline{PH}=\overline{PA}+\overline{PF}-3$
$\qquad\qquad\quad \geq \overline{AF}-3$
$\qquad\qquad\quad =\sqrt{(-4)^2+3^2}-3$
$\qquad\qquad\quad =5-3=2$
따라서 $\overline{PA}+\overline{PH}$의 최솟값은 2이다.   답 ②

0057

|전략| 포물선 $(x-m)^2=4p(y-n)$은 포물선 $x^2=4py$를 x축의 방향으로 m
만큼, y축의 방향으로 n만큼 평행이동한 것이다.

포물선 $(x-k)^2=2k(y+k-1)$은 포물선 $x^2=2ky$를 x축의 방향
으로 k만큼, y축의 방향으로 $-k+1$만큼 평행이동한 것이다.

이때, 포물선 $x^2=2ky=4\times\dfrac{k}{2}\times y$의 초점의 좌표는 $\left(0, \dfrac{k}{2}\right)$, 준선의

방정식은 $y=-\dfrac{k}{2}$이므로 주어진 포물선의 초점의 좌표는

$\left(k, -\dfrac{k}{2}+1\right)$, 준선의 방정식은 $y=-\dfrac{3}{2}k+1$이다.

그런데 초점 $\left(k, -\dfrac{k}{2}+1\right)$이 x축 위에 있으므로

$-\dfrac{k}{2}+1=0$ $\therefore k=2$

따라서 구하는 포물선의 준선의 방정식은

$y=-\dfrac{3}{2}\times2+1$, 즉 $y=-2$ 답 $y=-2$

0058

포물선 $y^2=-4(x+a)$는 포물선 $y^2=-4x=4\times(-1)\times x$를 x축
의 방향으로 $-a$만큼 평행이동한 것이므로 초점의 좌표는
$(-1-a, 0)$이다.

또, 포물선 $y^2=16(x-b)$는 포물선 $y^2=16x=4\times4\times x$를 x축의
방향으로 b만큼 평행이동한 것이므로 초점의 좌표는 $(4+b, 0)$이다.
두 포물선의 초점이 일치하므로
$-1-a=4+b$ $\therefore a+b=-5$ 답 -5

0059

|**전략**| 포물선의 초점 F와 포물선 위의 임의의 점 P에서 준선에 내린 수선의 발 H에 대하여 $\overline{PF}=\overline{PH}$임을 이용하여 포물선의 방정식을 구한다.

포물선 위의 임의의 점 P의 좌표를 (x, y), 점 P에서 준선 $x=-4$에 내린 수선의 발을 H라 하면 포물선의 정의에 의하여 $\overline{PF}=\overline{PH}$이므로

$$\sqrt{(x+2)^2+(y-2)^2}=|x+4|$$

위의 식의 양변을 제곱하면

$$(x+2)^2+(y-2)^2=(x+4)^2$$

위의 식에 $x=0$을 대입하면

$$4+(y-2)^2=16, y-2=\pm 2\sqrt{3}$$

$$\therefore y=2\pm 2\sqrt{3}$$

따라서 포물선이 y축과 만나는 두 점 A, B의 좌표는 $(0, 2+2\sqrt{3})$, $(0, 2-2\sqrt{3})$이므로

$$\overline{AB}=2+2\sqrt{3}-(2-2\sqrt{3})=4\sqrt{3}$$

답 $4\sqrt{3}$

◦다른 풀이 주어진 포물선의 준선이 y축에 평행하므로 주어진 포물선은 포물선 $y^2=4px(p\neq 0)$를 평행이동한 것이다.

주어진 포물선의 방정식을 $(y-n)^2=4p(x-m)$으로 놓으면 초점의 좌표는 $(p+m, n)$, 준선의 방정식은 $x=-p+m$이다.

이때, 초점의 좌표가 $(-2, 2)$, 준선의 방정식이 $x=-4$이므로

$$p+m=-2, n=2, -p+m=-4$$

$$\therefore p=1, m=-3, n=2$$

즉, 포물선의 방정식은

$$(y-2)^2=4(x+3) \qquad \cdots\cdots \text{㉠}$$

$x=0$을 ㉠에 대입하면

$$(y-2)^2=12, y-2=\pm 2\sqrt{3} \qquad \therefore y=2\pm 2\sqrt{3}$$

따라서 포물선이 y축과 만나는 두 점 A, B의 좌표는 $(0, 2+2\sqrt{3})$, $(0, 2-2\sqrt{3})$이므로

$$\overline{AB}=2+2\sqrt{3}-(2-2\sqrt{3})=4\sqrt{3}$$

0060

포물선 위의 임의의 점 P의 좌표를 (x, y), 점 P에서 준선 $x=-1$에 내린 수선의 발을 H라 하면 포물선의 정의에 의하여 $\overline{PF}=\overline{PH}$이므로

$$\sqrt{(x-3)^2+y^2}=|x+1|$$

위의 식의 양변을 제곱하면

$$(x-3)^2+y^2=(x+1)^2, y^2=8x-8 \qquad \therefore y^2=8(x-1)$$

점 $A(a, b)$가 포물선 $y^2=8(x-1)$ 위의 점이므로

$$b^2=8(a-1) \qquad \cdots\cdots \text{㉠}$$

$\overline{OA}=5$에서 $\sqrt{a^2+b^2}=5 \qquad \therefore a^2+b^2=25 \qquad \cdots\cdots \text{㉡}$

㉠을 ㉡에 대입하면

$$a^2+8(a-1)=25, a^2+8a-33=0$$

$$(a+11)(a-3)=0 \qquad \therefore a=-11 \text{ 또는 } a=3$$

이때, $b^2=8(a-1)$이므로 $a\geq 1$

$$\therefore a=3$$

답 3

0061

|**전략**| 이차항을 포함한 항을 완전제곱식으로 변형하여 주어진 포물선의 방정식을 $(y-n)^2=4p(x-m)$ 꼴로 고친다.

$y^2+2x+4y-2=0$에서 $y^2+4y+4=-2x+6$

$$\therefore (y+2)^2=-2(x-3)$$

주어진 포물선은 포물선 $y^2=-2x$를 x축의 방향으로 3만큼, y축의 방향으로 -2만큼 평행이동한 것이다.

이때, 포물선 $y^2=-2x=4\times\left(-\dfrac{1}{2}\right)\times x$의 초점의 좌표는 $\left(-\dfrac{1}{2}, 0\right)$, 준선의 방정식은 $x=\dfrac{1}{2}$이므로 주어진 포물선의 초점의 좌표는 $\left(\dfrac{5}{2}, -2\right)$, 준선의 방정식은 $x=\dfrac{7}{2}$이다.

따라서 $a=\dfrac{5}{2}, b=-2, c=\dfrac{7}{2}$이므로

$$a+b+c=4$$

답 ④

0062

$x^2-6x-8y+1=0$에서 $x^2-6x+9=8y+8$

$$\therefore (x-3)^2=8(y+1)$$

주어진 포물선은 포물선 $x^2=8y$를 x축의 방향으로 3만큼, y축의 방향으로 -1만큼 평행이동한 것이다.

이때, 포물선 $x^2=8y=4\times 2\times y$의 꼭짓점의 좌표는 $(0, 0)$, 초점의 좌표는 $(0, 2)$, 준선의 방정식은 $y=-2$이므로 주어진 포물선의

ㄱ. 꼭짓점의 좌표는 $(3, -1)$이다. (참)

ㄴ. 초점의 좌표는 $(3, 1)$이다. (참)

ㄷ. 준선의 방정식은 $y=-3$이다. (거짓)

따라서 옳은 것은 ㄱ, ㄴ이다.

답 ㄱ, ㄴ

0063

축이 x축에 평행하므로 구하는 포물선의 방정식을 $y^2+ax+by+c=0(a\neq 0)$이라 하자.

이 포물선이 세 점 $(0, 0)$, $(0, 4)$, $(3, -2)$를 지나므로

$$c=0 \qquad \cdots\cdots \text{㉠}$$

$$16+4b+c=0 \qquad \cdots\cdots \text{㉡}$$

$$4+3a-2b+c=0 \qquad \cdots\cdots \text{㉢}$$

㉠, ㉡, ㉢을 연립하여 풀면

$$a=-4, b=-4, c=0$$

따라서 구하는 포물선의 방정식은

$$y^2-4x-4y=0$$

답 $y^2-4x-4y=0$

0064

|**전략**| 초점이 x축 위에 있으므로 타원의 방정식을 $\dfrac{x^2}{a^2}+\dfrac{y^2}{b^2}=1(a>b>0)$로 놓는다.

타원의 방정식을 $\dfrac{x^2}{a^2}+\dfrac{y^2}{b^2}=1(a>b>0)$이라 하면 타원의 두 초점이 $A(4, 0)$, $B(-4, 0)$이므로

$$a^2-b^2=4^2 \qquad \therefore (a+b)(a-b)=16 \qquad \cdots\cdots \text{㉠}$$

타원의 장축과 단축의 길이의 차가 4이므로

$2a-2b=4$ $\therefore a-b=2$ ······ ㉡

㉠÷㉡을 하면 $a+b=8$ ······ ㉢

㉡, ㉢을 연립하여 풀면 $a=5, b=3$

타원 위의 한 점 P에 대하여 $\overline{AP}+\overline{BP}$의 값은 장축의 길이와 같으므로

$2a=2\times5=10$ 🔲 ③

0065

타원 $\dfrac{x^2}{a^2}+\dfrac{y^2}{b^2}=1(b>a>0)$의 두 초점이 $A(0,\sqrt{7}), B(0,-\sqrt{7})$

이므로

$b^2-a^2=7$ $\therefore (b-a)(b+a)=7$ ······ ㉠

타원의 장축과 단축의 길이의 차가 2이므로

$2b-2a=2$ $\therefore b-a=1$ ······ ㉡

㉠÷㉡을 하면 $a+b=7$ 🔲 7

0066

|전략| 타원 $\dfrac{x^2}{a^2}+\dfrac{y^2}{b^2}=1(b>a>0)$의 초점의 좌표는 $(0,\pm\sqrt{b^2-a^2})$, 단축의 길이는 $2a$임을 이용한다.

$4x^2+y^2=16$에서 $\dfrac{x^2}{4}+\dfrac{y^2}{16}=1$

$\sqrt{16-4}=2\sqrt{3}$이므로 $F(0,2\sqrt{3}), F'(0,-2\sqrt{3})$

단축의 길이는 $2\times2=4$이므로

$A(2,0)$ 또는 $A(-2,0)$

직각삼각형 AFO에서 $\overline{FO}=2\sqrt{3}, \overline{OA}=2$이므로

$\angle FAO=60°$

마찬가지 방법으로 $\angle F'AO=60°$이므로

$\angle FAF'=\angle FAO+\angle F'AO=120°$ 🔲 120°

0067

$9x^2+25y^2=225$에서 $\dfrac{x^2}{25}+\dfrac{y^2}{9}=1$

$\sqrt{25-9}=4$이므로 타원의 초점의 좌표는 $(4,0), (-4,0)$이다.

즉, 타원 $\dfrac{x^2}{a^2}+\dfrac{y^2}{4}=1$의 초점의 좌표가 $(4,0), (-4,0)$이므로

$a^2-4=4^2$에서 $a^2=4+4^2=20$

따라서 타원 $\dfrac{x^2}{25}+\dfrac{y^2}{9}=1$의 장축의 길이는 $2\times5=10$, 타원

$\dfrac{x^2}{20}+\dfrac{y^2}{4}=1$의 장축의 길이는 $2\times2\sqrt{5}=4\sqrt{5}$이므로 두 타원의 장축의 길이의 합은 $10+4\sqrt{5}$이다.   🔲 $10+4\sqrt{5}$

0068

직사각형의 두 대각선의 교점을 원점으로 생각하여 타원의 방정식을

$\dfrac{x^2}{a^2}+\dfrac{y^2}{b^2}=1(a>b>0)$이라 하면

장축의 길이가 15이므로

$2a=15$ $\therefore a=\dfrac{15}{2}$

단축의 길이가 12이므로

$2b=12$ $\therefore b=6$ ··· ❶

$\sqrt{\left(\dfrac{15}{2}\right)^2-6^2}=\dfrac{9}{2}$이므로 타원의 초점의 좌표는

$\left(\dfrac{9}{2},0\right), \left(-\dfrac{9}{2},0\right)$ ··· ❷

따라서 구하는 두 초점 사이의 거리는

$2\times\dfrac{9}{2}=9$ ··· ❸

🔲 9

채점 기준	비율
❶ a, b의 값을 구할 수 있다.	60 %
❷ 초점의 좌표를 구할 수 있다.	30 %
❸ 두 초점 사이의 거리를 구할 수 있다.	10 %

0069

$\overline{BC}$를 x축 위에 놓고 $\overline{BC}$의 중점이 원점이 되도록 삼각형 ABC를 좌표평면 위에 나타내면 두 점 B, C를 초점으로 하고 점 A를 지나는 타원은 오른쪽 그림과 같다.

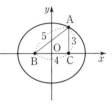

이때, 이 타원의 장축의 길이는

$\overline{AB}+\overline{AC}=5+3=8$

타원의 방정식을 $\dfrac{x^2}{a^2}+\dfrac{y^2}{b^2}=1(a>b>0)$이라 하면

$2a=8$에서 $a=4$

또, 타원의 초점의 좌표가 $(2,0), (-2,0)$이므로

$a^2-b^2=2^2$에서 $b^2=4^2-2^2=12$ $\therefore b=2\sqrt{3}(\because b>0)$

따라서 타원의 단축의 길이는

$2b=2\times2\sqrt{3}=4\sqrt{3}$ 🔲 ③

0070

타원의 방정식을 $\dfrac{x^2}{a^2}+\dfrac{y^2}{b^2}=1(a>b>0)$이라 하면

타원의 장축의 길이가 $2a$이므로

$\dfrac{10}{2a}=\cos60°$에서 $2a=20$ $\therefore a=10$

또, 타원의 단축의 길이는 밑면의 지름의 길이와 같으므로

$2b=10$ $\therefore b=5$

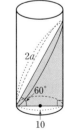

$\sqrt{10^2-5^2}=5\sqrt{3}$이므로 타원의 초점의 좌표는

$(5\sqrt{3},0), (-5\sqrt{3},0)$

따라서 타원의 두 초점 사이의 거리는

$2\times5\sqrt{3}=10\sqrt{3}$ 🔲 $10\sqrt{3}$

0071

|전략| 타원 위의 한 점에서 두 초점에 이르는 거리의 합이 장축의 길이와 같음을 이용한다.

$a>0$이라 하면 타원의 정의에 의하여

$\overline{AF}+\overline{AF'}=\overline{BF}+\overline{BF'}=2a$

삼각형 ABF'의 둘레의 길이는

$\overline{AB}+\overline{BF'}+\overline{AF'}=\overline{AF}+\overline{BF}+\overline{BF'}+\overline{AF'}$
$\qquad\qquad\qquad\quad=(\overline{AF}+\overline{AF'})+(\overline{BF}+\overline{BF'})$
$\qquad\qquad\qquad\quad=2a+2a=4a$

즉, $4a=20$에서 $a=5$

$a^2-b^2=4^2$에서 $b^2=5^2-4^2=9$이므로

$a^2+b^2=25+9=34$

답 34

0072

주어진 타원의 장축 위의 다른 꼭짓점을 A'이라 하면

$\overline{AF}=\overline{A'F'}=2$이므로

$\overline{AA'}=\overline{AF}+\overline{F'F}+\overline{A'F'}=2+10+2=14$ ··· ❶

이때, 점 B는 타원 위에 있으므로

$\overline{BF}+\overline{BF'}=\overline{AA'}=14$

즉, $\overline{BF'}=14-\overline{BF}$이므로 직각삼각형 BFF'에서

$(14-\overline{BF})^2=\overline{BF}^2+10^2$, $28\times\overline{BF}=96$ $\quad\therefore \overline{BF}=\dfrac{24}{7}$ ··· ❷

따라서 삼각형 BFF'의 넓이는

$\dfrac{1}{2}\times 10\times\dfrac{24}{7}=\dfrac{120}{7}$ ··· ❸

답 $\dfrac{120}{7}$

채점 기준	비율
❶ 장축의 길이를 구할 수 있다.	30 %
❷ $\overline{BF}$의 길이를 구할 수 있다.	50 %
❸ 삼각형 BFF'의 넓이를 구할 수 있다.	20 %

0073

타원 $\dfrac{x^2}{25}+\dfrac{y^2}{9}=1$에서 $\sqrt{25-9}=4$이므로 F$(4, 0)$, F'$(-4, 0)$

$\therefore \overline{FF'}=8$

이때, 점 P는 두 점 F, F'을 지름의 양 끝점으로 하는 원 위의 점이므로

$\angle FPF'=90°$

$\overline{PF}=a$, $\overline{PF'}=b$라 하면 직각삼각형 PFF'에서

$a^2+b^2=8^2$ ······ ㉠

타원의 정의에 의하여

$a+b=2\times 5=10$ ······ ㉡

㉠, ㉡을 $(a+b)^2=a^2+2ab+b^2$에 대입하면

$10^2=8^2+2ab$ $\quad\therefore ab=18$

따라서 삼각형 PFF'의 넓이는

$\dfrac{1}{2}ab=\dfrac{1}{2}\times 18=9$

답 9

0074

타원 $\dfrac{x^2}{49}+\dfrac{y^2}{a}=1$에서 타원의 정의에 의하여

$\overline{PF}+\overline{PF'}=2\times 7=14$

이때, $\overline{PF}=9$이므로 $\overline{PF'}=14-9=5$

직각삼각형 PHF에서 $\overline{PH}^2+\overline{FH}^2=\overline{PF}^2$이고, $\overline{FH}=6\sqrt{2}$이므로

$\overline{PH}^2+(6\sqrt{2})^2=9^2$, $\overline{PH}^2=81-72=9$

$\therefore \overline{PH}=3$ $(\because \overline{PH}>0)$

$\therefore \overline{F'H}=\overline{PF'}-\overline{PH}=5-3=2$

따라서 직각삼각형 FHF'에서

$\overline{FF'}=\sqrt{\overline{FH}^2+\overline{F'H}^2}=\sqrt{(6\sqrt{2})^2+2^2}=2\sqrt{19}$

타원의 초점 F의 좌표를 $(c, 0)$이라 하면 $c=\dfrac{2\sqrt{19}}{2}=\sqrt{19}$이고,

$c^2=49-a$이므로

$a=49-(\sqrt{19})^2=30$

답 ②

0075

|전략| 타원의 정의와 산술평균과 기하평균의 관계를 이용한다.

타원 $\dfrac{x^2}{25}+\dfrac{y^2}{16}=1$에서 타원의 정의에 의하여

$\overline{PF}+\overline{PF'}=2\times 5=10$

이때, $\overline{PF}=a$, $\overline{PF'}=b$라 하면 $a>0$, $b>0$이므로 산술평균과 기하평균의 관계에 의하여

$a+b\geq 2\sqrt{ab}$ (단, 등호는 $a=b$일 때 성립)

$10\geq 2\sqrt{ab}$ $\quad\therefore ab\leq 25$

따라서 $\overline{PF}\times\overline{PF'}$의 최댓값은 25이다.

답 ②

🔎 **Lecture**

산술평균과 기하평균의 관계

$a>0$, $b>0$일 때,

$\dfrac{a+b}{2}\geq\sqrt{ab}$ (단, 등호는 $a=b$일 때 성립)

0076

$9x^2+4y^2=36$에서 $\dfrac{x^2}{4}+\dfrac{y^2}{9}=1$

오른쪽 그림과 같이 타원 $\dfrac{x^2}{4}+\dfrac{y^2}{9}=1$ 위의 점 중에서 제1사분면 위의 점을 P(a, b)로 놓으면 $\dfrac{a^2}{4}+\dfrac{b^2}{9}=1$

이때, $a^2>0$, $b^2>0$이므로 산술평균과 기하평균의 관계에 의하여

$\dfrac{a^2}{4}+\dfrac{b^2}{9}\geq 2\sqrt{\dfrac{a^2}{4}\times\dfrac{b^2}{9}}$ (단, 등호는 $\dfrac{a^2}{4}=\dfrac{b^2}{9}$일 때 성립)

$1\geq\dfrac{1}{3}ab$ $\quad\therefore ab\leq 3$

즉, 직사각형의 넓이는

$2a\times 2b=4ab\leq 4\times 3=12$

따라서 구하는 넓이의 최댓값은 12이다.

답 12

0077

|전략| 타원 $\dfrac{(x-m)^2}{a^2}+\dfrac{(y-n)^2}{b^2}=1$은 타원 $\dfrac{x^2}{a^2}+\dfrac{y^2}{b^2}=1$을 x축의 방향으로 m만큼, y축의 방향으로 n만큼 평행이동한 것이다.

타원 $\dfrac{(x-2)^2}{5}+\dfrac{(y-a)^2}{4}=1$은 타원 $\dfrac{x^2}{5}+\dfrac{y^2}{4}=1$을 x축의 방향으로 2만큼, y축의 방향으로 a만큼 평행이동한 것이다.

타원 $\dfrac{x^2}{5}+\dfrac{y^2}{4}=1$에서 $\sqrt{5-4}=1$이므로 초점의 좌표는

$(1, 0)$, $(-1, 0)$

따라서 주어진 타원의 초점의 좌표는

$(3, a)$, $(1, a)$

이때, 한 초점의 좌표가 $(1, 1)$이므로

$a=1$　　　　　　　　　　　　　　　답 1

0078

타원 $14x^2+10y^2=140$을 x축의 방향으로 a만큼, y축의 방향으로 b만큼 평행이동한 타원의 방정식은

$14(x-a)^2+10(y-b)^2=140$

$\therefore \dfrac{(x-a)^2}{10}+\dfrac{(y-b)^2}{14}=1$

이 타원이 x축과 y축에 동시에 접하려면

|타원의 중심의 x좌표|$=\dfrac{1}{2}\times$(단축의 길이),

|타원의 중심의 y좌표|$=\dfrac{1}{2}\times$(장축의 길이)

이어야 하므로

$|a|=\dfrac{1}{2}\times 2\sqrt{10}=\sqrt{10}$, $|b|=\dfrac{1}{2}\times 2\sqrt{14}=\sqrt{14}$

$\therefore a^2-b^2=10-14=-4$　　　　　　답 -4

0079

|전략| 초점의 x좌표가 같으므로 타원의 방정식을 $\dfrac{(x-m)^2}{a^2}+\dfrac{(y-n)^2}{b^2}=1(b>a>0)$로 놓는다.

주어진 조건을 만족시키는 도형은 두 점 A, B를 초점으로 하고 장축의 길이가 8인 타원이다.

타원의 중심은 선분 AB의 중점이므로

$\left(\dfrac{-2-2}{2}, \dfrac{6+0}{2}\right)$, 즉 $(-2, 3)$

이때, 두 초점의 x좌표가 같으므로 구하는 타원의 방정식을 $\dfrac{(x+2)^2}{a^2}+\dfrac{(y-3)^2}{b^2}=1(b>a>0)$로 놓을 수 있다.

장축의 길이가 8이므로 $2b=8$　　$\therefore b=4$

타원의 중심에서 초점까지의 거리를 c라 하면 $c=3$이므로

$b^2-a^2=c^2$에서 $a^2=4^2-3^2=7$

따라서 구하는 타원의 방정식은

$\dfrac{(x+2)^2}{7}+\dfrac{(y-3)^2}{16}=1$　　답 $\dfrac{(x+2)^2}{7}+\dfrac{(y-3)^2}{16}=1$

○**다른 풀이** 점 P의 좌표를 (x, y)라 하면 $\overline{AP}+\overline{BP}=8$이므로

$\sqrt{(x+2)^2+(y-6)^2}+\sqrt{(x+2)^2+y^2}=8$

$\sqrt{(x+2)^2+(y-6)^2}=8-\sqrt{(x+2)^2+y^2}$

양변을 제곱하면

$(x+2)^2+(y-6)^2=64-16\sqrt{(x+2)^2+y^2}+(x+2)^2+y^2$

$3y+7=4\sqrt{(x+2)^2+y^2}$

다시 양변을 제곱하면

$9y^2+42y+49=16\{(x+2)^2+y^2\}$, $16(x+2)^2+7y^2-42y-49=0$

$16(x+2)^2+7(y-3)^2=112$　　$\therefore \dfrac{(x+2)^2}{7}+\dfrac{(y-3)^2}{16}=1$

0080

중심의 좌표가 $(2, 1)$이고 두 초점이 x축에 평행한 직선 위에 있으므로 구하는 타원의 방정식을 $\dfrac{(x-2)^2}{a^2}+\dfrac{(y-1)^2}{b^2}=1(a>b>0)$로 놓을 수 있다.

장축의 길이가 6이므로 $2a=6$　　$\therefore a=3$

타원의 중심에서 초점까지의 거리를 c라 하면 $c=2$이므로

$a^2-b^2=c^2$에서 $b^2=3^2-2^2=5$

따라서 구하는 타원의 방정식은

$\dfrac{(x-2)^2}{9}+\dfrac{(y-1)^2}{5}=1$　　답 $\dfrac{(x-2)^2}{9}+\dfrac{(y-1)^2}{5}=1$

0081

|전략| 주어진 타원의 방정식을 완전제곱식의 합으로 변형하여 $\dfrac{(x-m)^2}{a^2}+\dfrac{(y-n)^2}{b^2}=1$ 꼴로 고친다.

$4x^2+9y^2-8x-18y-23=0$에서

$4(x-1)^2+9(y-1)^2=36$　　$\therefore \dfrac{(x-1)^2}{9}+\dfrac{(y-1)^2}{4}=1$

주어진 타원은 타원 $\dfrac{x^2}{9}+\dfrac{y^2}{4}=1$을 x축의 방향으로 1만큼, y축의 방향으로 1만큼 평행이동한 것이다.

타원 $\dfrac{x^2}{9}+\dfrac{y^2}{4}=1$에서 $\sqrt{9-4}=\sqrt{5}$이므로 초점의 좌표는

$(\sqrt{5}, 0)$, $(-\sqrt{5}, 0)$

따라서 주어진 타원의 초점의 좌표는

$(1+\sqrt{5}, 1)$, $(1-\sqrt{5}, 1)$

이때, 초점 $\mathrm{F}(a, b)$는 제1사분면 위의 점이므로

$a=1+\sqrt{5}$, $b=1$

$\therefore a-b=(1+\sqrt{5})-1=\sqrt{5}$　　　　답 ③

0082

$25x^2+16y^2-50x+64y-311=0$에서

$25(x-1)^2+16(y+2)^2=400$　　$\therefore \dfrac{(x-1)^2}{16}+\dfrac{(y+2)^2}{25}=1$

주어진 타원은 타원 $\dfrac{x^2}{16}+\dfrac{y^2}{25}=1$을 x축의 방향으로 1만큼, y축의 방향으로 -2만큼 평행이동한 것이다.

타원 $\dfrac{x^2}{16}+\dfrac{y^2}{25}=1$의 꼭짓점의 좌표는 $(4, 0)$, $(-4, 0)$, $(0, 5)$, $(0, -5)$이므로 주어진 타원의 꼭짓점의 좌표는

$(5, -2)$, $(-3, -2)$, $(1, 3)$, $(1, -7)$

따라서 주어진 타원의 꼭짓점의 좌표가 아닌 것은 ④ $(-3, 3)$이다.

답 ④

0083

$9x^2+25y^2-50ay+25a^2-225=0$에서

$9x^2+25(y-a)^2=225$ $\therefore \dfrac{x^2}{25}+\dfrac{(y-a)^2}{9}=1$

주어진 타원은 타원 $\dfrac{x^2}{25}+\dfrac{y^2}{9}=1$을 y축의 방향으로 a만큼 평행이동

한 것이다.

타원 $\dfrac{x^2}{25}+\dfrac{y^2}{9}=1$에서 $\sqrt{25-9}=4$이므로 초점의 좌표는

$(4,0), (-4,0)$

따라서 주어진 타원의 초점 F, F'의 좌표는

$(4,a), (-4,a)$

이때, 삼각형 OFF'이 직각삼각형이려면

$\overline{OF}^2+\overline{OF'}^2=\overline{FF'}^2$이어야 하므로

$2(4^2+a^2)=8^2, 16+a^2=32$

$a^2=16$ $\therefore a=4 (\because a>0)$ 답 ④

0084

|전략| 초점이 x축 위에 있으므로 쌍곡선의 방정식을

$\dfrac{x^2}{a^2}-\dfrac{y^2}{b^2}=1(a>0, b>0)$로 놓는다.

초점의 좌표가 $(4,0), (-4,0)$이므로 쌍곡선의 방정식을

$\dfrac{x^2}{a^2}-\dfrac{y^2}{b^2}=1(a>0, b>0)$이라 하자.

쌍곡선의 꼭짓점의 좌표가 $(2,0), (-2,0)$이므로

$a=2$

또, $a^2+b^2=4^2$에서 $b^2=4^2-2^2=12$

즉, 쌍곡선의 방정식은

$\dfrac{x^2}{4}-\dfrac{y^2}{12}=1$ $\therefore 3x^2-y^2=12$

따라서 $p=3, q=12$이므로 $pq=36$ 답 36

0085

타원 $\dfrac{x^2}{25}+\dfrac{y^2}{9}=1$에서 $\sqrt{25-9}=4$이므로 타원의 초점의 좌표는

$(4,0), (-4,0)$

구하는 쌍곡선의 방정식을 $\dfrac{x^2}{a^2}-\dfrac{y^2}{b^2}=1(a>0, b>0)$이라 하면 쌍

곡선의 주축의 길이가 6이므로

$2a=6$ $\therefore a=3$

또, $a^2+b^2=4^2$에서 $b^2=4^2-3^2=7$

따라서 구하는 쌍곡선의 방정식은

$\dfrac{x^2}{9}-\dfrac{y^2}{7}=1$ 답 ②

0086

초점의 좌표가 $(0,3), (0,-3)$이므로 쌍곡선의 방정식을

$\dfrac{x^2}{a^2}-\dfrac{y^2}{b^2}=-1(a>0, b>0)$이라 하면

$a^2+b^2=3^2$ $\therefore b^2=9-a^2$ ······ ㉠

쌍곡선이 점 $(2,\sqrt{10})$을 지나므로

$\dfrac{4}{a^2}-\dfrac{10}{b^2}=-1$ $\therefore 4b^2-10a^2=-a^2b^2$ ······ ㉡

㉠을 ㉡에 대입하면

$4(9-a^2)-10a^2=-a^2(9-a^2), a^4+5a^2-36=0$

$(a^2+9)(a^2-4)=0$ $\therefore a^2=4 (\because a^2>0)$

$a^2=4$를 ㉠에 대입하면

$b^2=5$ $\therefore b=\sqrt{5} (\because b>0)$

따라서 구하는 쌍곡선의 주축의 길이는

$2b=2\times\sqrt{5}=2\sqrt{5}$ 답 $2\sqrt{5}$

0087

|전략| 초점이 y축 위에 있으므로 쌍곡선의 방정식을

$\dfrac{x^2}{a^2}-\dfrac{y^2}{b^2}=-1(a>0, b>0)$로 놓는다.

초점의 좌표가 $(0,2\sqrt{5}), (0,-2\sqrt{5})$이므로 쌍곡선의 방정식을

$\dfrac{x^2}{a^2}-\dfrac{y^2}{b^2}=-1(a>0, b>0)$이라 하자.

쌍곡선의 점근선의 방정식이 $y=\pm 2x$이므로

$\dfrac{b}{a}=2$ $\therefore b=2a$ ······ ㉠

또, $a^2+b^2=(2\sqrt{5})^2$에서 $a^2+b^2=20$ ······ ㉡

㉠을 ㉡에 대입하면

$a^2+(2a)^2=20, 5a^2=20$ $\therefore a^2=4$

$a^2=4$를 ㉡에 대입하면

$4+b^2=20$ $\therefore b^2=16$

따라서 구하는 쌍곡선의 방정식은

$\dfrac{x^2}{4}-\dfrac{y^2}{16}=-1$ 답 $\dfrac{x^2}{4}-\dfrac{y^2}{16}=-1$

0088

쌍곡선 $\dfrac{x^2}{a^2}-\dfrac{y^2}{b^2}=1$에서 $a>0, b>0$이라 하면 점근선의 방정식이

$y=\pm\sqrt{5}x$이므로

$\dfrac{b}{a}=\sqrt{5}$ $\therefore b=\sqrt{5}a$ ······ ㉠

또, 쌍곡선이 점 $(2,\sqrt{5})$를 지나므로

$\dfrac{4}{a^2}-\dfrac{5}{b^2}=1$ ······ ㉡

㉠을 ㉡에 대입하면 $\dfrac{4}{a^2}-\dfrac{5}{5a^2}=1$

$\therefore a^2=3, b^2=15$

$\therefore a^2+b^2=18$ 답 ④

0089

한 초점의 좌표가 $(10,0)$이므로 쌍곡선의 방정식을

$\dfrac{x^2}{a^2}-\dfrac{y^2}{b^2}=1(a>0, b>0)$이라 하자.

쌍곡선의 점근선의 방정식이 $y=\pm\dfrac{3}{4}x$이므로

$\dfrac{b}{a}=\dfrac{3}{4}$ $\therefore b=\dfrac{3}{4}a$ ······ ㉠

또, $a^2+b^2=10^2$에서 $a^2+b^2=100$ ...... ⓛ

ⓗ을 ⓛ에 대입하면 $a^2+\left(\dfrac{3}{4}a\right)^2=100$

$a^2+\dfrac{9}{16}a^2=100$, $\dfrac{25}{16}a^2=100$

$a^2=64$ ∴ $a=8$ (∵ $a>0$)

따라서 구하는 쌍곡선의 주축의 길이는

$2a=2\times8=16$　　　　📄 16

0090

|전략| 쌍곡선 $\dfrac{x^2}{a^2}-\dfrac{y^2}{b^2}=-1$의 점근선의 방정식은 $y=\pm\dfrac{b}{a}x$이다.

$x^2-3y^2=-12$에서 $\dfrac{x^2}{12}-\dfrac{y^2}{4}=-1$

쌍곡선의 점근선의 방정식은

$y=\pm\dfrac{2}{2\sqrt{3}}x$, 즉 $y=\pm\dfrac{\sqrt{3}}{3}x$

오른쪽 그림과 같이 직선 $y=\dfrac{\sqrt{3}}{3}x$가 x축

의 양의 방향과 이루는 각의 크기를 θ라 하

면

(기울기)$=\tan\theta=\dfrac{\sqrt{3}}{3}$

이므로 $\theta=30°$

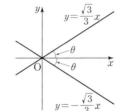

따라서 두 점근선 $y=\pm\dfrac{\sqrt{3}}{3}x$가 이루는 예각의 크기는

$2\theta=60°$　　　　📄 60°

0091

초점의 좌표가 $(2\sqrt{2},\,0)$, $(-2\sqrt{2},\,0)$이므로 쌍곡선의 방정식을

$\dfrac{x^2}{a^2}-\dfrac{y^2}{b^2}=1\,(a>0,\,b>0)$이라 하자.

쌍곡선의 주축의 길이가 $2\sqrt{2}$이므로

$2a=2\sqrt{2}$ ∴ $a=\sqrt{2}$

또, $a^2+b^2=(2\sqrt{2})^2$에서 $b^2=(2\sqrt{2})^2-(\sqrt{2})^2=6$

즉, 쌍곡선의 방정식이 $\dfrac{x^2}{2}-\dfrac{y^2}{6}=1$이므로 점근선의 방정식은

$y=\pm\dfrac{\sqrt{6}}{\sqrt{2}}x$, 즉 $y=\pm\sqrt{3}x$

∴ $m^2=3$　　　　📄 ①

0092

$3x^2-y^2=-3$에서 $x^2-\dfrac{y^2}{3}=-1$

$\sqrt{1+3}=2$이므로 쌍곡선의 초점의 좌표는 $(0,\,2)$, $(0,\,-2)$

또, 쌍곡선의 점근선의 방정식은

$y=\pm\sqrt{3}x$, 즉 $\sqrt{3}x\pm y=0$

따라서 점 $(0,\,\pm2)$와 직선 $\sqrt{3}x\pm y=0$ 사이의 거리는

$\dfrac{|\pm2|}{\sqrt{(\sqrt{3})^2+(\pm1)^2}}=\dfrac{2}{2}=1$　　　　📄 1

0093

점 $(7,\,-2)$가 쌍곡선 $\dfrac{x^2}{a^2}-\dfrac{y^2}{b^2}=1$ 위의 점이므로

$\dfrac{49}{a^2}-\dfrac{4}{b^2}=1$ ...... ⓗ

쌍곡선의 점근선의 방정식은 $y=\pm\dfrac{b}{a}x$

그런데 두 점근선이 서로 수직으로 만나므로

$\dfrac{b}{a}\times\left(-\dfrac{b}{a}\right)=-1$, $\dfrac{b^2}{a^2}=1$

∴ $a^2=b^2$ ...... ⓛ

ⓛ을 ⓗ에 대입하면 $\dfrac{45}{a^2}=1$

∴ $a^2=45$, $b^2=45$

∴ $a^2+b^2=90$　　　　📄 90

0094

|전략| 쌍곡선 위의 한 점에서 두 초점에 이르는 거리의 차가 주축의 길이와 같음을 이용한다.

쌍곡선 $x^2-\dfrac{y^2}{3}=1$에서 $\sqrt{1+3}=2$이므로 쌍곡선의 초점의 좌표는

$D(2,\,0)$, $C(-2,\,0)$

또, 쌍곡선의 주축의 길이는 $2\times1=2$이므로 쌍곡선의 정의에 의하여

$\overline{AC}-\overline{AD}=2$, $\overline{BC}-\overline{BD}=2$

두 식의 양변을 각각 더하면

$\overline{AC}-\overline{AD}+\overline{BC}-\overline{BD}=4$

∴ $\overline{AC}+\overline{BC}-\overline{AB}=4$ (∵ $\overline{AD}+\overline{BD}=\overline{AB}$) ...... ⓗ

한편, 삼각형 ABC의 둘레의 길이가 12이므로

$\overline{AC}+\overline{BC}+\overline{AB}=12$ ...... ⓛ

ⓛ$-$ⓗ을 하면 $2\overline{AB}=8$

∴ $\overline{AB}=4$　　　　📄 4

0095

쌍곡선 $\dfrac{x^2}{4}-\dfrac{y^2}{12}=1$에서 $\sqrt{4+12}=4$이므로

$F(4,\,0)$, $F'(-4,\,0)$

∴ $\overline{FF'}=8$ ...... ❶

$\overline{PF}:\overline{PF'}=3:2$이므로 $\overline{PF}=3k$, $\overline{PF'}=2k\,(k>0)$로 놓자.

주축의 길이가 $2\times2=4$이므로 쌍곡선의 정의에 의하여

$\overline{PF}-\overline{PF'}=4$, $3k-2k=4$ ∴ $k=4$

∴ $\overline{PF}=12$, $\overline{PF'}=8$ ...... ❷

따라서 삼각형 PFF'의 둘레의 길이는

$\overline{PF}+\overline{PF'}+\overline{FF'}=12+8+8=28$ ...... ❸

📄 28

채점 기준	비율
❶ $\overline{FF'}$의 길이를 구할 수 있다.	30 %
❷ $\overline{PF}$, $\overline{PF'}$의 길이를 구할 수 있다.	60 %
❸ 삼각형 PFF'의 둘레의 길이를 구할 수 있다.	10 %

0096

쌍곡선 $\dfrac{x^2}{25}-\dfrac{y^2}{11}=1$의 주축의 길이는 $2\times5=10$이므로 쌍곡선의

정의에 의하여

$\overline{P_nF'}-\overline{P_nF}=10\ (n=1,2,3,4)$

$\therefore \overline{P_nF'}=\overline{P_nF}+10$

이때, $\overline{P_1F}=2,\overline{P_2F}=3,\overline{P_3F}=4,\overline{P_4F}=5$이므로

$\overline{P_1F'}=2+10=12,\overline{P_2F'}=3+10=13,$

$\overline{P_3F'}=4+10=14,\overline{P_4F'}=5+10=15$

$\therefore \overline{P_1F'}+\overline{P_2F'}+\overline{P_3F'}+\overline{P_4F'}=12+13+14+15=54$　　🔲 54

0097

|전략| $\overline{PF}+\overline{PF'}=2|a|$, $\overline{PF'}-\overline{PF}=2|c|$임을 이용한다.

타원 $\dfrac{x^2}{a^2}+\dfrac{y^2}{b^2}=1$과 쌍곡선 $\dfrac{x^2}{c^2}-\dfrac{y^2}{b^2}=1$의 두 초점이 일치하므로

$a^2-b^2=c^2+b^2$　　$\therefore 2b^2=a^2-c^2$　　……㉠

타원의 정의에 의하여 $\overline{PF}+\overline{PF'}=2|a|$이므로

$3+9=2|a|$　　$\therefore |a|=6$

쌍곡선의 정의에 의하여 $\overline{PF'}-\overline{PF}=2|c|$이므로

$9-3=2|c|$　　$\therefore |c|=3$

$|a|=6,|c|=3$을 ㉠에 대입하면

$2b^2=6^2-3^2=27$　　$\therefore b^2=\dfrac{27}{2}$

$\therefore a^2+b^2-c^2=36+\dfrac{27}{2}-9=\dfrac{81}{2}$　　🔲 $\dfrac{81}{2}$

0098

쌍곡선 $\dfrac{x^2}{4}-\dfrac{y^2}{6}=1$에서 $\overline{PF'}=a,\overline{PF}=b$라 하면 쌍곡선의 정의에

의하여

$a-b=2\times2=4$　　$\therefore b=a-4$　　……㉠

쌍곡선 $\dfrac{x^2}{4}-\dfrac{y^2}{6}=1$에서 $\sqrt{4+6}=\sqrt{10}$이므로

$F(\sqrt{10},0),F'(-\sqrt{10},0)$　　$\therefore \overline{FF'}=2\sqrt{10}$

이때, 점 P는 $\overline{FF'}$을 지름으로 하는 원 위의 점이므로

$\angle F'PF=90°$

직각삼각형 FPF'에서 $\overline{PF'}^2+\overline{PF}^2=\overline{FF'}^2$이므로

$a^2+b^2=(2\sqrt{10})^2$　　$\therefore a^2+b^2=40$　　……㉡

㉠을 ㉡에 대입하면

$a^2+(a-4)^2=40, a^2-4a-12=0$

$(a+2)(a-6)=0$　　$\therefore a=6\ (\because a>0)$

$a=6$을 ㉠에 대입하면 $b=2$

$\therefore \cos(\angle F'FP)=\dfrac{\overline{PF}}{\overline{FF'}}=\dfrac{2}{2\sqrt{10}}=\dfrac{\sqrt{10}}{10}$　　🔲 $\dfrac{\sqrt{10}}{10}$

○**다른 풀이** 쌍곡선 $\dfrac{x^2}{4}-\dfrac{y^2}{6}=1$에서 $\sqrt{4+6}=\sqrt{10}$이므로

$F(\sqrt{10},0),F'(-\sqrt{10},0)$

쌍곡선의 두 초점 $F(\sqrt{10},0),F'(-\sqrt{10},0)$을 지름의 양 끝점으로 하고 중심이 원점인 원의 방정식은 $x^2+y^2=10$이다.

이때, 점 P는 원과 쌍곡선이 제1사분면에서 만나는 점이므로 두 도형의 방정식을 연립하여 구한 해 중 x,y가 모두 양수인 값이 점 P의 x좌표, y좌표이다.

$y^2=10-x^2$을 $\dfrac{x^2}{4}-\dfrac{y^2}{6}=1$에 대입하여 정리하면

$3x^2-20+2x^2=12, 5x^2=32$　　$\therefore x=\sqrt{\dfrac{32}{5}}=\dfrac{4\sqrt{10}}{5}\ (\because x>0)$

$x=\dfrac{4\sqrt{10}}{5}$을 $y^2=10-x^2$에 대입하면

$y^2=10-\dfrac{32}{5}=\dfrac{18}{5}$　　$\therefore y=\sqrt{\dfrac{18}{5}}=\dfrac{3\sqrt{10}}{5}\ (\because y>0)$

따라서 $P\left(\dfrac{4\sqrt{10}}{5},\dfrac{3\sqrt{10}}{5}\right)$이므로

$\overline{PF}=\sqrt{\left(\dfrac{4\sqrt{10}}{5}-\sqrt{10}\right)^2+\left(\dfrac{3\sqrt{10}}{5}-0\right)^2}=\sqrt{\dfrac{10}{25}+\dfrac{90}{25}}=2$

이때, $\overline{FF'}=2\sqrt{10}$이므로

$\cos(\angle F'FP)=\dfrac{\overline{PF}}{\overline{FF'}}=\dfrac{2}{2\sqrt{10}}=\dfrac{\sqrt{10}}{10}$

0099

$\overline{PF}=1,\overline{PF'}=\sqrt{(-2-2)^2+(-1)^2}=\sqrt{17}$이므로

$\overline{PF}+\overline{PF'}=\sqrt{17}+1,\overline{PF'}-\overline{PF}=\sqrt{17}-1$

타원의 정의에 의하여

$\overline{OA}=\dfrac{1}{2}(\overline{PF}+\overline{PF'})=\dfrac{1}{2}(\sqrt{17}+1)$

쌍곡선의 정의에 의하여

$\overline{OB}=\dfrac{1}{2}(\overline{PF'}-\overline{PF})=\dfrac{1}{2}(\sqrt{17}-1)$

$\therefore \overline{AB}=\overline{OA}-\overline{OB}=\dfrac{1}{2}(\sqrt{17}+1)-\dfrac{1}{2}(\sqrt{17}-1)=1$

따라서 삼각형 PBA의 넓이는

$\dfrac{1}{2}\times\overline{AB}\times\overline{PF}=\dfrac{1}{2}\times1\times1=\dfrac{1}{2}$　　🔲 $\dfrac{1}{2}$

0100

|전략| 쌍곡선 $\dfrac{(x-m)^2}{a^2}-\dfrac{(y-n)^2}{b^2}=1$은 쌍곡선 $\dfrac{x^2}{a^2}-\dfrac{y^2}{b^2}=1$을 x축의 방향으로 m만큼, y축의 방향으로 n만큼 평행이동한 것이다.

쌍곡선 $\dfrac{(x+1)^2}{4}-\dfrac{(y-3)^2}{12}=1$은 쌍곡선 $\dfrac{x^2}{4}-\dfrac{y^2}{12}=1$을 x축의 방향으로 -1만큼, y축의 방향으로 3만큼 평행이동한 것이다.

쌍곡선 $\dfrac{x^2}{4}-\dfrac{y^2}{12}=1$에서 $\sqrt{4+12}=4$이므로 초점의 좌표는

$(4,0),(-4,0)$

즉, 주어진 쌍곡선의 초점 F, F'의 좌표는

$(3,3),(-5,3)$

따라서 삼각형 OFF'의 넓이는

$\dfrac{1}{2}\times\overline{FF'}\times3=\dfrac{1}{2}\times8\times3=12$　　🔲 12

0101

쌍곡선 $3x^2-3y^2=1$, 즉 $\dfrac{x^2}{\frac{1}{3}}-\dfrac{y^2}{\frac{1}{3}}=1$의 점근선의 방정식은

$y=\pm x$ ⋯ ❶

쌍곡선 $3(x+3)^2-3(y-1)^2=1$은 쌍곡선 $3x^2-3y^2=1$을 x축의 방향으로 -3만큼, y축의 방향으로 1만큼 평행이동한 것이므로 점근선의 방정식은

$y-1=\pm(x+3)$ $\therefore y=x+4, y=-x-2$ ⋯ ❷

오른쪽 그림에서 두 직선 $y=-x$, $y=x+4$의 교점 A의 좌표는 $(-2, 2)$, 두 직선 $y=x$, $y=-x-2$의 교점 C의 좌표는 $(-1, -1)$이므로

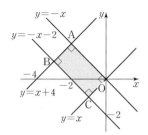

$\overline{OA}=\sqrt{(-2)^2+2^2}=2\sqrt{2}$,

$\overline{OC}=\sqrt{(-1)^2+(-1)^2}=\sqrt{2}$ ⋯ ❸

따라서 직사각형 OABC의 넓이는

$\overline{OA}\times\overline{OC}=2\sqrt{2}\times\sqrt{2}=4$ ⋯ ❹

답 4

채점 기준	비율
❶ 쌍곡선 $3x^2-3y^2=1$의 점근선의 방정식을 구할 수 있다.	20 %
❷ 쌍곡선 $3(x+3)^2-3(y-1)^2=1$의 점근선의 방정식을 구할 수 있다.	30 %
❸ $\overline{OA}$, $\overline{OC}$의 길이를 구할 수 있다.	30 %
❹ 네 점근선으로 둘러싸인 도형의 넓이를 구할 수 있다.	20 %

0102

|전략| 초점의 x좌표가 같으므로 쌍곡선의 방정식을 $\dfrac{(x-m)^2}{a^2}-\dfrac{(y-n)^2}{b^2}=-1(a>0, b>0)$로 놓는다.

쌍곡선의 중심은 선분 FF'의 중점이므로

$\left(\dfrac{1+1}{2}, \dfrac{6-8}{2}\right)$, 즉 $(1, -1)$

이때, 두 초점의 x좌표가 같으므로 구하는 쌍곡선의 방정식을 $\dfrac{(x-1)^2}{a^2}-\dfrac{(y+1)^2}{b^2}=-1(a>0, b>0)$로 놓을 수 있다.

주축의 길이가 10이므로

$2b=10$ $\therefore b=5$

쌍곡선의 중심에서 초점까지의 거리를 c라 하면 $c=7$이므로

$a^2+b^2=c^2$에서 $a^2=7^2-5^2=24$

따라서 구하는 쌍곡선의 방정식은

$\dfrac{(x-1)^2}{24}-\dfrac{(y+1)^2}{25}=-1$ **답** $\dfrac{(x-1)^2}{24}-\dfrac{(y+1)^2}{25}=-1$

0103

쌍곡선의 중심은 선분 FF'의 중점이므로

$\left(\dfrac{6+0}{2}, \dfrac{-2-2}{2}\right)$, 즉 $(3, -2)$

이때, 두 초점의 y좌표가 같으므로 구하는 쌍곡선의 방정식을 $\dfrac{(x-3)^2}{a^2}-\dfrac{(y+2)^2}{b^2}=1(a>0, b>0)$로 놓을 수 있다.

두 초점으로부터의 거리의 차가 4이므로

$2a=4$ $\therefore a=2$

쌍곡선의 중심에서 초점까지의 거리를 c라 하면 $c=3$이므로

$a^2+b^2=c^2$에서 $b^2=3^2-2^2=5$

따라서 구하는 쌍곡선의 방정식은

$\dfrac{(x-3)^2}{4}-\dfrac{(y+2)^2}{5}=1$ **답** ①

0104

|전략| 주어진 쌍곡선의 방정식을 완전제곱식의 차로 변형하여 $\dfrac{(x-m)^2}{a^2}-\dfrac{(y-n)^2}{b^2}=\pm1$ 꼴로 고친다.

$4x^2-y^2-24x+4y+28=0$에서

$4(x-3)^2-(y-2)^2=4$ $\therefore (x-3)^2-\dfrac{(y-2)^2}{4}=1$

주어진 쌍곡선은 쌍곡선 $x^2-\dfrac{y^2}{4}=1$을 x축의 방향으로 3만큼, y축의 방향으로 2만큼 평행이동한 것이다.

쌍곡선 $x^2-\dfrac{y^2}{4}=1$에서 $\sqrt{1+4}=\sqrt{5}$이므로 초점의 좌표는

$(\sqrt{5}, 0), (-\sqrt{5}, 0)$

즉, 주어진 쌍곡선의 초점의 좌표는

$(3+\sqrt{5}, 2), (3-\sqrt{5}, 2)$

$\therefore a+b-c=(3+\sqrt{5})+(3-\sqrt{5})-2=4$ **답** ①

0105

$4x^2-9y^2-24x=0$에서

$4(x-3)^2-9y^2=36$ $\therefore \dfrac{(x-3)^2}{9}-\dfrac{y^2}{4}=1$

주어진 쌍곡선은 쌍곡선 $\dfrac{x^2}{9}-\dfrac{y^2}{4}=1$을 x축의 방향으로 3만큼 평행이동한 것이다.

쌍곡선 $\dfrac{x^2}{9}-\dfrac{y^2}{4}=1$의 점근선의 방정식은 $y=\pm\dfrac{2}{3}x$이므로 주어진 쌍곡선의 점근선의 방정식은 $y=\pm\dfrac{2}{3}(x-3)$이다.

오른쪽 그림에서 두 점근선의 교점의 좌표는 $(3, 0)$이고, y축과 만나는 점의 좌표는 각각 $(0, -2), (0, 2)$이므로 두 점근선과 y축으로 둘러싸인 부분의 넓이는

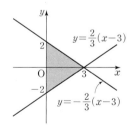

$\dfrac{1}{2}\times4\times3=6$ **답** ④

0106

|전략| 주어진 방정식이 포물선을 나타내려면 $y^2+Ax+By+C=0(A\neq0)$ 또는 $x^2+Ax+By+C=0(B\neq0)$ 꼴이어야 한다.

$x^2+y^2+2x-1+k(x^2+2y^2-1)=0$에서

$(k+1)x^2+(2k+1)y^2+2x-k-1=0$

이 방정식이 나타내는 도형이 포물선이려면

$k+1=0$이고 $2k+1\neq0$ $\therefore k=-1$ 답 ⑤

참고 $2k+1=0$, 즉 $k=-\dfrac{1}{2}$이면 주어진 방정식은

$\dfrac{1}{2}x^2+2x-\dfrac{1}{2}=0$

이 방정식에는 y항이 없으므로 포물선이 아니다.

0107

$2x^2+ky^2+2k-8=0$에서

$2x^2+ky^2=8-2k$

이 방정식이 나타내는 도형이 타원이려면

$k>0,\ k\neq2,\ 8-2k>0$

$\therefore 0<k<2,\ 2<k<4$

따라서 모든 정수 k의 값의 합은

$1+3=4$ 답 ②

참고 $k<0$이면 주어진 방정식은 쌍곡선을 나타내고, $k=2$이면 주어진 방정식은 $x^2+y^2=2$가 되어 원을 나타낸다.

또, $k=4$이면 점 $(0, 0)$을 나타내고, $k>4$이면 주어진 식을 만족시키는 실수 x, y가 존재하지 않는다.

0108

$x^2-y^2+6x-4y+k=0$에서

$(x+3)^2-(y+2)^2=-k+5$

이 방정식이 나타내는 도형이 x축에 평행한 주축을 갖는 쌍곡선이려면

$-k+5>0$ $\therefore k<5$

따라서 정수 k의 최댓값은 4이다.   답 ④

참고 $k=5$이면 주어진 방정식은 직선 $y=x+1$ 또는 $y=-x-5$를 나타내고, $k>5$이면 y축에 평행한 주축을 갖는 쌍곡선을 나타낸다.

0109

|전략| 점 P의 좌표를 (x, y)로 놓고 두 원의 중심 사이의 거리가 두 원의 반지름의 길이의 합과 같음을 이용한다.

점 P의 좌표를 (x, y)라 하면 x축에 접하는 원의 반지름의 길이는 y이다.

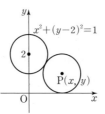

두 원이 외접할 때 두 원의 중심 사이의 거리는 두 원의 반지름의 길이의 합과 같으므로

$\sqrt{x^2+(y-2)^2}=y+1$

위의 식의 양변을 제곱하면

$x^2+y^2-4y+4=y^2+2y+1$ $\therefore x^2=6y-3$

따라서 $a=6,\ b=-3$이므로 $a+b=3$ 답 ②

0110

오른쪽 그림과 같이 점 $P(x, y)$에서 점 $F(2, 0)$까지의 거리와 y축까지의 거리가 원의 반지름으로 서로 같다. 즉,

$\sqrt{(x-2)^2+y^2}=x$

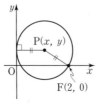

위의 식의 양변을 제곱하면

$x^2-4x+4+y^2=x^2$

$\therefore y^2=4(x-1)$

따라서 $p=1,\ q=1$이므로 $p+q=2$ 답 ①

0111

점 P의 좌표를 (x, y)라 하면

$\sqrt{x^2+(y+3)^2}:|y|=2:1$

$2|y|=\sqrt{x^2+(y+3)^2}$

위의 식의 양변을 제곱하면

$4y^2=x^2+y^2+6y+9,\ x^2-3y^2+6y+9=0$

$x^2-3(y-1)^2=-12$ $\therefore \dfrac{x^2}{12}-\dfrac{(y-1)^2}{4}=-1$

따라서 $a=12,\ b=1,\ c=4$이므로 $a+b+c=17$ 답 ③

0112

$\overline{PQ},\ \overline{PR}$의 길이는 각각 점 P와 두 직선 $2x-3y=0,\ 2x+3y=0$ 사이의 거리와 같으므로

$\overline{PQ}=\dfrac{|2x-3y|}{\sqrt{2^2+(-3)^2}}=\dfrac{|2x-3y|}{\sqrt{13}}$ … ❶

$\overline{PR}=\dfrac{|2x+3y|}{\sqrt{2^2+3^2}}=\dfrac{|2x+3y|}{\sqrt{13}}$ … ❷

이때, $\overline{PQ}\times\overline{PR}=13$이므로

$\dfrac{|2x-3y|}{\sqrt{13}}\times\dfrac{|2x+3y|}{\sqrt{13}}=13,\ \dfrac{|4x^2-9y^2|}{13}=13$

$\therefore 4x^2-9y^2=\pm169$

따라서 점 P의 자취의 방정식은 $4x^2-9y^2=\pm169$ … ❸

답 $4x^2-9y^2=\pm169$

채점 기준	비율
❶ $\overline{PQ}$의 길이를 구할 수 있다.	25 %
❷ $\overline{PR}$의 길이를 구할 수 있다.	25 %
❸ 점 P의 자취의 방정식을 구할 수 있다.	50 %

0113

$A(a, 0),\ B(0, b)$라 하면

$\overline{AB}=\sqrt{a^2+b^2}=3$ $\therefore a^2+b^2=9$ …… ㉠

점 P는 $\overline{AB}$를 $1:2$로 내분하는 점이므로 $P\left(\dfrac{2a}{3},\ \dfrac{b}{3}\right)$

점 P의 x좌표와 y좌표를 각각 $x=\dfrac{2a}{3},\ y=\dfrac{b}{3}$로 놓으면

$a=\dfrac{3}{2}x,\ b=3y$

이것을 ㉠에 대입하면

$\left(\dfrac{3}{2}x\right)^2+(3y)^2=9$ $\therefore \dfrac{x^2}{4}+y^2=1$

따라서 점 P의 자취의 방정식은

$\dfrac{x^2}{4}+y^2=1$ 답 $\dfrac{x^2}{4}+y^2=1$

◉ Lecture

선분의 내분점과 외분점

좌표평면 위의 두 점 $A(x_1, y_1),\ B(x_2, y_2)$에 대하여 선분 AB를 $m:n(m>0, n>0)$으로 내분하는 점을 P, 외분하는 점을 Q라 하면

(1) $P\left(\dfrac{mx_2+nx_1}{m+n},\ \dfrac{my_2+ny_1}{m+n}\right)$

(2) $Q\left(\dfrac{mx_2-nx_1}{m-n},\ \dfrac{my_2-ny_1}{m-n}\right)$ (단, $m\neq n$)

0114

오른쪽 그림과 같이 원 $(x-2)^2+y^2=1$의 중심을 A$(2, 0)$, 원 $(x-2)^2+(y-4)^2=49$의 중심을 B$(2, 4)$라 하자.

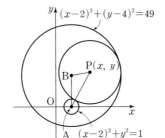

구하는 원의 중심을 P(x, y), 반지름의 길이를 r라 하면

$\overline{AP}=1+r$, $\overline{BP}=7-r$

$\therefore \overline{AP}+\overline{BP}=8$

따라서 점 P의 자취는 두 점 A, B를 초점으로 하고 장축의 길이가 8인 타원이다.

이때, 이 타원의 중심의 좌표는 선분 AB의 중점 $(2, 2)$이고, 두 초점의 x좌표가 같으므로 타원의 방정식을

$\dfrac{(x-2)^2}{a^2}+\dfrac{(y-2)^2}{b^2}=1(b>a>0)$로 놓을 수 있다.

장축의 길이가 8이므로

$2b=8$ $\therefore b=4$

타원의 중심에서 초점까지의 거리를 c라 하면 $c=2$이므로

$b^2-a^2=c^2$에서 $a^2=4^2-2^2=12$

$\therefore \dfrac{(x-2)^2}{12}+\dfrac{(y-2)^2}{16}=1$

타원 $\dfrac{(x-2)^2}{12}+\dfrac{(y-2)^2}{16}=1$은 타원 $\dfrac{x^2}{12}+\dfrac{y^2}{16}=1$을 x축, y축의

방향으로 각각 2만큼 평행이동한 것이고, 단축의 길이는

$2\times2\sqrt{3}=4\sqrt{3}$이므로 옳지 않은 것은 ④이다. **답** ④

0115

|전략| 포물선의 꼭짓점이 좌표평면의 원점에 오도록 놓은 후 포물선 위의 한 점에서 초점과 준선에 이르는 거리는 서로 같음을 이용한다.

오른쪽 그림과 같이 포물선의 꼭짓점이 원점에 오도록 좌표평면 위에 놓고 준선을 l이라 하자.

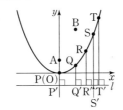

점 P, Q, R, S, T에서 준선 l에 내린 수선의 발을 각각 P′, Q′, R′, S′, T′이라 하면 포물선의 정의에 의하여

$\overline{AP}=\overline{PP'}$, $\overline{AQ}=\overline{QQ'}$, $\overline{AR}=\overline{RR'}$,

$\overline{AS}=\overline{SS'}$, $\overline{AT}=\overline{TT'}$

따라서 각 점에서 두 점 A, B까지의 거리의 합은

$\overline{AP}+\overline{BP}=\overline{PP'}+\overline{BP}$

$\overline{AQ}+\overline{BQ}=\overline{QQ'}+\overline{BQ}$

$\overline{AR}+\overline{BR}=\overline{RR'}+\overline{BR}$

$\overline{AS}+\overline{BS}=\overline{SS'}+\overline{BS}$

$\overline{AT}+\overline{BT}=\overline{TT'}+\overline{BT}$

이상에서 두 점 A, B까지의 거리의 합이 최소인 점은 Q이므로 Q지점이 공판장을 설치하기에 가장 적합하다. **답** ②

0116

오른쪽 그림과 같이 포물선의 꼭짓점이 원점, 축이 x축이 되도록 좌표평면 위에 놓고 준선을 l이라 하자.

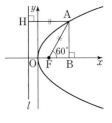

혜성의 위치를 A, 지구의 위치를 F라 하고 점 A에서 x축에 내린 수선의 발을 B, 준선 l에 내린 수선의 발을 H라 하면 직각삼각형 AFB에서

$\overline{FB}=\overline{AF}\times\cos60°=2\times\dfrac{1}{2}=1$ (AU)

혜성과 지구가 가장 가까이 있을 때는 혜성이 포물선의 꼭짓점에 있을 때이다.

이때의 지구와 혜성 사이의 거리는

$\overline{OF}=\dfrac{1}{2}(\overline{AH}-\overline{FB})$

$=\dfrac{1}{2}(\overline{AF}-\overline{FB})$

$=\dfrac{1}{2}(2-1)=\dfrac{1}{2}$ (AU) **답** ⑤

0117

오른쪽 그림과 같이 타원의 중심이 원점에 오도록 좌표평면 위에 놓으면 타원의 방정식은

$\dfrac{x^2}{100}+\dfrac{y^2}{25}=1$

이때, 직사각형의 꼭짓점 중 제1사분면 위의 점을 P(a, b)라 하면 점 P는 타원 위의 점이므로

$\dfrac{a^2}{100}+\dfrac{b^2}{25}=1$ ······ ㉠

$a^2>0$, $b^2>0$이므로 산술평균과 기하평균의 관계에 의하여

$\dfrac{a^2}{100}+\dfrac{b^2}{25}\geq2\sqrt{\dfrac{a^2}{100}\times\dfrac{b^2}{25}}$ $\left(단, 등호는 \dfrac{a^2}{100}=\dfrac{b^2}{25}일 때 성립\right)$

$1\geq\dfrac{ab}{25}$ $\therefore ab\leq25$

즉, 직사각형 모양의 가축 우리의 넓이는

$\dfrac{a^2}{100}=\dfrac{b^2}{25}$ ······ ㉡

일 때, 최댓값을 가지므로 ㉠에 ㉡을 대입하면

$\dfrac{a^2}{100}+\dfrac{a^2}{100}=1$, $a^2=50$

$\therefore a=5\sqrt{2}$ ($\because a>0$)

$a=5\sqrt{2}$를 ㉡에 대입하면

$\dfrac{50}{100}=\dfrac{b^2}{25}$, $b^2=\dfrac{25}{2}$

$\therefore b=\dfrac{5\sqrt{2}}{2}$ ($\because b>0$)

따라서 가축 우리의 넓이가 최대일 때 가축 우리의 가로, 세로의 길이 중 긴 쪽의 길이는

$2\times5\sqrt{2}=10\sqrt{2}$ (m) **답** $10\sqrt{2}$ m

0118

오른쪽 그림과 같이 영미네 집과 수희네 집의 중간 지점이 원점에 오도록 좌표평면 위에 놓으면 영미네 집의 좌표는 $(-30, 0)$, 수희네 집의 좌표는 $(30, 0)$이다.

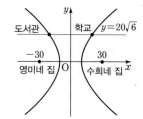

이때, 도서관과 학교에서 영미네 집과 수희네 집까지의 거리의 차가 각각 20으로 같으므로 도서관과 학교는 영미네 집과 수희네 집을 초점으로 하고 주축의 길이가 20인 쌍곡선 위의 점이다.

쌍곡선의 방정식을 $\dfrac{x^2}{a^2}-\dfrac{y^2}{b^2}=1(a>0, b>0)$로 놓으면

주축의 길이가 20이므로 $2a=20$ $\therefore a=10$

$a^2+b^2=30^2$에서 $b^2=30^2-10^2=800$

따라서 쌍곡선의 방정식은 $\dfrac{x^2}{100}-\dfrac{y^2}{800}=1$

한편, 도로의 폭이 $20\sqrt{6}$ m이므로 학교의 좌표를 $(k, 20\sqrt{6})(k>0)$이라 하면 점 $(k, 20\sqrt{6})$은 쌍곡선 위의 점이므로

$\dfrac{k^2}{100}-\dfrac{(20\sqrt{6})^2}{800}=1, \dfrac{k^2}{100}-3=1$

$k^2=400$ $\therefore k=20 (\because k>0)$

따라서 도서관의 좌표는 $(-20, 20\sqrt{6})$, 학교의 좌표는 $(20, 20\sqrt{6})$이므로 도서관과 학교 사이의 거리는 40 m이다. **탑** 40 m

---

STEP 3 내신 마스터

0119

유형 02 포물선의 정의의 활용 – 포물선 위의 점이 주어진 경우

| 전략 | 포물선 위의 한 점에서 초점과 준선에 이르는 거리는 서로 같음을 이용한다.

포물선 $y^2=-8x=4\times(-2)\times x$의 준선의 방정식은 $x=2$

점 P의 좌표를 $(a, b)(a<0)$라 하고 점 P에서 준선 $x=2$에 내린 수선의 발을 H라 하면 $\overline{PH}=\overline{PF}=6$이므로

$2-a=6$ $\therefore a=-4$ **탑** ③

0120

유형 03 포물선의 정의의 활용 – 초점을 지나는 직선이 주어진 경우

| 전략 | 포물선 위의 한 점에서 초점과 준선에 이르는 거리는 서로 같음을 이용한다.

포물선 $y^2=12x=4\times3\times x$의 초점은 $F(3, 0)$, 준선의 방정식은 $x=-3$이다.

$\overline{BD}=k$로 놓으면 포물선의 정의에 의하여

$\overline{AF}=\overline{AC}=4, \overline{BF}=\overline{BD}=k$

오른쪽 그림과 같이 점 A에서 x축, 선분 BD에 내린 수선의 발을 각각 I, H라 하고 준선과 x축의 교점을 E라 하면

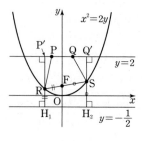

$\overline{AC}=\overline{EI}=\overline{DH}=4$이므로

$\overline{IF}=\overline{EF}-\overline{EI}=6-4=2$

$\overline{HB}=\overline{DB}-\overline{DH}=k-4$

이때, $\overline{IF}:\overline{AF}=\overline{HB}:\overline{AB}$이므로 $2:4=(k-4):(k+4)$

$4(k-4)=2(k+4), 2k=24$ $\underbrace{}_{\overline{AB}=\overline{AF}+\overline{FB}=k+4}$

$\therefore k=12$ **탑** ①

다른 풀이 포물선 $y^2=12x=4\times3\times x$의 초점은 $F(3, 0)$, 준선의 방정식은 $x=-3$이다.

점 A의 좌표를 (a, b)라 하면

$a=\overline{AC}-3=4-3=1$

이때, $b^2=12a$이므로

$b^2=12\times1$ $\therefore b=2\sqrt{3} (\because b>0)$

$\therefore A(1, 2\sqrt{3})$

두 점 $A(1, 2\sqrt{3})$, $F(3, 0)$을 지나는 직선의 방정식은

$y=\dfrac{0-2\sqrt{3}}{3-1}(x-3)$ $\therefore y=-\sqrt{3}(x-3)$

한편, 점 B는 직선 AF와 포물선 $y^2=12x$의 교점이므로 점 B의 x좌표는 방정식 $\{-\sqrt{3}(x-3)\}^2=12x$의 근이다.

점 B의 x좌표를 $c(c>1)$라 하면 $\{-\sqrt{3}(c-3)\}^2=12c$에서

$3(c-3)^2=12c, (c-3)^2=4c, c^2-10c+9=0$

$(c-1)(c-9)=0$ $\therefore c=9 (\because c>1)$

$\therefore \overline{BD}=9-(-3)=12$

0121

유형 04 포물선의 정의의 활용 – 선분의 길이의 합의 최솟값

| 전략 | 두 점 R, S에서 준선 $y=-\dfrac{1}{2}$과 직선 $y=2$에 내린 수선의 발을 각각 H_1, H_2, P', Q'이라 하면 세 점 P', R, H_1과 세 점 Q', S, H_2가 각각 한 직선 위에 있을 때 $\overline{PR}+\overline{RS}+\overline{SQ}$의 값이 최소이다.

포물선 $x^2=2y=4\times\dfrac{1}{2}\times y$의 초점은 $F\left(0, \dfrac{1}{2}\right)$, 준선의 방정식은

$y=-\dfrac{1}{2}$이다.

오른쪽 그림과 같이 두 점 R, S에서 준선 $y=-\dfrac{1}{2}$과 직선 $y=2$에 내린 수선의 발을 각각 H_1, H_2, P', Q'이라 하면

$\overline{RF}=\overline{RH_1}, \overline{SF}=\overline{SH_2}$

또, $\overline{PR}\geq\overline{P'R}, \overline{SQ}\geq\overline{SQ'}$이므로

$$\overline{PR}+\overline{RS}+\overline{SQ}\geq \overline{P'R}+\overline{RF}+\overline{SF}+\overline{SQ'}$$
$$=\overline{P'R}+\overline{RH_1}+\overline{SH_2}+\overline{SQ'}$$
$$=\overline{P'H_1}+\overline{Q'H_2}$$
$$=2\times\left(2+\frac{1}{2}\right)=5$$

따라서 $\overline{PR}+\overline{RS}+\overline{SQ}$의 최솟값은 5이다. 답②

0122

유형 05 포물선의 평행이동

|전략| 두 포물선의 초점 F, F'의 좌표를 구한 후 $\overline{FF'}$의 길이의 최솟값을 구한다.

포물선 $y^2=4p(x+1)$은 포물선 $y^2=4px$를 x축의 방향으로 -1만큼 평행이동한 것이므로 초점 F의 좌표는 $(p-1, 0)$이다.

또, 포물선 $x^2=4p(y-2)$는 포물선 $x^2=4py$를 y축의 방향으로 2만큼 평행이동한 것이므로 초점 F'의 좌표는 $(0, p+2)$이다.

$$\overline{FF'}^2=(p-1)^2+(p+2)^2=2p^2+2p+5$$
$$=2\left(p+\frac{1}{2}\right)^2+\frac{9}{2}\geq\frac{9}{2}$$

이므로 $\overline{FF'}\geq\dfrac{3\sqrt{2}}{2}$

따라서 $\overline{FF'}$의 길이의 최솟값은 $\dfrac{3\sqrt{2}}{2}$이다. 답③

0123

유형 07 포물선의 방정식의 일반형

|전략| 이차항을 포함한 항을 완전제곱식으로 변형하여 주어진 포물선의 방정식을 $(y-n)^2=4p(x-m)$ 또는 $(x-m)^2=4p(y-n)$ 꼴로 고친다.

(i) $y^2-4x-2y-7=0$에서 $y^2-2y+1=4x+8$

$\therefore (y-1)^2=4(x+2)$ ...... ㉠

포물선 ㉠은 포물선 $y^2=4x$를 x축의 방향으로 -2만큼, y축의 방향으로 1만큼 평행이동한 것이다.

포물선 $y^2=4x=4\times1\times x$의 초점의 좌표는 $(1, 0)$이므로 포물선 ㉠의 초점의 좌표는 $(-1, 1)$

(ii) $x^2-2x-4y-3+4k=0$에서 $x^2-2x+1=4y-4k+4$

$\therefore (x-1)^2=4(y-k+1)$ ...... ㉡

포물선 ㉡은 포물선 $x^2=4y$를 x축의 방향으로 1만큼, y축의 방향으로 $k-1$만큼 평행이동한 것이다.

포물선 $x^2=4y=4\times1\times y$의 초점의 좌표는 $(0, 1)$이므로 포물선 ㉡의 초점의 좌표는 $(1, k)$

이때, 두 포물선 ㉠, ㉡의 초점이 원점에 대하여 대칭이므로

$k=-1$ 답②

0124

유형 10 타원의 정의의 활용 – 삼각형의 둘레의 길이와 넓이

|전략| 타원 위의 한 점에서 두 초점에 이르는 거리의 합이 장축의 길이와 같음을 이용한다.

타원 $\dfrac{x^2}{8}+\dfrac{y^2}{4}=1$에서 $\sqrt{8-4}=2$이므로 두 점 $A(2, 0)$, $B(-2, 0)$은 타원의 초점이다.

타원의 정의에 의하여

$$\overline{AP}+\overline{BP}=\overline{AQ}+\overline{BQ}=\overline{AR}+\overline{BR}=2\times2\sqrt{2}=4\sqrt{2}$$

이때, $\overline{AP}+\overline{AQ}+\overline{AR}=6$이므로

$$\overline{BP}+\overline{BQ}+\overline{BR}=(4\sqrt{2}-\overline{AP})+(4\sqrt{2}-\overline{AQ})+(4\sqrt{2}-\overline{AR})$$
$$=12\sqrt{2}-(\overline{AP}+\overline{AQ}+\overline{AR})$$
$$=12\sqrt{2}-6=6(2\sqrt{2}-1)$$

답⑤

0125

유형 02 포물선의 정의의 활용 – 포물선 위의 점이 주어진 경우

+ 10 타원의 정의의 활용 – 삼각형의 둘레의 길이와 넓이

|전략| $\overline{PF}+\overline{PF'}$의 길이는 장축의 길이와 같고, $\overline{PF}$의 길이는 점 P에서 준선에 내린 수선의 길이와 같음을 이용한다.

$\overline{PF}=m$, $\overline{PF'}=n$이라 하면 타원의 정의에 의하여

$m+n=12$ ...... ㉠

선분 PQ와 x축과의 교점을 R라 하면

$\overline{PR}=\dfrac{1}{2}\overline{PQ}=2\sqrt{6}$

점 F'을 지나고 x축에 수직인 직선을 l

이라 하면 직선 l은 포물선의 준선이고, 점 P에서 직선 l에 내린 수선의 발을 H라 하면 포물선의 정의에 의하여 $\overline{PF'}=\overline{PH}$이다.

$\overline{PF}=\overline{PH}=\overline{RF'}=m$이므로 직각삼각형 PRF'에서

$n^2=m^2+(2\sqrt{6})^2$ ...... ㉡

㉠에서 $n=12-m$이므로 ㉡에 대입하면

$(12-m)^2=m^2+24$, $24m=120$ $\therefore m=5, n=7$

$\therefore \overline{PF}^2+\overline{PF'}^2=5^2+7^2=74$ 답④

0126

유형 13 중심이 원점이 아닌 타원의 방정식

|전략| 초점의 y좌표가 같으므로 타원의 방정식을 $\dfrac{(x-m)^2}{a^2}+\dfrac{(y-n)^2}{b^2}=1(a>b>0)$로 놓는다.

타원의 중심은 선분 FF'의 중점이므로

$\left(\dfrac{-3+5}{2}, \dfrac{1+1}{2}\right)$, 즉 $(1, 1)$

이때, 두 초점의 y좌표가 같으므로 구하는 타원의 방정식을 $\dfrac{(x-1)^2}{a^2}+\dfrac{(y-1)^2}{b^2}=1(a>b>0)$로 놓을 수 있다.

단축의 길이가 6이므로

$2b=6$ $\therefore b=3$

타원의 중심에서 초점까지의 거리를 c라 하면 $c=4$이므로

$a^2-b^2=4^2$에서 $a^2=3^2+4^2=25$

$\therefore a=5 (\because a>0)$

따라서 구하는 장축의 길이는

$2a=2\times5=10$ 답④

0127

유형 08 타원의 방정식 + 15 쌍곡선의 방정식 − 초점이 주어진 경우

|전략| 쌍곡선 $\dfrac{x^2}{a^2}-\dfrac{y^2}{b^2}=1$의 꼭짓점의 좌표는 $(\pm a, 0)$이고, 타원

$\dfrac{x^2}{c^2}+\dfrac{y^2}{d^2}=1(c>d>0)$의 초점의 좌표는 $(\pm\sqrt{c^2-d^2}, 0)$이다.

쌍곡선 $\dfrac{x^2}{a^2}-\dfrac{y^2}{9}=1$의 두 꼭짓점의 좌표는

$(a, 0), (-a, 0)$

타원 $\dfrac{x^2}{13}+\dfrac{y^2}{b^2}=1$의 두 초점의 좌표는

$13>b^2$일 때, $(\sqrt{13-b^2}, 0), (-\sqrt{13-b^2}, 0)$

$b^2>13$일 때, $(0, \sqrt{b^2-13}), (0, -\sqrt{b^2-13})$

이때, 쌍곡선의 두 꼭짓점과 타원의 두 초점이 일치하므로 타원의 두 초점의 좌표는 $(\sqrt{13-b^2}, 0), (-\sqrt{13-b^2}, 0)$이고

$a^2=13-b^2$ ∴ $a^2+b^2=13$ 답 ④

0128

유형 18 쌍곡선의 정의의 활용

|전략| 쌍곡선 위의 한 점에서 두 초점에 이르는 거리의 차가 주축의 길이와 같음을 이용한다.

쌍곡선 $\dfrac{x^2}{16}-\dfrac{y^2}{9}=-1$의 주축의 길이는 $2\times3=6$이므로 쌍곡선의 정의에 의하여

$|\overline{PF}-\overline{PF'}|=6$

이때, $\overline{PF}=2\overline{PF'}$이므로

$|2\overline{PF'}-\overline{PF'}|=6$ ∴ $\overline{PF'}=6, \overline{PF}=12$

∴ $\overline{PF}\times\overline{PF'}=12\times6=72$ 답 ⑤

0129

유형 24 자취의 방정식

|전략| 두 점 A, B의 좌표를 각각 $A(a, a), B(b, -b)$로 놓고 삼각형 OAB의 넓이를 a, b에 대한 식으로 나타낸 후 이 식에 선분 AB의 중점 M의 x좌표와 y좌표를 대입한다.

두 점 A, B의 좌표를 각각 $A(a, a), B(b, -b)$라 하면

$\overline{OA}=\sqrt{a^2+a^2}=\sqrt{2}|a|, \overline{OB}=\sqrt{b^2+(-b)^2}=\sqrt{2}|b|$

이때, 두 직선 OA, OB의 기울기의 곱이 -1이므로

$\angle AOB=90°$

∴ $\triangle OAB=\dfrac{1}{2}\times\sqrt{2}|a|\times\sqrt{2}|b|=|ab|=4$ ...... ㉠

선분 AB의 중점 M의 좌표는 $\left(\dfrac{a+b}{2}, \dfrac{a-b}{2}\right)$

이때, 점 M의 x좌표와 y좌표를 각각 $x=\dfrac{a+b}{2}, y=\dfrac{a-b}{2}$로 놓으면

$a+b=2x, a-b=2y$

위의 두 식을 연립하여 풀면

$a=x+y, b=x-y$

이것을 ㉠에 대입하면

$|(x+y)(x-y)|=4, |x^2-y^2|=4$

∴ $x^2-y^2=\pm4$ 답 ③

0130

유형 25 이차곡선의 실생활에의 활용

|전략| 타원의 정의를 이용하여 태양과 장축 위의 꼭짓점 사이의 거리를 구한 후 케플러의 법칙을 적용한다.

오른쪽 그림과 같이 타원 궤도의 중심을 원점에 놓고, 태양의 위치가 $(-c, 0)(c>0)$이 되도록 좌표평면 위에 나타내자.

또, 장축과 타원 궤도가 만나는 두 지점을 A, B라 하고, 두 지점 A, B에서의 속력을 각각 v_1, v_2라 하자.

단축과 타원 궤도가 만나는 한 지점과 태양 사이의 거리가 a이므로 장축의 길이는 $2a$이다.

따라서 지점 A와 태양 사이의 거리는 $a-c$이고, 지점 B와 태양 사이의 거리는 $a+c$이다.

이때, 케플러의 법칙에 의하여

$(a-c)v_1=(a+c)v_2$

그런데 $v_1 : v_2=4 : 3$이므로 $v_1=4k, v_2=3k(k>0)$로 놓으면

$(a-c)\times4k=(a+c)\times3k$

$4a-4c=3a+3c, a=7c$ ∴ $\dfrac{a}{c}=7$ 답 ⑤

참고 케플러의 법칙에 의하여 두 지점에서의 rv의 값이 같으려면 r가 긴쪽의 속력이 작아야 한다. 즉, $a-c<a+c$이므로 $v_1>v_2$가 되어야 한다.

0131

유형 03 포물선의 정의의 활용 − 초점을 지나는 직선이 주어진 경우

|전략| 포물선 위의 한 점에서 초점과 준선에 이르는 거리는 서로 같음을 이용한다.

포물선 $y^2=4x=4\times1\times x$의 초점은 $F(1, 0)$, 준선의 방정식은 $x=-1$이다. ··· ❶

두 점 A, B의 좌표를 각각 $(x_1, y_1), (x_2, y_2)$라 하고, 두 점 A, B에서 준선 $x=-1$에 내린 수선의 발을 각각 A′, B′이라 하면

$\overline{AF}=\overline{AA'}=x_1-(-1)=x_1+1$,

$\overline{BF}=\overline{BB'}=x_2-(-1)=x_2+1$

∴ $\overline{AB}=\overline{AF}+\overline{BF}=(x_1+1)+(x_2+1)=x_1+x_2+2$

이때, $\overline{AB}=4$이므로

$x_1+x_2+2=4$ ∴ $x_1+x_2=2$ ··· ❷

따라서 삼각형 AOB의 무게중심의 x좌표는

$\dfrac{x_1+x_2+0}{3}=\dfrac{2}{3}$ ··· ❸

답 $\dfrac{2}{3}$

채점 기준	배점
❶ 초점의 좌표와 준선의 방정식을 구할 수 있다.	2점
❷ 포물선의 정의를 이용하여 x_1+x_2의 값을 구할 수 있다.	4점
❸ 삼각형 AOB의 무게중심의 x좌표를 구할 수 있다.	1점

0132

유형 11 타원의 정의의 활용 – 최대·최소

|전략| 타원의 정의와 산술평균과 기하평균의 관계를 이용한다.

$3x^2+2y^2=6$에서 $\dfrac{x^2}{2}+\dfrac{y^2}{3}=1$

$\overline{PF}=a$, $\overline{PF'}=b$라 하면 타원의 정의에 의하여

$a+b=2\times\sqrt{3}=2\sqrt{3}$

$\therefore \overline{PF}^2+\overline{PF'}^2=a^2+b^2$

$\qquad\qquad\qquad =(a+b)^2-2ab=12-2ab$ ··· ❶

$a>0$, $b>0$이므로 산술평균과 기하평균의 관계에 의하여

$a+b\geq 2\sqrt{ab}$ (단, 등호는 $a=b$일 때 성립)

$\sqrt{3}\geq\sqrt{ab}$ $\therefore ab\leq 3$ ··· ❷

$\therefore \overline{PF}^2+\overline{PF'}^2=12-2ab$

$\qquad\qquad\qquad\quad \geq 12-2\times 3=6$

따라서 $\overline{PF}^2+\overline{PF'}^2$의 최솟값은 6이다.   ··· ❸

답 6

채점 기준	배점
❶ 타원의 정의를 이용하여 $\overline{PF}^2+\overline{PF'}^2$을 ab에 대한 식으로 나타낼 수 있다.	3점
❷ 산술평균과 기하평균의 관계를 이용하여 ab의 값의 범위를 구할 수 있다.	2점
❸ $\overline{PF}^2+\overline{PF'}^2$의 최솟값을 구할 수 있다.	2점

0133

유형 22 쌍곡선의 방정식의 일반형

|전략| 주어진 쌍곡선의 방정식을 완전제곱식의 차로 변형하여 $\dfrac{(x-m)^2}{a^2}-\dfrac{(y-n)^2}{b^2}=\pm 1$ 꼴로 고친다.

$2x^2-5y^2+8x+10y-7=0$에서

$2(x+2)^2-5(y-1)^2=10$

$\therefore \dfrac{(x+2)^2}{5}-\dfrac{(y-1)^2}{2}=1$ ··· ❶

주어진 쌍곡선은 쌍곡선 $\dfrac{x^2}{5}-\dfrac{y^2}{2}=1$을 x축의 방향으로 -2만큼, y축의 방향으로 1만큼 평행이동한 것이다.

쌍곡선 $\dfrac{x^2}{5}-\dfrac{y^2}{2}=1$에서 $\sqrt{5+2}=\sqrt{7}$이므로 초점의 좌표는

$(\sqrt{7},\,0)$, $(-\sqrt{7},\,0)$

즉, 주어진 쌍곡선의 초점 F, F'의 좌표는

$(-2+\sqrt{7},\,1)$, $(-2-\sqrt{7},\,1)$ ··· ❷

따라서 삼각형 OFF'의 넓이는

$\dfrac{1}{2}\times\overline{FF'}\times 1=\dfrac{1}{2}\times 2\sqrt{7}\times 1=\sqrt{7}$ ··· ❸

답 $\sqrt{7}$

채점 기준	배점
❶ 주어진 쌍곡선의 방정식을 표준형으로 고칠 수 있다.	2점
❷ 초점 F, F'의 좌표를 구할 수 있다.	3점
❸ 삼각형 OFF'의 넓이를 구할 수 있다.	1점

0134

유형 17 쌍곡선의 점근선

|전략| 쌍곡선 $\dfrac{x^2}{a^2}-\dfrac{y^2}{b^2}=1$의 초점의 좌표는 $(\pm\sqrt{a^2+b^2},\,0)$, 점근선의 방정식은 $y=\pm\dfrac{b}{a}x$이다.

(1) 쌍곡선 $\dfrac{x^2}{36}-\dfrac{y^2}{12}=1$에서 $\sqrt{36+12}=4\sqrt{3}$이므로

F$(4\sqrt{3},\,0)$, F'$(-4\sqrt{3},\,0)$

(2) 쌍곡선의 점근선의 방정식은

$y=\pm\dfrac{2\sqrt{3}}{6}x$, 즉 $y=\pm\dfrac{\sqrt{3}}{3}x$

(3) 원의 지름의 길이가 $8\sqrt{3}$이므로 직사각형의 대각선의 길이는 $8\sqrt{3}$이고, 점근선 $y=\dfrac{\sqrt{3}}{3}x$가 x축의 양의 방향과 이루는 각의 크기는 $30°$이므로 직사각형의

가로의 길이는 $8\sqrt{3}\cos 30°=12$,

세로의 길이는 $8\sqrt{3}\sin 30°=4\sqrt{3}$

따라서 구하는 직사각형의 넓이는

$12\times 4\sqrt{3}=48\sqrt{3}$

답 (1) F$(4\sqrt{3},\,0)$, F'$(-4\sqrt{3},\,0)$ (2) $y=\pm\dfrac{\sqrt{3}}{3}x$ (3) $48\sqrt{3}$

채점 기준	배점
(1) 초점 F, F'의 좌표를 구할 수 있다.	3점
(2) 점근선의 방정식을 구할 수 있다.	3점
(3) 직사각형의 넓이를 구할 수 있다.	4점

◦다른 풀이◦ (3) 쌍곡선 $\dfrac{x^2}{36}-\dfrac{y^2}{12}=1$의 꼭짓점의 좌표는 $(6,\,0)$, $(-6,\,0)$

원과 직선 $y=\dfrac{\sqrt{3}}{3}x$의 교점 중 제1사분면 위의 점의 좌표를 $(a,\,b)$라 하면

$a=6$, $b=\dfrac{\sqrt{3}}{3}\times 6=2\sqrt{3}$

따라서 직사각형의 가로의 길이는 $2\times 6=12$, 세로의 길이는 $2\times 2\sqrt{3}=4\sqrt{3}$ 이므로 구하는 직사각형의 넓이는 $12\times 4\sqrt{3}=48\sqrt{3}$

0135

유형 19 쌍곡선의 정의의 활용 – 이차곡선이 주어진 경우

|전략| 점 P에서 준선에 내린 수선의 발을 H'이라 하면 $\overline{PF}=\overline{PH}$이고, $\overline{PF'}-\overline{PF}=2a$임을 이용한다.

(1) $\overline{PF}=10$, $\overline{FF'}=2p$이므로 $\dfrac{\overline{FF'}}{\overline{PF}}=\dfrac{4}{5}$에서

$\dfrac{2p}{10}=\dfrac{4}{5}$ $\therefore p=4$

(2) 점 P에서 포물선 $y^2=16x$의 준선 $x=-4$에 내린 수선의 발을 H'이라 하면 포물선의 정의에 의하여

$\overline{PH'}=\overline{PF}=10$

$\overline{PH'}=\overline{HF'}=\overline{F'F}+\overline{FH}$이므로

$8+\overline{FH}=10$ $\therefore \overline{FH}=2$

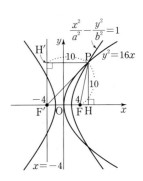

따라서 직각삼각형 PHF에서

$$\overline{PH}=\sqrt{10^2-2^2}=4\sqrt{6}$$

이므로 직각삼각형 PHF$'$에서

$$\overline{PF'}=\sqrt{10^2+(4\sqrt{6})^2}=14$$

(3) 쌍곡선의 정의에 의하여 $\overline{PF'}-\overline{PF}=2a$이므로

$$14-10=2a \qquad \therefore a=2$$

또, 쌍곡선 $\dfrac{x^2}{a^2}-\dfrac{y^2}{b^2}=1(a>0,\ b>0)$에서 $a^2+b^2=4^2$이므로

$$b^2=4^2-2^2=12 \qquad \therefore b=2\sqrt{3}\ (\because b>0)$$

$$\therefore ab=2\times2\sqrt{3}=4\sqrt{3}$$

답 (1) 4 (2) 14 (3) $4\sqrt{3}$

채점 기준	배점
(1) p의 값을 구할 수 있다.	2점
(2) $\overline{PF'}$의 길이를 구할 수 있다.	5점
(3) ab의 값을 구할 수 있다.	5점

창의·융합 교과서 속 심화문제

0136

|전략| $\overline{AF}=k$로 놓고 포물선의 정의를 이용한다.

포물선 $y^2=8x=4\times2\times x$의 초점은 F$(2,0)$, 준선의 방정식은 $x=-2$이다.

오른쪽 그림과 같이 두 점 A, B에서 포물선의 준선에 내린 수선의 발을 각각 H$_1$, H$_2$라 하자.

$\overline{AF}=k\,(k>0)$로 놓으면

$\overline{AF}:\overline{BF}=1:4$에서 $\overline{BF}=4k$

포물선의 정의에 의하여

$\overline{AF}=\overline{AH_1}=k$

$\overline{BF}=\overline{BH_2}=4k$

또, $\overline{PH_1}=m\,(m>0)$이라 하면 $\overline{PH_2}=4m$이므로 두 점 A, B의 좌표는 각각

$$(k-2,\ m),\ (4k-2,\ 4m)$$

이때, 두 점이 포물선 $y^2=8x$ 위에 있으므로

$$m^2=8(k-2),\ (4m)^2=8(4k-2)$$

두 식을 연립하여 풀면

$$k=\frac{5}{2},\ m=2\ (\because m>0)$$

따라서 A$\left(\dfrac{1}{2},\ 2\right)$이므로

$$\overline{PA}=\sqrt{\left(\frac{1}{2}+2\right)^2+2^2}=\frac{\sqrt{41}}{2}$$

답 $\dfrac{\sqrt{41}}{2}$

0137

|전략| 포물선의 정의를 이용하여 $\overline{F_1A}+\overline{AB}+\overline{BF_2}$의 값을 길이로 하는 선분을 찾는다.

포물선 $y^2=16(x+a)$는 포물선 $y^2=16x=4\times4\times x$를 x축의 방향으로 $-a$만큼 평행이동한 것이므로 초점의 좌표는 $(4-a,0)$, 준선의 방정식은 $x=-a-4$이다.

또, 포물선 $y^2=-8(x-b)$는 포물선 $y^2=-8x=4\times(-2)\times x$를 x축의 방향으로 b만큼 평행이동한 것이므로 초점의 좌표는 $(b-2,0)$, 준선의 방정식은 $x=b+2$이다.

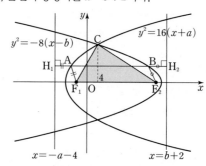

위의 그림과 같이 점 A에서 준선 $x=-a-4$에 내린 수선의 발을 H$_1$, 점 B에서 준선 $x=b+2$에 내린 수선의 발을 H$_2$라 하면

$$\overline{F_1A}=\overline{AH_1},\ \overline{BF_2}=\overline{BH_2}$$

이므로 $\overline{F_1A}+\overline{AB}+\overline{BF_2}$의 값은 두 준선 사이의 거리와 같다. 즉,

$$(b+2)-(-a-4)=42 \qquad \therefore a+b=36 \qquad \cdots\cdots \text{㉠}$$

또, 두 포물선이 만나는 점 C의 x좌표는 4이므로

$$16(4+a)=-8(4-b) \qquad \therefore 2a-b=-12 \qquad \cdots\cdots \text{㉡}$$

㉠, ㉡을 연립하여 풀면 $a=8,\ b=28$

$$\therefore \text{F}_1(-4,0),\ \text{F}_2(26,0)$$

점 C의 y좌표는 $y^2=16(4+8)$에서

$$y=8\sqrt{3}\ (\because y>0)$$

따라서 C$(4,8\sqrt{3})$이므로 구하는 삼각형 CF$_1$F$_2$의 넓이는

$$\frac{1}{2}\times30\times8\sqrt{3}=120\sqrt{3}$$

답 $120\sqrt{3}$

0138

|전략| 두 타원이 서로 포개어지려면 장축의 길이와 단축의 길이가 각각 같아야 한다.

㈎에서 원 C_A에 외접하고 원 C_B에 내접하는 원의 반지름의 길이를 r'이라 하면

$$\overline{AP}=1+r',\ \overline{BP}=9-r'$$

$$\therefore \overline{AP}+\overline{BP}=10$$

따라서 점 P가 그리는 도형 E_1은 두 점 A$(-3,0)$, B$(3,0)$을 초점으로 하고 장축의 길이가 10인 타원이다.

이 타원의 방정식을 $\dfrac{x^2}{5^2}+\dfrac{y^2}{b^2}=1(5>b>0)$이라 하면

$$5^2-b^2=3^2에서\ b^2=5^2-3^2=16$$

$$\therefore b=4$$

즉, 이 타원의 단축의 길이는 $2\times4=8$이다.

(나)에서 도형 E_2는 타원이며 두 타원 E_1, E_2가 서로 포개어지려면 타원 E_2의 장축의 길이는 10, 단축의 길이는 8이어야 한다.

이때, 단축의 길이는 원기둥의 밑면의 지름의 길이와 같으므로

$2r=8$ $\qquad$ $\therefore r=4$

또, 오른쪽 그림에서 $\theta=\angle ABC$이므로

$\cos\theta=\dfrac{8}{10}=\dfrac{4}{5}$

$\therefore \dfrac{r}{\cos\theta}=\dfrac{4}{\frac{4}{5}}=5$ $\qquad$ 图 5

0139

| 전략 | $\overline{F'Q}$의 길이를 구한 후 점 Q가 어떤 도형 위를 움직이는지 추측한다.

쌍곡선 $\dfrac{x^2}{9}-\dfrac{y^2}{3}=1$에서 $\sqrt{9+3}=2\sqrt{3}$이므로 초점의 좌표는

$F(2\sqrt{3}, 0)$, $F'(-2\sqrt{3}, 0)$

또, 쌍곡선의 점근선의 방정식은

$y=\pm\dfrac{\sqrt{3}}{3}x$

$\overline{PF}=\overline{PQ}$이므로 $\overline{PF'}-\overline{PF}=6$에서

$\overline{PF'}-\overline{PQ}=6$ $\qquad$ $\therefore \overline{F'Q}=6$

즉, 점 Q는 다음 그림과 같이 초점 F'을 중심으로 하고 반지름의 길이가 6인 원 위에 있다.

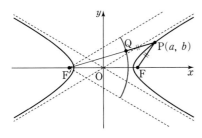

$b>0$일 때, a의 값이 한없이 커지면 점 Q는 점 F'을 지나고 기울기가 $\dfrac{\sqrt{3}}{3}$인 직선 $y=\dfrac{\sqrt{3}}{3}x+2$ 위의 점에 가까워진다.

또, $b<0$일 때, a의 값이 한없이 커지면 점 Q는 점 F'을 지나고 기울기가 $-\dfrac{\sqrt{3}}{3}$인 직선 $y=-\dfrac{\sqrt{3}}{3}x-2$ 위의 점에 가까워진다.

한편, 주어진 쌍곡선의 두 점근선이 이루는 예각의 크기는 $60°$이므로 두 직선 $y=\dfrac{\sqrt{3}}{3}x+2$, $y=-\dfrac{\sqrt{3}}{3}x-2$가 이루는 예각의 크기도 $60°$이다.

따라서 점 Q가 그리는 도형은 반지름의 길이가 6이고 중심각의 크기가 $60°$인 부채꼴의 호이므로 구하는 길이는

$2\pi\times6\times\dfrac{60°}{360°}=2\pi$ $\qquad$ 图 2π

2 | 이차곡선과 직선

STEP 1 개념 마스터

0140

$y=2x+k$를 $y^2=8x$에 대입하면

$(2x+k)^2=8x$

$4x^2+4(k-2)x+k^2=0$

이 이차방정식의 판별식을 D라 하면

$\dfrac{D}{4}=4(k-2)^2-4k^2=-16(k-1)$

(1) $\dfrac{D}{4}>0$에서 $-16(k-1)>0$ $\qquad$ $\therefore k<1$

(2) $\dfrac{D}{4}=0$에서 $-16(k-1)=0$ $\qquad$ $\therefore k=1$

(3) $\dfrac{D}{4}<0$에서 $-16(k-1)<0$ $\qquad$ $\therefore k>1$

图 (1) $k<1$ (2) $k=1$ (3) $k>1$

0141

$y=x+k$를 $\dfrac{x^2}{5}+\dfrac{y^2}{4}=1$, 즉 $4x^2+5y^2=20$에 대입하면

$4x^2+5(x+k)^2=20$

$9x^2+10kx+5k^2-20=0$

이 이차방정식의 판별식을 D라 하면

$\dfrac{D}{4}=(5k)^2-9(5k^2-20)=-20(k^2-9)$

(1) $\dfrac{D}{4}>0$, 즉 $-20(k^2-9)>0$에서 $k^2<9$

$\therefore -3<k<3$

(2) $\dfrac{D}{4}=0$, 즉 $-20(k^2-9)=0$에서 $k^2=9$

$\therefore k=-3$ 또는 $k=3$

(3) $\dfrac{D}{4}<0$, 즉 $-20(k^2-9)<0$에서 $k^2>9$

$\therefore k<-3$ 또는 $k>3$

图 (1) $-3<k<3$ (2) $k=-3$ 또는 $k=3$ (3) $k<-3$ 또는 $k>3$

0142

$y=-x+k$를 $\dfrac{x^2}{3}-\dfrac{y^2}{2}=1$, 즉 $2x^2-3y^2=6$에 대입하면

$2x^2-3(-x+k)^2=6$

$x^2-6kx+3k^2+6=0$

이 이차방정식의 판별식을 D라 하면

$\dfrac{D}{4}=(-3k)^2-(3k^2+6)=6(k^2-1)$

(1) $\dfrac{D}{4}>0$, 즉 $6(k^2-1)>0$에서 $k^2>1$

$\therefore k<-1$ 또는 $k>1$

(2) $\dfrac{D}{4}=0$, 즉 $6(k^2-1)=0$에서 $k^2=1$

$\therefore k=-1$ 또는 $k=1$

(3) $\dfrac{D}{4}<0$, 즉 $6(k^2-1)<0$에서 $k^2<1$

$\therefore -1<k<1$

目 (1) $k<-1$ 또는 $k>1$ (2) $k=-1$ 또는 $k=1$ (3) $-1<k<1$

0143

$y^2=-4x=4\times(-1)\times x$에서 $p=-1$이므로 기울기가 -1인 접선의 방정식은

$y=-x+\dfrac{-1}{-1}$ $\therefore y=-x+1$ 目 $y=-x+1$

○다른 풀이 접선의 방정식을 $y=-x+n$으로 놓고 $y^2=-4x$에 대입하면

$(-x+n)^2=-4x$, $x^2+2(2-n)x+n^2=0$

이 이차방정식의 판별식을 D라 하면

$\dfrac{D}{4}=(2-n)^2-n^2=0$, $4(1-n)=0$ $\therefore n=1$

따라서 구하는 접선의 방정식은 $y=-x+1$이다.

0144

$y^2=12x=4\times3\times x$에서 $p=3$이므로 기울기가 $\dfrac{1}{2}$인 접선의 방정식은

$y=\dfrac{1}{2}x+\dfrac{3}{\dfrac{1}{2}}$ $\therefore y=\dfrac{1}{2}x+6$ 目 $y=\dfrac{1}{2}x+6$

0145

$\dfrac{x^2}{3}+\dfrac{y^2}{2}=1$에서 $a^2=3$, $b^2=2$이므로 기울기가 1인 접선의 방정식은

$y=x\pm\sqrt{3\times1^2+2}$ $\therefore y=x\pm\sqrt5$ 目 $y=x\pm\sqrt5$

○다른 풀이 접선의 방정식을 $y=x+n$으로 놓고 $\dfrac{x^2}{3}+\dfrac{y^2}{2}=1$, 즉

$2x^2+3y^2=6$에 대입하면

$2x^2+3(x+n)^2=6$, $5x^2+6nx+3n^2-6=0$

이 이차방정식의 판별식을 D라 하면

$\dfrac{D}{4}=(3n)^2-5(3n^2-6)=0$, $6n^2=30$ $\therefore n=\pm\sqrt5$

따라서 구하는 접선의 방정식은 $y=x\pm\sqrt5$이다.

0146

$\dfrac{x^2}{4}+\dfrac{y^2}{20}=1$에서 $a^2=4$, $b^2=20$이므로 기울기가 -2인 접선의 방정식은

$y=-2x\pm\sqrt{4\times(-2)^2+20}$ $\therefore y=-2x\pm6$ 目 $y=-2x\pm6$

0147

$4x^2-9y^2=36$에서 $\dfrac{x^2}{9}-\dfrac{y^2}{4}=1$이므로

$a^2=9$, $b^2=4$

따라서 기울기가 2인 접선의 방정식은

$y=2x\pm\sqrt{9\times2^2-4}$ $\therefore y=2x\pm4\sqrt2$ 目 $y=2x\pm4\sqrt2$

○다른 풀이 접선의 방정식을 $y=2x+n$으로 놓고 $4x^2-9y^2=36$에 대입하면

$4x^2-9(2x+n)^2=36$, $32x^2+36nx+9n^2+36=0$

이 이차방정식의 판별식을 D라 하면

$\dfrac{D}{4}=(18n)^2-32(9n^2+36)=0$, $36(n^2-32)=0$ $\therefore n=\pm4\sqrt2$

따라서 구하는 접선의 방정식은 $y=2x\pm4\sqrt2$이다.

0148

$3x^2-y^2=-9$에서 $\dfrac{x^2}{3}-\dfrac{y^2}{9}=-1$이므로

$a^2=3$, $b^2=9$

따라서 기울기가 -1인 접선의 방정식은

$y=-x\pm\sqrt{9-3\times(-1)^2}$ $\therefore y=-x\pm\sqrt6$ 目 $y=-x\pm\sqrt6$

0149

$y^2=8x=4\times2\times x$에서 $p=2$이므로 점 $(2,4)$에서의 접선의 방정식은

$4y=2\times2\times(x+2)$ $\therefore y=x+2$ 目 $y=x+2$

《 Lecture

음함수의 미분법을 이용한 포물선 $y^2=4px$ 위의 점 (x_1,y_1)에서의 접선의 방정식

$y^2=4px$의 양변을 x에 대하여 미분하면

$2y\times\dfrac{dy}{dx}=4p$ $\therefore \dfrac{dy}{dx}=\dfrac{2p}{y}(y\ne0)$

포물선 위의 점 (x_1,y_1)에서의 접선의 기울기는 $\dfrac{2p}{y_1}(y_1\ne0)$이므로 구하는 접선의 방정식은

$y-y_1=\dfrac{2p}{y_1}(x-x_1)$ $\therefore y_1y=2p(x-x_1)+y_1^2$ ...... ㉠

이때, 점 (x_1,y_1)은 포물선 $y^2=4px$ 위의 점이므로

$y_1^2=4px_1$ ...... ㉡

㉡을 ㉠에 대입하면 구하는 접선의 방정식은

$y_1y=2p(x-x_1)+4px_1$ $\therefore y_1y=2p(x+x_1)$

타원, 쌍곡선 위의 점에서의 접선의 방정식도 위와 같은 방법으로 유도할 수 있다.

0150

$x^2=-9y=4\times\left(-\dfrac{9}{4}\right)\times y$에서 $p=-\dfrac{9}{4}$이므로 점 $(3,-1)$에서의 접선의 방정식은

$3x=2\times\left(-\dfrac{9}{4}\right)\times(y-1)$ $\therefore y=-\dfrac{2}{3}x+1$ 目 $y=-\dfrac{2}{3}x+1$

0151

$\dfrac{-3x}{12}+\dfrac{y}{4}=1$ $\therefore y=x+4$ 目 $y=x+4$

0152

$\dfrac{x}{2}+\dfrac{-2y}{8}=1$ $\therefore y=2x-4$ 目 $y=2x-4$

0153

$$\frac{5x}{5} - \frac{4y}{4} = 1 \quad \therefore y = x - 1$$

$\quad$ 답 $y = x - 1$

0154

$$3x - 3 \times 2y = -3 \quad \therefore y = \frac{1}{2}x + \frac{1}{2}$$

$\quad$ 답 $y = \frac{1}{2}x + \frac{1}{2}$

0155

(1) 포물선 $y^2 = 24x = 4 \times 6 \times x$ 위의 점 (x_1, y_1)에서의 접선의 방정식은

$$y_1 y = 2 \times 6 \times (x + x_1) \quad \therefore y_1 y = 12(x + x_1)$$

(2) (1)의 직선이 점 $(-1, 1)$을 지나므로

$$y_1 = 12(-1 + x_1) \quad \cdots\cdots \ \bigcirc$$

또, 접점 (x_1, y_1)이 포물선 $y^2 = 24x$ 위의 점이므로

$$y_1{}^2 = 24x_1 \quad \cdots\cdots \ \bigcirc$$

$\bigcirc$, $\bigcirc$을 연립하여 풀면

$$x_1 = \frac{2}{3}, \ y_1 = -4 \text{ 또는 } x_1 = \frac{3}{2}, \ y_1 = 6$$

(3) 구하는 접선의 방정식은

$$-4y = 12\left(x + \frac{2}{3}\right) \text{ 또는 } 6y = 12\left(x + \frac{3}{2}\right)$$

$$\therefore y = -3x - 2 \text{ 또는 } y = 2x + 3$$

$\quad$ 답 (1) $y_1 y = 12(x + x_1)$
$\quad\quad$ (2) $x_1 = \frac{2}{3}, \ y_1 = -4 \text{ 또는 } x_1 = \frac{3}{2}, \ y_1 = 6$
$\quad\quad$ (3) $y = -3x - 2 \text{ 또는 } y = 2x + 3$

● **다른 풀이** 접선의 기울기를 m이라 하면 기울기가 m이고 점 $(-1, 1)$을 지나는 직선의 방정식은

$$y - 1 = m(x + 1) \quad \therefore y = mx + m + 1$$

이때, 포물선 $y^2 = 24x = 4 \times 6 \times x$에 접하고 기울기가 m인 직선의 방정식은 $y = mx + \dfrac{6}{m} \ (m \neq 0)$이므로

$$mx + m + 1 = mx + \frac{6}{m}, \ m^2 + m - 6 = 0$$

$$(m + 3)(m - 2) = 0 \quad \therefore m = -3 \text{ 또는 } m = 2$$

따라서 구하는 접선의 방정식은

$$y = -3x - 2 \text{ 또는 } y = 2x + 3$$

STEP2 유형 마스터

0156

| 전략 | 포물선이 직선보다 위쪽에 있기 위해서는 포물선과 직선이 만나지 않아야 하므로 $D < 0$임을 이용한다.

포물선이 직선보다 위쪽에 있기 위해서는 포물선과 직선이 만나지 않아야 한다.

$y = ax - 4$를 $x^2 = \dfrac{1}{4}(y - 5)$에 대입하면

$$x^2 = \frac{1}{4}(ax - 4 - 5), \ \text{즉 } 4x^2 - ax + 9 = 0$$

이 이차방정식의 판별식을 D라 하면

$$D = a^2 - 144 < 0, \ (a + 12)(a - 12) < 0$$

$$\therefore -12 < a < 12$$

따라서 정수 a는 $-11, -10, -9, \cdots, 11$로 23개이다.

$\quad$ 답 ⑤

0157

$y^2 = \dfrac{1}{2}x$, 즉 $x = 2y^2$을 $kx - 2y + 1 = 0$에 대입하면

$$2ky^2 - 2y + 1 = 0 \quad \cdots\cdots \ \bigcirc \quad \cdots \ \mathbf{1}$$

(i) $k = 0$일 때

$\bigcirc$은 한 개의 해를 가지므로 포물선과 직선은 한 점에서 만난다.

$\quad\quad\quad$ $\downarrow$ $x = \frac{1}{2}, \ y = \frac{1}{2}$ $\quad\quad \cdots \ \mathbf{2}$

(ii) $k \neq 0$일 때

$\bigcirc$의 판별식을 D라 하면

$$\frac{D}{4} = (-1)^2 - 2k = 0 \quad \therefore k = \frac{1}{2} \quad \cdots \ \mathbf{3}$$

(i), (ii)에서 조건을 만족시키는 모든 상수 k의 값의 합은

$$0 + \frac{1}{2} = \frac{1}{2} \quad \cdots \ \mathbf{4}$$

$\quad$ 답 $\dfrac{1}{2}$

채점 기준	비율
❶ y에 대한 이차방정식을 세울 수 있다.	20 %
❷ $k = 0$일 때, 포물선과 직선의 위치 관계를 알 수 있다.	30 %
❸ $k \neq 0$일 때, k의 값을 구할 수 있다.	30 %
❹ k의 값의 합을 구할 수 있다.	20 %

0158

$y = 2x + k$를 $x^2 = y$에 대입하면

$$x^2 = 2x + k, \ \text{즉 } x^2 - 2x - k = 0$$

두 점 A, B의 좌표를 $(\alpha, 2\alpha + k)$, $(\beta, 2\beta + k)$라 하면 α, β는 이 이차방정식의 해이므로 근과 계수의 관계에 의하여

$$\alpha + \beta = 2, \ \alpha\beta = -k$$

이때, 선분 AB의 길이가 $4\sqrt{5}$이므로

$$\begin{aligned}
\overline{AB} &= \sqrt{(\beta - \alpha)^2 + (2\beta + k - 2\alpha - k)^2} \\
&= \sqrt{5(\beta - \alpha)^2} \\
&= \sqrt{5\{(\alpha + \beta)^2 - 4\alpha\beta\}} \\
&= \sqrt{5(2^2 + 4k)} = 4\sqrt{5}
\end{aligned}$$

에서 $4 + 4k = 16 \quad \therefore k = 3$

$\quad$ 답 3

참고 포물선 $x^2 = 4py \ (p \neq 0)$와 직선 $y = mx + n \ (m \neq 0)$의 교점의 x좌표는 방정식 $x^2 = 4p(mx + n)$의 실근과 같다.

0159

$nx - y - 4 = 0$, 즉 $y = nx - 4$를 $y^2 = 4(x - 1)$에 대입하면

$$(nx - 4)^2 = 4(x - 1)$$

$$n^2 x^2 - 4(2n + 1)x + 20 = 0$$

이 이차방정식의 판별식을 D라 하면

$$\frac{D}{4}=4(2n+1)^2-20n^2=-4(n^2-4n-1)$$

(i) 포물선과 직선이 서로 다른 두 점에서 만날 때

$\quad D>0$에서 $n^2-4n-1<0$

$\quad\quad \therefore 2-\sqrt{5}<n<2+\sqrt{5}$

$\quad$ 즉, $n=1, 2, 3, 4$일 때, $a_n=2$

(ii) 포물선과 직선이 한 점에서 만날 때 (접할 때)

$\quad D=0$에서 $n^2-4n-1=0$

$\quad\quad \therefore n=2\pm\sqrt{5}$

$\quad$ 즉, $a_n=1$인 자연수 n은 존재하지 않는다.

(iii) 포물선과 직선이 만나지 않을 때

$\quad D<0$에서 $n^2-4n-1>0$

$\quad\quad \therefore n<2-\sqrt{5}$ 또는 $n>2+\sqrt{5}$

$\quad$ 즉, $n=5, 6, 7, \cdots$일 때, $a_n=0$

(i), (ii), (iii)에 의하여

$$a_1+a_2+a_3+\cdots+a_{10}=2\times4+0\times6=8 \qquad\qquad \boxed{\text{답}}\ 8$$

0160

|전략| 포물선 $y^2=4px$에 접하고 기울기가 m인 접선의 방정식은

$y=mx+\dfrac{p}{m}(m\neq0)$이다.

직선 $y=2x-3$에 수직인 직선의 기울기는 $-\dfrac{1}{2}$이고,

$y^2=-8x=4\times(-2)\times x$에서 $p=-2$이므로 포물선 $y^2=-8x$에

접하고 기울기가 $-\dfrac{1}{2}$인 접선의 방정식은

$$y=-\frac{1}{2}x+\frac{-2}{-\frac{1}{2}} \quad\quad \therefore y=-\frac{1}{2}x+4$$

따라서 $m=-\dfrac{1}{2}$, $n=4$이므로 $m+n=\dfrac{7}{2}$ $\qquad\qquad \boxed{\text{답}}\ \dfrac{7}{2}$

0161

직선 $3x-y+1=0$, 즉 $y=3x+1$과 평행한 직선의 기울기는 3이고,

$y^2=24x=4\times6\times x$에서 $p=6$이므로 포물선 $y^2=24x$에 접하고 기울기가 3인 접선의 방정식은

$$y=3x+\frac{6}{3} \quad\quad \therefore y=3x+2$$

이때, 이 직선이 점 $(3, a)$를 지나므로

$$a=3\times3+2=11 \qquad\qquad \boxed{\text{답}}\ ⑤$$

0162

포물선 $y^2=16x=4\times4\times x$에 접하고 기울기가 $m(m\neq0)$인 접선의

방정식은 $y=mx+\dfrac{4}{m}$

이 직선이 점 $(2, 6)$을 지나므로

$$6=2m+\frac{4}{m}, \; m^2-3m+2=0$$

$$(m-1)(m-2)=0 \quad\quad \therefore m=1 \text{ 또는 } m=2$$

따라서 모든 실수 m의 값의 곱은 2이다. $\qquad\qquad \boxed{\text{답}}\ 2$

0163

$2x^2-3x+1=0$에서 $(2x-1)(x-1)=0$

$\therefore x=\dfrac{1}{2}$ 또는 $x=1$

포물선 $y^2=8x=4\times2\times x$에서 $p=2$이므로

$m_1=\dfrac{1}{2}$일 때, 접선 l_1의 방정식은

$$y=\frac{1}{2}x+\frac{2}{\frac{1}{2}} \quad\quad \therefore y=\frac{1}{2}x+4$$

$m_2=1$일 때, 접선 l_2의 방정식은

$$y=x+2$$

따라서 두 직선 l_1, l_2의 교점의 x좌표는

$$\frac{1}{2}x+4=x+2 \text{에서 } \frac{1}{2}x=2 \quad\quad \therefore x=4 \qquad\qquad \boxed{\text{답}}\ ④$$

0164

|전략| 기울기가 m인 포물선의 접선의 방정식 $y=mx+\dfrac{p}{m}(m\neq0)$를 구한

후 접점의 좌표를 구한다.

포물선 $y^2=-4x=4\times(-1)\times x$에 접하고 기울기가 -1인 접선 l

의 방정식은

$$y=-x+\frac{-1}{-1} \quad\quad \therefore y=-x+1 \quad\quad \therefore A(0, 1)$$

$y=-x+1$을 $y^2=-4x$에 대입하면

$$(-x+1)^2=-4x, \; (x+1)^2=0$$

$$\therefore x=-1$$

즉, 접점 P의 좌표는 $(-1, 2)$이다.

접선 l에 수직인 직선의 기울기는 1이므로 점 $P(-1, 2)$를 지나고 기

울기가 1인 직선의 방정식은

$$y-2=x+1 \quad\quad \therefore y=x+3 \quad\quad \therefore B(0, 3)$$

따라서 삼각형 PAB의 넓이는

$$\frac{1}{2}\times1\times(3-1)=1 \qquad\qquad \boxed{\text{답}}\ 1$$

0165

포물선 $y^2=8x=4\times2\times x$에 접하고 기울기가 $\tan60°=\sqrt{3}$인 접선

의 방정식은

$$y=\sqrt{3}x+\frac{2}{\sqrt{3}} \quad\quad \therefore T\left(-\frac{2}{3}, 0\right)$$

이때, 포물선의 초점 F의 좌표는 $(2, 0)$이므로 두 점 T, F 사이의 거

리는

$$2-\left(-\frac{2}{3}\right)=\frac{8}{3} \qquad\qquad \boxed{\text{답}}\ \dfrac{8}{3}$$

0166

사각형 $ADCB$가 정사각형이므로 $\angle BAD=90°$

즉, 직선 AB가 x축의 양의 방향과 이루는 각의 크기가 $45°$이므로 직

선 AB의 기울기는 $\tan45°=1$이다.

따라서 포물선 $y^2=4x=4\times1\times x$에 접하고 기울기가 1인 접선 AB의 방정식은

$$y=x+\frac{1}{1} \qquad \therefore y=x+1$$

$y=x+1$을 $y^2=4x$에 대입하면

$$(x+1)^2=4x,\ (x-1)^2=0 \qquad \therefore x=1$$

즉, 접점 B의 좌표는 $(1,2)$이다.

직선 AB에 수직인 직선의 기울기는 -1이므로 점 $(1,2)$를 지나고 기울기가 -1인 직선 BC의 방정식은

$$y-2=-(x-1) \qquad \therefore y=-x+3$$

따라서 구하는 점 C의 좌표는 $(3,0)$이다. 	답 C$(3,0)$

0167

|전략| 포물선 $y^2=4px$ 위의 점 (x_1,y_1)에서의 접선의 방정식은 $y_1y=2p(x+x_1)$이다.

포물선 $y^2=16x=4\times4\times x$의 초점의 좌표는 $(4,0)$

점 $(1,-4)$에서의 접선의 방정식은

$$-4y=2\times4\times(x+1) \qquad \therefore y=-2x-2$$

이때, 이 접선에 수직인 직선의 기울기는 $\frac{1}{2}$이므로 기울기가 $\frac{1}{2}$이고 점 $(4,0)$을 지나는 직선의 방정식은

$$y=\frac{1}{2}(x-4) \qquad \therefore y=\frac{1}{2}x-2$$

따라서 이 직선의 y절편은 -2이다. 	답 -2

0168

포물선 $x^2=-3y=4\times\left(-\frac{3}{4}\right)\times y$ 위의 점 $(3,-3)$에서의 접선의 방정식은

$$3x=2\times\left(-\frac{3}{4}\right)\times(y-3) \qquad \therefore y=-2x+3$$

이때, 이 접선과 평행한 직선의 기울기는 -2이므로 기울기가 -2이고 점 $(2,1)$을 지나는 직선의 방정식은

$$y-1=-2(x-2) \qquad \therefore y=-2x+5$$

따라서 $a=-2$, $b=5$이므로 $a+b=3$ 	답 3

0169

포물선 $y^2=6x=4\times\frac{3}{2}\times x$ 위의 점 $(2,2\sqrt{3})$에서의 접선의 방정식은

$$2\sqrt{3}y=2\times\frac{3}{2}\times(x+2) \qquad \therefore y=\frac{\sqrt{3}}{2}x+\sqrt{3}$$

이때, 이 접선이 포물선 $y^2=ax=4\times\frac{a}{4}\times x$의 초점 $\left(\frac{a}{4},0\right)$을 지나므로

$$0=\frac{\sqrt{3}}{2}\times\frac{a}{4}+\sqrt{3},\ \frac{\sqrt{3}}{8}a=-\sqrt{3} \qquad \therefore a=-8$$ 	답 ③

0170

포물선 $y^2=4px$의 초점의 좌표는 $(p,0)$, 준선의 방정식은 $x=-p$이므로 오른쪽 그림에서

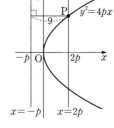

$$3p=9 \qquad \therefore p=3$$

즉, 포물선의 방정식이 $y^2=12x$이므로

$x=6$을 대입하면

$$y^2=72 \qquad \therefore y=6\sqrt{2}$$

따라서 P$(6,6\sqrt{2})$이므로 구하는 접선의 방정식은

$$6\sqrt{2}y=2\times3\times(x+6) \qquad \therefore y=\frac{\sqrt{2}}{2}x+3\sqrt{2}$$ 	답 $y=\frac{\sqrt{2}}{2}x+3\sqrt{2}$

0171

|전략| 포물선 위의 점에서의 접선의 방정식을 구한 후 x절편, y절편을 이용한다.

포물선 $y^2=4x=4\times1\times x$ 위의 점 $(9,6)$에서의 접선의 방정식은

$$6y=2\times1\times(x+9) \qquad \therefore y=\frac{1}{3}x+3$$

따라서 A$(-9,0)$, B$(0,3)$이므로 구하는 삼각형 AOB의 넓이는

$$\frac{1}{2}\times9\times3=\frac{27}{2}$$ 	답 $\frac{27}{2}$

0172

포물선 $y^2=16x=4\times4\times x$ 위의 점 (a,b)에서의 접선의 방정식은

$$by=2\times4\times(x+a) \qquad \therefore y=\frac{8}{b}x+\frac{8a}{b}$$

따라서 두 점 P(x_1,y_1), Q(x_2,y_2)에서의 접선의 기울기는 각각

$$\frac{8}{y_1},\ \frac{8}{y_2}$$

이때, 두 접선이 서로 수직이므로

$$\frac{8}{y_1}\times\frac{8}{y_2}=-1 \qquad \therefore y_1y_2=-64$$ 	답 -64

0173

점 P(a,b)가 포물선 $y^2=4x$ 위의 점이므로

$$b^2=4a \qquad \cdots\cdots\ \text{㉠}$$

포물선 $y^2=4x=4\times1\times x$ 위의 점 P(a,b)에서의 접선의 방정식은

$$by=2\times1\times(x+a) \qquad \therefore by=2(x+a)$$

따라서 점 Q의 좌표는 $(-a,0)$

이때, $\overline{PQ}=4\sqrt{5}$이므로

$$\sqrt{(-a-a)^2+(0-b)^2}=4\sqrt{5}$$
$$\sqrt{4a^2+b^2}=4\sqrt{5}$$

위의 식의 양변을 제곱하면 $4a^2+b^2=80$ 	$\cdots\cdots$ ㉡

㉠을 ㉡에 대입하면

$$4a^2+4a=80,\ a^2+a-20=0$$
$$(a+5)(a-4)=0$$
$$\therefore a=4\ (\because a>0)$$ ┌ 포물선 $y^2=4x$ 위의 점 P(a,b)는 제1사분면 또는 제4사분면 위의 점이므로 $a>0$

$a=4$를 ㉠에 대입하면 $b^2=4\times4=16$

$$\therefore a^2+b^2=4^2+16=32$$ 	답 ②

0174

오른쪽 그림과 같이 포물선의 초점을 F라 하면 점 F는 원의 중심이므로
$\overline{\mathrm{FP}}=r$ ...... ㉠

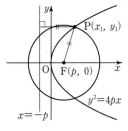

또, 점 P의 좌표를 (x_1, y_1)이라 하면 점 P에서 초점 F까지의 거리는 점 P에서 준선 $x=-p$에 이르는 거리와 같으므로
$\overline{\mathrm{FP}}=x_1+p$ ...... ㉡

㉠, ㉡에서 $x_1+p=r$ ∴ $x_1=r-p$ ...... ㉢

한편, 포물선 $y^2=4px$ 위의 점 $\mathrm{P}(x_1, y_1)$에서의 접선의 방정식은
$y_1 y=2p(x+x_1)$

이 접선이 점 $(a, 0)$을 지나므로
$0=2p(a+x_1)$

∴ $a=-x_1=p-r$ (∵ ㉢) 답 ②

0175

|전략| 주어진 직선과 기울기가 같은 포물선의 접선의 방정식을 구한 후 주어진 직선과 접선 사이의 거리를 구한다.

포물선 $y^2=4x=4\times1\times x$에 접하고 기울기가 -1인 접선의 방정식은
$y=-x+\dfrac{1}{-1}$ ∴ $y=-x-1$

직선 $y=-x-1$ 위의 점 $(0, -1)$과 직선 $x+y+3=0$ 사이의 거리는
$\dfrac{|-1+3|}{\sqrt{1^2+1^2}}=\sqrt{2}$

이므로 구하는 거리의 최솟값은 $\sqrt{2}$이다. 답 ①

Lecture

(1) 점과 직선 사이의 거리: 좌표평면에서 점 (x_1, y_1)과 직선 $ax+by+c=0$ 사이의 거리는 ⇨ $\dfrac{|ax_1+by_1+c|}{\sqrt{a^2+b^2}}$

(2) 평행한 두 직선 l, m 사이의 거리: 직선 l 위의 임의의 점과 직선 m 사이의 거리와 같다.

0176

점 P와 직선 $y=x+3$ 사이의 거리가 최소이려면 점 P에서의 접선이 직선 $y=x+3$과 평행해야 한다.

포물선 $x^2=-8y=4\times(-2)\times y$ 위의 점 $\mathrm{P}(a, b)$에서의 접선의 방정식은
$ax=2\times(-2)\times(y+b)$ ∴ $y=-\dfrac{a}{4}x-b$

직선 $y=x+3$과 평행한 직선의 기울기는 1이므로
$-\dfrac{a}{4}=1$ ∴ $a=-4$

이때, $a^2=-8b$이므로 $b=\dfrac{a^2}{-8}=-2$

∴ $ab=8$ 답 ⑤

0177

점 P의 좌표를 $(2a^2, 2a)$라 하면 포물선 $y^2=2x=4\times\dfrac{1}{2}\times x$ 위의 점 P에서의 접선의 방정식은
$2ay=2\times\dfrac{1}{2}\times(x+2a^2)$ ∴ $y=\dfrac{1}{2a}x+a$ ...... ㉠

직선 AP가 직선 ㉠과 서로 수직으로 만날 때 선분 AP의 길이가 최소이므로
$\dfrac{1}{2a}\times\dfrac{2a-4}{2a^2-1}=-1$, $a^3-1=0$

$(a-1)(a^2+a+1)=0$ ∴ $a=1$ (∵ $a^2+a+1>0$)

$a=1$일 때, $\mathrm{P}(2, 2)$이므로 구하는 최솟값은
$\sqrt{(2-1)^2+(2-4)^2}=\sqrt{5}$ 답 ④

0178

|전략| 접점의 좌표를 (x_1, y_1)로 놓고 접선의 방정식을 구한 후 이 접선이 점 $(-1, 1)$을 지남을 이용한다.

포물선 $y^2=8x=4\times2\times x$ 위의 점 (x_1, y_1)에서의 접선의 방정식은
$y_1 y=2\times2\times(x+x_1)$

이 접선이 점 $(-1, 1)$을 지나므로
$y_1=4(-1+x_1)$ ∴ $x_1=\dfrac{y_1}{4}+1$ ...... ㉠

이때, $y_1^2=8x_1$이므로 이 식에 ㉠을 대입하면
$y_1^2=8\left(\dfrac{y_1}{4}+1\right)$, $y_1^2-2y_1-8=0$

$(y_1+2)(y_1-4)=0$ ∴ $y_1=-2$ 또는 $y_1=4$

㉠에서 $y_1=-2$이면 $x_1=\dfrac{1}{2}$, $y_1=4$이면 $x_1=2$

즉, 두 접점은 $\left(\dfrac{1}{2}, -2\right)$, $(2, 4)$이므로 직선 PQ의 방정식은
$y-4=\dfrac{4-(-2)}{2-\dfrac{1}{2}}(x-2)$ ∴ $y=4x-4$

이 직선이 점 $(3, a)$를 지나므로
$a=4\times3-4=8$ 답 ④

다른 풀이 $\mathrm{P}(x_1, y_1)$, $\mathrm{Q}(x_2, y_2)$라 하면 두 접점 P, Q에서의 접선의 방정식은 각각
$y_1 y=4(x+x_1)$, $y_2 y=4(x+x_2)$

이 두 접선이 점 $(-1, 1)$을 지나므로
$y_1=4(x_1-1)$ ...... ㉠, $y_2=4(x_2-1)$ ...... ㉡

이때, ㉠, ㉡은 직선 $y=4(x-1)$이 두 점 $\mathrm{P}(x_1, y_1)$, $\mathrm{Q}(x_2, y_2)$를 지남을 의미하는데 서로 다른 두 점 P, Q를 지나는 직선은 오직 하나뿐이므로 직선 PQ의 방정식은
$y=4(x-1)$ ∴ $y=4x-4$

이 직선이 점 $(3, a)$를 지나므로 $a=8$

0179

포물선 $x^2=-4y=4\times(-1)\times y$ 위의 점 (x_1, y_1)에서의 접선의 방정식은
$x_1 x=2\times(-1)\times(y+y_1)$ ∴ $y=-\dfrac{x_1}{2}x-y_1$

이 접선이 점 $(1, 2)$를 지나므로

$$2 = -\frac{x_1}{2} - y_1 \qquad \therefore y_1 = -\frac{x_1}{2} - 2 \qquad \cdots\cdots ㉠$$

이때, $x_1{}^2 = -4y_1$이므로 이 식에 ㉠을 대입하면

$$x_1{}^2 = -4\left(-\frac{x_1}{2} - 2\right) \qquad \therefore x_1{}^2 - 2x_1 - 8 = 0$$

이 이차방정식의 두 실근을 α, β라 하면 두 접선의 기울기는 $-\dfrac{\alpha}{2}$,

$-\dfrac{\beta}{2}$이므로 구하는 기울기의 곱은

$$\left(-\frac{\alpha}{2}\right) \times \left(-\frac{\beta}{2}\right) = \frac{\alpha\beta}{4} = \frac{-8}{4} = -2 \qquad \text{답}\ -2$$

└─ 이차방정식의 근과 계수의 관계에 의하여
$$\alpha\beta = \frac{-8}{1} = -8$$

0180

점 Q의 좌표를 (x_1, y_1)이라 하면 포물선 $y^2 = 2x = 4 \times \dfrac{1}{2} \times x$ 위의

점 Q에서의 접선의 방정식은

$$y_1 y = 2 \times \frac{1}{2} \times (x + x_1) \qquad \cdots ❶$$

이 접선이 점 $\mathrm{P}\left(-\dfrac{1}{2}, 0\right)$을 지나므로

$$0 = -\frac{1}{2} + x_1 \qquad \therefore x_1 = \frac{1}{2}$$

이때, $y_1{}^2 = 2x_1$이므로 $y_1{}^2 = 1$

$$\therefore y_1 = 1\ (\because y_1 > 0)$$

└─ 점 Q는 제1사분면 위의 점이므로 $y_1 > 0$

따라서 접선의 방정식은

$$y = x + \frac{1}{2} \qquad \cdots ❷$$

한편, 이 접선과 수직인 직선의 기울기는 -1이므로 기울기가 -1이

고 점 $\mathrm{Q}\left(\dfrac{1}{2}, 1\right)$을 지나는 직선의 방정식은

$$y - 1 = -\left(x - \frac{1}{2}\right) \qquad \therefore y = -x + \frac{3}{2} \qquad \cdots ❸$$

따라서 $\mathrm{R}\left(\dfrac{3}{2}, 0\right)$이므로 구하는 삼각형 PQR의 넓이는

$$\frac{1}{2} \times 2 \times 1 = 1 \qquad \cdots ❹$$

$$\text{답}\ 1$$

채점 기준	비율
❶ $\mathrm{Q}(x_1, y_1)$로 놓고 접선의 방정식을 세울 수 있다.	20 %
❷ 점 $\mathrm{P}\left(-\dfrac{1}{2}, 0\right)$을 지남을 이용하여 접선의 방정식을 구할 수 있다.	30 %
❸ 접선과 수직이고 점 Q를 지나는 직선의 방정식을 구할 수 있다.	30 %
❹ $\triangle$PQR의 넓이를 구할 수 있다.	20 %

0181

포물선 $y^2 = 4x = 4 \times 1 \times x$ 위의 점 (x_1, y_1)에서의 접선의 방정식은

$$y_1 y = 2(x + x_1)$$

이 접선이 점 $\mathrm{P}(-2, 1)$을 지나므로

$$y_1 = 2(x_1 - 2) \qquad \cdots\cdots ㉠$$

이때, $y_1{}^2 = 4x_1$이므로 이 식에 ㉠을 대입하면

$$4(x_1 - 2)^2 = 4x_1, \quad x_1{}^2 - 5x_1 + 4 = 0$$

$$(x_1 - 1)(x_1 - 4) = 0$$

$$\therefore x_1 = 1\ \text{또는}\ x_1 = 4$$

㉠에서 $x_1 = 1$이면 $y_1 = -2$,

$x_1 = 4$이면 $y_1 = 4$

$\mathrm{A}(1, -2)$, $\mathrm{B}(4, 4)$라 하면 세 점

$\mathrm{P}(-2, 1)$, $\mathrm{A}(1, -2)$, $\mathrm{B}(4, 4)$를 꼭짓

점으로 하는 삼각형 PAB의 넓이는

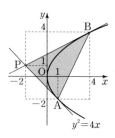

$$6 \times 6 - \frac{1}{2}(3 \times 3 + 3 \times 6 + 6 \times 3) = \frac{27}{2}$$

따라서 $a = 2$, $b = 27$이므로 $a + b = 29$ $\quad$ 답 29

0182

포물선 $y^2 = -4x = 4 \times (-1) \times x$ 위의 점 (x_1, y_1)에서의 접선의 방정식은

$$y_1 y = 2 \times (-1) \times (x + x_1) \qquad \therefore y = -\frac{2}{y_1}x - \frac{2x_1}{y_1}$$

이 접선이 점 $(a, 0)$을 지나므로

$$0 = -\frac{2}{y_1}a - \frac{2x_1}{y_1} \qquad \therefore x_1 = -a$$

이때, $y_1{}^2 = -4x_1$이므로

$$y_1{}^2 = 4a \qquad \therefore y_1{}^2 - 4a = 0$$

이 이차방정식의 두 실근을 α, β라 하면 두 접선의 기울기는 $-\dfrac{2}{\alpha}$,

$-\dfrac{2}{\beta}$이고 두 접선이 서로 수직이므로

$$\left(-\frac{2}{\alpha}\right) \times \left(-\frac{2}{\beta}\right) = -1 \qquad \therefore \alpha\beta = -4$$

이차방정식의 근과 계수의 관계에 의하여

$$-4a = -4 \qquad \therefore a = 1 \qquad \text{답}\ 1$$

0183

포물선 $x^2 = 12y = 4 \times 3 \times y$ 위의 점 (x_1, y_1)에서의 접선의 방정식은

$$x_1 x = 2 \times 3 \times (y + y_1) \qquad \therefore y = \frac{x_1}{6}x - y_1 \qquad \cdots\cdots ㉠$$

점 $\mathrm{P}(a, b)$가 직선 $y = x - 3$ 위에 있으므로

$$b = a - 3 \qquad \cdots\cdots ㉡$$

$$\therefore \mathrm{P}(a, a-3)$$

㉠이 점 $(a, a-3)$을 지나므로

$$a - 3 = \frac{a}{6}x_1 - y_1 \qquad \therefore y_1 = \frac{a}{6}x_1 - a + 3 \qquad \cdots\cdots ㉢$$

이때, $x_1{}^2 = 12y_1$이므로 이 식에 ㉢을 대입하면

$$x_1{}^2 = 12\left(\frac{a}{6}x_1 - a + 3\right), \quad x_1{}^2 = 2ax_1 - 12a + 36$$

$$\therefore x_1{}^2 - 2ax_1 + 12a - 36 = 0$$

이 이차방정식의 두 실근을 α, β라 하면 두 접선의 기울기는 $\dfrac{\alpha}{6}$, $\dfrac{\beta}{6}$

이고 두 접선이 서로 수직이므로

$$\frac{\alpha}{6} \times \frac{\beta}{6} = -1 \qquad \therefore \alpha\beta = -36$$

이차방정식의 근과 계수의 관계에 의하여

$$12a - 36 = -36 \qquad \therefore a = 0$$

$a=0$을 ⓛ에 대입하면 $b=-3$

$\therefore a+b=-3$ **冒** -3

0184

|전략| 타원과 직선이 만나지 않아야 하므로 $D<0$임을 이용한다.

$y=mx+2$를 $3x^2+4y^2=12$에 대입하면

$3x^2+4(mx+2)^2=12$

$(4m^2+3)x^2+16mx+4=0$

이 이차방정식의 판별식을 D라 하면

$\dfrac{D}{4}=(8m)^2-(4m^2+3)\times 4<0$

$48m^2<12,\ m^2<\dfrac{1}{4}$

$\therefore -\dfrac{1}{2}<m<\dfrac{1}{2}$

따라서 이 식을 만족시키는 정수 m은 0의 1개이다. **冒** ①

0185

$y=mx-3$을 $4x^2+y^2=4$에 대입하면

$4x^2+(mx-3)^2=4$

$(m^2+4)x^2-6mx+5=0$

이 이차방정식의 판별식을 D라 하면

$\dfrac{D}{4}=(-3m)^2-(m^2+4)\times 5=0$

$4m^2-20=0,\ m^2=5$

$\therefore m=\pm\sqrt{5}$ **冒** $\pm\sqrt{5}$

0186

$3x+y=k$라 하면 타원 $\dfrac{x^2}{3}+\dfrac{y^2}{5}=1$, 즉 $5x^2+3y^2=15$와 직선

$y=-3x+k$는 만나야 한다.

$y=-3x+k$를 $5x^2+3y^2=15$에 대입하면

$5x^2+3(-3x+k)^2=15$

$32x^2-18kx+3k^2-15=0$

이 이차방정식의 판별식을 D라 하면

$\dfrac{D}{4}=(-9k)^2-32(3k^2-15)\geq 0$

$-15k^2+32\times 15\geq 0,\ k^2\leq 32$

$\therefore -4\sqrt{2}\leq k\leq 4\sqrt{2}$

즉, $-4\sqrt{2}\leq 3x+y\leq 4\sqrt{2}$이므로

$M=4\sqrt{2},\ m=-4\sqrt{2}$ $\therefore M-m=8\sqrt{2}$ **冒** ④

0187

$x^2+4y^2-2x-8y+1=0$에서

$(x-1)^2+4(y-1)^2=4$ $\therefore \dfrac{(x-1)^2}{4}+(y-1)^2=1$

이 타원은 중심이 $(1,\ 1)$, 장축의 길이가 4, 단축의 길이가 2이다.

이때, 직선 $k(x+1)+y-2=0$은 k의 값에 관계없이 항상 점 $(-1,\ 2)$를 지나므로 오른쪽 그림과 같이 직선과 타원이 서로 다른 두 점에서 만나려면 직선 $k(x+1)+y-2=0$, 즉 $y=-kx-k+2$의 기울기가 음수이면 된다.

$-k<0$ $\therefore k>0$ **冒** ⑤

◦다른 풀이 $k(x+1)+y-2=0$, 즉 $y=-kx-k+2$를 $x^2+4y^2-2x-8y+1=0$에 대입하면

$x^2+4(-kx-k+2)^2-2x-8(-kx-k+2)+1=0$

$\therefore (4k^2+1)x^2+2(4k^2-4k-1)x+(4k^2-8k+1)=0$

이 이차방정식의 판별식을 D라 하면

$\dfrac{D}{4}=(4k^2-4k-1)^2-(4k^2+1)(4k^2-8k+1)>0$

$16k>0$ $\therefore k>0$

0188

|전략| 타원 $\dfrac{x^2}{a^2}+\dfrac{y^2}{b^2}=1$에 접하고 기울기가 m인 접선의 방정식은 $y=mx\pm\sqrt{a^2m^2+b^2}$이다.

직선 $y=\dfrac{1}{2}x-2$에 수직인 직선의 기울기는 -2이고, $\dfrac{x^2}{3}+\dfrac{y^2}{4}=1$에서 $a^2=3,\ b^2=4$이므로 구하는 접선의 방정식은

$y=-2x\pm\sqrt{3\times(-2)^2+4}$ $\therefore y=-2x\pm 4$ **冒** $y=-2x\pm 4$

0189

타원 $\dfrac{x^2}{5}+\dfrac{y^2}{4}=1$에 접하고 기울기가 $\tan 45\degree=1$인 접선의 방정식은

$y=x\pm\sqrt{5\times 1^2+4}$ $\therefore y=x\pm 3$

따라서 $a=1,\ b=\pm 3$이므로

$a^2+b^2=1+9=10$ **冒** ⑤

0190

|전략| 주어진 직선과 평행하고 타원에 접하는 접선의 방정식을 구한 후 평행한 두 직선 사이의 거리를 구한다.

직선 $x-2y+10=0$, 즉 $y=\dfrac{1}{2}x+5$에 평행한 직선의 기울기는 $\dfrac{1}{2}$이므로 타원 $\dfrac{x^2}{9}+\dfrac{y^2}{4}=1$에 접하고 기울기가 $\dfrac{1}{2}$인 접선의 방정식은

$y=\dfrac{1}{2}x\pm\sqrt{9\times\left(\dfrac{1}{2}\right)^2+4}$ $\therefore y=\dfrac{1}{2}x\pm\dfrac{5}{2}$

따라서 구하는 최솟값은 접선 $y=\dfrac{1}{2}x+\dfrac{5}{2}$ 위의 점 $(-5,\ 0)$에서 직선 $x-2y+10=0$에 내린 수선의 길이와 같으므로

$\dfrac{|-5+10|}{\sqrt{1^2+(-2)^2}}=\dfrac{5}{\sqrt{5}}=\sqrt{5}$ **冒** $\sqrt{5}$

참고 타원 위의 점에서 직선 $x-2y+10=0$에 내린 수선의 길이의 최댓값은

직선 $y=\dfrac{1}{2}x-\dfrac{5}{2}$ 위의 점 $(5,0)$과 직선 $x-2y+10=0$ 사이의 거리와 같으므로

$$\dfrac{|5+10|}{\sqrt{1^2+(-2)^2}}=\dfrac{15}{\sqrt{5}}=3\sqrt{5}$$

0191

직선 $2x+y-1=0$, 즉 $y=-2x+1$에 평행한 직선의 기울기는 -2

이므로 타원 $9x^2+4y^2=36$, 즉 $\dfrac{x^2}{4}+\dfrac{y^2}{9}=1$에 접하고 기울기가 -2

인 접선의 방정식은

$$y=-2x\pm\sqrt{4\times(-2)^2+9}\quad\therefore y=-2x\pm5$$

따라서 두 접선 사이의 거리는 접선 $y=-2x+5$ 위의 점 $(0,5)$와 접선 $y=-2x-5$, 즉 $2x+y+5=0$ 사이의 거리와 같으므로

$$\dfrac{|5+5|}{\sqrt{2^2+1^2}}=\dfrac{10}{\sqrt{5}}=2\sqrt{5}$$

답 ③

0192

타원 $\dfrac{x^2}{4}+y^2=1$의 두 꼭짓점 A, B의 좌표는 각각 $(2,0)$, $(0,1)$이

므로 두 점 A, B를 지나는 직선의 기울기는 $-\dfrac{1}{2}$이다. $\cdots$ ❶

따라서 타원 $\dfrac{x^2}{4}+y^2=1$에 접하고 기울기가 $-\dfrac{1}{2}$인 접선의 방정식은

$$y=-\dfrac{1}{2}x\pm\sqrt{4\times\left(-\dfrac{1}{2}\right)^2+1}\quad\therefore y=-\dfrac{1}{2}x\pm\sqrt{2}\quad\cdots ❷$$

이때, x절편, y절편이 모두 양수인 접선은 $y=-\dfrac{1}{2}x+\sqrt{2}$이므로

$\mathrm{C}(2\sqrt{2},0)$, $\mathrm{D}(0,\sqrt{2})$ $\cdots$ ❸

따라서 구하는 삼각형 OCD의 넓이는

$$\dfrac{1}{2}\times2\sqrt{2}\times\sqrt{2}=2\quad\cdots ❹$$

답 2

채점 기준	비율
❶ 직선 AB의 기울기를 구할 수 있다.	20 %
❷ 직선 AB와 평행한 접선의 방정식을 구할 수 있다.	30 %
❸ 두 점 C, D의 좌표를 구할 수 있다.	30 %
❹ △OCD의 넓이를 구할 수 있다.	20 %

0193

삼각형 ABC가 직각이등변삼각형이므로 직선 AC의 기울기는 -1이다.

따라서 타원 $9x^2+16y^2=144$, 즉 $\dfrac{x^2}{16}+\dfrac{y^2}{9}=1$에 접하고 기울기가

-1인 접선의 방정식은

$$y=-x\pm\sqrt{16\times(-1)^2+9}\quad\therefore y=-x\pm5$$

접선 AC는 y절편이 양수이므로 접선 AC의 방정식은 $y=-x+5$

한편, 접선 BC의 방정식은 $y=-3$이므로 $\mathrm{C}(8,-3)$

또, 접선 AB의 방정식은 $x=-4$이므로 $\mathrm{B}(-4,-3)$

$$\therefore \overline{\mathrm{BC}}=12$$

삼각형 ABC는 직각이등변삼각형이므로 $\overline{\mathrm{AB}}=\overline{\mathrm{BC}}=12$

따라서 구하는 삼각형 ABC의 넓이는

$$\dfrac{1}{2}\times12\times12=72$$

답 ⑤

0194

|전략| 타원 $\dfrac{x^2}{a^2}+\dfrac{y^2}{b^2}=1$ 위의 점 (x_1,y_1)에서의 접선의 방정식은

$\dfrac{x_1 x}{a^2}+\dfrac{y_1 y}{b^2}=1$이다.

타원 $3x^2+4y^2=48$ 위의 점 $(2,3)$에서의 접선의 방정식은

$$3\times2x+4\times3y=48\quad\therefore y=-\dfrac{1}{2}x+4$$

이때, 이 접선에 수직인 직선의 기울기는 2이므로 기울기가 2이고 점 $(3,4)$를 지나는 직선의 방정식은

$$y-4=2(x-3)\quad\therefore y=2x-2$$

답 $y=2x-2$

0195

타원 $\dfrac{x^2}{9}+\dfrac{y^2}{2}=1$ 위의 점 (a,b)에서의 접선의 방정식은

$$\dfrac{ax}{9}+\dfrac{by}{2}=1$$

이 접선이 점 $(9,0)$을 지나므로

$$\dfrac{9a}{9}=1\quad\therefore a=1\quad\cdots\cdots\ ㉠$$

이때, $\dfrac{a^2}{9}+\dfrac{b^2}{2}=1$이므로 이 식에 ㉠을 대입하면

$$\dfrac{1^2}{9}+\dfrac{b^2}{2}=1,\ b^2=\dfrac{16}{9}\quad\therefore b=\dfrac{4}{3}\ (\because b>0)$$

$$\therefore ab=\dfrac{4}{3}$$

답 ②

0196

포물선 $y^2=4x=4\times1\times x$ 위의 점 $(1,2)$에서의 접선의 방정식은

$$2y=2\times1\times(x+1)\quad\therefore y=x+1\quad\cdots\cdots\ ㉠$$

타원 $\dfrac{x^2}{3}+\dfrac{y^2}{12}=1$ 위의 점 (a,b)에서의 접선의 방정식은

$$\dfrac{ax}{3}+\dfrac{by}{12}=1\quad\therefore y=-\dfrac{4a}{b}x+\dfrac{12}{b}\quad\cdots\cdots\ ㉡$$

두 접선 ㉠, ㉡이 서로 평행하므로

$$-\dfrac{4a}{b}=1\quad\therefore b=-4a\quad\cdots\cdots\ ㉢$$

이때, $\dfrac{a^2}{3}+\dfrac{b^2}{12}=1$이므로 이 식에 ㉢을 대입하면

$$\dfrac{a^2}{3}+\dfrac{16a^2}{12}=1,\ \dfrac{5}{3}a^2=1\quad\therefore a^2=\dfrac{3}{5}$$

㉢에서 $b^2=16a^2=16\times\dfrac{3}{5}=\dfrac{48}{5}$이므로

$$a^2-b^2=-9$$

답 ②

0197

|전략| 점 P에서의 접선의 방정식을 구한 후 $\overline{\mathrm{OH}}$, $\overline{\mathrm{OQ}}$를 각각 점 P의 좌표를 이용하여 나타낸다.

점 P의 좌표를 (x_1,y_1)이라 하면 $\mathrm{H}(x_1,0)$

타원 $\dfrac{x^2}{9}+\dfrac{y^2}{5}=1$ 위의 점 P에서의 접선의 방정식은

$\dfrac{x_1 x}{9}+\dfrac{y_1 y}{5}=1$

따라서 $Q\left(\dfrac{9}{x_1},0\right)$이므로

$\overline{\mathrm{OH}}\times\overline{\mathrm{OQ}}=|x_1|\times\dfrac{9}{|x_1|}=9$ 답 ③

0198

점 $(a,2a)$는 타원 $4x^2+y^2=8$ 위의 점이므로

$4a^2+4a^2=8,\ a^2=1$ ∴ $a=\pm1$

$a=1$일 때, 타원 위의 점 $(1,2)$에서의 접선의 방정식은

$4x+2y=8$ ∴ $y=-2x+4$

이때, $\mathrm{P}(2,0)$, $\mathrm{Q}(0,4)$이므로 삼각형 POQ의 넓이는

$\dfrac{1}{2}\times2\times4=4$ 답 ③

참고 $a=-1$일 때, 타원 위의 점 $(-1,-2)$에서의 접선의 방정식은 $y=-2x-4$이므로 $\mathrm{P}(-2,0)$, $\mathrm{Q}(0,-4)$이고 삼각형 POQ의 넓이는 4로 $a=1$일 때와 같다.

0199

타원 $2x^2+y^2=6$ 위의 점 $\mathrm{P}(x_1,y_1)$에서의 접선의 방정식은

$2x_1 x+y_1 y=6$ ∴ $y=-\dfrac{2x_1}{y_1}x+\dfrac{6}{y_1}$ …❶

이 직선의 x절편은 $\dfrac{3}{x_1}$, y절편은 $\dfrac{6}{y_1}$이므로 접선과 x축, y축으로 둘러싸인 삼각형의 넓이는

$\dfrac{1}{2}\times\dfrac{3}{|x_1|}\times\dfrac{6}{|y_1|}=\dfrac{9}{|x_1 y_1|}$ …❷

이때, 점 $\mathrm{P}(x_1,y_1)$이 타원 $2x^2+y^2=6$ 위의 점이므로

$2x_1^2+y_1^2=6$

$x_1^2>0$, $y_1^2>0$이므로 산술평균과 기하평균의 관계에 의하여

$2x_1^2+y_1^2\geq2\sqrt{2x_1^2\times y_1^2}$ (단, 등호는 $2x_1^2=y_1^2$일 때 성립한다.)

$6\geq2\sqrt{2}|x_1 y_1|$ ∴ $|x_1 y_1|\leq\dfrac{3\sqrt{2}}{2}$ …❸

따라서 $\dfrac{9}{|x_1 y_1|}\geq\dfrac{9}{\dfrac{3\sqrt{2}}{2}}=3\sqrt{2}$이므로 구하는 최솟값은 $3\sqrt{2}$이다.

…❹

답 $3\sqrt{2}$

채점 기준	비율
❶ 점 P에서의 접선의 방정식을 구할 수 있다.	30 %
❷ 삼각형의 넓이를 x_1, y_1로 나타낼 수 있다.	20 %
❸ $|x_1 y_1|$의 값의 범위를 구할 수 있다.	30 %
❹ 삼각형의 넓이의 최솟값을 구할 수 있다.	20 %

0200

[전략] 접점의 좌표를 (x_1,y_1)로 놓고 접선의 방정식을 구한 후 이 접선이 점 $(4,0)$을 지남을 이용한다.

타원 $\dfrac{x^2}{9}+y^2=1$ 위의 점 (x_1,y_1)에서의 접선의 방정식은

$\dfrac{x_1 x}{9}+y_1 y=1$

이 접선이 점 $(4,0)$을 지나므로

$\dfrac{4x_1}{9}=1$ ∴ $x_1=\dfrac{9}{4}$

이때, $\dfrac{x_1^2}{9}+y_1^2=1$이므로

$y_1^2=\dfrac{7}{16}$ ∴ $y_1=\pm\dfrac{\sqrt{7}}{4}$

따라서 접선의 방정식은 $x\pm\sqrt{7}y=4$이므로

$m_1 m_2=\dfrac{1}{\sqrt{7}}\times\left(-\dfrac{1}{\sqrt{7}}\right)=-\dfrac{1}{7}$ 답 $-\dfrac{1}{7}$

◦다른 풀이 접선의 기울기를 m이라 하면 기울기가 m이고 점 $(4,0)$을 지나는 직선의 방정식은

$y=m(x-4)$ ∴ $y=mx-4m$

이때, 타원 $\dfrac{x^2}{9}+y^2=1$에 접하고 기울기가 m인 접선의 방정식은

$y=mx\pm\sqrt{9m^2+1}$이므로

$(-4m)^2=(\pm\sqrt{9m^2+1})^2,\ 16m^2=9m^2+1$

$7m^2=1$ ∴ $m=\pm\dfrac{1}{\sqrt{7}}$

∴ $m_1 m_2=\dfrac{1}{\sqrt{7}}\times\left(-\dfrac{1}{\sqrt{7}}\right)=-\dfrac{1}{7}$

0201

타원 $9x^2+4y^2=36$ 위의 점 (x_1,y_1)에서의 접선의 방정식은

$9x_1 x+4y_1 y=36$

이 접선이 점 $(4,3)$을 지나므로

$36x_1+12y_1=36$ ∴ $y_1=-3x_1+3$ ……㉠

이때, $9x_1^2+4y_1^2=36$이므로 이 식에 ㉠을 대입하면

$9x_1^2+4(-3x_1+3)^2=36,\ 5x_1^2-8x_1=0$

$x_1(5x_1-8)=0$ ∴ $x_1=0$ 또는 $x_1=\dfrac{8}{5}$ ……㉡

㉡을 ㉠에 대입하여 정리하면

$x_1=0,\ y_1=3$ 또는 $x_1=\dfrac{8}{5},\ y_1=-\dfrac{9}{5}$

즉, $\mathrm{A}(0,3)$, $\mathrm{B}\left(\dfrac{8}{5},-\dfrac{9}{5}\right)$라 하면 직선 AB의 방정식은

$y-3=\dfrac{-\dfrac{9}{5}-3}{\dfrac{8}{5}-0}x$ ∴ $y=-3x+3$

따라서 직선 AB 위의 점은 ① $(-1,6)$이다. 답 ①

◦다른 풀이 $\mathrm{A}(x_1,y_1)$, $\mathrm{B}(x_2,y_2)$라 하면 두 접점 A, B에서의 접선의 방정식은 각각

$9x_1 x+4y_1 y=36,\ 9x_2 x+4y_2 y=36$

이 두 접선이 점 $(4,3)$을 지나므로

$36x_1+12y_1=36$ ∴ $3x_1+y_1=3$ ……㉠

$36x_2+12y_2=36$ ∴ $3x_2+y_2=3$ ……㉡

이때, ㉠, ㉡은 직선 $3x+y=3$이 두 점 $A(x_1, y_1)$, $B(x_2, y_2)$를 지남을 의미하는데 서로 다른 두 점 A, B를 지나는 직선은 오직 하나뿐이므로 직선 AB의 방정식은

$3x+y=3$

따라서 직선 AB 위의 점은 ① $(-1, 6)$이다.

0202

점 P의 좌표를 (x_1, y_1)이라 하면 타원 $\dfrac{x^2}{7}+\dfrac{y^2}{3}=1$ 위의 점 P에서의 접선의 방정식은

$\dfrac{x_1 x}{7}+\dfrac{y_1 y}{3}=1$

이 접선이 점 $A(0, a)$를 지나므로

$\dfrac{a}{3}y_1=1$ $\therefore y_1=\dfrac{3}{a}$ ······ ㉠

이때, $\dfrac{x_1{}^2}{7}+\dfrac{y_1{}^2}{3}=1$이므로

$\dfrac{x_1{}^2}{7}+\dfrac{3}{a^2}=1$ $\therefore x_1{}^2=7-\dfrac{21}{a^2}$ ······ ㉡

한편, $\overline{OA}=\overline{AP}$이므로

$\sqrt{a^2}=\sqrt{x_1{}^2+(y_1-a)^2}$

위의 식의 양변을 제곱하여 정리하면

$x_1{}^2+y_1{}^2-2ay_1=0$

위의 식에 ㉠, ㉡을 대입하면

$7-\dfrac{21}{a^2}+\dfrac{9}{a^2}-2a\times\dfrac{3}{a}=0$, $\dfrac{12}{a^2}=1$

$a^2=12$ $\therefore a=2\sqrt{3}\ (\because a>0)$ 답 ③

0203

|전략| 쌍곡선과 직선이 교점을 가져야 하므로 $D\geq 0$임을 이용한다.

$y=m(x+1)$을 $x^2-y^2=2$에 대입하면

$x^2-m^2(x+1)^2=2$

$(1-m^2)x^2-2m^2x-m^2-2=0$

쌍곡선과 직선이 교점을 가지려면 이 이차방정식의 실근이 존재해야 하므로 이 이차방정식의 판별식을 D라 하면

$\dfrac{D}{4}=m^4+(1-m^2)(m^2+2)\geq 0$

$m^2\leq 2$ $\therefore -\sqrt{2}\leq m\leq\sqrt{2}$

따라서 이 식을 만족시키는 정수 m은 $-1, 0, 1$의 3개이다.   답 ③

0204

쌍곡선 $\dfrac{x^2}{a}-\dfrac{y^2}{4}=-1$의 양변에 $16a$를 곱하여 정리하면

$16x^2-4ay^2+16a=0$

이 식에 $4x-3y+2=0$, 즉 $4x=3y-2$를 대입하면

$(3y-2)^2-4ay^2+16a=0$

$(9-4a)y^2-12y+4(4a+1)=0$

이 이차방정식의 판별식을 D라 하면

$\dfrac{D}{4}=36-(9-4a)\times 4(4a+1)=0$

$a(a-2)=0$ $\therefore a=2\ (\because a>0)$ 답 ②

0205

$y=mx+1$을 $\dfrac{x^2}{2}-\dfrac{y^2}{8}=1$, 즉 $4x^2-y^2=8$에 대입하면

$4x^2-(mx+1)^2=8$

$(4-m^2)x^2-2mx-9=0$ ······ ㉠

(i) $4-m^2=0$, 즉 $m=\pm 2$일 때

  ㉠은 한 개의 해를 가지므로 쌍곡선과 직선은 한 점에서 만난다.

(ii) $4-m^2\neq 0$일 때 ㉠의 판별식을 D라 하면

$\dfrac{D}{4}=(-m)^2-(4-m^2)\times(-9)=0$

$4(9-2m^2)=0$, $m^2=\dfrac{9}{2}$

$\therefore m=-\dfrac{3\sqrt{2}}{2}$ 또는 $m=\dfrac{3\sqrt{2}}{2}$

(i), (ii)에서 조건을 만족시키는 모든 상수 m의 값의 곱은

$2\times(-2)\times\left(-\dfrac{3\sqrt{2}}{2}\right)\times\dfrac{3\sqrt{2}}{2}=18$ 답 ⑤

0206

|전략| 쌍곡선 $\dfrac{x^2}{a^2}-\dfrac{y^2}{b^2}=1$에 접하고 기울기가 m인 접선의 방정식은 $y=mx\pm\sqrt{a^2m^2-b^2}\ (a^2m^2-b^2>0)$이다.

쌍곡선 $2x^2-3y^2=6$, 즉 $\dfrac{x^2}{3}-\dfrac{y^2}{2}=1$에 접하고 기울기가 $\tan 60°=\sqrt{3}$인 접선의 방정식은

$y=\sqrt{3}x\pm\sqrt{3\times(\sqrt{3})^2-2}$ $\therefore y=\sqrt{3}x\pm\sqrt{7}$

따라서 $m=\sqrt{3}$, $n=\pm\sqrt{7}$이므로

$m^2+n^2=3+7=10$ 답 ③

0207

직선 $y=\sqrt{2}x+5$와 평행한 직선의 기울기는 $\sqrt{2}$이다.

따라서 쌍곡선 $4x^2-y^2+8=0$, 즉 $\dfrac{x^2}{2}-\dfrac{y^2}{8}=-1$에 접하고 기울기가 $\sqrt{2}$인 접선의 방정식은

$y=\sqrt{2}x\pm\sqrt{8-2\times(\sqrt{2})^2}$ $\therefore y=\sqrt{2}x\pm 2$ 답 $y=\sqrt{2}x\pm 2$

0208

쌍곡선 $\dfrac{x^2}{a}-\dfrac{y^2}{2}=1$에 접하고 기울기가 3인 접선의 방정식은

$y=3x\pm\sqrt{a\times 3^2-2}$ $\therefore y=3x\pm\sqrt{9a-2}$

이때, 접선 $y=3x+\sqrt{9a-2}$가 직선 $y=3x+5$와 일치하므로

$\sqrt{9a-2}=5$

양변을 제곱하면 $9a-2=25$ $\therefore a=3$

즉, 주어진 쌍곡선의 방정식은 $\dfrac{x^2}{3}-\dfrac{y^2}{2}=1$이고, $\sqrt{3+2}=\sqrt{5}$이므로 두 초점의 좌표는 $(\sqrt{5}, 0)$, $(-\sqrt{5}, 0)$

따라서 두 초점 사이의 거리는 $2\sqrt{5}$이다.   답 ④

0209

|전략| 쌍곡선과 직선 사이의 거리의 최솟값은 쌍곡선 위의 한 점에서의 접선이 주어진 직선과 평행할 때, 두 직선 사이의 거리와 같다.

주어진 쌍곡선 위의 점과 직선 사이의 거리의 최솟값은 직선 $y=3x$에 평행하고 쌍곡선에 접하는 접선과 직선 $y=3x$ 사이의 거리와 같다.

쌍곡선 $\dfrac{x^2}{3}-\dfrac{y^2}{2}=1$에 접하고 기울기가 3인 접선의 방정식은

$y=3x\pm\sqrt{3\times3^2-2}$ $\therefore y=3x\pm5$

따라서 직선 $y=3x$ 위의 점 $(0,0)$과 접선 $y=3x\pm5$, 즉 $3x-y\pm5=0$ 사이의 거리는

$$\frac{|\pm5|}{\sqrt{3^2+(-1)^2}}=\frac{5}{\sqrt{10}}=\frac{\sqrt{10}}{2}$$ 目 $\dfrac{\sqrt{10}}{2}$

0210

직선 $2x+4y+5=0$, 즉 $y=-\dfrac{1}{2}x-\dfrac{5}{4}$에 수직인 직선의 기울기는 2이므로 쌍곡선 $\dfrac{x^2}{7}-\dfrac{y^2}{12}=1$에 접하고 기울기가 2인 접선의 방정식은

$y=2x\pm\sqrt{7\times2^2-12}$ $\therefore y=2x\pm4$

두 접선 사이의 거리는 접선 $y=2x+4$ 위의 점 $(0,4)$와 접선 $y=2x-4$, 즉 $2x-y-4=0$ 사이의 거리와 같으므로

$$\frac{|-4-4|}{\sqrt{2^2+(-1)^2}}=\frac{8}{\sqrt{5}}=\frac{8\sqrt{5}}{5}$$

따라서 $a=5$, $b=8$이므로 $ab=40$ 目 ④

0211

두 점 $P(2,1)$, $Q(-1,-2)$에 대하여

$\overline{PQ}=\sqrt{(-1-2)^2+(-2-1)^2}=\sqrt{18}=3\sqrt{2}$

삼각형 PQR에서 밑변을 선분 PQ로 생각하면 높이인 점 R와 직선 PQ 사이의 거리가 최소일 때, 즉 점 R에서의 접선이 직선 PQ와 평행할 때 삼각형의 넓이가 최소가 된다.

직선 PQ의 방정식은 $y=x-1$이므로 쌍곡선 $\dfrac{x^2}{7}-\dfrac{y^2}{3}=1$에 접하고 기울기가 1인 접선의 방정식은

$y=x\pm\sqrt{7\times1^2-3}$ $\therefore y=x\pm2$

이때, 쌍곡선과 접선 $y=x-2$의 접점을 R_1이라 하면 점 R_1과 직선 PQ 사이의 거리는 접선 위의 점 $(0,-2)$와 직선 $y=x-1$, 즉 $x-y-1=0$ 사이의 거리와 같으므로

$$\frac{|2-1|}{\sqrt{1^2+(-1)^2}}=\frac{1}{\sqrt{2}}=\frac{\sqrt{2}}{2}$$

따라서 삼각형 PQR의 넓이의 최솟값은

$$\frac{1}{2}\times3\sqrt{2}\times\frac{\sqrt{2}}{2}=\frac{3}{2}$$ 目 ③

참고 쌍곡선과 접선 $y=x+2$의 접점을 R_2라 하면 점 R_2와 직선 PQ 사이의 거리는 접선 위의 점 $(0,2)$와 직선 $y=x-1$, 즉 $x-y-1=0$ 사이의 거리와 같으므로

$$\frac{|-2-1|}{\sqrt{1^2+(-1)^2}}=\frac{3}{\sqrt{2}}=\frac{3\sqrt{2}}{2}$$

이 경우는 삼각형 PQR의 넓이가 최소가 아니다.

0212

|전략| 쌍곡선 $\dfrac{x^2}{a^2}-\dfrac{y^2}{b^2}=1$ 위의 점 (x_1,y_1)에서의 접선의 방정식은

$\dfrac{x_1x}{a^2}-\dfrac{y_1y}{b^2}=1$이다.

쌍곡선 $x^2-3y^2=15$ 위의 점 (a,b)에서의 접선의 방정식은

$ax-3by=15$

이 접선이 점 $(3,0)$을 지나므로

$3a=15$ $\therefore a=5$

이때, $a^2-3b^2=15$이므로

$3b^2=10$ $\therefore b^2=\dfrac{10}{3}$

$\therefore a^2+b^2=5^2+\dfrac{10}{3}=\dfrac{85}{3}$ 目 ③

0213

쌍곡선 $6x^2-y^2=-3$ 위의 점 $P(-1,3)$에서의 접선의 방정식은

$-6x-3y=-3$ $\therefore y=-2x+1$

이 접선에 수직인 직선의 기울기는 $\dfrac{1}{2}$이므로 기울기가 $\dfrac{1}{2}$이고 점 $P(-1,3)$을 지나는 직선의 방정식은

$y-3=\dfrac{1}{2}(x+1)$ $\therefore y=\dfrac{1}{2}x+\dfrac{7}{2}$ 目 $y=\dfrac{1}{2}x+\dfrac{7}{2}$

0214

쌍곡선 $x^2-4y^2=a$ 위의 점 $(b,1)$에서의 접선의 방정식은

$bx-4y=a$ $\therefore y=\dfrac{b}{4}x-\dfrac{a}{4}$

쌍곡선이 점 $(b,1)$을 지나므로

$b^2-4=a$ ……㉠

한편, 쌍곡선 $x^2-4y^2=a$에서

$\dfrac{x^2}{a}-\dfrac{y^2}{\frac{a}{4}}=1$, $\dfrac{x^2}{(\sqrt{a})^2}-\dfrac{y^2}{\left(\frac{\sqrt{a}}{2}\right)^2}=1$

따라서 점근선의 방정식은

$y=\pm\dfrac{\frac{\sqrt{a}}{2}}{\sqrt{a}}x$ $\therefore y=\pm\dfrac{1}{2}x$

이때, $b>0$이므로 오른쪽 그림에서 접선과 수직인 점근선의 기울기는 $-\dfrac{1}{2}$이다.

즉, 접선의 기울기는 2이므로

$\dfrac{b}{4}=2$ $\therefore b=8$

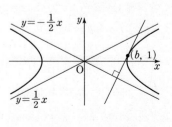

$b=8$을 ㉠에 대입하면 $a=8^2-4=60$

$\therefore a+b=68$ 답 ①

0215

점근선의 방정식이 $y=\pm\dfrac{\sqrt{3}}{2}x$인 쌍곡선의 방정식은

$\dfrac{x^2}{(2k)^2}-\dfrac{y^2}{(\sqrt{3}k)^2}=\pm1\,(k\neq0)$, 즉 $\dfrac{x^2}{4k^2}-\dfrac{y^2}{3k^2}=\pm1$

로 놓을 수 있다.

이 쌍곡선이 점 $(4,3)$을 지나므로

$\dfrac{4^2}{4k^2}-\dfrac{3^2}{3k^2}=\pm1,\ \dfrac{1}{k^2}=\pm1$

$\therefore k^2=1\,(\because k^2>0)$

즉, 쌍곡선의 방정식은 $\dfrac{x^2}{4}-\dfrac{y^2}{3}=1$이므로 쌍곡선 위의 점 $(4,3)$에
서의 접선의 방정식은 _{└ $\dfrac{x^2}{4}-\dfrac{y^2}{3}=-1$은 점 $(4,3)$을 지나지 않는다.}

$\dfrac{4x}{4}-\dfrac{3y}{3}=1\quad\therefore x-y=1$

따라서 $a=1,\ b=-1$이므로 $ab=-1$ 답 -1

0216

|전략| 점 $(3,2)$에서의 접선의 방정식과 쌍곡선의 점근선의 방정식을 구한 후 $\overline{\text{OP}},\ \overline{\text{OQ}}$를 구한다.

쌍곡선 $x^2-y^2=5$ 위의 점 $(3,2)$에서의 접선의 방정식은

$3x-2y=5$ …… ㉠

한편, 쌍곡선 $x^2-y^2=5$에서

$\dfrac{x^2}{5}-\dfrac{y^2}{5}=1,\ \dfrac{x^2}{(\sqrt{5})^2}-\dfrac{y^2}{(\sqrt{5})^2}=1$

따라서 두 점근선의 방정식은

$y=\pm\dfrac{\sqrt{5}}{\sqrt{5}}x\quad\therefore y=\pm x$ …… ㉡

㉠, ㉡을 연립하여 풀면

$x=5,\ y=5$ 또는 $x=1,\ y=-1$

즉, $\text{P}(5,5),\ \text{Q}(1,-1)$이므로

$\overline{\text{OP}}=\sqrt{5^2+5^2}=5\sqrt{2}$

$\overline{\text{OQ}}=\sqrt{1^2+(-1)^2}=\sqrt{2}$

이때, 두 점근선이 서로 수직이므로 삼각형 OPQ는 직각삼각형이다.

따라서 구하는 삼각형 OPQ의 넓이는

$\dfrac{1}{2}\times5\sqrt{2}\times\sqrt{2}=5$ 답 5

0217

쌍곡선 $x^2-y^2=32$ 위의 점 $\text{P}(-6,2)$에서의 접선 l의 방정식은

$-6x-2y=32\quad\therefore y=-3x-16$

이때, 직선 l과 수직이고 원점을 지나는 직선 OH의 방정식은

$y=\dfrac{1}{3}x$

직선 $y=\dfrac{1}{3}x$와 쌍곡선의 교점 Q의 x좌표는 _{┌ 점 Q는 제1사분면 위의
점이므로 $x>0$}

$x^2-\left(\dfrac{1}{3}x\right)^2=32,\ \dfrac{8}{9}x^2=32\quad\therefore x=6\,(\because \underline{x>0})$

따라서 $\text{Q}(6,2)$이므로

$\overline{\text{OQ}}=\sqrt{6^2+2^2}=2\sqrt{10}$

한편, $\overline{\text{OH}}$는 원점과 직선 $l:y=-3x-16$, 즉 $3x+y+16=0$ 사이
의 거리와 같으므로

$\overline{\text{OH}}=\dfrac{|16|}{\sqrt{3^2+1^2}}=\dfrac{16}{\sqrt{10}}$

$\therefore \overline{\text{OH}}\times\overline{\text{OQ}}=\dfrac{16}{\sqrt{10}}\times2\sqrt{10}=32$ 답 32

0218

타원 $\dfrac{x^2}{4}+\dfrac{y^2}{2}=1$ 위의 점 $\text{P}(x_1,y_1)$에서의 접선의 방정식은

$\dfrac{x_1 x}{4}+\dfrac{y_1 y}{2}=1\qquad\therefore y=-\dfrac{x_1}{2y_1}x+\dfrac{2}{y_1}$

쌍곡선 $\dfrac{x^2}{a^2}-y^2=1$ 위의 점 $\text{P}(x_1,y_1)$에서의 접선의 방정식은

$\dfrac{x_1 x}{a^2}-y_1 y=1\qquad\therefore y=\dfrac{x_1}{a^2 y_1}x-\dfrac{1}{y_1}$ … ❶

두 접선이 서로 수직이므로

$-\dfrac{x_1}{2y_1}\times\dfrac{x_1}{a^2 y_1}=-1,\ \left(\dfrac{x_1}{y_1}\right)^2=2a^2$

$\therefore x_1^2=2a^2 y_1^2$ …… ㉠ … ❷

한편, 점 $\text{P}(x_1,y_1)$은 쌍곡선 위의 점이므로

$\dfrac{x_1^2}{a^2}-y_1^2=1$ …… ㉡

㉠을 ㉡에 대입하면

$\dfrac{2a^2 y_1^2}{a^2}-y_1^2=1\qquad\therefore y_1^2=1$

또, 점 $\text{P}(x_1,y_1)$은 타원 위의 점이므로

$\dfrac{x_1^2}{4}+\dfrac{y_1^2}{2}=1,\ \dfrac{x_1^2}{4}+\dfrac{1}{2}=1\qquad\therefore x_1^2=2$ … ❸

$x_1^2=2,\ y_1^2=1$을 ㉠에 대입하면

$2=2a^2,\ a^2=1$

$\therefore a=1\,(\because a>0)$ … ❹

답 1

채점 기준	비율
❶ 점 P에서의 타원과 쌍곡선의 접선의 방정식을 각각 구할 수 있다.	30 %
❷ 두 접선이 서로 수직임을 이용할 수 있다.	30 %
❸ 점 P가 쌍곡선과 타원 위의 점임을 이용하여 $x_1^2,\ y_1^2$의 값을 구할 수 있다.	30 %
❹ 양수 a의 값을 구할 수 있다.	10 %

0219

|전략| 쌍곡선 위의 점 (a,b)에서의 접선의 방정식을 구한 후 이 접선이 점 $(2,2)$
를 지남을 이용한다.

쌍곡선 $x^2-y^2=5$ 위의 점 (a,b)에서의 접선의 방정식은

$ax-by=5$

이 접선이 점 $(2,2)$를 지나므로

$2a-2b=5\quad\therefore a-b=\dfrac{5}{2}$ …… ㉠

이때, $a^2-b^2=5$이므로

$(a+b)(a-b)=5$ …… ㉡

㉠, ㉡에서 $a+b=2$ 답 2

0220

쌍곡선 $x^2-y^2=2$ 위의 점 (x_1, y_1)에서의 접선의 방정식은

$x_1x-y_1y=2$

이 접선이 점 $(-1, 0)$을 지나므로

$-x_1=2$ ∴ $x_1=-2$

이때, $x_1{}^2-y_1{}^2=2$이므로

$4-y_1{}^2=2, y_1{}^2=2$ ∴ $y_1=\pm\sqrt{2}$

따라서 접선의 방정식은

$-2x-\sqrt{2}y=2$ 또는 $-2x+\sqrt{2}y=2$

∴ $y=-\sqrt{2}x-\sqrt{2}$ 또는 $y=\sqrt{2}x+\sqrt{2}$

따라서 $m=-\sqrt{2}, n=-\sqrt{2}$ 또는 $m=\sqrt{2}, n=\sqrt{2}$이므로

$m^2+n^2=2+2=4$ 답 ④

○ 다른 풀이 접선 $y=mx+n$이 점 $(-1, 0)$을 지나므로

$0=-m+n$ ∴ $m=n$ ...... ㉠

접선 $y=mx+n$과 쌍곡선 $x^2-y^2=2$는 한 점에서 만나므로 두 식을 연립하여 얻은 이차방정식은 중근을 갖는다.

$y=mx+n$, 즉 $y=mx+m(\because$ ㉠$)$을 $x^2-y^2=2$에 대입하여 정리하면

$(1-m^2)x^2-2m^2x-m^2-2=0$

이 이차방정식의 판별식을 D라 하면

$\dfrac{D}{4}=m^4+(1-m^2)(m^2+2)=0$

$-m^2+2=0$ ∴ $m^2=2$

∴ $m^2+n^2=m^2+m^2=2+2=4$

0221

쌍곡선 $\dfrac{x^2}{2}-\dfrac{y^2}{4}=-1$ 위의 점 (x_1, y_1)에서의 접선의 방정식은

$\dfrac{x_1x}{2}-\dfrac{y_1y}{4}=-1$

이 접선이 점 $P(0, 1)$을 지나므로

$-\dfrac{y_1}{4}=-1$ ∴ $y_1=4$

이때, $\dfrac{x_1{}^2}{2}-\dfrac{y_1{}^2}{4}=-1$이므로

$\dfrac{x_1{}^2}{2}-4=-1, x_1{}^2=6$ ∴ $x_1=\pm\sqrt{6}$

오른쪽 그림에서 $A(\sqrt{6}, 4), B(-\sqrt{6}, 4)$

라 하면 삼각형 PAB의 넓이는

$\dfrac{1}{2}\times2\sqrt{6}\times3=3\sqrt{6}$

답 $3\sqrt{6}$

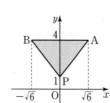

STEP 3 내신 마스터

0222

유형 **01 포물선과 직선의 위치 관계**

|전략| 포물선의 방정식을 구한 후 주어진 직선의 방정식과 연립하여 $D<0$임을 이용한다.

포물선 위의 임의의 점 P의 좌표를 (x, y), 점 P에서 직선 $x=1$에 내린 수선의 발을 H라 하면 포물선의 정의에 의하여 $\overline{PF}=\overline{PH}$이므로

$\sqrt{(x-3)^2+(y-p)^2}=|x-1|$

위의 식의 양변을 제곱하면 $(x-3)^2+(y-p)^2=(x-1)^2$

$(y-p)^2=4x-8$ ∴ $(y-p)^2=4(x-2)$

$y=2x-3$을 $(y-p)^2=4(x-2)$에 대입하면

$(2x-3-p)^2=4(x-2)$

$4x^2-4(p+4)x+(p^2+6p+17)=0$

이 이차방정식의 판별식을 D라 하면

$\dfrac{D}{4}=4(p+4)^2-4(p^2+6p+17)<0$

$8p-4<0$ ∴ $p<\dfrac{1}{2}$

따라서 보기 중 포물선과 직선이 만나지 않도록 하는 실수 p의 값은 ① 0이다. 답 ①

0223

유형 **02 포물선의 접선의 방정식 – 기울기가 주어진 경우**

|전략| 포물선 $y^2=4px$에 접하고 기울기가 m인 접선의 방정식은 $y=mx+\dfrac{p}{m}(m\neq0)$이다.

$y^2=ax=4\times\dfrac{a}{4}\times x$에서 $p=\dfrac{a}{4}$이므로 기울기가 3인 접선의 방정식은

$y=3x+\dfrac{\dfrac{a}{4}}{3}$ ∴ $y=3x+\dfrac{a}{12}$

이 직선이 점 $(2, 5)$를 지나므로

$5=6+\dfrac{a}{12}$ ∴ $a=-12$ 답 ①

0224

유형 **05 포물선의 접선의 방정식의 활용 – 접점의 좌표가 주어진 경우**

|전략| 주어진 좌표를 이용하여 포물선의 방정식을 세운 후 포물선 위의 점 (x_1, y_1)에서의 접선의 방정식을 구한다.

꼭짓점의 좌표가 $(0, 0)$이고 초점의 좌표가 $(0, a_n)$인 포물선의 방정식은

$x^2=4a_ny$

이 포물선 위의 점 (x_1, y_1)에서의 접선의 방정식은

$x_1x=2a_n(y+y_1)$ ∴ $y=\dfrac{x_1}{2a_n}x-y_1$

이 접선이 직선 $y=nx-\dfrac{n}{n+1}$과 일치하므로

$\dfrac{x_1}{2a_n}=n$에서 $x_1=2na_n$, $-y_1=-\dfrac{n}{n+1}$에서 $y_1=\dfrac{n}{n+1}$

이때, $x_1{}^2=4a_ny_1$이므로 $4n^2a_n{}^2=4a_n\times\dfrac{n}{n+1}$

∴ $a_n=\dfrac{1}{n(n+1)}=\dfrac{1}{n}-\dfrac{1}{n+1}$

∴ $a_1+a_2+\cdots+a_9=\left(1-\dfrac{1}{2}\right)+\left(\dfrac{1}{2}-\dfrac{1}{3}\right)+\cdots+\left(\dfrac{1}{9}-\dfrac{1}{10}\right)$

$=1-\dfrac{1}{10}=\dfrac{9}{10}$ 답 ③

참고 접선의 기울기가 주어졌으나 포물선의 방정식이 $y^2=4px$ 꼴이 아니므로 기울기가 m인 접선의 방정식 $y=mx+\dfrac{p}{m}$를 이용할 수 없다.

0225

유형 05 포물선의 접선의 방정식의 활용 – 접점의 좌표가 주어진 경우

| 전략 | 점 P가 포물선 위의 점이고 $\overline{PF}=10$임을 이용하여 점 P의 좌표를 먼저 구한다.

포물선 $y^2=8x=4\times2\times x$의 초점은 $F(2,0)$

이때, 점 $P(a,b)$는 포물선 $y^2=8x$ 위의 점이므로

$b^2=8a$ ...... ㉠

$\overline{PF}=10$에서 $\sqrt{(a-2)^2+b^2}=10$

양변을 제곱하면 $(a-2)^2+b^2=100$ ...... ㉡

㉠을 ㉡에 대입하면 $(a-2)^2+8a=100$

$a^2+4a-96=0$, $(a+12)(a-8)=0$ ∴ $a=8$ ($\because a>0$)

$a=8$을 ㉠에 대입하면 $b=8$ ($\because b>0$)

따라서 포물선 $y^2=8x$ 위의 점 $P(8,8)$

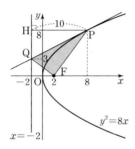

에서의 접선의 방정식은

$8y=2\times2\times(x+8)$ ∴ $y=\dfrac{1}{2}x+4$

이 직선이 직선 $x=-2$와 만나는 점은 $Q(-2,3)$

점 P에서 준선에 내린 수선의 발을 H라 하면 포물선의 정의에 의하여

$\overline{PH}=\overline{PF}=10$

따라서 삼각형 FPQ의 넓이는

$10\times8-\dfrac{1}{2}(10\times5+4\times3+6\times8)=80-55=25$ 답 ⑤

0226

유형 07 포물선 밖의 한 점에서 그은 접선의 방정식

| 전략 | 접점의 좌표를 (x_1,y_1)로 놓고 접선의 방정식을 구한 후 두 접선의 기울기의 곱이 -1임을 이용한다.

포물선 $y^2=16x=4\times4\times x$ 위의 점 (x_1,y_1)에서의 접선의 방정식은

$y_1y=2\times4\times(x+x_1)$ ∴ $y=\dfrac{8}{y_1}x+\dfrac{8x_1}{y_1}$

이 접선이 점 $A(k,0)$을 지나므로

$0=8(k+x_1)$ ∴ $x_1=-k$

이때, $y_1{}^2=16x_1$이므로 $y_1{}^2=16\times(-k)=-16k$

∴ $y_1{}^2+16k=0$

이 이차방정식의 두 실근을 α,β라 하면 두 접선의 기울기는 $\dfrac{8}{\alpha},\dfrac{8}{\beta}$이고 두 접선이 서로 수직이므로

$\dfrac{8}{\alpha}\times\dfrac{8}{\beta}=-1$ ∴ $\alpha\beta=-64$

이차방정식의 근과 계수의 관계에 의하여

$16k=-64$ ∴ $k=-4$

따라서 $x_1=4$, $y_1=\pm8$이므로 $P(4,8)$, $Q(4,-8)$이라 하면 구하는 선분 PQ의 길이는

$8-(-8)=16$ 답 ①

◦다른 풀이 점 $A(k,0)$에서 포물선 $y^2=16x$에 그은 두 접선이 서로 수직이므로 두 접선의 기울기는 각각 1, -1이다.

포물선 $y^2=16x$에 접하고 기울기가 각각 1, -1인 접선의 방정식은

$y=x+4$, $y=-x-4$

직선 $y=x+4$와 포물선이 만나는 점을 P라 하면

$(x+4)^2=16x$, $(x-4)^2=0$ ∴ $x=4$ ∴ $P(4,8)$

직선 $y=-x-4$와 포물선이 만나는 점을 Q라 하면

$(-x-4)^2=16x$, $(x-4)^2=0$ ∴ $x=4$ ∴ $Q(4,-8)$

∴ $\overline{PQ}=8-(-8)=16$

0227

유형 08 타원과 직선의 위치 관계

| 전략 | 타원과 직선이 만나야 하므로 $D\geq0$임을 이용한다.

$x+y=k$, 즉 $y=-x+k$를

$\dfrac{x^2}{6}+\dfrac{y^2}{3}=1$, 즉 $x^2+2y^2=6$에 대입하면

$x^2+2(-x+k)^2=6$

$3x^2-4kx+2k^2-6=0$

이 이차방정식의 판별식을 D라 하면

$\dfrac{D}{4}=(-2k)^2-3(2k^2-6)\geq0$, $k^2-9\leq0$

$(k+3)(k-3)\leq0$ ∴ $-3\leq k\leq3$

따라서 $M=3$, $m=-3$이므로 $M+m=0$ 답 ③

0228

유형 09 타원의 접선의 방정식 – 기울기가 주어진 경우

| 전략 | 타원 $\dfrac{x^2}{a^2}+\dfrac{y^2}{b^2}=1$에 접하고 기울기가 m인 접선의 방정식은 $y=mx\pm\sqrt{a^2m^2+b^2}$이다.

직선 $y=-2x+3$을 x축의 방향으로 k만큼 평행이동한 직선의 방정식은

$y=-2(x-k)+3$ ∴ $y=-2x+2k+3$ ...... ㉠

타원 $\dfrac{x^2}{4}+\dfrac{y^2}{9}=1$에 접하고 기울기가 -2인 접선의 방정식은

$y=-2x\pm\sqrt{4\times(-2)^2+9}$ ∴ $y=-2x\pm5$ ...... ㉡

㉠과 ㉡이 일치하므로

$2k+3=\pm5$ ∴ $k=1$ ($\because k>0$) 답 ①

0229

유형 11 타원의 접선의 방정식 – 접점의 좌표가 주어진 경우

| 전략 | 타원 $\dfrac{x^2}{a^2}+\dfrac{y^2}{b^2}=1$ 위의 점 (x_1,y_1)에서의 접선의 방정식은 $\dfrac{x_1x}{a^2}+\dfrac{y_1y}{b^2}=1$이다.

타원 $\dfrac{x^2}{a^2}+\dfrac{y^2}{b^2}=1$이 점 $(1,4)$를 지나므로

$\dfrac{1}{a^2}+\dfrac{16}{b^2}=1$ ...... ㉠

2

이
차
곡
선
과

직
선

또, 타원 $\dfrac{x^2}{a^2}+\dfrac{y^2}{b^2}=1$ 위의 점 $(1, 4)$에서의 접선의 방정식은

$\dfrac{x}{a^2}+\dfrac{4y}{b^2}=1$ $\therefore y=-\dfrac{b^2}{4a^2}x+\dfrac{b^2}{4}$

이 접선의 기울기가 $-\dfrac{1}{2}$이므로

$-\dfrac{b^2}{4a^2}=-\dfrac{1}{2}$ $\therefore b^2=2a^2$ ...... ㉡

㉡을 ㉠에 대입하면 $\dfrac{1}{a^2}+\dfrac{16}{2a^2}=1$ $\therefore a^2=9$

㉡에서 $b^2=2\times9=18$

$\therefore a^2+b^2=9+18=27$ 답 ③

0230

유형 **12** 타원의 접선의 방정식의 활용 – 접점의 좌표가 주어진 경우

|전략| 사각형 ABCD가 직사각형이므로 $\overline{AD}$의 길이는 원점과 $\overline{AB}$ 사이의 거리의 2배와 같다.

타원 $\dfrac{x^2}{4}+y^2=1$ 위의 점 $P\left(\sqrt{3},\ \dfrac{1}{2}\right)$에서의 접선의 방정식은

$\dfrac{\sqrt{3}x}{4}+\dfrac{y}{2}=1$ $\therefore \sqrt{3}x+2y-4=0$

이때, 사각형 ABCD는 직사각형이므로 선분 AD의 길이는 원점 O에서 직선 AB까지의 거리의 2배와 같다.

$\therefore \overline{AD}=2\times\dfrac{|-4|}{\sqrt{(\sqrt{3})^2+2^2}}=\dfrac{8}{\sqrt{7}}=\dfrac{8\sqrt{7}}{7}$ 답 ④

0231

유형 **13** 타원 밖의 한 점에서 그은 접선의 방정식

|전략| 점 P의 좌표를 (x_1, y_1)로 놓고 접선의 방정식을 구한 후 타원의 정의를 이용한다.

점 P의 좌표를 (x_1, y_1)이라 하면 타원 $\dfrac{x^2}{4}+\dfrac{y^2}{8}=1$ 위의 점 $P(x_1, y_1)$에서의 접선의 방정식은

$\dfrac{x_1 x}{4}+\dfrac{y_1 y}{8}=1$

이 접선이 점 $(2\sqrt{2}, 0)$을 지나므로

$\dfrac{2\sqrt{2}x_1}{4}=1$ $\therefore x_1=\sqrt{2}$

이때, $\dfrac{x_1{}^2}{4}+\dfrac{y_1{}^2}{8}=1$이므로

$\dfrac{2}{4}+\dfrac{y_1{}^2}{8}=1$ $\therefore y_1=\pm2$

따라서 $P(\sqrt{2}, 2)$, $Q(\sqrt{2}, -2)$이므로

$\overline{PQ}=2-(-2)=4$

오른쪽 그림과 같이 타원의 다른 한 초점을 F'이라 하면 $\overline{FQ}=\overline{PF'}$이므로 타원의 정의에 의하여

$\overline{PF}+\overline{FQ}=\overline{PF}+\overline{PF'}=2\times2\sqrt{2}=4\sqrt{2}$

따라서 삼각형 PFQ의 둘레의 길이는

$\overline{PQ}+\overline{PF}+\overline{FQ}=4+4\sqrt{2}$

답 ①

0232

유형 **15** 쌍곡선의 접선의 방정식 – 기울기가 주어진 경우

|전략| 쌍곡선 $\dfrac{x^2}{a^2}-\dfrac{y^2}{b^2}=1$에 접하고 기울기가 m인 접선의 방정식은

$y=mx\pm\sqrt{a^2m^2-b^2}\ (a^2m^2-b^2>0)$이다.

쌍곡선 $\dfrac{x^2}{k}-\dfrac{y^2}{5}=1$에 접하고 기울기가 $\sqrt{5}$인 접선의 방정식은

$y=\sqrt{5}x\pm\sqrt{k\times(\sqrt{5})^2-5}$ $\therefore y=\sqrt{5}x\pm\sqrt{5k-5}$

이때, 접선 $y=\sqrt{5}x-\sqrt{5k-5}$가 직선 $y=\sqrt{5}x-5$와 일치하므로

$-\sqrt{5k-5}=-5$

양변을 제곱하면 $5k-5=25$ $\therefore k=6$

즉, 주어진 쌍곡선의 방정식은 $\dfrac{x^2}{6}-\dfrac{y^2}{5}=1$이고 $\sqrt{6+5}=\sqrt{11}$이므로

두 초점의 좌표는 $(\sqrt{11}, 0)$, $(-\sqrt{11}, 0)$

따라서 두 초점 사이의 거리는 $2\sqrt{11}$이다. 답 ⑤

0233

유형 **15** 쌍곡선의 접선의 방정식 – 기울기가 주어진 경우

|전략| 쌍곡선 $\dfrac{x^2}{a^2}-\dfrac{y^2}{b^2}=1$에 접하고 기울기가 m인 접선의 방정식은

$y=mx\pm\sqrt{a^2m^2-b^2}\ (a^2m^2-b^2>0)$이다.

쌍곡선 $\dfrac{x^2}{2}-y^2=1$에 접하고 기울기가 1인 접선의 방정식은

$y=x\pm\sqrt{2\times1^2-1}$ $\therefore y=x\pm1$

두 접선이 y축과 만나는 점의 좌표는 $(0, 1)$, $(0, -1)$이므로

$\overline{AB}=1-(-1)=2$ 답 ①

0234

유형 **18** 쌍곡선의 접선의 방정식의 활용 – 접점의 좌표가 주어진 경우

|전략| 쌍곡선 $\dfrac{x^2}{a^2}-\dfrac{y^2}{b^2}=1$ 위의 점 (x_1, y_1)에서의 접선의 방정식은 $\dfrac{x_1 x}{a^2}-\dfrac{y_1 y}{b^2}=1$이다.

쌍곡선 $\dfrac{x^2}{8}-y^2=1$ 위의 점 $A(4, 1)$에서의 접선의 방정식은

$\dfrac{4x}{8}-y=1$ $\therefore y=\dfrac{1}{2}x-1$

이 접선이 x축과 만나는 점 B의 좌표는 $(2, 0)$

또한, $\sqrt{8+1}=3$이므로 쌍곡선의 초점 F의 좌표는 $(3, 0)$

따라서 삼각형 FAB의 넓이는

$\dfrac{1}{2}\times1\times1=\dfrac{1}{2}$

답 ②

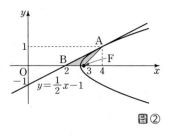

0235

유형 **04** 포물선의 접선의 방정식 – 접점의 좌표가 주어진 경우

|전략| 포물선 $y^2=4px$ 위의 점 (x_1, y_1)에서의 접선의 방정식은 $y_1 y=2p(x+x_1)$이다.

포물선 $y^2=x=4\times\dfrac{1}{4}\times x$ 위의 점 $A(1, 1)$에서의 접선의 방정식은

$y=2\times\dfrac{1}{4}\times(x+1)$ $\therefore y=\dfrac{1}{2}x+\dfrac{1}{2}$ ...... ㉠ ❶

또, 포물선 $y^2=x$ 위의 점 $B(1, -1)$에서의 접선의 방정식은

$-y=2\times\dfrac{1}{4}\times(x+1)$　　$\therefore y=-\dfrac{1}{2}x-\dfrac{1}{2}$ …… ㉡ ··· ❷

두 직선 ㉠, ㉡의 교점의 x좌표는

$\dfrac{1}{2}x+\dfrac{1}{2}=-\dfrac{1}{2}x-\dfrac{1}{2}$에서 $x=-1$

$x=-1$을 ㉠에 대입하면 $y=0$

따라서 $a=-1$, $b=0$이므로 $a+b=-1$　　　　··· ❸

🔲 -1

채점 기준	배점
❶ 점 A에서의 접선의 방정식을 구할 수 있다.	2점
❷ 점 B에서의 접선의 방정식을 구할 수 있다.	2점
❸ $a+b$의 값을 구할 수 있다.	2점

0236

유형 06 포물선과 직선 사이의 거리의 최솟값

|전략| $\overline{PQ}$의 길이의 최솟값은 점 P와 원의 중심 사이의 거리의 최솟값에서 반지름의 길이를 뺀 것과 같음을 이용한다.

원 $(x-3)^2+y^2=4$의 중심을 C라 하면 $C(3, 0)$

이때, $\overline{PQ}\geq\overline{PC}-\overline{QC}$이므로 선분 PQ의 길이의 최솟값은 선분 PC의 길이의 최솟값에서 원의 반지름의 길이인 2를 뺀 값과 같다.

점 P의 좌표를 (a, a^2)이라 하면 포물선 $x^2=y=4\times\dfrac{1}{4}\times y$ 위의 점 P에서의 접선의 방정식은

$ax=2\times\dfrac{1}{4}(y+a^2)$　　$\therefore y=2ax-a^2$ ··· ❶

한편, 점 P에서의 접선과 직선 PC가 수직으로 만날 때 선분 PC의 길이가 최소이므로

$\dfrac{a^2}{a-3}\times2a=-1$, $2a^3+a-3=0$

$(a-1)(2a^2+2a+3)=0$　　$\therefore a=1\ (\because 2a^2+2a+3>0)$

$\therefore P(1, 1)$　　　　　　　··· ❷

따라서 구하는 선분 PQ의 길이의 최솟값은

$\overline{PC}-2=\sqrt{(3-1)^2+(0-1)^2}-2=\sqrt{5}-2$ ··· ❸

🔲 $\sqrt{5}-2$

채점 기준	배점
❶ 점 $P(a, a^2)$에서의 접선의 방정식을 세울 수 있다.	3점
❷ $\overline{PC}$의 길이가 최소일 때의 점 P의 좌표를 구할 수 있다.	3점
❸ $\overline{PQ}$의 길이의 최솟값을 구할 수 있다.	1점

0237

유형 19 쌍곡선 밖의 한 점에서 그은 접선의 방정식

|전략| 쌍곡선에 접하고 기울기가 m인 접선의 방정식을 세운 후 삼각형 APQ가 정삼각형임을 이용하여 m의 값을 구한다.

쌍곡선 $x^2-y^2=1$에 접하고 기울기가 m인 접선의 방정식은

$y=mx\pm\sqrt{m^2-1}$　　　　··· ❶

이때, 삼각형 APQ가 정삼각형이므로

$\angle APQ=60°$에서

(접선 AP의 기울기)$=\tan 60°=\sqrt{3}$

또, (접선 AQ의 기울기)$=-\sqrt{3}$이므로

$m=\pm\sqrt{3}$　　······ ㉠　　··· ❷

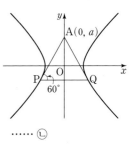

이 접선이 점 $A(0, a)$를 지나므로

$a=\sqrt{m^2-1}\ (\because a>0)$　　······ ㉡

㉠을 ㉡에 대입하면

$a=\sqrt{2}$　　　　　　　　··· ❸

🔲 $\sqrt{2}$

채점 기준	배점
❶ 기울기가 m인 접선의 방정식을 세울 수 있다.	2점
❷ △APQ가 정삼각형임을 이용하여 m의 값을 구할 수 있다.	3점
❸ a의 값을 구할 수 있다.	2점

0238

유형 10 타원의 접선의 방정식의 활용 – 기울기가 주어진 경우

|전략| 직선 AF와 평행하고 점 P에서 타원에 접하는 접선의 방정식을 구한 후 두 직선 사이의 거리를 구한다.

(1) 삼각형 AFP에서 밑변을 $\overline{AF}$로 생각하면 높이인 점 P와 직선 AF 사이의 거리가 최대일 때, 즉 점 P에서의 접선이 직선 AF와 평행할 때 삼각형 AFP의 넓이가 최대가 된다.

타원 $\dfrac{x^2}{8}+\dfrac{y^2}{4}=1$에서 초점은 $F(2, 0)$, 꼭짓점은 $A(0, 2)$이므로 직선 AF의 방정식은

$y-2=\dfrac{2-0}{0-2}x$　　$\therefore y=-x+2$

기울기가 -1인 타원의 접선의 방정식은

$y=-x\pm\sqrt{8\times(-1)^2+4}$　　$\therefore y=-x\pm2\sqrt{3}$

이때, 점 P는 제3사분면 위의 점이므로 점 P에서의 접선의 방정식은

$y=-x-2\sqrt{3}$

(2) 점 P와 직선 AF 사이의 거리의 최댓값은 접선 $y=-x-2\sqrt{3}$ 위의 점 $(0, -2\sqrt{3})$과 직선 $x+y-2=0$ 사이의 거리와 같으므로

$\dfrac{|-2\sqrt{3}-2|}{\sqrt{1^2+1^2}}=\dfrac{2\sqrt{3}+2}{\sqrt{2}}=\sqrt{6}+\sqrt{2}$

(3) $\overline{AF}=\sqrt{(2-0)^2+(0-2)^2}=2\sqrt{2}$이므로 삼각형 AFP의 넓이의 최댓값은

$\dfrac{1}{2}\times2\sqrt{2}\times(\sqrt{6}+\sqrt{2})=2\sqrt{3}+2$

🔲 (1) $y=-x-2\sqrt{3}$ (2) $\sqrt{6}+\sqrt{2}$ (3) $2\sqrt{3}+2$

채점 기준	배점
(1) 점 P에서의 접선의 방정식을 구할 수 있다.	4점
(2) 점 P와 직선 AF 사이의 거리의 최댓값을 구할 수 있다.	4점
(3) △AFP의 넓이의 최댓값을 구할 수 있다.	2점

0239

유형 **18** 쌍곡선의 접선의 방정식의 활용 – 접점의 좌표가 주어진 경우

|전략| 쌍곡선의 초점의 좌표와 점 P에서의 접선의 방정식을 이용하여 점 Q의 좌표를 구한다.

(1) 쌍곡선 $\dfrac{x^2}{a^2}-\dfrac{y^2}{b^2}=1$에서 $a^2+b^2=16$ ...... ㉠

쌍곡선 위의 점 $P(5, k)$에서의 접선의 방정식은

$$\dfrac{5x}{a^2}-\dfrac{ky}{b^2}=1$$

위의 식의 좌변에 $y=0$을 대입하면

$$x=\dfrac{a^2}{5}, \text{ 즉 } Q\left(\dfrac{a^2}{5}, 0\right)$$

(2) 점 Q는 길이가 8인 선분 F′F를 3 : 1로 내분하므로 점 Q의 x좌표는 2이다.

즉, $\dfrac{a^2}{5}=2$에서 $a^2=10$

$a^2=10$을 ㉠에 대입하면 $b^2=6$이므로 쌍곡선의 방정식은

$$\dfrac{x^2}{10}-\dfrac{y^2}{6}=1$$

(3) 점 $P(5, k)$는 이 쌍곡선 위의 점이므로

$\dfrac{5^2}{10}-\dfrac{k^2}{6}=1$에서 $\dfrac{k^2}{6}=\dfrac{3}{2}$ ∴ $k^2=9$

답 (1) $Q\left(\dfrac{a^2}{5}, 0\right)$ (2) $\dfrac{x^2}{10}-\dfrac{y^2}{6}=1$ (3) 9

채점 기준	배점
(1) 점 Q의 좌표를 a를 사용하여 나타낼 수 있다.	6점
(2) 쌍곡선의 방정식을 구할 수 있다.	4점
(3) k^2의 값을 구할 수 있다.	2점

창의·융합 교과서 속 **심화문제**

0240

|전략| 두 점을 지나는 직선은 오직 하나뿐임을 이용하여 직선 l의 방정식을 구한 후 항등식의 성질을 이용한다.

직선 $y=x+4$ 위의 점 P의 좌표를
$P(a, a+4)$, 점 P에서 포물선
$y^2=4x$에 그은 두 접선과 포물선
이 만나는 두 접점을 $A(x_1, y_1)$,
$B(x_2, y_2)$라 하자.

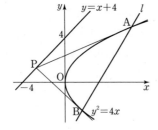

포물선 $y^2=4x=4\times1\times x$ 위의
두 점 $A(x_1, y_1)$, $B(x_2, y_2)$에서
의 접선의 방정식은 각각
$y_1y=2(x+x_1)$ ...... ㉠, $y_2y=2(x+x_2)$ ...... ㉡
이때, 점 $P(a, a+4)$가 접선 ㉠, ㉡ 위의 점이므로
$(a+4)y_1=2(a+x_1)$ ...... ㉢, $(a+4)y_2=2(a+x_2)$ ...... ㉣
㉢, ㉣은 직선 $(a+4)y=2(a+x)$가 두 점 $A(x_1, y_1)$, $B(x_2, y_2)$를 지남을 의미하는데 서로 다른 두 점을 지나는 직선은 오직 하나뿐이므로 직선 l의 방정식은 $(a+4)y=2(a+x)$

이때, $(a+4)y=2(a+x)$, 즉 $a(y-2)+(4y-2x)=0$은 실수 a에 대한 항등식이므로 $x=4, y=2$
따라서 직선 l은 항상 점 $(4, 2)$를 지나므로 $p=4, q=2$
∴ $p+q=6$

답 6

0241

|전략| 타원과 원의 교점에서 타원과 원의 접선이 서로 수직으로 만나면 타원의 접선이 원의 중심을 지남을 이용한다.

타원과 원의 두 교점을 A,
B라 하고 점 A에서 타원
과 원의 접선이 서로 수직
이라 하자.

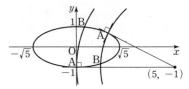

이때, 점 A에서의 타원의
접선이 원의 중심을 지나야 한다.
점 A의 좌표를 (a, b)라 하면 점 A가 타원 $\dfrac{x^2}{5}+y^2=1$ 위의 점이므
로 $\dfrac{a^2}{5}+b^2=1$ ...... ㉠

또, 점 A에서의 타원의 접선의 방정식은 $\dfrac{ax}{5}+by=1$
이 접선이 원의 중심 $(5, -1)$을 지나므로
$\dfrac{5a}{5}-b=1$ ∴ $b=a-1$ ...... ㉡
㉡을 ㉠에 대입하여 정리하면
$6a^2-10a=0, 2a(3a-5)=0$
∴ $a=0$ 또는 $a=\dfrac{5}{3}$ ∴ $A(0, -1)$ 또는 $A\left(\dfrac{5}{3}, \dfrac{2}{3}\right)$

(i) $A(0, -1)$인 경우
r는 점 $A(0, -1)$과 원의 중심 $(5, -1)$ 사이의 거리와 같으므로
$r=5$

(ii) $A\left(\dfrac{5}{3}, \dfrac{2}{3}\right)$인 경우
r는 점 $A\left(\dfrac{5}{3}, \dfrac{2}{3}\right)$와 원의 중심 $(5, -1)$ 사이의 거리와 같으므로
$r=\sqrt{\left(\dfrac{5}{3}-5\right)^2+\left(\dfrac{2}{3}+1\right)^2}=\dfrac{5\sqrt{5}}{3}$

(i), (ii)에 의하여 모든 r의 값의 곱은 $5\times\dfrac{5\sqrt{5}}{3}=\dfrac{25\sqrt{5}}{3}$
따라서 $p=3, q=25$이므로 $p+q=28$

답 28

0242

|전략| 직선 m의 방정식을 구한 후 점 Q가 쌍곡선과 직선 m 위의 점임을 이용하여 점 Q의 좌표를 구한다.

쌍곡선 $x^2-y^2=2$ 위의 점
$P(a, b)(a>0, b>0)$에
서의 접선 l의 방정식은
$ax-by=2$
∴ $y=\dfrac{a}{b}x-\dfrac{2}{b}$

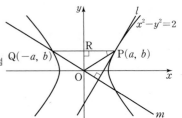

직선 m은 접선 l에 수직이므로 기울기가 $-\dfrac{b}{a}$이고, 원점을 지나는

직선이므로 그 방정식은 $y=-\dfrac{b}{a}x$

점 Q는 쌍곡선 $x^2-y^2=2$와 직선 $y=-\dfrac{b}{a}x$의 교점이므로

$x^2-\left(-\dfrac{b}{a}x\right)^2=2,\ x^2\left(1-\dfrac{b^2}{a^2}\right)=2$

$x^2=\dfrac{2a^2}{a^2-b^2},\ x^2=a^2\ (\because \underline{a^2-b^2=2})$

　　　　　　　　　　　　└─ 점 $P(a,b)$가 쌍곡선 $x^2-y^2=2$ 위의 점

이때, 점 Q는 제2사분면 위의 점이므로

$x=-a,\ y=b$　　$\therefore \mathrm{Q}(-a,b)$

그림에서 두 점 P, Q는 y축에 대하여 대칭이므로 두 점 P, Q의 중점을 R라 하면

$\cos(\angle \mathrm{OPQ})=\dfrac{\overline{\mathrm{PR}}}{\overline{\mathrm{OP}}}=\dfrac{a}{\sqrt{a^2+b^2}}=\dfrac{3}{4}$

$\dfrac{a}{\sqrt{2a^2-2}}=\dfrac{3}{4}\ (\because b^2=a^2-2)$

양변을 제곱하면

$16a^2=9(2a^2-2),\ a^2=9$　　$\therefore a=3\ (\because a>0)$　　　답 3

0243

|전략| 기울기가 m인 쌍곡선의 접선의 방정식을 구한 후 점 P가 이 접선 위의 점이며 두 접선의 기울기의 곱이 -1임을 이용한다.

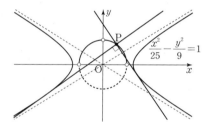

쌍곡선 $\dfrac{x^2}{25}-\dfrac{y^2}{9}=1$에 접하고 기울기가 m인 접선의 방정식은

$y=mx\pm\sqrt{25m^2-9}$　　┌─ 제1사분면 또는 제2사분면 위의 점

점 P의 좌표를 $(a,b)\,(a\neq 0,\ \underline{b>0})$라 하면 점 P는 접선

$y=mx\pm\sqrt{25m^2-9}$ 위의 점이므로

$b=ma\pm\sqrt{25m^2-9},\ (b-ma)^2=25m^2-9$

$\therefore (a^2-25)m^2-2abm+b^2+9=0$　　　　$\cdots\cdots$ ㉠

(i) $a=\pm 5$인 경우

　$-2abm+b^2+9=0$이므로 $m=\dfrac{b^2+9}{2ab}$

　따라서 접선은 1개이므로 주어진 조건을 만족시키지 않는다.

(ii) $a\neq \pm 5$인 경우

　m에 대한 이차방정식 ㉠의 두 근을 $m_1,\ m_2$라 하면 $m_1,\ m_2$는 점
　P에서 그은 두 접선의 기울기를 나타낸다.

　두 접선의 기울기의 곱이 -1이므로 근과 계수의 관계에 의하여

　$\dfrac{b^2+9}{a^2-25}=-1$　　$\therefore a^2+b^2=16$

따라서 점 P가 그리는 도형은 원점을 중심으로 하고 반지름의 길이가 4인 원 중 제1사분면과 제2사분면에 있는 부분이므로 구하는 도형의

길이는 $\dfrac{1}{2}\times 2\pi\times 4=4\pi$　　　답 4π

3 | 벡터의 연산

STEP 1 개념 마스터

0244 답 시점: O, 종점: A

0245 답 시점: B, 종점: C

0246

$\overrightarrow{\mathrm{BC}}=\overrightarrow{\mathrm{AD}}=3$이므로 $|\overrightarrow{\mathrm{BC}}|=3$

$\overline{\mathrm{AC}}=\sqrt{\overline{\mathrm{AB}}^2+\overline{\mathrm{BC}}^2}=\sqrt{2^2+3^2}=\sqrt{13}$이므로

$|\overrightarrow{\mathrm{AC}}|=\sqrt{13}$　　　답 $|\overrightarrow{\mathrm{BC}}|=3,\ |\overrightarrow{\mathrm{AC}}|=\sqrt{13}$

0247 답 (1) $\vec{c},\vec{e},\vec{f},\vec{g}$ (2) $\vec{g}$ (3) $\vec{e}$

0248

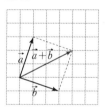

답 풀이 참조

0249

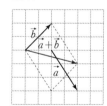

답 풀이 참조

0250 답 (가) $\overrightarrow{\mathrm{AC}}$ (나) $\overrightarrow{\mathrm{AA}}$

0251

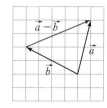

답 풀이 참조

0252

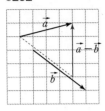

目 풀이 참조

0253

$\overrightarrow{CA}+\overrightarrow{BD}+\overrightarrow{DC}=\overrightarrow{CA}+\overrightarrow{BC}$
$\qquad =\overrightarrow{BC}+\overrightarrow{CA}=\overrightarrow{BA}$ 目 $\overrightarrow{BA}$

0254

$\overrightarrow{BC}+\overrightarrow{AB}+\overrightarrow{DA}+\overrightarrow{CD}=(\overrightarrow{BC}+\overrightarrow{AB})+(\overrightarrow{DA}+\overrightarrow{CD})$
$\qquad =(\overrightarrow{AB}+\overrightarrow{BC})+(\overrightarrow{CD}+\overrightarrow{DA})$
$\qquad =\overrightarrow{AC}+\overrightarrow{CA}$
$\qquad =\overrightarrow{AA}=\vec{0}$ 目 $\vec{0}$

○ **다른 풀이** $\overrightarrow{BC}+\overrightarrow{AB}+\overrightarrow{DA}+\overrightarrow{CD}$
$\qquad =(\overrightarrow{BC}+\overrightarrow{CD})+(\overrightarrow{AB}+\overrightarrow{DA})$
$\qquad =\overrightarrow{BD}+(\overrightarrow{DA}+\overrightarrow{AB})$
$\qquad =\overrightarrow{BD}+\overrightarrow{DB}=\overrightarrow{BB}=\vec{0}$

0255

$\overrightarrow{AB}+\overrightarrow{BC}-\overrightarrow{AC}=(\overrightarrow{AB}+\overrightarrow{BC})-\overrightarrow{AC}$
$\qquad =\overrightarrow{AC}-\overrightarrow{AC}=\vec{0}$ 目 $\vec{0}$

0256

(1) $\overrightarrow{OE}=\overrightarrow{BO}=\overrightarrow{AO}-\overrightarrow{AB}=\overrightarrow{BC}-\overrightarrow{AB}=\vec{b}-\vec{a}$
(2) $\overrightarrow{DF}=\overrightarrow{CA}=-\overrightarrow{AC}=-(\overrightarrow{AB}+\overrightarrow{BC})$
$\qquad =-(\vec{a}+\vec{b})=-\vec{a}-\vec{b}$

目 (1) $\vec{b}-\vec{a}$ (2) $-\vec{a}-\vec{b}$

0257

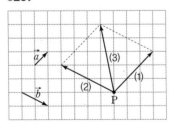

目 풀이 참조

0258 目 (1) $2\vec{a}+3\vec{b}$ (2) $-\vec{a}-5\vec{b}$

0259

$\vec{a}+2\vec{b}-(\vec{a}-\vec{b})=\vec{a}+2\vec{b}-\vec{a}+\vec{b}$
$\qquad =(1-1)\vec{a}+(2+1)\vec{b}$
$\qquad =3\vec{b}$ 目 $3\vec{b}$

0260

$3(\vec{a}-\vec{b})+2(-\vec{a}+2\vec{b})=3\vec{a}-3\vec{b}-2\vec{a}+4\vec{b}$
$\qquad =(3-2)\vec{a}+(-3+4)\vec{b}$
$\qquad =\vec{a}+\vec{b}$ 目 $\vec{a}+\vec{b}$

0261

$4(\vec{a}-2\vec{b})-3(-\vec{a}+3\vec{b})=4\vec{a}-8\vec{b}+3\vec{a}-9\vec{b}$
$\qquad =(4+3)\vec{a}+(-8-9)\vec{b}$
$\qquad =7\vec{a}-17\vec{b}$ 目 $7\vec{a}-17\vec{b}$

0262

$\vec{a}+2\vec{b}-2\vec{x}=3\vec{a}-2\vec{b}$에서
$-2\vec{x}=2\vec{a}-4\vec{b}$
$\therefore \vec{x}=-\vec{a}+2\vec{b}$ 目 $\vec{x}=-\vec{a}+2\vec{b}$

0263

$3(\vec{a}+2\vec{b}-\vec{x})=-(3\vec{a}-2\vec{b}+\vec{x})$에서
$3\vec{a}+6\vec{b}-3\vec{x}=-3\vec{a}+2\vec{b}-\vec{x}$
$2\vec{x}=6\vec{a}+4\vec{b}$
$\therefore \vec{x}=3\vec{a}+2\vec{b}$ 目 $\vec{x}=3\vec{a}+2\vec{b}$

0264

$2(\vec{x}-\vec{a}+2\vec{b})=3\left(2\vec{a}-\dfrac{2}{3}\vec{b}\right)+\vec{x}$에서
$2\vec{x}-2\vec{a}+4\vec{b}=6\vec{a}-2\vec{b}+\vec{x}$
$\therefore \vec{x}=8\vec{a}-6\vec{b}$ 目 $\vec{x}=8\vec{a}-6\vec{b}$

0265

$\vec{a}, \vec{b}$가 서로 평행하지 않으므로 $(2k+4)\vec{a}+(l-3)\vec{b}=\vec{0}$에서
$2k+4=0, l-3=0$
$\therefore k=-2, l=3$ 目 $k=-2, l=3$

0266

$\overrightarrow{AB}/\!/\overrightarrow{CD}$이므로 $\overrightarrow{AB}=k\overrightarrow{CD}(k\neq0)$를 만족시키는 실수 k가 존재한다.
$2\vec{a}+\vec{b}=k(6\vec{a}+t\vec{b})=6k\vec{a}+kt\vec{b}$
이때, $\vec{a}, \vec{b}$가 서로 평행하지 않으므로
$2=6k, 1=kt$
$\therefore k=\dfrac{1}{3}, t=3$ 目 3

0267

(1) $\overrightarrow{AB}=\overrightarrow{OB}-\overrightarrow{OA}=2\vec{b}-\vec{a}$
(2) $\overrightarrow{AC}=\overrightarrow{OC}-\overrightarrow{OA}=(4\vec{b}-\vec{a})-\vec{a}=4\vec{b}-2\vec{a}$
(3) $\overrightarrow{AC}=2(2\vec{b}-\vec{a})=2\overrightarrow{AB}$

따라서 세 점 A, B, C는 한 직선 위에 있다.

目 (1) $2\vec{b}-\vec{a}$ (2) $4\vec{b}-2\vec{a}$ (3) 풀이 참조

0268

|전략| 정육각형은 정삼각형 6개로 이루어져 있음을 이용한다.

정육각형 ABCDEF는 한 변의 길이가 2인 정삼각형 6개로 이루어져 있다.

ㄱ. $|\overrightarrow{AB}|=|\overrightarrow{OE}|=2$ (참)

ㄴ. $|\overrightarrow{FC}|=|2\overrightarrow{AB}|=2|\overrightarrow{AB}|=2\times2=4$ (참)

ㄷ. $\overrightarrow{CO}=\overrightarrow{OF}$ (거짓)

따라서 옳은 것은 ㄱ, ㄴ이다.   답 ③

0269

직각삼각형 ABE에서 $\overline{AB}=\dfrac{2\sqrt{3}}{3}$, $\overline{BE}=\dfrac{\sqrt{3}}{3}$이므로

$$\overline{AE}=\sqrt{\left(\dfrac{2\sqrt{3}}{3}\right)^2-\left(\dfrac{\sqrt{3}}{3}\right)^2}=1$$

꼭짓점 A, B, C를 시점으로 하고 중점 D, E, F를 종점으로 하는 단위벡터는

$\overrightarrow{AE}, \overrightarrow{BF}, \overrightarrow{CD}$

또, 중점 D, E, F를 시점으로 하고 꼭짓점 A, B, C를 종점으로 하는 단위벡터는

$\overrightarrow{DC}, \overrightarrow{EA}, \overrightarrow{FB}$

따라서 구하는 단위벡터는 6개이다.   답 6

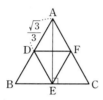

0270

정육각형의 한 내각의 크기는

$$\dfrac{180°\times(6-2)}{6}=120°$$

오른쪽 그림과 같이 꼭짓점 F에서 $\overrightarrow{AE}$에 내린 수선의 발을 P라 하면 $\angle AFP=60°$

따라서 $\overline{AP}=\overline{AF}\sin60°=\dfrac{\sqrt{3}}{2}$이므로

$\overline{AE}=2\overline{AP}=\sqrt{3}$

$\therefore |\overrightarrow{AE}|=\sqrt{3}$ 답 $\sqrt{3}$

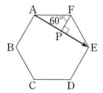

○다른 풀이 오른쪽 그림과 같이 정육각형 ABCDEF의 세 대각선 AD, BE, CF의 교점을 O라 하자.

또, $\overline{FC}$와 $\overline{AE}$가 만나는 점을 M이라 하면 $\overline{AM}$은 정삼각형 AOF의 높이이므로

$\overline{AM}=\dfrac{\sqrt{3}}{2}$

따라서 $\overline{AE}=2\overline{AM}=\sqrt{3}$이므로

$|\overrightarrow{AE}|=\sqrt{3}$

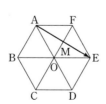

0271

|전략| $\overrightarrow{DE}$와 크기와 방향이 같은 벡터를 구한다.

점 F는 $\overline{AC}$의 중점이므로 $\overrightarrow{AF}=\overrightarrow{FC}$

$\therefore \overrightarrow{AF}=\overrightarrow{FC}$

한편, 점 D, E는 각각 선분 AB, BC의 중점이므로

$$\overrightarrow{DE}=\dfrac{1}{2}\overrightarrow{AC}=\overrightarrow{AF}, \overrightarrow{DE}/\!/\overrightarrow{AF}$$

$\therefore \overrightarrow{DE}=\overrightarrow{AF}$

따라서 $\overrightarrow{DE}$와 같은 벡터는 $\overrightarrow{AF}, \overrightarrow{FC}$의 2개이다.   답 2

Lecture

삼각형 ABC에서

(1) $\overline{AM}=\overline{MB}$, $\overline{AN}=\overline{NC}$이면
$\overline{MN}/\!/\overline{BC}$, $\overline{MN}=\dfrac{1}{2}\overline{BC}$

(2) $\overline{AM}=\overline{MB}$, $\overline{MN}/\!/\overline{BC}$이면
$\overline{AN}=\overline{NC}$

0272

$\overrightarrow{OA}$와 방향이 반대이고, 크기가 $|\overrightarrow{OA}|$의 4배인 벡터는 $\overrightarrow{OH}, \overrightarrow{AF}$, $\overrightarrow{CD}, \overrightarrow{EB}, \overrightarrow{GO}$의 5개이다.
└── $|\overrightarrow{OA}|=1$이므로 구하는 벡터의 크기는 4이다.   답 5

0273

$\overrightarrow{PB}+\overrightarrow{PC}=\vec{0}$에서 $\overrightarrow{PC}=-\overrightarrow{PB}$

즉, $\overrightarrow{PC}$는 $\overrightarrow{PB}$와 크기는 같고 방향이 반대이므로 점 P는 변 BC의 중점이다.

오른쪽 그림에서

$$\overline{BC}=\dfrac{\overline{AB}}{\tan30°}=\dfrac{2}{\dfrac{1}{\sqrt{3}}}=2\sqrt{3}$$

$\therefore \overline{BP}=\dfrac{1}{2}\overline{BC}=\dfrac{1}{2}\times2\sqrt{3}=\sqrt{3}$

$\therefore |\overrightarrow{PA}|^2=\overline{PA}^2=2^2+(\sqrt{3})^2=7$ 답 ③

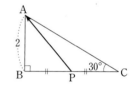

0274

|전략| 주어진 벡터를 시점 또는 종점이 O인 두 벡터의 합으로 나타내어 본다.

① $\overrightarrow{CO}=\overrightarrow{OA}=\vec{a}$ (참)

② $\overrightarrow{OD}=-\overrightarrow{DO}=-\overrightarrow{OB}=-\vec{b}$ (참)

③ $\overrightarrow{BC}=\overrightarrow{BO}+\overrightarrow{OC}=-\overrightarrow{OB}-\overrightarrow{OA}=-\vec{b}-\vec{a}=-\vec{a}-\vec{b}$ (참)

④ $\overrightarrow{CD}=\overrightarrow{CO}+\overrightarrow{OD}=\overrightarrow{OA}-\overrightarrow{DO}=\overrightarrow{OA}-\overrightarrow{OB}=\vec{a}-\vec{b}$ (참)

⑤ $\overrightarrow{AB}=\overrightarrow{AO}+\overrightarrow{OB}=\overrightarrow{OB}-\overrightarrow{OA}=\vec{b}-\vec{a}$ (거짓)

따라서 옳지 않은 것은 ⑤이다.   답 ⑤

0275

$\overrightarrow{BC}+\overrightarrow{CD}+\overrightarrow{DB}+\overrightarrow{BA}+\overrightarrow{AC}$

$=(\overrightarrow{BC}+\overrightarrow{CD})+(\overrightarrow{DB}+\overrightarrow{BA})+\overrightarrow{AC}$

$=(\overrightarrow{BD}+\overrightarrow{DA})+\overrightarrow{AC}$

$=\overrightarrow{BA}+\overrightarrow{AC}=\overrightarrow{BC}$ 답 ②

0276

$\overrightarrow{TP}+\overrightarrow{TR}=\overrightarrow{TQ}+\overrightarrow{TS}$에서

$\overrightarrow{TP}-\overrightarrow{TQ}=\overrightarrow{TS}-\overrightarrow{TR}$

$\therefore \overrightarrow{QP}=\overrightarrow{RS}$ ⋯ ❶

따라서 $\overrightarrow{QP}=\overrightarrow{RS}$, $\overrightarrow{QP} /\!/ \overrightarrow{RS}$이므로 사각형 PQRS는 평행사변형이
다. ⋯ ❷

달 평행사변형

채점 기준	비율
❶ $\overrightarrow{QP}=\overrightarrow{RS}$임을 알 수 있다.	60 %
❷ □PQRS가 평행사변형임을 알 수 있다.	40 %

0277

ㄱ. $\overrightarrow{AB}+\overrightarrow{BC}+\overrightarrow{CA}=\overrightarrow{AC}+\overrightarrow{CA}=\overrightarrow{AA}=\vec{0}$ (참)

ㄴ. $\overrightarrow{BD}+\overrightarrow{AB}-\overrightarrow{CD}=(\overrightarrow{AB}+\overrightarrow{BD})+\overrightarrow{DC}$
$\qquad =\overrightarrow{AD}+\overrightarrow{DC}=\overrightarrow{AC}$ (참)

ㄷ. $\overrightarrow{CD}+\overrightarrow{DA}+\overrightarrow{AB}+\overrightarrow{BD}+\overrightarrow{DB}$
$\qquad =(\overrightarrow{CD}+\overrightarrow{DA})+\overrightarrow{AB}\ (\because \overrightarrow{BD}+\overrightarrow{DB}=\vec{0})$
$\qquad =\overrightarrow{CA}+\overrightarrow{AB}=\overrightarrow{CB}$ (거짓)

따라서 옳은 것은 ㄱ, ㄴ이다. 달 ③

0278

| 전략 | 주어진 두 등식을 연립하여 $\vec{x}, \vec{y}$를 각각 $\vec{a}, \vec{b}$로 나타낸다.

$2\vec{x}+\vec{y}=4\vec{a}-5\vec{b}$ ⋯ ㉠

$\vec{x}-3\vec{y}=-5\vec{a}-6\vec{b}$ ⋯ ㉡

㉠$-$㉡$\times 2$를 하면 $7\vec{y}=14\vec{a}+7\vec{b}$

$\therefore \vec{y}=2\vec{a}+\vec{b}$

이것을 ㉡에 대입하면

$\vec{x}-3(2\vec{a}+\vec{b})=-5\vec{a}-6\vec{b}$

$\therefore \vec{x}=-5\vec{a}-6\vec{b}+3(2\vec{a}+\vec{b})=\vec{a}-3\vec{b}$

$\therefore -\vec{x}+2\vec{y}=-(\vec{a}-3\vec{b})+2(2\vec{a}+\vec{b})$
$\qquad\qquad =-\vec{a}+3\vec{b}+4\vec{a}+2\vec{b}$
$\qquad\qquad =3\vec{a}+5\vec{b}$ 달 ④

0279

$\vec{x}-3\vec{y}=-\vec{a}$ ⋯ ㉠

$2\vec{x}-5\vec{y}=\vec{b}$ ⋯ ㉡

㉡$-$㉠$\times 2$를 하면 $\vec{y}=2\vec{a}+\vec{b}$

이것을 ㉠에 대입하면

$\vec{x}-3(2\vec{a}+\vec{b})=-\vec{a}$

$\therefore \vec{x}=-\vec{a}+3(2\vec{a}+\vec{b})=5\vec{a}+3\vec{b}$

$\therefore \vec{x}+2\vec{y}=5\vec{a}+3\vec{b}+2(2\vec{a}+\vec{b})$
$\qquad\qquad =5\vec{a}+3\vec{b}+4\vec{a}+2\vec{b}$
$\qquad\qquad =9\vec{a}+5\vec{b}$ 달 ⑤

0280

$\vec{x}=3\vec{a}+2\vec{b}$ ⋯ ㉠

$\vec{y}=2(\vec{a}-\vec{b})+3\vec{b}=2\vec{a}+\vec{b}$ ⋯ ㉡

㉠$-$㉡$\times 2$를 하면 $\vec{x}-2\vec{y}=-\vec{a}$

$\therefore \vec{a}=-\vec{x}+2\vec{y}$

이것을 ㉠에 대입하면

$\vec{x}=3(-\vec{x}+2\vec{y})+2\vec{b}$

$2\vec{b}=\vec{x}-3(-\vec{x}+2\vec{y})=4\vec{x}-6\vec{y}$

$\therefore \vec{b}=2\vec{x}-3\vec{y}$

$\therefore \vec{a}-\vec{b}=(-\vec{x}+2\vec{y})-(2\vec{x}-3\vec{y})=-3\vec{x}+5\vec{y}$ 달 ②

0281

| 전략 | $\overrightarrow{DC}=\overrightarrow{AB}$, $\overrightarrow{CF}=-\frac{1}{2}\overrightarrow{AD}$임을 이용한다.

$\overrightarrow{KF}=\frac{1}{2}\overrightarrow{DF}=\frac{1}{2}(\overrightarrow{DC}+\overrightarrow{CF})=\frac{1}{2}\left(\overrightarrow{AB}+\frac{1}{2}\overrightarrow{CB}\right)$

$\qquad =\frac{1}{2}\left(\overrightarrow{AB}-\frac{1}{2}\overrightarrow{AD}\right)=\frac{1}{2}\left(\vec{a}-\frac{1}{2}\vec{b}\right)$

$\qquad =\frac{1}{2}\vec{a}-\frac{1}{4}\vec{b}$ 달 ①

0282

세 대각선 AD, BE, CF의 교점을 O라 하면
오른쪽 그림에서

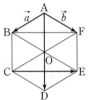

$\overrightarrow{CE}=\overrightarrow{AF}-\overrightarrow{AB}=\overrightarrow{BF}=\vec{b}-\vec{a}$

$\overrightarrow{AD}=2\overrightarrow{AO}=2(\overrightarrow{AB}+\overrightarrow{AF})$
$\qquad =2(\vec{a}+\vec{b})$

$\therefore \overrightarrow{CE}+\overrightarrow{AD}=(\vec{b}-\vec{a})+(2\vec{a}+2\vec{b})=\vec{a}+3\vec{b}$

따라서 $p=1$, $q=3$이므로 $p+q=4$ 달 ④

0283

$\overrightarrow{PQ}=\overrightarrow{PB}+\overrightarrow{BQ}$
$\qquad =\overrightarrow{PB}+4\overrightarrow{BO}$
$\qquad =\overrightarrow{OA}-4\overrightarrow{OB}$
$\qquad =\vec{a}-4\vec{b}$

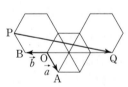

달 ④

0284

$\overrightarrow{AB}=\vec{c}$라 하면

$\overrightarrow{CD}=\overrightarrow{AD}-\overrightarrow{AC}=\overrightarrow{AD}-(\overrightarrow{AB}+\overrightarrow{BC})$
$\qquad =\vec{a}-\vec{b}-\vec{c}$

$\therefore \overrightarrow{MN}=\overrightarrow{AN}-\overrightarrow{AM}$
$\qquad =(\overrightarrow{AD}+\overrightarrow{DN})-\overrightarrow{AM}$
$\qquad =\overrightarrow{AD}+\frac{1}{2}\overrightarrow{DC}-\frac{1}{2}\overrightarrow{AB}$
$\qquad =\vec{a}+\frac{1}{2}(-\vec{a}+\vec{b}+\vec{c})-\frac{1}{2}\vec{c}$
$\qquad =\frac{1}{2}\vec{a}+\frac{1}{2}\vec{b}$ 달 ④

0285

ㄱ. 삼각형 POD와 삼각형 QOB에서

$\overline{OD}=\overline{OB}$, $\angle POD=\angle QOB$, $\angle PDO=\angle QBO$

이므로 $\triangle POD \equiv \triangle QOB$

또, $\overline{PD}\,/\!/\,\overline{BQ}$이므로

$\overrightarrow{BQ}=\overrightarrow{PD}=\dfrac{2}{3}\overrightarrow{AD}=\dfrac{2}{3}\vec{b}$ (참)

ㄴ. $\overrightarrow{OC}=\dfrac{1}{2}\overrightarrow{AC}=\dfrac{1}{2}(\overrightarrow{AB}+\overrightarrow{AD})$

$\qquad =\dfrac{1}{2}(\vec{a}+\vec{b})=\dfrac{1}{2}\vec{a}+\dfrac{1}{2}\vec{b}$ (참)

ㄷ. $\overrightarrow{OQ}=\overrightarrow{PO}=\overrightarrow{AO}-\overrightarrow{AP}$

$\qquad =\left(\dfrac{1}{2}\vec{a}+\dfrac{1}{2}\vec{b}\right)-\dfrac{1}{3}\vec{b}=\dfrac{1}{2}\vec{a}+\dfrac{1}{6}\vec{b}$ (참)

따라서 옳은 것은 ㄱ, ㄴ, ㄷ이다.   답 ㄱ, ㄴ, ㄷ

0286

|전략| $\overrightarrow{AB}-\overrightarrow{BC}+\overrightarrow{CA}$를 하나의 벡터로 표현한 후 그 벡터의 크기를 구한다.

$\overrightarrow{AB}-\overrightarrow{BC}+\overrightarrow{CA}=(\overrightarrow{CA}+\overrightarrow{AB})-\overrightarrow{BC}=\overrightarrow{CB}-\overrightarrow{BC}$

$\qquad\qquad\qquad\qquad =\overrightarrow{CB}+\overrightarrow{CB}=2\overrightarrow{CB}$

$\therefore |\overrightarrow{AB}-\overrightarrow{BC}+\overrightarrow{CA}|=|2\overrightarrow{CB}|=2|\overrightarrow{CB}|=2\times2=4$ 답 ⑤

다른 풀이 다음과 같이 그림을 그려서 $\overrightarrow{AB}-\overrightarrow{BC}+\overrightarrow{CA}$가 나타내는 벡터를 찾을 수도 있다.

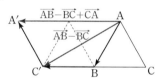

$\overrightarrow{AB}-\overrightarrow{BC}+\overrightarrow{CA}=\overrightarrow{AB}+\overrightarrow{BC'}+\overrightarrow{CA}$

$\qquad\qquad\qquad\qquad =\overrightarrow{AC'}+\overrightarrow{C'A'}=\overrightarrow{AA'}=2\overrightarrow{CB}$

0287

$|\vec{a}+\vec{b}-\vec{c}|=|(\vec{a}+\vec{b})-\vec{c}|=|\vec{c}-\vec{c}|=|\vec{0}|=0$

$|\vec{a}-\vec{b}+\vec{c}|=|\vec{a}+(\vec{c}-\vec{b})|=|\vec{a}+\vec{a}|$

$\qquad\qquad\quad =2|\vec{a}|=2\times3=6$

$\therefore |\vec{a}+\vec{b}-\vec{c}|+|\vec{a}-\vec{b}+\vec{c}|=0+6=6$ 답 ③

0288

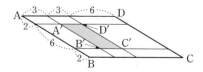

$\overrightarrow{AP}+\overrightarrow{AQ}=\overrightarrow{AR}$에서

(i) $|\overrightarrow{AP}|=2$, $3\leq|\overrightarrow{AQ}|\leq6$일 때

점 R는 선분 A'D' 위에 있다.

(ii) $|\overrightarrow{AP}|=8$, $3\leq|\overrightarrow{AQ}|\leq6$일 때

점 R는 선분 B'C' 위에 있다.

(iii) $|\overrightarrow{AQ}|=3$, $2\leq|\overrightarrow{AP}|\leq8$일 때

점 R는 선분 A'B' 위에 있다.

(iv) $|\overrightarrow{AQ}|=6$, $2\leq|\overrightarrow{AP}|\leq8$일 때

점 R는 선분 C'D' 위에 있다.

(i)~(iv)에서 점 R는 평행사변형 A'B'C'D'의 내부 및 경계에 있으므로 구하는 넓이는

$\overline{A'B'}\times\overline{A'D'}\times\sin30°=6\times3\times\dfrac{1}{2}=9$ 답 9

> **Lecture**
>
> **평행사변형의 넓이**
> 평행사변형 ABCD에서 이웃하는 두 변의 길이가 a, b이고 그 끼인각의 크기가 θ일 때, 평행사변형 ABCD의 넓이 S는
> $S=ab\sin\theta$

0289

$\overrightarrow{AC}=\overrightarrow{OC}-\overrightarrow{OA}$, $\overrightarrow{AD}=\overrightarrow{OD}-\overrightarrow{OA}$, $\overrightarrow{AE}=\overrightarrow{OE}-\overrightarrow{OA}$

이므로

$\overrightarrow{AC}+\overrightarrow{AD}+\overrightarrow{AE}$

$=(\overrightarrow{OC}-\overrightarrow{OA})+(\overrightarrow{OD}-\overrightarrow{OA})+(\overrightarrow{OE}-\overrightarrow{OA})$

$=(\overrightarrow{OC}+\overrightarrow{OD}+\overrightarrow{OE})-3\overrightarrow{OA}$

$=\{(\overrightarrow{OC}+\overrightarrow{OE})+\overrightarrow{OD}\}-3\overrightarrow{OA}$

$=\overrightarrow{OD}+\overrightarrow{OD}-3\overrightarrow{OA}$

$=-2\overrightarrow{OA}-3\overrightarrow{OA}\ (\because \overrightarrow{OD}=-\overrightarrow{OA})$

$=-5\overrightarrow{OA}$ ··· ❶

$|\overrightarrow{AC}+\overrightarrow{AD}+\overrightarrow{AE}|=|-5\overrightarrow{OA}|=5|\overrightarrow{OA}|=20$

$\therefore |\overrightarrow{OA}|=4$ ··· ❷

삼각형 OAB는 한 변의 길이가 4인 정삼각형이므로 삼각형 OAB의 넓이는

$\dfrac{\sqrt{3}}{4}\times4^2=4\sqrt{3}$

따라서 정육각형 ABCDEF의 넓이는

$6\times4\sqrt{3}=24\sqrt{3}$ ··· ❸

답 $24\sqrt{3}$

채점 기준	비율
❶ $\overrightarrow{AC}+\overrightarrow{AD}+\overrightarrow{AE}$를 하나의 벡터로 표현할 수 있다.	50 %
❷ $\overrightarrow{OA}$의 크기를 구할 수 있다.	20 %
❸ 정육각형 ABCDEF의 넓이를 구할 수 있다.	30 %

다른 풀이 다음과 같이 그림을 그려서 $\overrightarrow{AC}+\overrightarrow{AD}+\overrightarrow{AE}$가 나타내는 벡터를 찾을 수도 있다.

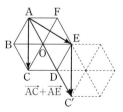

$\overrightarrow{AC}+\overrightarrow{AD}+\overrightarrow{AE}=\overrightarrow{AC'}+\overrightarrow{AD}$

$\qquad\qquad\qquad\qquad =3\overrightarrow{AO}+2\overrightarrow{AO}=5\overrightarrow{AO}$

0290

$\vec{a}+\vec{b}+\vec{c}=\vec{0}$이므로

$2\vec{a}+\vec{b}+3\vec{c}=(\vec{a}+\vec{b}+\vec{c})+\vec{a}+2\vec{c}=\vec{a}+2\vec{c}$

오른쪽 그림과 같이 삼각형 ABC에서 $\overline{AC}$
의 연장선 위에 $\overline{AC}=\overline{CD}$가 되는 점 D를 잡
으면 삼각형 ABD는 직각삼각형이다.

이때, $\vec{a}+2\vec{c}=\overrightarrow{DB}$이므로

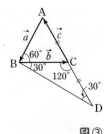

$|2\vec{a}+\vec{b}+3\vec{c}|=|\vec{a}+2\vec{c}|=|\overrightarrow{DB}|$
$=\sqrt{2^2-1^2}=\sqrt{3}$

답 ③

○ **다른 풀이** 다음과 같이 그림을 그려서 $2\vec{a}+\vec{b}+3\vec{c}$가 나타내는 벡터를 찾
을 수도 있다.

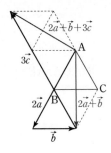

이때, $|2\vec{a}+\vec{b}+3\vec{c}|$의 값은 한 변의 길이가 1인 정삼각형의 높이의 2배이
므로

$2\times\dfrac{\sqrt{3}}{2}\times1=\sqrt{3}$

0291

쌍곡선 $\dfrac{x^2}{4}-y^2=1$에서 두 초점

F, F′과 원점 O에 대하여

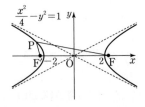

$\overrightarrow{OP}+\overrightarrow{OF}=\overrightarrow{OP}-\overrightarrow{OF'}=\overrightarrow{F'P}$

$|\overrightarrow{OP}+\overrightarrow{OF}|=1$이므로

$|\overrightarrow{F'P}|=1$

$\therefore \overline{PF'}=|\overrightarrow{F'P}|=1$

쌍곡선의 정의에 의하여

$\overline{PF}-\overline{PF'}=4$

$\therefore \overline{PF}=4+\overline{PF'}=5$

답 5

🔍 **Lecture**

쌍곡선의 정의의 활용

쌍곡선 $\dfrac{x^2}{a^2}-\dfrac{y^2}{b^2}=1$ 위의 점 P와 두 초점 F, F′에 대하여

⇨ $|\overline{PF}-\overline{PF'}|=2|a|$

0292

|전략| $\vec{a},\vec{b}$가 서로 평행하지 않을 때, $2m-n=-2m+n+2$,
$-m+2n=n+2$임을 이용한다.

$\vec{a},\vec{b}$가 서로 평행하지 않으므로

$(2m-n)\vec{a}+(-m+2n)\vec{b}=(-2m+n+2)\vec{a}+(n+2)\vec{b}$에서

$2m-n=-2m+n+2,\ -m+2n=n+2$

$2m-n=1,\ m-n=-2$

두 식을 연립하여 풀면 $m=3,\ n=5$

$\therefore m+n=8$

답 ④

0293

$\vec{a},\vec{b}$가 서로 평행하지 않으므로

$(3-t)\vec{a}+t\vec{b}=s\vec{a}+(1+s)\vec{b}$에서

$3-t=s,\ t=1+s$

두 식을 연립하여 풀면 $s=1,\ t=2$

$\therefore s^2+t^2=5$

답 ④

0294

$\overrightarrow{AC}=\overrightarrow{OC}-\overrightarrow{OA}=(5\vec{a}+k\vec{b})-(\vec{a}-\vec{b})$
$=4\vec{a}+(k+1)\vec{b}$

$\overrightarrow{AB}=\overrightarrow{OB}-\overrightarrow{OA}=(3\vec{a}+2\vec{b})-(\vec{a}-\vec{b})$
$=2\vec{a}+3\vec{b}$

$2\overrightarrow{AC}=m\overrightarrow{AB}$에서

$8\vec{a}+2(k+1)\vec{b}=2m\vec{a}+3m\vec{b}$

이때, $\vec{a},\vec{b}$가 서로 평행하지 않으므로

$8=2m,\ 2(k+1)=3m$

$\therefore m=4,\ k=5$

답 5

0295

|전략| $\vec{p}+\vec{q}$와 $\vec{q}-\vec{r}$가 평행하려면 $\vec{q}-\vec{r}=m(\vec{p}+\vec{q})\ (m\neq0)$를 만족시키는
실수 m이 존재해야 한다.

$\vec{p}+\vec{q}=(2\vec{a}+\vec{b})+(\vec{a}-2\vec{b})=3\vec{a}-\vec{b}$

$\vec{q}-\vec{r}=(\vec{a}-2\vec{b})-(k\vec{a}-5\vec{b})=(1-k)\vec{a}+3\vec{b}$

$\vec{p}+\vec{q}$와 $\vec{q}-\vec{r}$가 서로 평행하려면

$\vec{q}-\vec{r}=m(\vec{p}+\vec{q})\ (m\neq0)$

를 만족시키는 실수 m이 존재해야 한다.

$(1-k)\vec{a}+3\vec{b}=3m\vec{a}-m\vec{b}$

이때, $\vec{a},\vec{b}$가 서로 평행하지 않으므로

$1-k=3m,\ 3=-m$

$\therefore m=-3,\ k=10$

답 ⑤

0296

$\vec{p}-\vec{q}=\vec{0}$이므로

$(a\vec{x}+b\vec{y})-(2\vec{x}+c\vec{y})=\vec{0}$

$(a-2)\vec{x}+(b-c)\vec{y}=\vec{0},\ a-2=0,\ b-c=0$

$\therefore a=2,\ b=c$ ······ ㉠

한편, $\vec{q}/\!/\vec{r}$이려면

$\vec{q}=k\vec{r}\ (k\neq0)$

를 만족시키는 실수 k가 존재해야 한다.

$2\vec{x}+c\vec{y}=kc\vec{x}+k\vec{y}$

이때, $\vec{x}$, $\vec{y}$가 서로 평행하지 않으므로

$2=kc$, $c=k$

$\therefore c^2=2$

㉠에서 $b=c$이므로 $bc=2$

$\therefore abc=2\times2=4$ **답** ③

0297

$2\vec{a}-\vec{b}$와 $k\vec{a}+\vec{b}$가 서로 평행하려면

$k\vec{a}+\vec{b}=s(2\vec{a}-\vec{b})\,(s\neq0)$

를 만족시키는 실수 s가 존재해야 한다.

$k\vec{a}+\vec{b}=2s\vec{a}-s\vec{b}$에서 $\vec{a}$, $\vec{b}$가 서로 평행하지 않으므로

$k=2s$, $1=-s$

$\therefore s=-1$, $k=-2$

또, $2\vec{a}-\vec{b}$와 $(k+1)\vec{a}+l\vec{b}$가 서로 평행하려면

$(k+1)\vec{a}+l\vec{b}=t(2\vec{a}-\vec{b})\,(t\neq0)$

를 만족시키는 실수 t가 존재해야 한다.

$(k+1)\vec{a}+l\vec{b}=2t\vec{a}-t\vec{b}$에서 $\vec{a}$, $\vec{b}$가 서로 평행하지 않으므로

$k+1=2t$, $l=-t$

이때, $k=-2$이므로 $t=-\dfrac{1}{2}$, $l=\dfrac{1}{2}$

$\therefore kl=-2\times\dfrac{1}{2}=-1$ **답** -1

0298

|**전략**| 세 점 A, B, C가 한 직선 위에 있으려면 $\overrightarrow{AC}=k\overrightarrow{AB}\,(k\neq0)$를 만족시키는 실수 k가 존재해야 한다.

세 점 A, B, C가 한 직선 위에 있으려면

$\overrightarrow{AC}=k\overrightarrow{AB}\,(k\neq0)$

를 만족시키는 실수 k가 존재해야 한다.

$\overrightarrow{AC}=\overrightarrow{OC}-\overrightarrow{OA}$, $\overrightarrow{AB}=\overrightarrow{OB}-\overrightarrow{OA}$이므로

$\overrightarrow{OC}-\overrightarrow{OA}=k(\overrightarrow{OB}-\overrightarrow{OA})$

$(4\vec{a}+t\vec{b})-(-\vec{a}+\vec{b})=k\{(-3\vec{a}-\vec{b})-(-\vec{a}+\vec{b})\}$

$5\vec{a}+(t-1)\vec{b}=-2k\vec{a}-2k\vec{b}$

이때, $\vec{a}$, $\vec{b}$가 서로 평행하지 않으므로

$5=-2k$, $t-1=-2k$

$\therefore k=-\dfrac{5}{2}$, $t=6$ **답** ⑤

0299

세 점 A, B, C가 한 직선 위에 있으려면

$\overrightarrow{AC}=k\overrightarrow{AB}\,(k\neq0)$

를 만족시키는 실수 k가 존재해야 한다.   ··· ❶

$\overrightarrow{AC}=\overrightarrow{OC}-\overrightarrow{OA}$, $\overrightarrow{AB}=\overrightarrow{OB}-\overrightarrow{OA}$이므로

$\overrightarrow{OC}-\overrightarrow{OA}=k(\overrightarrow{OB}-\overrightarrow{OA})$

$(m\vec{a}+2\vec{b})-\vec{a}=k(\vec{b}-\vec{a})$

$(m-1)\vec{a}+2\vec{b}=-k\vec{a}+k\vec{b}$ ··· ❷

이때, $\vec{a}$, $\vec{b}$가 서로 평행하지 않으므로

$m-1=-k$, $2=k$

$\therefore k=2$, $m=-1$ ··· ❸

     답 -1

채점 기준	비율
❶ $\overrightarrow{AC}=k\overrightarrow{AB}\,(k\neq0)$인 실수 k가 존재함을 알 수 있다.	20 %
❷ $(m-1)\vec{a}+2\vec{b}=-k\vec{a}+k\vec{b}$임을 알 수 있다.	40 %
❸ k, m의 값을 구할 수 있다.	40 %

0300

세 점 A, B, C가 한 직선 위에 있으려면

$\overrightarrow{AC}=k\overrightarrow{AB}\,(k\neq0)$

를 만족시키는 실수 k가 존재해야 한다.

$\overrightarrow{AC}=\overrightarrow{OC}-\overrightarrow{OA}$, $\overrightarrow{AB}=\overrightarrow{OB}-\overrightarrow{OA}$이므로

$\overrightarrow{OC}-\overrightarrow{OA}=k(\overrightarrow{OB}-\overrightarrow{OA})$

$\{(2-t)\overrightarrow{OA}+2t\overrightarrow{OB}\}-\overrightarrow{OA}=k(\overrightarrow{OB}-\overrightarrow{OA})$

$(1-t)\overrightarrow{OA}+2t\overrightarrow{OB}=-k\overrightarrow{OA}+k\overrightarrow{OB}$

이때, $\overrightarrow{OA}$, $\overrightarrow{OB}$가 서로 평행하지 않으므로

$1-t=-k$, $2t=k$

$\therefore k=-2$, $t=-1$ **답** ②

○**다른 풀이** 세 점 A, B, C가 한 직선 위에 있으려면

$\overrightarrow{OC}=m\overrightarrow{OA}+n\overrightarrow{OB}\,(m+n=1)$

이어야 하므로

$\overrightarrow{OC}=(2-t)\overrightarrow{OA}+2t\overrightarrow{OB}$에서

$2-t+2t=1$ $\therefore t=-1$

Lecture

세 점 A, B, C가 한 직선 위에 있으면

$\overrightarrow{AC}=k\overrightarrow{AB}\,(k\neq0)$

를 만족시키는 실수 k가 존재한다.

이때, $\overrightarrow{AC}=\overrightarrow{OC}-\overrightarrow{OA}$, $\overrightarrow{AB}=\overrightarrow{OB}-\overrightarrow{OA}$이므로

$\overrightarrow{OC}-\overrightarrow{OA}=k(\overrightarrow{OB}-\overrightarrow{OA})$

$\therefore \overrightarrow{OC}=(1-k)\overrightarrow{OA}+k\overrightarrow{OB}$

위의 식을 $\overrightarrow{OC}=m\overrightarrow{OA}+n\overrightarrow{OB}\,(m+n=1)$와 같이 나타낼 수 있다.

0301

|**전략**| 도형의 길이를 이용하여 열기구의 비행 속력을 구한다.

열기구가 지면과 수직 방향으로 12 m/초의 속력으로 상승하고, 동쪽 방향으로 5 m/초의 속력으로 바람이 불고 있으므로 열기구의 비행 속력은 오른쪽 그림에서 $|\overrightarrow{OA}+\overrightarrow{OB}|=|\overrightarrow{OC}|$이다.

$|\overrightarrow{OC}|=\sqrt{5^2+12^2}=13$이므로 열기구의 비행 속력은 13 m/초이다.

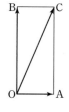

     답 ④

0302

오른쪽 그림과 같이 정사각형 ACBD′을 그리면

$\overrightarrow{CA}+\overrightarrow{CB}=\overrightarrow{CD'}$ ...... ㉠

그런데 점 C를 중심으로 세 점 A, B, D의 세 방향으로 작용하는 힘의 합이 0이므로

$\overrightarrow{CA}+\overrightarrow{CB}+\overrightarrow{CD}=\vec{0}$

$\therefore \overrightarrow{CA}+\overrightarrow{CB}=-\overrightarrow{CD}$ ...... ㉡

㉠, ㉡에서 $\overrightarrow{CD'}=-\overrightarrow{CD}$

$\therefore |\overrightarrow{CD'}|=|-\overrightarrow{CD}|=20$

이때, 사각형 ACBD′은 정사각형이므로

$|\overrightarrow{AC}|=|\overrightarrow{CD'}|\cos 45°=20\times\dfrac{\sqrt{2}}{2}=10\sqrt{2}$

따라서 끈 CA에 걸리는 힘의 크기는 $10\sqrt{2}$ kg중이다.

답 $10\sqrt{2}$ kg중

0303

강의 한 지점 O에서 1시간 동안 강물이 흘러 도착한 지점을 A, 강물이 흐르지 않을 때 철호가 지점 O를 출발하여 1시간 동안 수영하면 도착하는 지점을 B, 강물이 흐를 때 실제로 도착한 지점을 C라 하자.

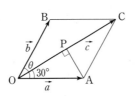

$\overrightarrow{OA}=\vec{a}, \overrightarrow{OB}=\vec{b}, \overrightarrow{OC}=\vec{c}$라 하면

$\vec{c}=\vec{a}+\vec{b}, |\vec{a}|=4, |\vec{b}|=p, |\vec{c}|=4\sqrt{3}$

점 A에서 $\overrightarrow{OC}$에 내린 수선의 발을 P라 하면

$\overrightarrow{OP}=4\cos 30°=4\times\dfrac{\sqrt{3}}{2}=2\sqrt{3}$

즉, 점 P가 $\overrightarrow{OC}$의 중점이므로 삼각형 OAC는 이등변삼각형이다.

$\therefore |\overrightarrow{AC}|=|\overrightarrow{OA}|=4$

또, 삼각형 OBC는 $|\overrightarrow{OB}|=|\overrightarrow{BC}|=4$인 이등변삼각형이므로

$p=|\vec{b}|=|\overrightarrow{OB}|=4$

이고, $\angle BOC=\angle BCO=\angle AOC=30°$

$\therefore \theta=60°$

답 $\theta=60°, p=4$

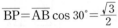 내신 마스터

0304

유형 01 벡터의 크기

|전략| ∠ABP=30°임을 이용한다.

오른쪽 그림과 같이 점 A에서 $\overline{BD}$에 내린 수선의 발을 P라 하면 ∠ABP=30°이므로 직각삼각형 ABP에서

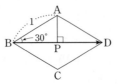

$\overline{BP}=\overline{AB}\cos 30°=\dfrac{\sqrt{3}}{2}$

$\therefore |\overrightarrow{BD}|=2|\overrightarrow{BP}|=2\times\dfrac{\sqrt{3}}{2}=\sqrt{3}$

답 ②

0305

유형 03 벡터의 덧셈과 뺄셈

|전략| $\overrightarrow{AB}=\overrightarrow{AD}+\overrightarrow{DB}$임을 이용한다.

$\overrightarrow{AC}+\overrightarrow{CD}+\overrightarrow{BC}+\overrightarrow{CD}=\overrightarrow{AD}+\overrightarrow{BD}=\vec{0}$이므로

$\overrightarrow{AD}=-\overrightarrow{BD}=\overrightarrow{DB}$

이때, $\overrightarrow{AB}=\overrightarrow{AD}+\overrightarrow{DB}$이므로

$|\overrightarrow{AB}|=|\overrightarrow{AD}+\overrightarrow{DB}|=|\overrightarrow{AD}+\overrightarrow{AD}|$

$=2|\overrightarrow{AD}|$

따라서 $|\overrightarrow{AB}|=2|\overrightarrow{AD}|=10$이므로

$|\overrightarrow{AD}|=5$

답 ⑤

0306

유형 04 벡터의 실수배에 대한 연산

|전략| 주어진 두 등식을 연립하여 $\vec{x}, \vec{y}$를 각각 $\vec{a}, \vec{b}$로 나타낸다.

$2\vec{x}-\vec{y}=-\vec{a}$ ...... ㉠

$-3\vec{x}+2\vec{y}=\vec{b}$ ...... ㉡

㉠×2+㉡을 하면 $\vec{x}=-2\vec{a}+\vec{b}$

이것을 ㉠에 대입하여 정리하면

$\vec{y}=2\vec{x}+\vec{a}$

$=2(-2\vec{a}+\vec{b})+\vec{a}$

$=-3\vec{a}+2\vec{b}$

$\therefore \vec{x}+\vec{y}=(-2\vec{a}+\vec{b})+(-3\vec{a}+2\vec{b})=-5\vec{a}+3\vec{b}$

답 ①

0307

유형 05 벡터의 연산과 도형

|전략| $\overrightarrow{DB}=\overrightarrow{AB}-\overrightarrow{AD}, \overrightarrow{CA}=\overrightarrow{CB}+\overrightarrow{BA}$임을 이용한다.

$\overrightarrow{DB}=\overrightarrow{AB}-\overrightarrow{AD}=\vec{a}-\vec{b}$

$\overrightarrow{CA}=\overrightarrow{CB}+\overrightarrow{BA}=-2\overrightarrow{AD}-\overrightarrow{AB}=-2\vec{b}-\vec{a}$

$\therefore \overrightarrow{DB}+\overrightarrow{CA}=(\vec{a}-\vec{b})+(-\vec{a}-2\vec{b})=-3\vec{b}$

답 ①

0308

유형 05 벡터의 연산과 도형

|전략| $\overrightarrow{PT_n}=\overrightarrow{OT_n}-\overrightarrow{OP} (n=1, 2, 3, \cdots, 6)$임을 이용한다.

$\overrightarrow{PT_1}=\overrightarrow{OT_1}-\overrightarrow{OP}$

$\overrightarrow{PT_2}=\overrightarrow{OT_2}-\overrightarrow{OP}$

$\overrightarrow{PT_3}=\overrightarrow{OT_3}-\overrightarrow{OP}$

$\vdots$

$\overrightarrow{PT_6}=\overrightarrow{OT_6}-\overrightarrow{OP}$이므로

$\overrightarrow{PT_1}+\overrightarrow{PT_2}+\overrightarrow{PT_3}+\cdots+\overrightarrow{PT_6}$

$=(\overrightarrow{OT_1}-\overrightarrow{OP})+(\overrightarrow{OT_2}-\overrightarrow{OP})+(\overrightarrow{OT_3}-\overrightarrow{OP})$

$+\cdots+(\overrightarrow{OT_6}-\overrightarrow{OP})$

$=(\overrightarrow{OT_1}+\overrightarrow{OT_2}+\overrightarrow{OT_3}+\cdots+\overrightarrow{OT_6})-6\overrightarrow{OP}$

$=-6\overrightarrow{OP} (\because \overrightarrow{OT_1}+\overrightarrow{OT_2}+\overrightarrow{OT_3}+\cdots+\overrightarrow{OT_6}=\vec{0})$

$=6\overrightarrow{PO}$

답 ⑤

0309

유형 **06** 벡터의 연산과 크기

|전략| $\overrightarrow{AP}+\overrightarrow{AQ}=\overrightarrow{AR}$를 만족시키는 점 R가 존재하는 영역을 그려 본다.

$\overrightarrow{AP}+\overrightarrow{AQ}=\overrightarrow{AR}$에서

(i) $|\overrightarrow{AP}|=5$, $3\leq|\overrightarrow{AQ}|\leq12$일 때
   점 R는 선분 $A'D'$ 위에 있다.

(ii) $|\overrightarrow{AP}|=10$, $3\leq|\overrightarrow{AQ}|\leq12$일 때
   점 R는 선분 $B'C'$ 위에 있다.

(iii) $|\overrightarrow{AQ}|=3$, $5\leq|\overrightarrow{AP}|\leq10$일 때
   점 R는 선분 $A'B'$ 위에 있다.

(iv) $|\overrightarrow{AQ}|=12$, $5\leq|\overrightarrow{AP}|\leq10$일 때
   점 R는 선분 $C'D'$ 위에 있다.

(i)~(iv)에서 점 R는 직사각형 $A'B'C'D'$의 내부 및 경계에 있으므로 구하는 넓이는

$\overline{A'B'}\times\overline{A'D'}=5\times9=45$ 답 ③

0310

유형 **07** 벡터가 서로 같을 조건

|전략| 영벡터가 아닌 두 벡터 $\vec{a}$, $\vec{b}$가 서로 평행하지 않을 때, $s\vec{a}+t\vec{b}=s'\vec{a}+t'\vec{b}$ (s, t, s', t'은 실수)이면 $s=s'$, $t=t'$임을 이용한다.

$\overrightarrow{AB}=\overrightarrow{OB}-\overrightarrow{OA}=(2\vec{a}-\vec{b})-(\vec{a}-2\vec{b})=\vec{a}+\vec{b}$

$\overrightarrow{AC}=\overrightarrow{OC}-\overrightarrow{OA}=(5\vec{a}+k\vec{b})-(\vec{a}-2\vec{b})=4\vec{a}+(k+2)\vec{b}$

$4m\overrightarrow{AB}=\overrightarrow{AC}$에서

$4m\vec{a}+4m\vec{b}=4\vec{a}+(k+2)\vec{b}$

이때, $\vec{a}$, $\vec{b}$가 서로 평행하지 않으므로

$4m=4$, $4m=k+2$

$\therefore m=1$, $k=2$ 답 ②

0311

유형 **08** 벡터의 평행

|전략| 영벡터가 아닌 두 벡터 $\vec{p}$, $\vec{q}$가 서로 평행하면 $\vec{q}=k\vec{p}$ ($k\neq0$)를 만족시키는 실수 k가 존재한다.

$\overrightarrow{PQ}=\overrightarrow{OQ}-\overrightarrow{OP}=(2\vec{a}+3\vec{b})-(\vec{a}-2\vec{b})$
$\quad\quad=\vec{a}+5\vec{b}$

$\overrightarrow{RS}=\overrightarrow{OS}-\overrightarrow{OR}=\{\vec{a}-(m+2)\vec{b}\}-(m\vec{a}+5\vec{b})$
$\quad\quad=(1-m)\vec{a}-(m+7)\vec{b}$

$\overrightarrow{PQ}/\!/\overrightarrow{RS}$이므로

$\overrightarrow{RS}=k\overrightarrow{PQ}$ ($k\neq0$)

를 만족시키는 실수 k가 존재한다.

$(1-m)\vec{a}-(m+7)\vec{b}=k\vec{a}+5k\vec{b}$

이때, $\vec{a}$, $\vec{b}$가 서로 평행하지 않으므로

$1-m=k$, $-m-7=5k$

즉, $-m-7=5(1-m)$이므로

$-m-7=5-5m$, $4m=12$

$\therefore m=3$ 답 ③

0312

유형 **09** 세 점이 한 직선 위에 있을 조건

|전략| 세 점 A, B, C가 한 직선 위에 있으려면 $\overrightarrow{AC}=k\overrightarrow{AB}$ ($k\neq0$)를 만족시키는 실수 k가 존재해야 한다.

세 점 A, B, C가 한 직선 위의 점이므로

$\overrightarrow{AC}=k\overrightarrow{AB}$ ($k\neq0$)

를 만족시키는 실수 k가 존재한다.

$\overrightarrow{AC}=\overrightarrow{OC}-\overrightarrow{OA}$, $\overrightarrow{AB}=\overrightarrow{OB}-\overrightarrow{OA}$이므로

$\overrightarrow{OC}-\overrightarrow{OA}=k(\overrightarrow{OB}-\overrightarrow{OA})$

$(a\overrightarrow{OA}+b\overrightarrow{OB})-\overrightarrow{OA}=k(\overrightarrow{OB}-\overrightarrow{OA})$

$(a-1)\overrightarrow{OA}+b\overrightarrow{OB}=-k\overrightarrow{OA}+k\overrightarrow{OB}$

이때, $\overrightarrow{OA}$, $\overrightarrow{OB}$가 서로 평행하지 않으므로

$a-1=-k$, $b=k$

즉, $a-1=-b$에서 $b=1-a$이므로

$a^2+b^2=a^2+(1-a)^2=2a^2-2a+1$

$\quad\quad=2\left(a-\dfrac{1}{2}\right)^2+\dfrac{1}{2}$

따라서 a^2+b^2의 최솟값은 $a=\dfrac{1}{2}$, $b=\dfrac{1}{2}$일 때 $\dfrac{1}{2}$이다.   답 ①

0313

유형 **05** 벡터의 연산과 도형 + **09** 세 점이 한 직선 위에 있을 조건

|전략| 정사각형 OACB를 그리고 $\overrightarrow{OP}=k\overrightarrow{OC}$ ($k\neq0$)임을 이용한다.

오른쪽 그림과 같이 정사각형 OACB를 그리면

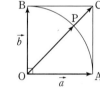

$\overrightarrow{OC}=\overrightarrow{OA}+\overrightarrow{OB}=\vec{a}+\vec{b}$

또, 세 점 O, P, C는 한 직선 위에 있고

$\overline{OP}=1$, $\overline{OC}=\sqrt{2}$이므로

$\overrightarrow{OP}=\dfrac{1}{\sqrt{2}}\overrightarrow{OC}=\dfrac{\sqrt{2}}{2}(\vec{a}+\vec{b})$

따라서 $k=\dfrac{\sqrt{2}}{2}$이므로 $k^2=\dfrac{1}{2}$ 답 ②

○ 다른 풀이 $\overrightarrow{OP}=(1\times\cos45°)\vec{a}$
$\quad\quad\quad\quad\quad+(1\times\sin45°)\vec{b}$

$\quad=\dfrac{\sqrt{2}}{2}\vec{a}+\dfrac{\sqrt{2}}{2}\vec{b}$

$\quad=\dfrac{\sqrt{2}}{2}(\vec{a}+\vec{b})$

따라서 $k=\dfrac{\sqrt{2}}{2}$이므로 $k^2=\dfrac{1}{2}$

0314

유형 **04** 벡터의 실수배에 대한 연산 + **07** 벡터가 서로 같을 조건

|전략| 점 O를 시점으로 하여 오른쪽으로 한 칸 진행하는 벡터를 $\vec{a}$, 위쪽으로 한 칸 진행하는 벡터를 $\vec{b}$라 한 후 주어진 벡터를 $\vec{a}$, $\vec{b}$로 나타낸다.

오른쪽 그림과 같이 점 O를 시점으로 하여 오른쪽으로 한 칸 진행하는 벡터를 $\vec{a}$, 위로 한 칸 진행하는 벡터를 $\vec{b}$라 하자. $\overrightarrow{OP}, \overrightarrow{OQ}, \overrightarrow{OR}$를 각각 $\vec{a}, \vec{b}$로 나타내면

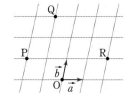

$$\overrightarrow{OP}=-2\vec{a}+\vec{b}$$
$$\overrightarrow{OQ}=-\vec{a}+3\vec{b}$$
$$\overrightarrow{OR}=2\vec{a}+\vec{b} \qquad \cdots ①$$

$\overrightarrow{OR}=s\overrightarrow{OP}+t\overrightarrow{OQ}$에 위의 식을 대입하면
$$2\vec{a}+\vec{b}=s(-2\vec{a}+\vec{b})+t(-\vec{a}+3\vec{b})$$
$$=(-2s-t)\vec{a}+(s+3t)\vec{b}$$

이때, $\vec{a}, \vec{b}$가 서로 평행하지 않으므로
$$2=-2s-t, \quad 1=s+3t$$

두 식을 연립하여 풀면 $s=-\dfrac{7}{5}, t=\dfrac{4}{5}$ $\qquad \cdots ②$

$$\therefore s+t=-\dfrac{3}{5} \qquad \cdots ③$$

답 $-\dfrac{3}{5}$

채점 기준	배점
① $\overrightarrow{OP}, \overrightarrow{OQ}, \overrightarrow{OR}$를 $\vec{a}, \vec{b}$로 나타낼 수 있다.	2점
② s, t의 값을 구할 수 있다.	4점
③ $s+t$의 값을 구할 수 있다.	1점

0315

유형 **06 벡터의 연산과 크기**

|전략| 두 점 P, Q는 직선 AB에 대하여 대칭이므로 점 M은 직선 AB 위에 있음을 이용한다.

(1) 두 점 P, Q는 직선 AB에 대하여 대칭이므로 선분 PQ의 중점 M은 항상 직선 AB 위에 있다.
이때, $\overrightarrow{AP}+\overrightarrow{AQ}=2\overrightarrow{AM}$이므로
$$|\overrightarrow{AP}+\overrightarrow{AQ}|=|2\overrightarrow{AM}|=2\overline{AM}$$
$$\therefore k=2$$

(2) 오른쪽 그림과 같이 두 정사각형 R_2, R_3의 한 꼭짓점 P_0, Q_0을 이은 선분의 중점을 M_0이라 하자.

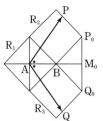

$$\overline{AM} \leq \overline{AM_0}=\overline{AB}+\overline{BM_0}=1+1=2$$
이므로 선분 AM의 길이의 최댓값은 2이다.

(3) $|\overrightarrow{AP}+\overrightarrow{AQ}|=2\overline{AM}$이므로
$|\overrightarrow{AP}+\overrightarrow{AQ}|$의 값이 최대가 되려면 선분 AM의 길이가 최대이어야 한다.
따라서 구하는 최댓값은 $2 \times 2=4$

답 (1) 2 (2) 2 (3) 4

채점 기준	배점
(1) k의 값을 구할 수 있다.	4점
(2) $\overline{AM}$의 길이의 최댓값을 구할 수 있다.	6점
(3) $|\overrightarrow{AP}+\overrightarrow{AQ}|$의 최댓값을 구할 수 있다.	2점

창의·융합 교과서 **속 심화문제**

0316

|전략| $\overrightarrow{OQ}=\dfrac{\overrightarrow{OP}}{|\overrightarrow{OP}|}$가 단위벡터임을 이용한다.

벡터 $\overrightarrow{OQ}=\dfrac{\overrightarrow{OP}}{|\overrightarrow{OP}|}$는 벡터 $\overrightarrow{OP}$와 방향이 같고 평행하며 크기가 1인 단위벡터이다.
따라서 오른쪽 그림과 같이 점 Q는 중심이 O이고 반지름의 길이가 1인 원 위의 점이다.

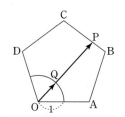

이때, 점 P는 선분 AB와 선분 BC, 선분 CD를 따라 꼭짓점 A에서 꼭짓점 D까지 움직이므로 벡터 $\overrightarrow{OQ}$의 종점 Q가 나타내는 도형은 중심각의 크기가 108°이고 반지름의 길이가 1인 부채꼴의 호와 같다.
따라서 구하는 도형의 길이는
$$2\pi \times 1 \times \dfrac{108°}{360°}=\dfrac{3}{5}\pi$$

답 $\dfrac{3}{5}\pi$

0317

|전략| 두 원 C_1, C_2의 중심을 각각 A, B라 하고, $\overrightarrow{OP}=\overrightarrow{OA}+\overrightarrow{AP}$, $\overrightarrow{OQ}=\overrightarrow{OB}+\overrightarrow{BQ}$임을 이용하여 $\overrightarrow{OP}+\overrightarrow{OQ}$가 최대가 되는 경우를 찾는다.

오른쪽 그림과 같이 두 원 C_1, C_2의 접점을 T, 중심을 각각 A, B라 하자.

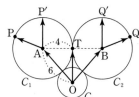

$$\overrightarrow{OP}+\overrightarrow{OQ}$$
$$=(\overrightarrow{OA}+\overrightarrow{AP})+(\overrightarrow{OB}+\overrightarrow{BQ})$$
$$=(\overrightarrow{OA}+\overrightarrow{OB})+(\overrightarrow{AP}+\overrightarrow{BQ})$$
$$=2\overrightarrow{OT}+(\overrightarrow{AP}+\overrightarrow{BQ})$$

이때, $\overrightarrow{AP}$와 $\overrightarrow{BQ}$가 $\overrightarrow{OT}$와 같은 방향으로 평행이면 $|\overrightarrow{OP}+\overrightarrow{OQ}|$가 최대가 된다.
$|\overrightarrow{OT}|=\sqrt{6^2-4^2}=2\sqrt{5}$이므로
$$|\overrightarrow{OP}+\overrightarrow{OQ}| \leq |2\overrightarrow{OT}+\overrightarrow{AP'}+\overrightarrow{BQ'}|=2 \times 2\sqrt{5}+4+4=8+4\sqrt{5}$$
따라서 $|\overrightarrow{OP}+\overrightarrow{OQ}|$의 최댓값은 $8+4\sqrt{5}$이다.

답 $8+4\sqrt{5}$

0318

|전략| 각각의 벡터를 원의 중심 O를 시점으로 하는 벡터의 차로 변형한 후 크기가 같고 서로 방향이 반대인 벡터들의 합은 영벡터가 됨을 이용한다.

원의 중심을 O라 하자.
$$\overrightarrow{AB}+\overrightarrow{AC}+\overrightarrow{AD}+\overrightarrow{AE}+\overrightarrow{AF}$$
$$=(\overrightarrow{OB}-\overrightarrow{OA})+(\overrightarrow{OC}-\overrightarrow{OA})+(\overrightarrow{OD}-\overrightarrow{OA})$$
$$\qquad +(\overrightarrow{OE}-\overrightarrow{OA})+(\overrightarrow{OF}-\overrightarrow{OA})$$
$$=(\overrightarrow{OA}+\overrightarrow{OB}+\overrightarrow{OC}+\overrightarrow{OD}+\overrightarrow{OE}+\overrightarrow{OF})-6\overrightarrow{OA}$$

$\overrightarrow{OA}, \overrightarrow{OD}$는 크기가 같고 방향이 반대이므로
$$\overrightarrow{OA}+\overrightarrow{OD}=\vec{0}$$
또한, $\overrightarrow{OB}+\overrightarrow{OE}=\vec{0}, \overrightarrow{OC}+\overrightarrow{OF}=\vec{0}$이므로

$$\overrightarrow{AB}+\overrightarrow{AC}+\overrightarrow{AD}+\overrightarrow{AE}+\overrightarrow{AF}=-6\overrightarrow{OA}$$

같은 방법으로

$$\overrightarrow{A'B'}+\overrightarrow{A'C'}+\overrightarrow{A'D'}+\overrightarrow{A'E'}+\overrightarrow{A'F'}=-6\overrightarrow{OA'}$$

$$\therefore \ |\overrightarrow{AB}+\overrightarrow{AC}+\overrightarrow{AD}+\overrightarrow{AE}+\overrightarrow{AF}$$
$$\qquad +\overrightarrow{A'B'}+\overrightarrow{A'C'}+\overrightarrow{A'D'}+\overrightarrow{A'E'}+\overrightarrow{A'F'}|^2$$
$$=|-6(\overrightarrow{OA}+\overrightarrow{OA'})|^2$$
$$=36|\overrightarrow{OA}+\overrightarrow{OA'}|^2$$

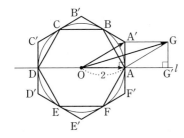

위의 그림과 같이 평행사변형 A'OAG를 그리고 점 A와 점 D를 지나는 직선을 l, 점 G에서 직선 l에 내린 수선의 발을 G'이라 하자. 삼각형 OAA'은 $\angle A'OA=30°$인 직각삼각형이므로

$$|\overrightarrow{OG'}|=|2\overrightarrow{OA}|=2|\overrightarrow{OA}|=2\times2=4$$

$$|\overrightarrow{GG'}|=|\overrightarrow{A'A}|=2\tan30°=\frac{2\sqrt3}{3}$$

이고 직각삼각형 OG'G에서

$$|\overrightarrow{OG}|=\sqrt{|\overrightarrow{OG'}|^2+|\overrightarrow{GG'}|^2}=\sqrt{4^2+\left(\frac{2\sqrt3}{3}\right)^2}=\sqrt{\frac{52}{3}}$$

이때, $|\overrightarrow{OA}+\overrightarrow{OA'}|=|\overrightarrow{OG}|$이므로 구하는 값은

$$36\times\left(\sqrt{\frac{52}{3}}\right)^2=624 \qquad\qquad \text{달 } 624$$

0319

|전략| 세 점 A, B, C가 한 직선 위에 있으려면 $\overrightarrow{AC}=k\overrightarrow{AB}(k\neq0)$를 만족시키는 실수 k가 존재해야 한다.

$$\overrightarrow{AB}=\overrightarrow{OB}-\overrightarrow{OA}=\vec{b}-\vec{a}=-\vec{a}+\vec{b}$$
$$\overrightarrow{AP}=\overrightarrow{OP}-\overrightarrow{OA}=s\vec{a}-5\vec{b}-\vec{a}=(s-1)\vec{a}-5\vec{b}$$
$$\overrightarrow{AQ}=\overrightarrow{OQ}-\overrightarrow{OA}=-2\vec{a}+s\vec{b}-\vec{a}=-3\vec{a}+s\vec{b}$$
$$\overrightarrow{AR}=\overrightarrow{OR}-\overrightarrow{OA}=-\vec{a}+t\vec{b}-\vec{a}=-2\vec{a}+t\vec{b}$$

세 점 A, B, C가 한 직선 위에 있으려면

$$\overrightarrow{AC}=k\overrightarrow{AB}\ (k\neq0\text{인 실수})$$

를 만족시키는 실수 k가 존재해야 한다.

이때, $\vec{a}, \vec{b}$가 서로 평행하지 않으므로 점 P가 직선 AB 위에 있기 위해서는 $s-1=5$, 즉 $s=6$이고, 점 Q가 직선 AB 위에 있기 위해서는 $s=3$이므로 두 점 P, Q는 동시에 직선 AB 위에 있을 수 없다.

세 점 P, Q, R 중에서 직선 AB 위에 적어도 두 점 이상이 존재하기 위해서는 점 R는 반드시 직선 AB 위에 있어야 하므로 $t=2$가 된다.

따라서 $s+t$의 값이 최대인 경우는 점 P와 점 R가 직선 AB 위에 있는 경우이다.

이때, $\overrightarrow{AP}=5(\vec{a}-\vec{b})$, $\overrightarrow{AR}=-2(\vec{a}-\vec{b})$이므로

$$|\overrightarrow{PR}|=|\overrightarrow{AR}-\overrightarrow{AP}|=|-7(\vec{a}-\vec{b})|$$
$$=7|\vec{a}-\vec{b}|=7|\overrightarrow{AB}|=7\times2=14 \qquad \text{달 } 14$$

4 | 평면벡터의 성분과 내적

STEP 1 개념 마스터

0320

$$(1)\ \overrightarrow{AC}=\overrightarrow{OC}-\overrightarrow{OA}=(2\vec{a}-\vec{b})-\vec{a}=\vec{a}-\vec{b}$$

$$(2)\ \overrightarrow{CB}=\overrightarrow{OB}-\overrightarrow{OC}=\vec{b}-(2\vec{a}-\vec{b})=-2\vec{a}+2\vec{b}$$

$$\text{달 }(1)\ \vec{a}-\vec{b}\ \ (2)\ -2\vec{a}+2\vec{b}$$

0321

$$(1)\ \vec{p}=\frac{2\vec{b}+\vec{a}}{2+1}=\frac{\vec{a}+2\vec{b}}{3}$$

$$(2)\ \vec{q}=\frac{2\vec{b}-3\vec{a}}{2-3}=3\vec{a}-2\vec{b}$$

(3) 선분 AB의 중점은 선분 AB를 1 : 1로 내분하는 점이므로

$$\vec{m}=\frac{\vec{a}+\vec{b}}{2}$$

$$\text{달 }(1)\ \vec{p}=\frac{\vec{a}+2\vec{b}}{3}\ \ (2)\ \vec{q}=3\vec{a}-2\vec{b}\ \ (3)\ \vec{m}=\frac{\vec{a}+\vec{b}}{2}$$

0322 $\text{달 }(1)\ (3, 0)\ \ (2)\ (1, -3)$

0323 $\text{달 }2\vec{e_1}+5\vec{e_2}$

0324

$$|\vec{a}|=\sqrt{1^2+1^2}=\sqrt2 \qquad\qquad \text{달 }\sqrt2$$

0325

$$|\vec{b}|=\sqrt{(-3)^2+4^2}=5 \qquad\qquad \text{달 }5$$

0326

$(2k+1, -1)=(3, l+1)$에서

$$2k+1=3,\ -1=l+1$$

$$\therefore\ k=1,\ l=-2 \qquad\qquad \text{달 }k=1,\ l=-2$$

0327

$$(1)\ \vec{a}+2\vec{b}=(-1, 1)+2(2, 3)=(3, 7)$$

$$(2)\ -3\vec{a}+\vec{b}=-3(-1, 1)+(2, 3)=(5, 0)$$

$$\text{달 }(1)\ (3, 7)\ \ (2)\ (5, 0)$$

0328

$$(1)\ \vec{a}\cdot\vec{b}=|\vec{a}||\vec{b}|\cos30°=2\times3\times\frac{\sqrt3}{2}=3\sqrt3$$

$$(2)\ \vec{a}\cdot\vec{b}=-|\vec{a}||\vec{b}|\cos(180°-120°)=-|\vec{a}||\vec{b}|\cos60°$$
$$=-2\times3\times\frac{1}{2}=-3$$

$$\text{달 }(1)\ 3\sqrt3\ \ (2)\ -3$$

0329

$\vec{a} \cdot \vec{b} = 2 \times 3 + (-1) \times 2 = 4$ 답 4

0330

$\vec{a} \cdot \vec{b} = 1 \times 2 + 1 \times (-3) = -1$ 답 -1

0331

(1) $\vec{a} \cdot (\vec{b} + 2\vec{c}) = \vec{a} \cdot \vec{b} + 2\vec{a} \cdot \vec{c} = 2 + 2 \times 3 = 8$

(2) $(2\vec{b} - \vec{c}) \cdot \vec{a} = 2\vec{a} \cdot \vec{b} - \vec{a} \cdot \vec{c} = 2 \times 2 - 3 = 1$

답 (1) 8 (2) 1

0332

$\vec{a} \cdot \vec{b} = (2, -1) \cdot (3, 1) = 2 \times 3 + (-1) \times 1 = 5 > 0$이므로

$\cos \theta = \dfrac{5}{\sqrt{2^2 + (-1)^2}\sqrt{3^2 + 1^2}} = \dfrac{5}{\sqrt{5}\sqrt{10}} = \dfrac{\sqrt{2}}{2}$

$\therefore \theta = 45°$ 답 45°

0333

$\vec{a} \cdot \vec{b} = (3, 0) \cdot (-1, \sqrt{3}) = 3 \times (-1) + 0 \times \sqrt{3} = -3 < 0$이므로

$\cos(180° - \theta) = -\dfrac{-3}{\sqrt{3^2 + 0^2}\sqrt{(-1)^2 + (\sqrt{3})^2}} = \dfrac{3}{3 \times 2} = \dfrac{1}{2}$

따라서 $180° - \theta = 60°$이므로 $\theta = 120°$ 답 120°

0334

(1) $\vec{a} \cdot \vec{b} = 0$에서

$\quad 1 \times (-2) + (-1) \times x = 0, \; -2 - x = 0$

$\quad \therefore x = -2$

(2) $\vec{a} \cdot \vec{b} = 1 \times (-2) + (-1) \times x = -2 - x$

$\quad |\vec{a}||\vec{b}| = \sqrt{1^2 + (-1)^2}\sqrt{(-2)^2 + x^2} = \sqrt{2(x^2 + 4)}$

이때, $\vec{a} /\!/ \vec{b}$이므로 $\vec{a} \cdot \vec{b} = \pm |\vec{a}||\vec{b}|$

$\quad -2 - x = \pm\sqrt{2(x^2 + 4)}$

양변을 제곱하면 $x^2 + 4x + 4 = 2(x^2 + 4)$

$\quad x^2 - 4x + 4 = 0, \; (x - 2)^2 = 0 \quad \therefore x = 2$

답 (1) -2 (2) 2

• 다른 풀이 (2) 두 벡터 $\vec{a}, \vec{b}$가 평행하므로 $\vec{b} = k\vec{a}$ ($k \neq 0$인 실수)를 만족시키는 실수 k가 존재한다.

$(-2, x) = k(1, -1)$에서 $-2 = k, \; x = -k$

$\therefore k = -2, \; x = 2$

0335

방향벡터가 $\vec{u} = (2, -3)$이므로

$\dfrac{x - (-1)}{2} = \dfrac{y - 1}{-3} \quad \therefore \dfrac{x + 1}{2} = \dfrac{1 - y}{3}$

답 $\dfrac{x + 1}{2} = \dfrac{1 - y}{3}$

0336

방향벡터가 $(2, 4)$이므로

$\dfrac{x - 3}{2} = \dfrac{y - (-2)}{4} \quad \therefore \dfrac{x - 3}{2} = \dfrac{y + 2}{4}$

답 $\dfrac{x - 3}{2} = \dfrac{y + 2}{4}$

0337

$\dfrac{x - 2}{5 - 2} = \dfrac{y - 1}{3 - 1}$에서 $\dfrac{x - 2}{3} = \dfrac{y - 1}{2}$

답 $\dfrac{x - 2}{3} = \dfrac{y - 1}{2}$

0338

$\dfrac{x - (-1)}{3 - (-1)} = \dfrac{y - 1}{-4 - 1}$에서 $\dfrac{x + 1}{4} = \dfrac{1 - y}{5}$

답 $\dfrac{x + 1}{4} = \dfrac{1 - y}{5}$

0339

법선벡터가 $\vec{n} = (1, 3)$이므로

$(x - 2) + 3\{y - (-2)\} = 0 \quad \therefore x + 3y + 4 = 0$

답 $x + 3y + 4 = 0$

0340

법선벡터가 $\vec{n} = (5, -2)$이므로

$5\{x - (-1)\} - 2\{y - (-3)\} = 0 \quad \therefore 5x - 2y - 1 = 0$

답 $5x - 2y - 1 = 0$

0341

두 직선의 방향벡터를 각각 $\vec{u_1}, \vec{u_2}$라 하면

$\vec{u_1} = (2, -1), \; \vec{u_2} = (1, 3)$

두 직선이 이루는 각의 크기가 θ이므로

$\cos \theta = \dfrac{|2 \times 1 + (-1) \times 3|}{\sqrt{2^2 + (-1)^2}\sqrt{1^2 + 3^2}}$

$\quad\quad = \dfrac{1}{\sqrt{5}\sqrt{10}} = \dfrac{\sqrt{2}}{10}$ 답 $\dfrac{\sqrt{2}}{10}$

0342

두 직선의 방향벡터를 각각 $\vec{u_1}, \vec{u_2}$라 하면

$\vec{u_1} = (2, a + 1), \; \vec{u_2} = (1, 2)$

(1) 두 직선이 서로 수직이면 $\vec{u_1} \perp \vec{u_2}$이므로

$\quad \vec{u_1} \cdot \vec{u_2} = 0$에서

$\quad 2 \times 1 + (a + 1) \times 2 = 0, \; 2a = -4 \quad \therefore a = -2$

(2) 두 직선이 서로 평행하면 $\vec{u_1} /\!/ \vec{u_2}$이므로

$\quad \vec{u_1} = k\vec{u_2}$ ($k \neq 0$)

를 만족시키는 실수 k가 존재한다.

$\quad (2, a + 1) = k(1, 2)$에서

$\quad 2 = k, \; a + 1 = 2k$

$\quad \therefore k = 2, \; a = 3$

답 (1) -2 (2) 3

0343

$|\vec{p} - \vec{c}| = |(x - 1, y - 2)| = 3$이므로

$(x - 1, y - 2) \cdot (x - 1, y - 2) = 3^2$

$\therefore (x - 1)^2 + (y - 2)^2 = 9$

따라서 점 P가 나타내는 도형은 중심이 C$(1, 2)$이고 반지름의 길이가 3인 원이다.   답 중심이 C$(1, 2)$이고 반지름의 길이가 3인 원

0344

|전략| $\overrightarrow{OA}=\vec{a}, \overrightarrow{OB}=\vec{b}, \overrightarrow{OC}=\vec{c}$임을 이용한다.

$\overrightarrow{AB}+2\overrightarrow{BC}=(\overrightarrow{OB}-\overrightarrow{OA})+2(\overrightarrow{OC}-\overrightarrow{OB})$
$\qquad\qquad=(\vec{b}-\vec{a})+2(\vec{c}-\vec{b})$
$\qquad\qquad=\vec{b}-\vec{a}+2\vec{c}-2\vec{b}$
$\qquad\qquad=-\vec{a}-\vec{b}+2\vec{c}$ 　　　　　目 ③

0345

$2\overrightarrow{AB}-\overrightarrow{BC}+3\overrightarrow{AC}$
$=2(\overrightarrow{OB}-\overrightarrow{OA})-(\overrightarrow{OC}-\overrightarrow{OB})+3(\overrightarrow{OC}-\overrightarrow{OA})$
$=2(\vec{b}-\vec{a})-(\vec{c}-\vec{b})+3(\vec{c}-\vec{a})$
$=2\vec{b}-2\vec{a}-\vec{c}+\vec{b}+3\vec{c}-3\vec{a}$
$=-5\vec{a}+3\vec{b}+2\vec{c}$ 　　　目 $-5\vec{a}+3\vec{b}+2\vec{c}$

0346

|전략| $\overrightarrow{MN}=\overrightarrow{AN}-\overrightarrow{AM}$임을 이용한다.

점 M은 변 AB의 중점이므로

$\overrightarrow{AM}=\dfrac{1}{2}\overrightarrow{AB}=\dfrac{1}{2}\vec{a}$

점 N은 변 BC를 1 : 2로 내분하는 점이므로

$\overrightarrow{AN}=\dfrac{\overrightarrow{AC}+2\overrightarrow{AB}}{1+2}=\dfrac{2}{3}\overrightarrow{AB}+\dfrac{1}{3}\overrightarrow{AC}=\dfrac{2}{3}\vec{a}+\dfrac{1}{3}\vec{b}$

$\therefore \overrightarrow{MN}=\overrightarrow{AN}-\overrightarrow{AM}=\left(\dfrac{2}{3}\vec{a}+\dfrac{1}{3}\vec{b}\right)-\dfrac{1}{2}\vec{a}=\dfrac{1}{6}\vec{a}+\dfrac{1}{3}\vec{b}$

따라서 $s=\dfrac{1}{6}, t=\dfrac{1}{3}$이므로 $s+t=\dfrac{1}{2}$ 　目 ③

0347

$\vec{p}=\dfrac{3\vec{b}+4\vec{a}}{3+4}=\dfrac{4}{7}\vec{a}+\dfrac{3}{7}\vec{b}$

$\vec{q}=\dfrac{3\vec{b}-4\vec{a}}{3-4}=4\vec{a}-3\vec{b}$

$\therefore \vec{p}+\vec{q}=\left(\dfrac{4}{7}\vec{a}+\dfrac{3}{7}\vec{b}\right)+(4\vec{a}-3\vec{b})=\dfrac{32}{7}\vec{a}-\dfrac{18}{7}\vec{b}$

따라서 $m=\dfrac{32}{7}, n=-\dfrac{18}{7}$이므로 $m+n=2$ 　目 ②

0348

점 M은 변 OA의 중점이므로

$\overrightarrow{OM}=\dfrac{1}{2}\overrightarrow{OA}$

점 N은 선분 MB를 3 : 1로 내분하는 점이므로

$\overrightarrow{ON}=\dfrac{3\overrightarrow{OB}+\overrightarrow{OM}}{3+1}=\dfrac{3\overrightarrow{OB}+\dfrac{1}{2}\overrightarrow{OA}}{4}=\dfrac{1}{8}\overrightarrow{OA}+\dfrac{3}{4}\overrightarrow{OB}$

따라서 $s=\dfrac{1}{8}, t=\dfrac{3}{4}$이므로 $s-t=-\dfrac{5}{8}$ 　目 ②

0349

삼각형 OAB에서 $\overline{OA}:\overline{OB}=\overline{AP}:\overline{BP}=3:2$

즉, 점 P는 선분 AB를 3 : 2로 내분하는 점이므로

$\overrightarrow{OP}=\dfrac{3\overrightarrow{OB}+2\overrightarrow{OA}}{3+2}=\dfrac{2}{5}\overrightarrow{OA}+\dfrac{3}{5}\overrightarrow{OB}$

따라서 $s=\dfrac{2}{5}, t=\dfrac{3}{5}$이므로 $st=\dfrac{6}{25}$ 　目 ③

0350

|전략| $\overrightarrow{PG}=\overrightarrow{OG}-\overrightarrow{OP}$임을 이용한다.

$\overrightarrow{OG}=\dfrac{\vec{a}+\vec{b}+\vec{c}}{3}, \overrightarrow{OP}=\dfrac{\vec{b}+3\vec{a}}{1+3}=\dfrac{3\vec{a}+\vec{b}}{4}$

$\therefore \overrightarrow{PG}=\overrightarrow{OG}-\overrightarrow{OP}$
$\qquad\quad=\dfrac{\vec{a}+\vec{b}+\vec{c}}{3}-\dfrac{3\vec{a}+\vec{b}}{4}$
$\qquad\quad=-\dfrac{5}{12}\vec{a}+\dfrac{1}{12}\vec{b}+\dfrac{1}{3}\vec{c}$

따라서 $l=-\dfrac{5}{12}, m=\dfrac{1}{12}, n=\dfrac{1}{3}$이므로

$l+m+n=0$ 　　　　　　　　　　　　目 ④

0351

세 점 A, B, C의 위치벡터를 각각 $\vec{a}, \vec{b}, \vec{c}$라 하면 무게중심 G의 위치

벡터는 $\overrightarrow{OG}=\dfrac{\vec{a}+\vec{b}+\vec{c}}{3}$

$\therefore \overrightarrow{AG}+\overrightarrow{BG}+\overrightarrow{CG}=(\overrightarrow{OG}-\overrightarrow{OA})+(\overrightarrow{OG}-\overrightarrow{OB})+(\overrightarrow{OG}-\overrightarrow{OC})$
$\qquad\qquad\qquad\qquad=3\overrightarrow{OG}-\overrightarrow{OA}-\overrightarrow{OB}-\overrightarrow{OC}$
$\qquad\qquad\qquad\qquad=\vec{a}+\vec{b}+\vec{c}-\vec{a}-\vec{b}-\vec{c}$
$\qquad\qquad\qquad\qquad=\vec{0}$ 　　　目 ①

0352

삼각형 ABC는 정삼각형이므로 외심과 무게중심이 일치한다.

즉, $\overrightarrow{OP}=\dfrac{\vec{a}+\vec{b}+\vec{c}}{3}$

$\therefore |\vec{a}+\vec{b}+\vec{c}|=3|\overrightarrow{OP}|=3\sqrt{12^2+5^2}$
$\qquad\qquad\qquad\quad=3\times 13=39$ 　目 39

0353

|전략| $\overrightarrow{PA}=-k\overrightarrow{PB}\,(k>0)$이면 점 P는 $\overline{AB}$를 $k:1$로 내분하는 점임을 이용한다.

$\overrightarrow{PA}+3\overrightarrow{PB}+\overrightarrow{PC}=\overrightarrow{BC}$에서

$\overrightarrow{PA}+3\overrightarrow{PB}+\overrightarrow{PC}=\overrightarrow{PC}-\overrightarrow{PB}$

$\therefore \overrightarrow{PA}=-4\overrightarrow{PB}$

따라서 점 P는 $\overline{AB}$를 4 : 1로 내분하는 점이므로

$\triangle ACP : \triangle BCP=\overline{AP}:\overline{BP}$
$\qquad\qquad\qquad\quad=4:1$ 　目 ④

0354

$2\overrightarrow{PA}+\overrightarrow{PB}+\overrightarrow{PC}=\overrightarrow{CB}$에서

$2\overrightarrow{PA}+\overrightarrow{PB}+\overrightarrow{PC}=\overrightarrow{PB}-\overrightarrow{PC}$

$2\overrightarrow{PA}=-2\overrightarrow{PC}$

$\therefore \overrightarrow{PA}=-\overrightarrow{PC}$

ㄱ. 세 점 P, A, C는 한 직선 위에 있다. (참)

ㄴ. 점 P는 $\overline{AC}$를 1 : 1로 내분하는 점이므로 변 AC 위의 점이다.

　(거짓)

ㄷ. 점 P는 $\overline{AC}$의 중점이다. (참)

ㄹ. △BAP : △BCP=1 : 1 (거짓)

따라서 옳은 것은 ㄱ, ㄷ이다. 　　　　　　　　**目** ㄱ, ㄷ

0355

$3\overrightarrow{PA}+2\overrightarrow{PB}+\overrightarrow{PC}=\overrightarrow{0}$에서

$\overrightarrow{PC}=-(3\overrightarrow{PA}+2\overrightarrow{PB})$

$\qquad =-5\times\dfrac{3\overrightarrow{PA}+2\overrightarrow{PB}}{5}$ 　　　　… ❶

이때, $\overline{AB}$를 2 : 3으로 내분하는 점을 Q라

하면 $\dfrac{3\overrightarrow{PA}+2\overrightarrow{PB}}{5}=\overrightarrow{PQ}$

즉, $\overrightarrow{PC}=-5\overrightarrow{PQ}$이므로 점 P는 $\overline{CQ}$를

5 : 1로 내분하는 점이다. 　　… ❷

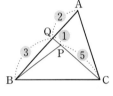

$\therefore \triangle PBC=\dfrac{5}{6}\triangle CQB=\dfrac{5}{6}\times\dfrac{3}{5}\triangle ABC$

$\qquad =\dfrac{1}{2}\triangle ABC=\dfrac{1}{2}\times60=30$ 　　… ❸

目 30

채점 기준	비율
❶ $\overrightarrow{PC}$를 $\overrightarrow{PA}$와 $\overrightarrow{PB}$를 이용하여 나타낼 수 있다.	30 %
❷ 점 P가 $\overline{CQ}$를 5 : 1로 내분하는 점임을 알 수 있다.	40 %
❸ △PBC의 넓이를 구할 수 있다.	30 %

0356

|전략| $\overrightarrow{OP}=\dfrac{m}{2}(2\overrightarrow{OA})+\dfrac{n}{3}(3\overrightarrow{OB})$임을 이용한다.

$0\leq m\leq2,\ 0\leq n\leq3$에서 $0\leq\dfrac{m}{2}\leq1,\ 0\leq\dfrac{n}{3}\leq1$이므로

$\overrightarrow{OP}=m\overrightarrow{OA}+n\overrightarrow{OB}=\dfrac{m}{2}(2\overrightarrow{OA})+\dfrac{n}{3}(3\overrightarrow{OB})$

이때, $2\overrightarrow{OA}=\overrightarrow{OA'},\ 3\overrightarrow{OB}=\overrightarrow{OB'}$을 만족

시키는 점 A', B'을 반직선 OA, OB 위

에 각각 잡으면 점 P가 나타내는 도형은

$\overrightarrow{OA'},\ \overrightarrow{OB'}$을 이웃하는 두 변으로 하는

평행사변형의 내부와 그 둘레이다.

따라서 구하는 도형의 넓이는

$\overrightarrow{OA'}\times\overrightarrow{OB'}\times\sin45°=2|\overrightarrow{OA}|\times3|\overrightarrow{OB}|\times\sin45°$

$\qquad =6\times12\times\dfrac{\sqrt{2}}{2}=36\sqrt{2}$ 　　**目** ⑤

0357

$m+n\leq2$에서 $\dfrac{m}{2}+\dfrac{n}{2}\leq1$이고 $m\geq0,\ n\geq0$이므로

$\overrightarrow{OP}=m\overrightarrow{OA}+n\overrightarrow{OB}=\dfrac{m}{2}(2\overrightarrow{OA})+\dfrac{n}{2}(2\overrightarrow{OB})$

이때, 점 P가 나타내는 도형은 $2\overrightarrow{OA}$와 $2\overrightarrow{OB}$를 두 변으로 하는 삼각

형의 내부와 그 둘레이다.

따라서 구하는 도형의 넓이는

$\dfrac{1}{2}\times2|\overrightarrow{OA}|\times2|\overrightarrow{OB}|\times\sin30°=\dfrac{1}{2}\times6\times8\times\dfrac{1}{2}$

$\qquad =12$ 　　**目** 12

0358

$2m+4n=3$에서 $\dfrac{2}{3}m+\dfrac{4}{3}n=1$이고 $m\geq0,\ n\geq0$이므로

$\overrightarrow{OP}=m\overrightarrow{OA}+n\overrightarrow{OB}$

$\qquad =\dfrac{2}{3}m\Big(\dfrac{3}{2}\overrightarrow{OA}\Big)+\dfrac{4}{3}n\Big(\dfrac{3}{4}\overrightarrow{OB}\Big)$

따라서 주어진 조건을 만족시키는 점 P는 두 벡터 $\dfrac{3}{2}\overrightarrow{OA}$와 $\dfrac{3}{4}\overrightarrow{OB}$의

종점을 연결한 선분 위에 있다.

즉, 점 P의 자취는 $\overline{OA}$를 3 : 1로 외분하는

점과 $\overline{OB}$를 3 : 1로 내분하는 점을 이은 선

분이다.

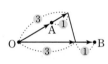

目 ⑤

0359

|전략| $2(\vec{a}-2\vec{b})+3(\vec{b}+\vec{c})$를 간단히 정리한 후 성분으로 나타낸다.

$2(\vec{a}-2\vec{b})+3(\vec{b}+\vec{c})=2\vec{a}-4\vec{b}+3\vec{b}+3\vec{c}$

$\qquad =2\vec{a}-\vec{b}+3\vec{c}$

$\qquad =2(1,2)-(-6,3)+3(2,-1)$

$\qquad =(14,-2)$

따라서 $m=14,\ n=-2$이므로 $m+n=12$ 　　**目** ③

0360

$\vec{a}+2\vec{b}=(5,4)$ 　　…… ㉠

$3\vec{a}-\vec{b}=(-6,5)$ 　　…… ㉡

㉠+㉡×2를 하면

$7\vec{a}=(5,4)+2(-6,5)=(-7,14)$

$\therefore \vec{a}=(-1,2)$ 　　… ❶

이것을 ㉡에 대입하면

$3(-1,2)-\vec{b}=(-6,5)$

$\therefore \vec{b}=3(-1,2)-(-6,5)=(3,1)$ 　　… ❷

$\therefore \vec{a}-\vec{b}=(-1,2)-(3,1)=(-4,1)$ 　　… ❸

目 $(-4,1)$

채점 기준	비율
❶ $\vec{a}$를 성분으로 나타낼 수 있다.	40 %
❷ $\vec{b}$를 성분으로 나타낼 수 있다.	40 %
❸ $\vec{a}-\vec{b}$를 성분으로 나타낼 수 있다.	20 %

0361

|전략| $-t\vec{a}+\vec{b}$를 성분으로 나타낸 후 크기를 구한다.

$-t\vec{a}+\vec{b}=-t(-1,1)+(2,4)$
$\qquad\quad =(t+2,-t+4)$
$\therefore |-t\vec{a}+\vec{b}|=\sqrt{(t+2)^2+(-t+4)^2}$
$\qquad\qquad\quad =\sqrt{2t^2-4t+20}$
$\qquad\qquad\quad =\sqrt{2(t-1)^2+18}$
따라서 $|-t\vec{a}+\vec{b}|$는 $t=1$일 때 최솟값을 갖는다. 답 ⑤

0362

$\vec{a}$가 단위벡터이므로 $|\vec{a}|=1$
즉, $\sqrt{(2t+1)^2+\left(\dfrac{3}{5}\right)^2}=1$이므로 양변을 제곱하면
$(2t+1)^2+\dfrac{9}{25}=1,\ (2t+1)^2=\dfrac{16}{25}$
$2t+1=\dfrac{4}{5}$ 또는 $2t+1=-\dfrac{4}{5}$
$\therefore t=-\dfrac{1}{10}$ 또는 $t=-\dfrac{9}{10}$
따라서 $\vec{a}$가 단위벡터가 되도록 하는 모든 실수 t의 값의 합은
$\left(-\dfrac{1}{10}\right)+\left(-\dfrac{9}{10}\right)=-1$ 답 -1

0363

$\vec{a}+x\vec{b}=(6,-2)+x(0,2)=(6,-2+2x)$
$\vec{a}+x\vec{b}$의 크기가 10이므로
$|\vec{a}+x\vec{b}|=\sqrt{6^2+(-2+2x)^2}=10$
양변을 제곱하면
$36+(-2+2x)^2=100$
$4x^2-8x-60=0$
$\therefore x^2-2x-15=0$
따라서 이차방정식의 근과 계수의 관계에 의하여 모든 실수 x의 값의
합은 2이다. 답 ④

🔍 **Lecture**

이차방정식 $ax^2+bx+c=0$의 두 근을 α,β라 하면
$\alpha+\beta=-\dfrac{b}{a},\ \alpha\beta=\dfrac{c}{a}$

0364

|전략| $\vec{c}=m\vec{a}+n\vec{b}$를 성분으로 나타낸 후 m,n의 값을 구한다.

$\vec{c}=m\vec{a}+n\vec{b}$에서
$(5,12)=m(5,-1)+n(-2,3)$
$\qquad\quad =(5m-2n,-m+3n)$
$\therefore 5m-2n=5,\ -m+3n=12$
두 식을 연립하여 풀면 $m=3,\ n=5$
$\therefore m+n=8$ 답 ③

0365

$2\vec{a}-\vec{b}=\vec{b}+\vec{c}$에서 $\vec{c}=2\vec{a}-2\vec{b}$이므로
$(-4,y)=2(2,3)-2(x,-1)$
$\qquad\quad =(4-2x,8)$
$\therefore -4=4-2x,\ y=8$
따라서 $x=4,\ y=8$이므로 $xy=32$ 답 32

0366

|전략| 점 D의 좌표를 (x,y)라 하고 $\overrightarrow{AB},\overrightarrow{CD}$를 성분으로 나타낸다.

$\overrightarrow{AB}=(-2,1)-(3,1)=(-5,0)$
점 D의 좌표를 (x,y)라 하면
$\overrightarrow{CD}=(x,y)-(-3,4)=(x+3,y-4)$
이때, $\overrightarrow{AB}=\overrightarrow{CD}$이므로
$-5=x+3,\ 0=y-4$
$\therefore x=-8,\ y=4$
따라서 점 D의 좌표는 $(-8,4)$이다. 답 ②

0367

$\overrightarrow{PA}=(2,2)-(a,b)=(2-a,2-b)$
$\overrightarrow{PB}=(-2,-2)-(a,b)=(-2-a,-2-b)$
$\overrightarrow{PC}=(-1,2)-(a,b)=(-1-a,2-b)$
$\overrightarrow{AB}=(-2,-2)-(2,2)=(-4,-4)$
이때, $\overrightarrow{PA}+\overrightarrow{PB}+\overrightarrow{PC}=\overrightarrow{AB}$이므로
$(2-a,2-b)+(-2-a,-2-b)+(-1-a,2-b)$
$=(-4,-4)$
$(-3a-1,-3b+2)=(-4,-4)$ ··· ❶
$-3a-1=-4,\ -3b+2=-4$
$\therefore a=1,\ b=2$ ··· ❷
$\therefore a+b=3$ ··· ❸ 답 3

채점 기준	비율
❶ $\overrightarrow{PA}+\overrightarrow{PB}+\overrightarrow{PC}=\overrightarrow{AB}$를 성분으로 나타내어 정리할 수 있다.	60 %
❷ a,b의 값을 구할 수 있다.	30 %
❸ $a+b$의 값을 구할 수 있다.	10 %

0368

직선 $y=-x+4$ 위의 점 P의 좌표를 $(a, -a+4)$라 하면
$$\overrightarrow{AP}=(a, -a+4)-(2, 3)=(a-2, -a+1)$$
$$\overrightarrow{BP}=(a, -a+4)-(3, 2)=(a-3, -a+2)$$
이므로
$$\overrightarrow{AP}+\overrightarrow{BP}=(a-2, -a+1)+(a-3, -a+2)$$
$$=(2a-5, -2a+3)$$
$$\therefore |\overrightarrow{AP}+\overrightarrow{BP}|=\sqrt{(2a-5)^2+(-2a+3)^2}$$
$$=\sqrt{8a^2-32a+34}$$
$$=\sqrt{8(a-2)^2+2}$$
따라서 $|\overrightarrow{AP}+\overrightarrow{BP}|$는 $a=2$일 때 최솟값 $\sqrt{2}$를 갖는다. **답 ①**

0369

|전략| 두 벡터 $\vec{p}, \vec{q}$가 평행하면 $\vec{q}=k\vec{p}\,(k \neq 0)$를 만족시키는 실수 k가 존재함을 이용한다.
$$3\vec{a}+t\vec{b}=3(2, 3)+t(4, -2)=(4t+6, -2t+9)$$
$$\vec{b}+\vec{c}=(4, -2)+(-2, -2)=(2, -4)$$
이때, 두 벡터 $3\vec{a}+t\vec{b}, \vec{b}+\vec{c}$가 서로 평행하므로
$$3\vec{a}+t\vec{b}=k(\vec{b}+\vec{c})\,(k \neq 0)$$
를 만족시키는 실수 k가 존재한다.
$$(4t+6, -2t+9)=k(2, -4)$$
$$4t+6=2k, -2t+9=-4k$$
두 식을 연립하여 풀면 $k=-4, t=-\dfrac{7}{2}$ **답 ②**

0370

$$\vec{a}+\vec{b}=(-5, t)+(3, -6)=(-2, t-6)$$
$$\vec{a}-\vec{b}=(-5, t)-(3, -6)=(-8, t+6)$$
이때, 두 벡터 $\vec{a}+\vec{b}, \vec{a}-\vec{b}$가 서로 평행하므로
$$\vec{a}-\vec{b}=k(\vec{a}+\vec{b})\,(k \neq 0)$$
를 만족시키는 실수 k가 존재한다.
$$(-8, t+6)=k(-2, t-6)$$
$$-8=-2k, t+6=k(t-6)$$
두 식을 연립하여 풀면 $k=4, t=10$ **답 ⑤**

0371

$$\overrightarrow{AB}=(3, t)-(-1, 5)=(4, t-5)$$
$$\overrightarrow{CD}=(6, 3)-(-2, -5)=(8, 8)$$
$\overrightarrow{AB} /\!/ \overrightarrow{CD}$이므로
$$\overrightarrow{CD}=k\overrightarrow{AB}\,(k \neq 0)$$
를 만족시키는 실수 k가 존재한다.
$$(8, 8)=k(4, t-5)$$
$$8=4k, 8=k(t-5)$$
두 식을 연립하여 풀면 $k=2, t=9$ **답 ③**

0372

|전략| 직각삼각형의 빗변의 중점은 외심임을 이용하여 $\overrightarrow{MA}, \overrightarrow{MB}$가 이루는 각의 크기를 구한다.

직각삼각형의 빗변의 중점은 외심이므로
$$\overrightarrow{MA}=\overrightarrow{MB}=\overrightarrow{MC}=3$$
즉, 삼각형 MAB는 한 변의 길이가 3인 정삼각형이므로
$$\overrightarrow{MA} \cdot \overrightarrow{MB}=|\overrightarrow{MA}||\overrightarrow{MB}|\cos 60°$$
$$=3 \times 3 \times \frac{1}{2}=\frac{9}{2}$$

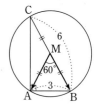

답 $\dfrac{9}{2}$

0373

$\overrightarrow{FE}=\overrightarrow{BC}$이고 $\angle ABC=120°$이므로
$$\overrightarrow{BA} \cdot \overrightarrow{FE}$$
$$=\overrightarrow{BA} \cdot \overrightarrow{BC}$$
$$=-|\overrightarrow{BA}||\overrightarrow{BC}|\cos(180°-120°)$$
$$=-|\overrightarrow{BA}||\overrightarrow{BC}|\cos 60°$$
$$=-2 \times 2 \times \frac{1}{2}=-2$$

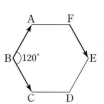

답 -2

0374

오른쪽 그림과 같이 정육각형 ABCDEF의 대각선의 교점을 O, $\overline{OF}$의 중점을 M이라 하면
$$\overrightarrow{AD}=2\overrightarrow{AO}=2 \times 1=2$$
$$\overrightarrow{AE}=2\overrightarrow{AM}=2 \times \frac{\sqrt{3}}{2}=\sqrt{3}$$
이때, $\angle OAM=30°$이므로
$$\overrightarrow{AD} \cdot \overrightarrow{AE}=|\overrightarrow{AD}||\overrightarrow{AE}|\cos 30°$$
$$=2 \times \sqrt{3} \times \frac{\sqrt{3}}{2}=3$$

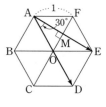

답 3

0375

$|\overrightarrow{OA}|=1, |\overrightarrow{OB}|=1, |\overrightarrow{AB}|=1, |\overrightarrow{OM}|=\dfrac{\sqrt{3}}{2}$

① $\overrightarrow{OA}$와 $\overrightarrow{OB}$가 이루는 각의 크기는 60°이므로
$$\overrightarrow{OA} \cdot \overrightarrow{OB}=|\overrightarrow{OA}||\overrightarrow{OB}|\cos 60°=1 \times 1 \times \frac{1}{2}=\frac{1}{2}$$

② $\overrightarrow{OA}$와 $\overrightarrow{OA}$가 이루는 각의 크기는 0°이므로
$$\overrightarrow{OA} \cdot \overrightarrow{OA}=|\overrightarrow{OA}||\overrightarrow{OA}|\cos 0°=1 \times 1 \times 1=1$$

③ $\overrightarrow{OB}$와 $\overrightarrow{OM}$이 이루는 각의 크기는 30°이므로
$$\overrightarrow{OB} \cdot \overrightarrow{OM}=|\overrightarrow{OB}||\overrightarrow{OM}|\cos 30°=1 \times \frac{\sqrt{3}}{2} \times \frac{\sqrt{3}}{2}=\frac{3}{4}$$

④ 두 벡터의 시점을 같게 만들기 위하여 오른쪽 그림과 같이 $\overrightarrow{AB}=\overrightarrow{OB'}$인 점 B'을 잡으면 $\overrightarrow{OA}$와 $\overrightarrow{OB'}$이 이루는 각의 크기는 120°이고
$|\overrightarrow{OB'}|=|\overrightarrow{AB}|=1$이므로

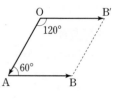

$$\overrightarrow{OA} \cdot \overrightarrow{AB} = \overrightarrow{OA} \cdot \overrightarrow{OB'}$$
$$= -|\overrightarrow{OA}||\overrightarrow{OB'}|\cos(180°-120°)$$
$$= -|\overrightarrow{OA}||\overrightarrow{OB'}|\cos 60°$$
$$= -1 \times 1 \times \frac{1}{2} = -\frac{1}{2}$$

⑤ $\overrightarrow{AB}$와 $\overrightarrow{OM}$이 이루는 각의 크기는 $90°$이므로
$$\overrightarrow{AB} \cdot \overrightarrow{OM} = |\overrightarrow{AB}||\overrightarrow{OM}|\cos 90°$$
$$= 1 \times \frac{\sqrt{3}}{2} \times 0 = 0$$

따라서 그 값이 가장 큰 것은 ②이다. 　답 ②

0376

|전략| $\vec{a}=(a_1, a_2), \vec{b}=(b_1, b_2)$일 때, $\vec{a} \cdot \vec{b}=a_1 b_1 + a_2 b_2$임을 이용한다.

$\vec{a} \cdot \vec{b} = -2$에서
$$(2, x-1) \cdot (-3, x+2) = -2$$
$$-6 + (x-1)(x+2) = -2$$
$$x^2 + x - 6 = 0, (x+3)(x-2) = 0$$
$$\therefore x = 2 \ (\because x > 0)$$ 　답 2

0377

$|\vec{a}| = \sqrt{2}$에서 $|\vec{a}|^2 = 2$이므로
$$x^2 + (x-2)^2 = 2$$
$$2x^2 - 4x + 2 = 0, 2(x-1)^2 = 0$$
$$\therefore x = 1$$ …… ❶

따라서 $\vec{a} = (1, -1), \vec{b} = (0, 2)$이므로
$$\vec{a} \cdot \vec{b} = (1, -1) \cdot (0, 2) = -2$$ …… ❷
　답 -2

채점 기준	비율
❶ x의 값을 구할 수 있다.	40 %
❷ $\vec{a} \cdot \vec{b}$를 구할 수 있다.	60 %

0378

두 점 P, Q가 포물선 $y = \frac{1}{4}x^2$ 위의 점이므로

$P\left(a, \frac{1}{4}a^2\right), Q\left(b, \frac{1}{4}b^2\right)$이라 하면

$$\overrightarrow{OP} = \left(a, \frac{1}{4}a^2\right), \overrightarrow{OQ} = \left(b, \frac{1}{4}b^2\right)$$

$$\therefore \overrightarrow{OP} \cdot \overrightarrow{OQ} = \left(a, \frac{1}{4}a^2\right) \cdot \left(b, \frac{1}{4}b^2\right)$$
$$= ab + \frac{1}{16}(ab)^2$$
$$= \frac{1}{16}\{(ab)^2 + 16ab\}$$
$$= \frac{1}{16}(ab+8)^2 - 4$$

따라서 $\overrightarrow{OP} \cdot \overrightarrow{OQ}$는 $ab = -8$일 때 최솟값 -4를 갖는다. 　답 ①

0379

|전략| $(p\vec{a}+q\vec{b}) \cdot (r\vec{a}+s\vec{b}) = pr|\vec{a}|^2 + (ps+qr)\vec{a} \cdot \vec{b} + qs|\vec{b}|^2$임을 이용한다.

$\vec{a} \cdot \vec{b} = |\vec{a}||\vec{b}|\cos 60° = 3 \times 1 \times \frac{1}{2} = \frac{3}{2}$이므로

$$(\vec{a}+2\vec{b}) \cdot (3\vec{a}-4\vec{b}) = 3|\vec{a}|^2 + 2\vec{a} \cdot \vec{b} - 8|\vec{b}|^2$$
$$= 3 \times 3^2 + 2 \times \frac{3}{2} - 8 \times 1^2$$
$$= 22$$ 　답 ③

0380

$|\vec{b}| = k (k \geq 0)$라 하면

$\vec{a} \cdot \vec{b} = |\vec{a}||\vec{b}|\cos 60° = 2 \times k \times \frac{1}{2} = k$이므로

$(2\vec{a}+\vec{b}) \cdot (\vec{a}-3\vec{b}) = 6$에서
$$2|\vec{a}|^2 - 5\vec{a} \cdot \vec{b} - 3|\vec{b}|^2 = 6$$
$$2 \times 2^2 - 5k - 3k^2 = 6$$
$$3k^2 + 5k - 2 = 0, (k+2)(3k-1) = 0$$
$$\therefore k = \frac{1}{3} \ (\because k \geq 0)$$ 　답 ③

0381

$\vec{a} = (-1, -2), \vec{b} = (2, 0)$에서
$$|\vec{a}|^2 = (-1)^2 + (-2)^2 = 5, |\vec{b}|^2 = 2^2 + 0^2 = 4$$
$$\therefore f(t) = (\vec{a}+t\vec{b}) \cdot (\vec{a}-t\vec{b})$$
$$= |\vec{a}|^2 - t^2|\vec{b}|^2$$
$$= 5 - 4t^2$$

따라서 $f(t)$는 $t = 0$일 때 최댓값 5를 갖는다. 　답 5

○ 다른 풀이 $\vec{a}+t\vec{b} = (-1, -2) + t(2, 0) = (2t-1, -2)$
$$\vec{a}-t\vec{b} = (-1, -2) - t(2, 0) = (-2t-1, -2)$$
$$\therefore f(t) = (\vec{a}+t\vec{b}) \cdot (\vec{a}-t\vec{b})$$
$$= (2t-1, -2) \cdot (-2t-1, -2)$$
$$= (2t-1)(-2t-1) + (-2) \times (-2)$$
$$= -4t^2 + 5$$

따라서 $f(t)$는 $t = 0$일 때 최댓값 5를 갖는다.

0382

|전략| $|\vec{a}+\vec{b}| = \sqrt{15}$의 양변을 제곱하여 $|p\vec{a}+q\vec{b}|^2 = p^2|\vec{a}|^2 + 2pq\vec{a} \cdot \vec{b} + q^2|\vec{b}|^2$임을 이용한다.

$|\vec{a}+\vec{b}| = \sqrt{15}$의 양변을 제곱하면
$$|\vec{a}|^2 + 2\vec{a} \cdot \vec{b} + |\vec{b}|^2 = 15$$
$$3^2 + 2\vec{a} \cdot \vec{b} + 2^2 = 15 \qquad \therefore \vec{a} \cdot \vec{b} = 1$$
$$\therefore |2\vec{a}-\vec{b}|^2 = 4|\vec{a}|^2 - 4\vec{a} \cdot \vec{b} + |\vec{b}|^2$$
$$= 4 \times 3^2 - 4 \times 1 + 2^2 = 36$$
$$\therefore |2\vec{a}-\vec{b}| = 6$$ 　답 6

0383

$|\vec{a}+\vec{b}|=2$의 양변을 제곱하면

$|\vec{a}|^2+2\vec{a}\cdot\vec{b}+|\vec{b}|^2=4$ ······ ㉠

$|\vec{a}-\vec{b}|=4$의 양변을 제곱하면

$|\vec{a}|^2-2\vec{a}\cdot\vec{b}+|\vec{b}|^2=16$ ······ ㉡

㉠+㉡을 하면 $2(|\vec{a}|^2+|\vec{b}|^2)=20$

$\therefore |\vec{a}|^2+|\vec{b}|^2=10$

$\therefore |3\vec{a}-\vec{b}|^2+|\vec{a}+3\vec{b}|^2$

$=9|\vec{a}|^2-6\vec{a}\cdot\vec{b}+|\vec{b}|^2+|\vec{a}|^2+6\vec{a}\cdot\vec{b}+9|\vec{b}|^2$

$=10(|\vec{a}|^2+|\vec{b}|^2)$

$=10\times10=100$ 답 ④

0384

$|\vec{a}|=1$, $|\vec{b}|=1$이고 $\angle ABC=120°$이므로

$\vec{a}\cdot\vec{b}=-|\vec{a}||\vec{b}|\cos(180°-120°)=-|\vec{a}||\vec{b}|\cos 60°$

$=-1\times1\times\dfrac{1}{2}=-\dfrac{1}{2}$

$\therefore |2\vec{a}+5\vec{b}|^2=4|\vec{a}|^2+20\vec{a}\cdot\vec{b}+25|\vec{b}|^2$

$=4\times1^2+20\times\left(-\dfrac{1}{2}\right)+25\times1^2=19$

$\therefore |2\vec{a}+5\vec{b}|=\sqrt{19}$ 답 $\sqrt{19}$

0385

|전략| 점 P의 좌표를 (x,y)라 하고 $\overrightarrow{PA}+\overrightarrow{PB}+\overrightarrow{PC}$를 성분으로 나타낸다.

점 P의 좌표를 (x,y)라 하면

$\overrightarrow{PA}=(-1,-1)-(x,y)=(-x-1,-y-1)$

$\overrightarrow{PB}=(2,-1)-(x,y)=(-x+2,-y-1)$

$\overrightarrow{PC}=(-1,2)-(x,y)=(-x-1,-y+2)$

$\therefore \overrightarrow{PA}+\overrightarrow{PB}+\overrightarrow{PC}=(-3x,-3y)$

이때, $|\overrightarrow{PA}+\overrightarrow{PB}+\overrightarrow{PC}|=2$에서

$\sqrt{(-3x)^2+(-3y)^2}=2$

양변을 제곱하면

$(-3x)^2+(-3y)^2=4$ $\therefore x^2+y^2=\dfrac{4}{9}$

따라서 점 P가 나타내는 도형은 중심의 좌표가 $(0,0)$이고 반지름의

길이가 $\dfrac{2}{3}$인 원이므로 구하는 넓이는

$\pi\times\left(\dfrac{2}{3}\right)^2=\dfrac{4}{9}\pi$ 답 $\dfrac{4}{9}\pi$

0386

점 P의 좌표를 (x,y)라 하면

$\overrightarrow{AP}=(x,y)-(3,-2)=(x-3,y+2)$

$\overrightarrow{BP}=(x,y)-(-3,4)=(x+3,y-4)$

이때, $|\overrightarrow{AP}|=|\overrightarrow{BP}|$에서

$\sqrt{(x-3)^2+(y+2)^2}=\sqrt{(x+3)^2+(y-4)^2}$

양변을 제곱하면

$(x-3)^2+(y+2)^2=(x+3)^2+(y-4)^2$

$-12x+12y-12=0$ $\therefore x-y+1=0$ 답 $x-y+1=0$

0387

오른쪽 그림과 같이 주어진 직사각형을 꼭짓점 B가 원점에 오도록 좌표평면 위에 놓으면

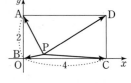

$A(0,2)$, $C(4,0)$, $D(4,2)$

점 P의 좌표를 (x,y)라 하면

$\overrightarrow{PA}+\overrightarrow{PB}=(-x,-y+2)+(-x,-y)=(-2x,-2y+2)$

$\overrightarrow{PC}+\overrightarrow{PD}=(-x+4,-y)+(-x+4,-y+2)$

$=(-2x+8,-2y+2)$

$(\overrightarrow{PA}+\overrightarrow{PB})\cdot(\overrightarrow{PC}+\overrightarrow{PD})=0$에서

$(-2x,-2y+2)\cdot(-2x+8,-2y+2)=0$

$4x(x-4)+4(y-1)^2=0$, $(x-2)^2+(y-1)^2=4$

즉, 점 P가 나타내는 도형은 중심의 좌표가 $(2,1)$이고 반지름의 길이가 2인 원이다.

그런데 점 P는 직사각형 ABCD의 둘레 또는 내부를 움직이므로 오른쪽 그림의 $\overarc{A'B'}$, $\overarc{C'D'}$ 위에 존재한다.

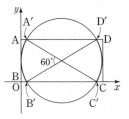

따라서 구하는 길이는

$2\times\left(4\pi\times\dfrac{1}{6}\right)=\dfrac{4}{3}\pi$ 답 ④

0388

|전략| $\overrightarrow{BA}\cdot\overrightarrow{BC}>0$이므로 $\cos\theta=\dfrac{\overrightarrow{BA}\cdot\overrightarrow{BC}}{|\overrightarrow{BA}||\overrightarrow{BC}|}$임을 이용한다.

두 벡터 $\overrightarrow{BA}$, $\overrightarrow{BC}$가 이루는 각의 크기를 $\theta(0°<\theta<90°)$라 하면

$\overrightarrow{BA}\cdot\overrightarrow{BC}>0$이므로

$\cos\theta=\dfrac{\overrightarrow{BA}\cdot\overrightarrow{BC}}{|\overrightarrow{BA}||\overrightarrow{BC}|}=\dfrac{6\sqrt{2}}{3\times4}=\dfrac{\sqrt{2}}{2}$

이때, $0°<\theta<90°$이므로 $\theta=45°$

따라서 삼각형 ABC의 넓이는

$\dfrac{1}{2}\times3\times4\times\sin 45°=\dfrac{1}{2}\times3\times4\times\dfrac{\sqrt{2}}{2}$

$=3\sqrt{2}$ 답 $3\sqrt{2}$

0389

두 벡터 $\vec{a}$, $\vec{b}$가 이루는 각의 크기를 $\theta(0°<\theta<90°)$라 하면

$\vec{a}\cdot\vec{b}>0$이므로

$\cos\theta=\dfrac{\vec{a}\cdot\vec{b}}{|\vec{a}||\vec{b}|}=\dfrac{2}{2\times3}=\dfrac{1}{3}$

오른쪽 그림과 같이 $\angle E=\theta$, $\angle F=90°$, $\overline{DE}=3$,

$\overline{EF}=1$인 직각삼각형 DEF에서 피타고라스 정리에 의하여 $\overline{DF}=2\sqrt{2}$이므로

$\sin\theta=\dfrac{2\sqrt{2}}{3}$

따라서 두 선분 OA, OB를 두 변으로 하는 평행사변형의 넓이는

$2\times3\times\sin\theta=2\times3\times\dfrac{2\sqrt{2}}{3}=4\sqrt{2}$ 답 $4\sqrt{2}$

0390

ㄱ. $|\vec{a}+\vec{b}|^2=|2\vec{a}+\vec{b}|^2$에서

$|\vec{a}|^2+2\vec{a}\cdot\vec{b}+|\vec{b}|^2=4|\vec{a}|^2+4\vec{a}\cdot\vec{b}+|\vec{b}|^2$

$2\vec{a}\cdot\vec{b}=-3|\vec{a}|^2=-3$

$\therefore \vec{a}\cdot\vec{b}=-\dfrac{3}{2}$ (거짓)

ㄴ. $|\vec{a}+\vec{b}|^2=|\vec{a}|^2$에서

$|\vec{a}|^2+2\vec{a}\cdot\vec{b}+|\vec{b}|^2=|\vec{a}|^2$

$|\vec{b}|^2=-2\vec{a}\cdot\vec{b}=-2\times\left(-\dfrac{3}{2}\right)=3$

$\therefore |\vec{b}|=\sqrt{3}$ (참)

ㄷ. 두 벡터 $\overrightarrow{OA}=\vec{a}$, $\overrightarrow{OB}=\vec{b}$가 이루는 각의 크기를 $\theta\,(0°\leq\theta\leq180°)$라 하면 ㄱ에서 $\vec{a}\cdot\vec{b}<0$이므로

$\cos(180°-\theta)=-\dfrac{\vec{a}\cdot\vec{b}}{|\vec{a}||\vec{b}|}=-\dfrac{-\dfrac{3}{2}}{1\times\sqrt{3}}=\dfrac{\sqrt{3}}{2}$

따라서 $180°-\theta=30°$이므로 $\theta=150°$

즉, $\angle\mathrm{AOB}=150°$ (참)

따라서 옳은 것은 ㄴ, ㄷ이다. **답 ㄴ, ㄷ**

0391

|**전략**| $(\vec{a}-\vec{b})\cdot(\vec{a}-\vec{c})$의 부호를 먼저 파악한다.

$\vec{a}-\vec{b}=(3,1)-(1,2)=(2,-1)$

$\vec{a}-\vec{c}=(3,1)-(4,-2)=(-1,3)$

이므로

$|\vec{a}-\vec{b}|=\sqrt{2^2+(-1)^2}=\sqrt{5}$

$|\vec{a}-\vec{c}|=\sqrt{(-1)^2+3^2}=\sqrt{10}$

$(\vec{a}-\vec{b})\cdot(\vec{a}-\vec{c})=2\times(-1)+(-1)\times3=-5$

이때, 두 벡터 $\vec{a}-\vec{b}$, $\vec{a}-\vec{c}$가 이루는 각의 크기를 $\theta\,(0°\leq\theta\leq180°)$라 하면 $(\vec{a}-\vec{b})\cdot(\vec{a}-\vec{c})<0$이므로

$\cos(180°-\theta)=-\dfrac{(\vec{a}-\vec{b})\cdot(\vec{a}-\vec{c})}{|\vec{a}-\vec{b}||\vec{a}-\vec{c}|}=-\dfrac{-5}{\sqrt{5}\sqrt{10}}=\dfrac{\sqrt{2}}{2}$

따라서 $180°-\theta=45°$이므로 $\theta=135°$ **답 135°**

0392

$\vec{b}-\vec{a}=(x,0)-(1,-x)=(x-1,x)$

이므로 $|\vec{b}-\vec{a}|=\sqrt{5}$에서

$\sqrt{(x-1)^2+x^2}=\sqrt{5}$

양변을 제곱하면

$2x^2-2x+1=5$, $x^2-x-2=0$

$(x+1)(x-2)=0$ $\therefore x=2\ (\because x>0)$

즉, $\vec{a}=(1,-2)$, $\vec{b}=(2,0)$이므로

$|\vec{a}|=\sqrt{1^2+(-2)^2}=\sqrt{5}$

$|\vec{b}|=\sqrt{2^2+0^2}=2$

이때, $\vec{a}\cdot\vec{b}=1\times2+(-2)\times0=2>0$이므로

$\cos\theta=\dfrac{\vec{a}\cdot\vec{b}}{|\vec{a}||\vec{b}|}=\dfrac{2}{\sqrt{5}\times2}=\dfrac{\sqrt{5}}{5}$ **답 $\dfrac{\sqrt{5}}{5}$**

0393

|**전략**| $|\vec{a}+\vec{b}|=2$의 양변을 제곱한다.

$|\vec{a}+\vec{b}|=2$의 양변을 제곱하면

$|\vec{a}|^2+2\vec{a}\cdot\vec{b}+|\vec{b}|^2=4$

두 벡터 $\vec{a}$, $\vec{b}$가 이루는 각의 크기를 $\theta\,(90°<\theta<180°)$라 하면

$|\vec{a}|^2-2|\vec{a}||\vec{b}|\cos(180°-\theta)+|\vec{b}|^2=4$

$(2\sqrt{2})^2-2\times2\sqrt{2}\times2\times\cos(180°-\theta)+2^2=4$

$8\sqrt{2}\cos(180°-\theta)=8$ $\therefore \cos(180°-\theta)=\dfrac{\sqrt{2}}{2}$

따라서 $180°-\theta=45°$이므로 $\theta=135°$ **답 135°**

0394

$|2\vec{a}+\vec{b}|=|2\vec{a}-\vec{b}|$의 양변을 제곱하면

$4|\vec{a}|^2+4\vec{a}\cdot\vec{b}+|\vec{b}|^2=4|\vec{a}|^2-4\vec{a}\cdot\vec{b}+|\vec{b}|^2$

$8\vec{a}\cdot\vec{b}=0$ $\therefore \vec{a}\cdot\vec{b}=0$

따라서 구하는 각의 크기는 $90°$이다. **답 90°**

🔍 *Lecture*

영벡터가 아닌 두 벡터 $\vec{a}$, $\vec{b}$에 대하여 $|m\vec{a}+n\vec{b}|=|m\vec{a}-n\vec{b}|\,(mn\neq0)$
이면 $\vec{a}\cdot\vec{b}=0$이므로 두 벡터 $\vec{a}$, $\vec{b}$가 이루는 각의 크기는 $90°$이다.

0395

$\vec{a}+\vec{b}+\vec{c}=\vec{0}$에서 $\vec{a}+\vec{c}=-\vec{b}$

즉, $|\vec{a}+\vec{c}|=|-\vec{b}|$이므로 양변을 제곱하면

$|\vec{a}|^2+2\vec{a}\cdot\vec{c}+|\vec{c}|^2=|\vec{b}|^2$

두 벡터 $\vec{a}$, $\vec{c}$가 이루는 각의 크기를 $\theta\,(0°<\theta<90°)$라 하면

$|\vec{a}|^2+2|\vec{a}||\vec{c}|\cos\theta+|\vec{c}|^2=|\vec{b}|^2$

$2^2+2\times2\times1\times\cos\theta+1^2=(\sqrt{7})^2$

$4\cos\theta=2$, $\cos\theta=\dfrac{1}{2}$ $\therefore \theta=60°$ **답 60°**

0396

|**전략**| $\vec{a}-\vec{b}$와 $\vec{a}+t\vec{b}$가 수직이면 $(\vec{a}-\vec{b})\cdot(\vec{a}+t\vec{b})=0$임을 이용한다.

$\vec{a}-\vec{b}=(2,3)-(-1,2)=(3,1)$

$\vec{a}+t\vec{b}=(2,3)+t(-1,2)=(-t+2,2t+3)$

(i) $\vec{a}-\vec{b}$와 $\vec{a}+t\vec{b}$가 평행할 때

$\vec{a}+t\vec{b}=k(\vec{a}-\vec{b})(k\neq0)$를 만족시키는 실수 k가 존재한다.

$(-t+2,2t+3)=k(3,1)$

$-t+2=3k$, $2t+3=k$

두 식을 연립하여 풀면 $k=1$, $t=-1$

$\therefore \alpha=-1$

(ii) $\vec{a}-\vec{b}$와 $\vec{a}+t\vec{b}$가 수직일 때

$(\vec{a}-\vec{b})\cdot(\vec{a}+t\vec{b})=0$이므로

$(3,1)\cdot(-t+2,2t+3)=0$

$-3t+6+2t+3=0$, $-t+9=0$ $\therefore t=9$

$\therefore \beta=9$

(i), (ii)에 의하여 $\beta-\alpha=9-(-1)=10$ **답 ④**

0397

$\vec{a}, \vec{b}$가 서로 수직이므로 $\vec{a} \cdot \vec{b} = 0$

또, $|\vec{a}| = 2$, $|\vec{b}| = 2$이므로

$$(\vec{a} + 3\vec{b}) \cdot (2\vec{a} - \vec{b}) = 2|\vec{a}|^2 + 5\vec{a} \cdot \vec{b} - 3|\vec{b}|^2$$
$$= 2 \times 2^2 + 5 \times 0 - 3 \times 2^2$$
$$= -4 \qquad \qquad \text{답 ①}$$

○다른 풀이 주어진 정사각형을 꼭짓점 A를 원점으로 하는 좌표평면 위에 놓으면 $\vec{a} = (2, 0), \vec{b} = (0, 2)$이므로

$$\vec{a} + 3\vec{b} = (2, 6), 2\vec{a} - \vec{b} = (4, -2)$$

$$\therefore (\vec{a} + 3\vec{b}) \cdot (2\vec{a} - \vec{b}) = 2 \times 4 + 6 \times (-2)$$
$$= -4$$

0398

$\vec{a} - 3\vec{b}$와 $-2\vec{a} + \vec{b}$가 서로 수직이므로

$$(\vec{a} - 3\vec{b}) \cdot (-2\vec{a} + \vec{b}) = 0, \ -2|\vec{a}|^2 + 7\vec{a} \cdot \vec{b} - 3|\vec{b}|^2 = 0$$

또, $|\vec{a}| = 2$, $|\vec{b}| = 1$이므로

$$-2 \times 2^2 + 7\vec{a} \cdot \vec{b} - 3 \times 1^2 = 0$$

$$\therefore \vec{a} \cdot \vec{b} = \frac{11}{7} \qquad \qquad \cdots \text{❶}$$

이때, $\vec{a} \cdot \vec{b} > 0$이므로

$$\cos\theta = \frac{\vec{a} \cdot \vec{b}}{|\vec{a}||\vec{b}|} = \frac{\frac{11}{7}}{2 \times 1} = \frac{11}{14} \qquad \cdots \text{❷}$$

$$\text{답 } \frac{11}{14}$$

채점 기준	비율
❶ $\vec{a} \cdot \vec{b}$를 구할 수 있다.	50 %
❷ $\cos\theta$의 값을 구할 수 있다.	50 %

0399

$(3\vec{a} + \vec{b}) \perp (2\vec{a} - \vec{b})$이므로

$$(3\vec{a} + \vec{b}) \cdot (2\vec{a} - \vec{b}) = 0, \ 6|\vec{a}|^2 - \vec{a} \cdot \vec{b} - |\vec{b}|^2 = 0$$

두 벡터 $\vec{a}, \vec{b}$가 이루는 각의 크기가 $0° \leq \theta \leq 90°$이므로

$$6|\vec{a}|^2 - |\vec{a}||\vec{b}| \cos\theta - |\vec{b}|^2 = 0$$

이때, $\vec{b} = 2\vec{a}$이므로

$$6|\vec{a}|^2 - |\vec{a}||2\vec{a}| \cos\theta - |2\vec{a}|^2 = 0$$

$$6|\vec{a}|^2 - 2|\vec{a}|^2 \cos\theta - 4|\vec{a}|^2 = 0$$

$$-2|\vec{a}|^2(\cos\theta - 1) = 0 \qquad \therefore \cos\theta = 1 \qquad \text{답 ⑤}$$

0400

|전략| 두 직선이 서로 평행하면 방향벡터가 같음을 이용한다.

직선 $x - 3 = 2(y + 1)$, 즉 $\dfrac{x-3}{2} = y + 1$의 방향벡터를 $\vec{u}$라 하면

$$\vec{u} = (2, 1)$$

따라서 점 $A(3, -4)$를 지나고 방향벡터가 $\vec{u} = (2, 1)$인 직선의 방정식은

$$\frac{x-3}{2} = y + 4$$

이 직선이 점 $(-1, k)$를 지나므로

$$\frac{-1-3}{2} = k + 4 \qquad \therefore k = -6 \qquad \text{답 } -6$$

0401

두 점 $A(1, -2)$, $B(2, 4)$를 지나는 직선의 방향벡터는

$$\overrightarrow{AB} = (2, 4) - (1, -2) = (1, 6)$$

따라서 점 $(-3, 1)$을 지나고 방향벡터가 $\overrightarrow{AB} = (1, 6)$인 직선의 방정식은

$$x + 3 = \frac{y-1}{6} \qquad \qquad \text{답 ①}$$

0402

|전략| 두 직선이 서로 수직이면 한 직선의 방향벡터는 다른 한 직선의 법선벡터와 같음을 이용한다.

구하는 직선은 직선 $x - 1 = \dfrac{2-y}{3}$, 즉 $x - 1 = \dfrac{y-2}{-3}$에 수직이므로 구하는 직선의 법선벡터를 $\vec{n}$이라 하면

$$\vec{n} = (1, -3)$$

따라서 점 $A(2, 5)$를 지나고 법선벡터가 $\vec{n} = (1, -3)$인 직선의 방정식은

$$(x - 2) - 3(y - 5) = 0 \qquad \therefore x - 3y + 13 = 0$$

이 직선이 점 $(a, 4)$를 지나므로

$$a - 3 \times 4 + 13 = 0 \qquad \therefore a = -1 \qquad \text{답 } -1$$

0403

두 점 $A(2, 3)$, $B(-1, 4)$를 지나는 직선의 방향벡터는

$$\overrightarrow{AB} = (-1, 4) - (2, 3) = (-3, 1)$$

이므로 구하는 직선의 법선벡터는

$$\overrightarrow{AB} = (-3, 1)$$

점 $P(-2, 6)$을 지나고 법선벡터가 $\overrightarrow{AB} = (-3, 1)$인 직선의 방정식은

$$-3(x + 2) + (y - 6) = 0 \qquad \therefore -3x + y - 12 = 0$$

따라서 직선 $y = 3x + 12$와 x축, y축으로 둘러싸인 도형의 넓이 S는 오른쪽 그림에서

$$S = \frac{1}{2} \times 4 \times 12 = 24$$

$$\text{답 } 24$$

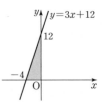

0404

|전략| 두 직선의 방향벡터 $\vec{u_1}, \vec{u_2}$를 구한 후 $\cos\theta = \dfrac{|\vec{u_1} \cdot \vec{u_2}|}{|\vec{u_1}||\vec{u_2}|}$임을 이용한다.

두 직선의 방향벡터를 각각 $\vec{u_1}, \vec{u_2}$라 하면

$$\vec{u_1} = (2, -1), \vec{u_2} = (4, 3)$$

$$\therefore \cos\theta = \frac{|\vec{u_1}\cdot\vec{u_2}|}{|\vec{u_1}||\vec{u_2}|}$$

$$= \frac{|2\times4+(-1)\times3|}{\sqrt{2^2+(-1)^2}\sqrt{4^2+3^2}} = \frac{5}{5\sqrt{5}} = \frac{\sqrt{5}}{5}$$

$$\therefore 5\cos^2\theta = 5\times\left(\frac{\sqrt{5}}{5}\right)^2 = 5\times\frac{1}{5} = 1 \qquad \text{달 } 1$$

0405

두 직선의 방향벡터를 각각 $\vec{u_1}, \vec{u_2}$라 하면

$\vec{u_1}=(a,1), \vec{u_2}=(1,\sqrt{3})$

두 직선이 이루는 각의 크기가 $30°$이므로

$\cos 30° = \dfrac{|\vec{u_1}\cdot\vec{u_2}|}{|\vec{u_1}||\vec{u_2}|}$에서

$$\frac{\sqrt{3}}{2} = \frac{|a\times1+1\times\sqrt{3}|}{\sqrt{a^2+1^2}\sqrt{1^2+(\sqrt{3})^2}}, \frac{\sqrt{3}}{2} = \frac{|a+\sqrt{3}|}{2\sqrt{a^2+1}}$$

$|a+\sqrt{3}| = \sqrt{3a^2+3}$

양변을 제곱하면

$a^2+2\sqrt{3}a+3=3a^2+3, 2a^2-2\sqrt{3}a=0$

$2a(a-\sqrt{3})=0 \qquad \therefore a=\sqrt{3}\ (\because a>0)$ 　　달 ①

0406

|전략| 세 직선 l, m, n의 방향벡터를 각각 $\vec{u_1}, \vec{u_2}, \vec{u_3}$이라 할 때, $l /\!/ m$이면 $\vec{u_1}/\!/\vec{u_2}$, $l \perp n$이면 $\vec{u_1}\perp\vec{u_3}$임을 이용한다.

세 직선 l, m, n의 방향벡터를 각각 $\vec{u_1}, \vec{u_2}, \vec{u_3}$이라 하면

$\vec{u_1}=(3,2), \vec{u_2}=(6,-a), \vec{u_3}=(-2,b)$

이때, 두 직선 l, m이 서로 평행하면 $\vec{u_1}/\!/\vec{u_2}$이므로

$\vec{u_1}=k\vec{u_2}\ (k\ne0)$를 만족시키는 실수 k가 존재한다.

$(3,2)=k(6,-a)$에서

$3=6k, 2=-ak \qquad \therefore k=\dfrac{1}{2}, a=-4$

또, 두 직선 l, n이 서로 수직이면 $\vec{u_1}\perp\vec{u_3}$이므로 $\vec{u_1}\cdot\vec{u_3}=0$에서

$(3,2)\cdot(-2,b)=0, -6+2b=0 \qquad \therefore b=3$

$\therefore a+b=-4+3=-1$ 　　달 ②

0407

두 점 $A(-2,6), B(5,1)$을 지나는 직선의 방향벡터를 $\vec{u}$라 하면

$\vec{u}=\overrightarrow{AB}=(5,1)-(-2,6)=(7,-5)$ 　　…… ❶

직선 $\dfrac{x+1}{k}=\dfrac{y-5}{k+2}$의 방향벡터를 $\vec{v}$라 하면

$\vec{v}=(k,k+2)$ 　　…… ❷

이때, 두 직선이 서로 수직이므로 $\vec{u}\cdot\vec{v}=0$에서

$(7,-5)\cdot(k,k+2)=0$

$7k-5(k+2)=0 \qquad \therefore k=5$ 　　…… ❸

답 5

채점 기준	비율
❶ 두 점 A, B를 지나는 직선의 방향벡터를 구할 수 있다.	30 %
❷ 직선 $\dfrac{x+1}{k}=\dfrac{y-5}{k+2}$의 방향벡터를 구할 수 있다.	30 %
❸ k의 값을 구할 수 있다.	40 %

◦다른 풀이 두 점 A, B를 지나는 직선의 기울기는 $\dfrac{1-6}{5-(-2)}=-\dfrac{5}{7}$

직선 $\dfrac{x+1}{k}=\dfrac{y-5}{k+2}$의 기울기는 $\dfrac{k+2}{k}$

이때, 두 직선이 서로 수직이므로

$-\dfrac{5}{7}\times\dfrac{k+2}{k}=-1, 5(k+2)=7k \qquad \therefore k=5$

0408

$\dfrac{x+1}{3}=\dfrac{y-3}{-1}=t\ (t$는 실수$)$라 하면

$x=3t-1, y=-t+3$

점 H는 직선 l 위의 점이므로 $H(3t-1,-t+3)$ 　　…… ㉠

$\therefore \overrightarrow{AH}=\overrightarrow{OH}-\overrightarrow{OA}=(3t-1,-t+3)-(-5,1)$

$\qquad = (3t+4,-t+2)$

또, 직선 l의 방향벡터를 $\vec{u}$라 하면 $\vec{u}=(3,-1)$

$\overrightarrow{AH}$가 직선 l에 수직이므로 $\overrightarrow{AH}\cdot\vec{u}=0$에서

$(3t+4,-t+2)\cdot(3,-1)=0$

$9t+12+t-2=0 \qquad \therefore t=-1$

이때, $t=-1$을 ㉠에 대입하면 $H(-4,4)$

따라서 두 점 $A(-5,1), H(-4,4)$를 지나는 직선의 방정식은

$\dfrac{x-(-5)}{-4-(-5)}=\dfrac{y-1}{4-1} \qquad \therefore x+5=\dfrac{y-1}{3}$ 　　달 $x+5=\dfrac{y-1}{3}$

0409

|전략| 두 점 A, P의 위치벡터가 각각 $\vec{a}, \vec{p}$일 때 $|\vec{p}-\vec{a}|=r$이면 점 P의 자취는 중심이 점 A이고 반지름의 길이가 r인 원이다.

점 A의 위치벡터를 $\vec{a}=(3,4)$라 하면 $|\vec{p}-\vec{a}|=|\vec{a}|$이므로 점 P가 나타내는 도형은 중심이 $A(3,4)$이고, 반지름의 길이가

$|\vec{a}|=\sqrt{3^2+4^2}=5$인 원이다.

즉, 점 P가 나타내는 도형의 방정식은

$(x-3)^2+(y-4)^2=25$

$y=0$을 대입하면 $(x-3)^2=9$

$x-3=-3$ 또는 $x-3=3$

$\therefore x=0$ 또는 $x=6$

따라서 점 P가 나타내는 도형이 x축과 만나는 두 점의 좌표는

$(0,0), (6,0)$이므로 두 점 사이의 거리는 6이다. 　　달 6

0410

$\overrightarrow{AP}\cdot\overrightarrow{BP}=0$에서 $\angle APB=90°$이므로 점 P가 나타내는 도형은 두 점 A, B를 지름의 양 끝점으로 하는 원이다.

$\overline{AB}=\sqrt{(-2-2)^2+(2-4)^2}=2\sqrt{5}$이므로 구하는 둘레의 길이는 $2\sqrt{5}\pi$이다. 　　달 $2\sqrt{5}\pi$

◦다른 풀이 점 P의 좌표를 (x,y)라 하면

$\overrightarrow{AP}=(x-2,y-4), \overrightarrow{BP}=(x+2,y-2)$

$\overrightarrow{AP}\cdot\overrightarrow{BP}=0$에서 $(x-2,y-4)\cdot(x+2,y-2)=0$

$x^2-4+y^2-6y+8=0 \qquad \therefore x^2+(y-3)^2=5$

따라서 점 P가 나타내는 도형은 중심의 좌표가 $(0,3)$이고 반지름의 길이가 $\sqrt{5}$인 원이므로 구하는 둘레의 길이는 $2\sqrt{5}\pi$이다.

0411

두 점 A, B의 위치벡터는 각각 $\vec{a}=(2,1)$, $\vec{b}=(4,5)$이고, 점 P의 위치벡터를 $\vec{p}=(x,y)$라 하면

$(\vec{p}-\vec{a})\cdot(\vec{p}-\vec{b})=0$에서

$(x-2, y-1)\cdot(x-4, y-5)=0$

$(x-2)(x-4)+(y-1)(y-5)=0$

$x^2-6x+8+y^2-6y+5=0$ $\therefore (x-3)^2+(y-3)^2=5$

따라서 점 P가 나타내는 도형은 중심의 좌표가 $(3,3)$이고 반지름의 길이가 $\sqrt{5}$인 원이므로 구하는 넓이는 $\pi\times(\sqrt{5})^2=5\pi$이다. 탑 ③

STEP 3 내신 마스터

0412

유형 02 선분의 내분점과 외분점의 위치벡터

|전략| $\overrightarrow{MN}=\overrightarrow{AN}-\overrightarrow{AM}$임을 이용한다.

$\overrightarrow{AC}=\vec{a}+\vec{b}$이므로

$\overrightarrow{AM}=\dfrac{\overrightarrow{AC}+2\overrightarrow{AB}}{1+2}=\dfrac{1}{3}(\vec{a}+\vec{b}+2\vec{a})=\vec{a}+\dfrac{1}{3}\vec{b}$

$\overrightarrow{AN}=\dfrac{\overrightarrow{AD}+2\overrightarrow{AC}}{1+2}=\dfrac{1}{3}(\vec{b}+2\vec{a}+2\vec{b})=\dfrac{2}{3}\vec{a}+\vec{b}$

$\therefore \overrightarrow{MN}=\overrightarrow{AN}-\overrightarrow{AM}=\left(\dfrac{2}{3}\vec{a}+\vec{b}\right)-\left(\vec{a}+\dfrac{1}{3}\vec{b}\right)=-\dfrac{1}{3}\vec{a}+\dfrac{2}{3}\vec{b}$

따라서 $p=-\dfrac{1}{3}$, $q=\dfrac{2}{3}$이므로 $p-q=-1$ 탑 ③

0413

유형 03 삼각형의 무게중심의 위치벡터

|전략| $\overrightarrow{PG}=\overrightarrow{OG}-\overrightarrow{OP}$임을 이용한다.

세 점 A, B, C의 위치벡터를 각각 $\vec{a}$, $\vec{b}$, $\vec{c}$라 하면

$\overrightarrow{OG}=\dfrac{1}{3}(\vec{a}+\vec{b}+\vec{c})$, $\overrightarrow{OP}=\dfrac{2\vec{c}+3\vec{b}}{2+3}=\dfrac{3}{5}\vec{b}+\dfrac{2}{5}\vec{c}$

$\therefore \overrightarrow{PG}=\overrightarrow{OG}-\overrightarrow{OP}=\dfrac{1}{3}(\vec{a}+\vec{b}+\vec{c})-\left(\dfrac{3}{5}\vec{b}+\dfrac{2}{5}\vec{c}\right)$

$=\dfrac{1}{3}\vec{a}-\dfrac{4}{15}\vec{b}-\dfrac{1}{15}\vec{c}$

한편,

$\overrightarrow{PG}=m\overrightarrow{AB}+n\overrightarrow{AC}=m(\vec{b}-\vec{a})+n(\vec{c}-\vec{a})$

$=(-m-n)\vec{a}+m\vec{b}+n\vec{c}$

이므로 $-m-n=\dfrac{1}{3}$ $\therefore m+n=-\dfrac{1}{3}$ 탑 ②

○다른 풀이 변 BC의 중점을 M이라 하면

$\overrightarrow{AM}=\dfrac{1}{2}(\overrightarrow{AB}+\overrightarrow{AC})$이므로

$\overrightarrow{AG}=\dfrac{2}{3}\overrightarrow{AM}=\dfrac{2}{3}\times\dfrac{1}{2}(\overrightarrow{AB}+\overrightarrow{AC})$

$=\dfrac{1}{3}(\overrightarrow{AB}+\overrightarrow{AC})$

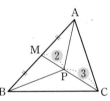

선분 BC를 2 : 3으로 내분하는 점이 P이므로

$\overrightarrow{AP}=\dfrac{2\overrightarrow{AC}+3\overrightarrow{AB}}{2+3}=\dfrac{3}{5}\overrightarrow{AB}+\dfrac{2}{5}\overrightarrow{AC}$

$\therefore \overrightarrow{PG}=\overrightarrow{AG}-\overrightarrow{AP}=\dfrac{1}{3}(\overrightarrow{AB}+\overrightarrow{AC})-\left(\dfrac{3}{5}\overrightarrow{AB}+\dfrac{2}{5}\overrightarrow{AC}\right)$

$=-\dfrac{4}{15}\overrightarrow{AB}-\dfrac{1}{15}\overrightarrow{AC}$

따라서 $m=-\dfrac{4}{15}$, $n=-\dfrac{1}{15}$이므로 $m+n=-\dfrac{1}{3}$

0414

유형 04 삼각형에서 위치벡터의 활용

|전략| $\overrightarrow{PC}=-k\overrightarrow{PM}$ $(k>0)$이면 점 P는 $\overrightarrow{CM}$을 k : 1로 내분하는 점임을 이용한다.

$3\overrightarrow{PA}+3\overrightarrow{PB}+4\overrightarrow{PC}=\vec{0}$에서 $4\overrightarrow{PC}=-3(\overrightarrow{PA}+\overrightarrow{PB})$

$\therefore \overrightarrow{PC}=-\dfrac{3}{4}(\overrightarrow{PA}+\overrightarrow{PB})=-\dfrac{3}{2}\times\dfrac{\overrightarrow{PA}+\overrightarrow{PB}}{2}$

이때, 선분 AB의 중점을 M이라 하면

$\dfrac{\overrightarrow{PA}+\overrightarrow{PB}}{2}=\overrightarrow{PM}$

즉, $\overrightarrow{PC}=-\dfrac{3}{2}\overrightarrow{PM}$이므로 점 P는 선분 CM을 3 : 2로 내분하는 점이다.

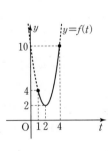

$\therefore \triangle PAB=2\triangle PBM=2\times\dfrac{2}{3}\triangle PBC$

$=\dfrac{4}{3}\triangle PBC=\dfrac{4}{3}\times12=16$ 탑 ⑤

0415

유형 07 성분으로 나타내어진 평면벡터의 크기

|전략| $\vec{a}+t\vec{b}$를 성분으로 나타낸 후 크기를 구한다.

$\vec{a}+t\vec{b}=(3,-1)+t(-1,1)=(-t+3, t-1)$

$\therefore |\vec{a}+t\vec{b}|^2=(-t+3)^2+(t-1)^2$

$=2t^2-8t+10$

$=2(t-2)^2+2$

$f(t)=2(t-2)^2+2$라 하면 $1\le t\le4$이므로 $f(t)$는 $t=2$일 때 최솟값 $m=2$를 갖고, $t=4$일 때 최댓값 $M=10$을 갖는다.

$\therefore M+m=12$

탑 ④

0416

유형 08 두 평면벡터가 서로 같을 조건

| 전략 | $\vec{c}=\vec{a}-3\vec{b}$를 성분으로 나타낸 후 x,y의 값을 구한다.

$\vec{c}=\vec{a}-3\vec{b}$에서

$$(2,-3)=(x+1,3)-3(y-1,2y)$$
$$=(x-3y+4,3-6y)$$

$\therefore x-3y+4=2,\ 3-6y=-3$

두 식을 연립하여 풀면 $x=1,\ y=1$

$\therefore x+y=2$ 　　　　　　　　　　　　　답 ①

0417

유형 09 두 점에 의한 평면벡터의 성분과 크기

| 전략 | $\overrightarrow{PA}+\overrightarrow{PB}$를 성분으로 나타내어 $|\overrightarrow{PA}+\overrightarrow{PB}|$의 최솟값을 구한다.

직선 $x-y=0$ 위의 점 P의 좌표를 (a,a)라 하면

$$\overrightarrow{PA}=(3,1)-(a,a)=(3-a,1-a)$$
$$\overrightarrow{PB}=(1,-3)-(a,a)=(1-a,-3-a)$$

이므로

$$\overrightarrow{PA}+\overrightarrow{PB}=(3-a,1-a)+(1-a,-3-a)$$
$$=(4-2a,-2-2a)$$

$$\therefore |\overrightarrow{PA}+\overrightarrow{PB}|=\sqrt{(4-2a)^2+(-2-2a)^2}$$
$$=\sqrt{8a^2-8a+20}$$
$$=\sqrt{8\left(a-\frac{1}{2}\right)^2+18}$$

따라서 $|\overrightarrow{PA}+\overrightarrow{PB}|$는 $a=\frac{1}{2}$일 때 최솟값 $3\sqrt{2}$를 갖는다. 　답 ③

0418

유형 11 평면벡터의 내적

| 전략 | $\angle APB=90°$인 직각삼각형 PAB에서 $\angle BAP=\theta$라 하면 $\cos\theta=\dfrac{|\overrightarrow{AP}|}{|\overrightarrow{AB}|}$임을 이용한다.

반원에 대한 원주각의 크기는 $90°$이므로

$\angle APB=\angle AQB=90°$

직각삼각형 PAB에서 $\angle BAP=\theta_1$이라 하면

$|\overrightarrow{AB}|\cos\theta_1=|\overrightarrow{AP}|$이고, $0°<\theta_1<90°$이므로

$\overrightarrow{AP}\cdot\overrightarrow{AB}=|\overrightarrow{AP}||\overrightarrow{AB}|\cos\theta_1=|\overrightarrow{AP}|^2$

마찬가지로 직각삼각형 QAB에서 $\angle BAQ=\theta_2$라 하면

$|\overrightarrow{AB}|\cos\theta_2=|\overrightarrow{AQ}|$이고, $0°<\theta_2<90°$이므로

$\overrightarrow{AQ}\cdot\overrightarrow{AB}=|\overrightarrow{AQ}||\overrightarrow{AB}|\cos\theta_2=|\overrightarrow{AQ}|^2$

$$\therefore \overrightarrow{AP}\cdot\overrightarrow{AB}+\overrightarrow{AQ}\cdot\overrightarrow{AB}=|\overrightarrow{AP}|^2+|\overrightarrow{AQ}|^2$$
$$=5^2+10^2=125$$ 　답 ②

0419

유형 12 성분으로 나타내어진 평면벡터의 내적

| 전략 | 타원의 초점의 좌표가 $F(4,0),\ F'(-4,0)$임을 이용한다.

타원 $\dfrac{x^2}{25}+\dfrac{y^2}{9}=1$에서 $\sqrt{25-9}=4$이므로 초점의 좌표는 $F(4,0),\ F'(-4,0)$

점 P의 좌표를 (a,b)라 하면

$$\overrightarrow{FP}=\overrightarrow{OP}-\overrightarrow{OF}=(a,b)-(4,0)=(a-4,b)$$
$$\overrightarrow{F'P}=\overrightarrow{OP}-\overrightarrow{OF'}=(a,b)-(-4,0)=(a+4,b)$$

$$\therefore \overrightarrow{FP}\cdot\overrightarrow{F'P}=(a-4,b)\cdot(a+4,b)$$
$$=(a-4)(a+4)+b^2$$
$$=a^2+b^2-16 \qquad\cdots\cdots\ \bigcirc$$

이때, 점 $P(a,b)$가 타원 위의 점이므로

$\dfrac{a^2}{25}+\dfrac{b^2}{9}=1$에서 $\dfrac{b^2}{9}=1-\dfrac{a^2}{25}$

$\therefore b^2=9-\dfrac{9}{25}a^2$

이것을 $\bigcirc$에 대입하면

$$\overrightarrow{FP}\cdot\overrightarrow{F'P}=a^2+\left(9-\frac{9}{25}a^2\right)-16$$
$$=\frac{16}{25}a^2-7$$

그런데 $-5\leq a\leq5$이므로 $\overrightarrow{FP}\cdot\overrightarrow{F'P}$의 최댓값은

$a=\pm5$일 때, $\dfrac{16}{25}\times(\pm5)^2-7=9$ 　답 ③

0420

유형 18 두 평면벡터가 이루는 각의 크기 – 내적의 연산법칙을 이용하는 경우

| 전략 | $\sqrt{2}|\vec{a}-\vec{b}|=|\vec{a}+\vec{b}|$의 양변을 제곱한다.

$\sqrt{2}|\vec{a}-\vec{b}|=|\vec{a}+\vec{b}|$의 양변을 제곱하면

$$2|\vec{a}-\vec{b}|^2=|\vec{a}+\vec{b}|^2$$
$$2(|\vec{a}|^2-2\vec{a}\cdot\vec{b}+|\vec{b}|^2)=|\vec{a}|^2+2\vec{a}\cdot\vec{b}+|\vec{b}|^2$$
$$|\vec{a}|^2-6\vec{a}\cdot\vec{b}+|\vec{b}|^2=0$$
$$|\vec{a}|^2-6|\vec{a}||\vec{b}|\cos\theta+|\vec{b}|^2=0\ (\because 0°<\theta<90°)$$

이때, $|\vec{a}|=|\vec{b}|$이므로

$$2|\vec{a}|^2-6|\vec{a}|^2\cos\theta=0,\ 2|\vec{a}|^2(1-3\cos\theta)=0$$

$\therefore \cos\theta=\dfrac{1}{3}\ (\because |\vec{a}|\neq0)$ 　답 ②

0421

유형 19 두 평면벡터의 수직

| 전략 | $\vec{a}\perp\vec{b}\Longleftrightarrow \vec{a}\cdot\vec{b}=0$임을 이용한다.

$$\vec{a}\cdot\vec{b}=(1+t,t^2)\cdot(4t^2+kt+1,-4t)$$
$$=(1+t)(4t^2+kt+1)+t^2(-4t)$$
$$=(k+4)t^2+(k+1)t+1$$

두 벡터 $\vec{a},\vec{b}$가 모든 실수 t에 대하여 서로 수직이 되지 않으려면 $\vec{a}\cdot\vec{b}\neq0$이어야 한다.

즉, t에 대한 이차방정식 $(k+4)t^2+(k+1)t+1=0$이 실근을 갖지 않아야 하므로 이 이차방정식의 판별식을 D라 하면

$$D=(k+1)^2-4(k+4)<0$$
$$k^2-2k-15<0,\ (k+3)(k-5)<0$$

$\therefore -3<k<5$ 　답 ⑤

0422

유형 **20** 한 점과 방향벡터가 주어진 직선의 방정식

|전략| 두 직선이 서로 평행하면 방향벡터가 같음을 이용한다.

직선 $3(x-1)=2(y+2)$, 즉 $\dfrac{x-1}{2}=\dfrac{y+2}{3}$ 의 방향벡터를 $\vec{u}$ 라 하면

$\vec{u}=(2,3)$

점 $(-1,4)$ 를 지나고 방향벡터가 $\vec{u}=(2,3)$ 인 직선 l 의 방정식은

$\dfrac{x+1}{2}=\dfrac{y-4}{3}$

따라서 직선 l 위의 점은 ④ $(3,10)$ 이다. 답 ④

0423

유형 **22** 두 직선이 이루는 각의 크기

|전략| 두 직선의 방향벡터 $\vec{u_1},\vec{u_2}$ 를 구한 후 $\cos\theta=\dfrac{|\vec{u_1}\cdot\vec{u_2}|}{|\vec{u_1}||\vec{u_2}|}$ 임을 이용한다.

두 직선의 방향벡터를 각각 $\vec{u_1},\vec{u_2}$ 라 하면

$\vec{u_1}=(a,1),\ \vec{u_2}=(2,-1)$

두 직선이 이루는 각의 크기가 $45°$ 이므로

$\cos45°=\dfrac{|\vec{u_1}\cdot\vec{u_2}|}{|\vec{u_1}||\vec{u_2}|}$ 에서

$\dfrac{\sqrt2}{2}=\dfrac{|a\times2+1\times(-1)|}{\sqrt{a^2+1^2}\sqrt{2^2+(-1)^2}},\ \dfrac{\sqrt2}{2}=\dfrac{|2a-1|}{\sqrt{5a^2+5}}$

$2|2a-1|=\sqrt{10a^2+10}$

양변을 제곱하면

$16a^2-16a+4=10a^2+10,\ 3a^2-8a-3=0$

$(3a+1)(a-3)=0$ $\therefore a=3\ (\because a>0)$ 답 ①

0424

유형 **23** 두 직선의 수직과 평행

|전략| 한 직선의 법선벡터 $\vec{n}$ 과 방향벡터 $\vec{u}$ 는 서로 수직이므로 $\vec{n}\cdot\vec{u}=0$ 이다.

직선 $ax+by+c=0$ 이 직선 $\dfrac{x+1}{3}=\dfrac{y-1}{k}$ 과 서로 수직이므로

직선 $ax+by+c=0$ 의 법선벡터를 $\vec{n}$ 이라 하면

$\vec{n}=(3,k)$

또, 직선 $ax+by+c=0$ 이 직선 $\dfrac{x+1}{2}=\dfrac{1-y}{3}$ 와 서로 평행하므로

직선 $ax+by+c=0$ 의 방향벡터를 $\vec{u}$ 라 하면

$\vec{u}=(2,-3)$

이때, $\vec{n}$ 과 $\vec{u}$ 는 서로 수직이므로 $\vec{n}\cdot\vec{u}=0$ 에서

$(3,k)\cdot(2,-3)=0$

$6-3k=0$ $\therefore k=2$

따라서 법선벡터가 $(3,2)$ 인 직선의 방정식은

$3x+2y+c=0$ ······ ㉠

$\therefore a=3,\ b=2$

직선 ㉠이 점 $(2,3)$ 을 지나므로

$6+6+c=0$ $\therefore c=-12$

$\therefore a+b+c=3+2-12=-7$ 답 ⑤

0425

유형 **05** $\overrightarrow{OP}=m\overrightarrow{OA}+n\overrightarrow{OB}$ 를 만족시키는 점 P의 자취

+ **17** 두 평면벡터가 이루는 각의 크기 – 성분이 주어진 경우

|전략| $\angle AOB=\theta$ 라 하면 $0°<\theta<90°$ 일 때, $\cos\theta=\dfrac{\overrightarrow{OA}\cdot\overrightarrow{OB}}{|\overrightarrow{OA}||\overrightarrow{OB}|}$ 임을 이용한다.

$\overrightarrow{OP}=m\overrightarrow{OA}+n\overrightarrow{OB}$, $0\le m\le1$, $0\le n\le1$ 을 만족시키는 점 P가 나타내는 도형은 $\overrightarrow{OA}$ 와 $\overrightarrow{OB}$ 를 이웃하는 두 변으로 하는 평행사변형의 내부와 그 둘레이다. ··· ❶

$\angle AOB=\theta$ 라 하면 $0°<\theta<90°$ 이므로

$\cos\theta=\dfrac{\overrightarrow{OA}\cdot\overrightarrow{OB}}{|\overrightarrow{OA}||\overrightarrow{OB}|}$

$=\dfrac{3\times\sqrt2+0\times\sqrt2}{\sqrt{3^2+0^2}\sqrt{(\sqrt2)^2+(\sqrt2)^2}}$

$=\dfrac{3\sqrt2}{3\times2}=\dfrac{\sqrt2}{2}$

$\therefore\theta=45°$ ··· ❷

따라서 구하는 도형의 넓이는

$|\overrightarrow{OA}||\overrightarrow{OB}|\sin45°=3\times2\times\dfrac{\sqrt2}{2}$

$=3\sqrt2$ ··· ❸

답 $3\sqrt2$

채점 기준	배점
❶ 점 P가 나타내는 도형을 알 수 있다.	2점
❷ θ 를 구할 수 있다.	3점
❸ 점 P가 나타내는 도형의 넓이를 구할 수 있다.	2점

0426

유형 **18** 두 평면벡터가 이루는 각의 크기 – 내적의 연산법칙을 이용하는 경우

|전략| $\vec{a}-3\vec{b}+2\vec{c}=\vec{0}$ 에서 $|\vec{a}|=|3\vec{b}-2\vec{c}|$ 로 놓고 양변을 제곱한다.

$\vec{a}-3\vec{b}+2\vec{c}=\vec{0}$ 에서 $\vec{a}=3\vec{b}-2\vec{c}$, 즉 $|\vec{a}|=|3\vec{b}-2\vec{c}|$ 이므로 양변을 제곱하면

$|\vec{a}|^2=9|\vec{b}|^2-12\vec{b}\cdot\vec{c}+4|\vec{c}|^2$ ······ ㉠

또, $|\vec{a}|=3|\vec{b}|=2|\vec{c}|$ 에서 $|\vec{a}|^2=9|\vec{b}|^2=4|\vec{c}|^2$ 이므로 ㉠에 대입하면

$4|\vec{c}|^2=4|\vec{c}|^2-12\vec{b}\cdot\vec{c}+4|\vec{c}|^2$

$\therefore\vec{b}\cdot\vec{c}=\dfrac{1}{3}|\vec{c}|^2$ ··· ❶

이때, $\vec{b}\cdot\vec{c}>0$ 이므로

$\cos\theta=\dfrac{\vec{b}\cdot\vec{c}}{|\vec{b}||\vec{c}|}=\dfrac{\dfrac{1}{3}|\vec{c}|^2}{\dfrac{2}{3}|\vec{c}|^2}=\dfrac{1}{2}$ ··· ❷

$\therefore\theta=60°$ ··· ❸

답 $60°$

채점 기준	배점
❶ $\vec{b}\cdot\vec{c}$ 를 $|\vec{c}|$ 로 나타낼 수 있다.	4점
❷ $\cos\theta$ 의 값을 구할 수 있다.	2점
❸ θ 를 구할 수 있다.	1점

0427

유형 **21** 한 점과 법선벡터가 주어진 직선의 방정식

|전략| $\dfrac{x-1}{3}=4-y=t$, $x-2=\dfrac{y+1}{2}=s(t,s$는 실수)라 하고 두 직선의 교점의 좌표를 구한다.

$\dfrac{x-1}{3}=4-y=t$ (t는 실수)라 하면

$x=3t+1$, $y=-t+4$ ...... ㉠

$x-2=\dfrac{y+1}{2}=s$ (s는 실수)라 하면

$x=s+2$, $y=2s-1$ ...... ㉡

㉠, ㉡에서 $3t+1=s+2$, $-t+4=2s-1$

$\therefore t=1$, $s=2$

즉, 두 직선의 교점의 좌표는 $(4,3)$이다. ... **❶**

이때, 직선 $\dfrac{x-5}{3}=\dfrac{y+3}{2}$의 방향벡터를 $\vec{u}$라 하면

$\vec{u}=(3,2)$ ... **❷**

따라서 점 $(4,3)$을 지나고 법선벡터가 $\vec{u}=(3,2)$인 직선의 방정식은

$3(x-4)+2(y-3)=0$

$\therefore 3x+2y-18=0$ ... **❸**

🔲 $3x+2y-18=0$

채점 기준	배점
❶ 두 직선의 교점의 좌표를 구할 수 있다.	3점
❷ 직선 $\dfrac{x-5}{3}=\dfrac{y+3}{2}$의 방향벡터를 구할 수 있다.	1점
❸ 직선의 방정식을 구할 수 있다.	2점

0428

유형 **19** 두 평면벡터의 수직

|전략| $\overrightarrow{AC}\perp\overrightarrow{DE}$이면 $\overrightarrow{AC}\cdot\overrightarrow{DE}=0$임을 이용하여 p의 값을 구한다.

(1) $\overrightarrow{AC}\perp\overrightarrow{DE}$이므로 $\overrightarrow{AC}\cdot\overrightarrow{DE}=0$

(2) $\overrightarrow{AC}=\vec{a}+\vec{b}$, $\overrightarrow{DE}=\overrightarrow{AE}-\overrightarrow{AD}$이므로

$\overrightarrow{AC}\cdot\overrightarrow{DE}=\overrightarrow{AC}\cdot(\overrightarrow{AE}-\overrightarrow{AD})$

$\qquad =(\vec{a}+\vec{b})\cdot\{p\vec{a}+(p-1)\vec{b}\}$

$\qquad =p|\vec{a}|^2+(2p-1)\vec{a}\cdot\vec{b}+(p-1)|\vec{b}|^2=0$

이때,

$|\vec{a}|^2=16$, $|\vec{b}|^2=4$, $\vec{a}\cdot\vec{b}=4\times2\times\cos60°=4$

이므로

$16p+4(2p-1)+4(p-1)=0$, $28p=8$

$\therefore p=\dfrac{2}{7}$

🔲 (1) 0 (2) $\dfrac{2}{7}$

채점 기준	배점
(1) $\overrightarrow{AC}\cdot\overrightarrow{DE}$를 구할 수 있다.	3점
(2) p의 값을 구할 수 있다.	7점

0429

유형 **02** 선분의 내분점과 외분점의 위치벡터

+ 24 평면벡터를 이용한 원의 방정식

|전략| $\overrightarrow{AB}$를 $m:n(m>0, n>0)$으로 내분하는 점의 위치벡터는 $\dfrac{m\overrightarrow{OB}+n\overrightarrow{OA}}{m+n}$임을 이용한다.

(1) $\overrightarrow{OC}=\dfrac{\overrightarrow{OB}+3\overrightarrow{OA}}{1+3}$

$\qquad =\dfrac{1}{4}\{(12,0)+3(4,0)\}$

$\qquad =(6,0)$

$\overrightarrow{OD}=\dfrac{\overrightarrow{OA}+\overrightarrow{OB}}{2}$

$\qquad =\dfrac{1}{2}\{(4,0)+(12,0)\}$

$\qquad =(8,0)$

(2) 점 P의 좌표를 (x,y)라 하면

$\overrightarrow{PC}=\overrightarrow{OC}-\overrightarrow{OP}=(6-x,-y)$

$\overrightarrow{PD}=\overrightarrow{OD}-\overrightarrow{OP}=(8-x,-y)$

이때, $\overrightarrow{PC}\cdot\overrightarrow{PD}=0$에서

$(6-x,-y)\cdot(8-x,-y)=0$

$(6-x)(8-x)+y^2=0$

$\therefore (x-7)^2+y^2=1$

(3) 점 P가 나타내는 도형은 중심의 좌표가 $(7,0)$이고 반지름의 길이가 1인 원이므로 구하는 둘레의 길이는 2π이다.

🔲 (1) $\overrightarrow{OC}=(6,0)$, $\overrightarrow{OD}=(8,0)$ (2) $(x-7)^2+y^2=1$ (3) 2π

채점 기준	배점
(1) $\overrightarrow{OC}$, $\overrightarrow{OD}$를 성분으로 나타낼 수 있다.	3점
(2) 점 P가 나타내는 도형의 방정식을 구할 수 있다.	5점
(3) 점 P가 나타내는 도형의 둘레의 길이를 구할 수 있다.	2점

창의·융합 교과서 **속 심화문제**

0430

|전략| $2\vec{a}+3\vec{b}+4\vec{c}=\vec{0}$를 이용하여 $\vec{b}\cdot\vec{c}$를 r에 대한 식으로 나타낸다.

$2\vec{a}+3\vec{b}+4\vec{c}=\vec{0}$에서 $3\vec{b}+4\vec{c}=-2\vec{a}$

$\therefore |3\vec{b}+4\vec{c}|=|-2\vec{a}|$

위의 식의 양변을 제곱하면

$9|\vec{b}|^2+24\vec{b}\cdot\vec{c}+16|\vec{c}|^2=4|\vec{a}|^2$

$9r^2+24\vec{b}\cdot\vec{c}+16r^2=4r^2$ ($\because |\vec{a}|=|\vec{b}|=|\vec{c}|=r$)

$\therefore \vec{b}\cdot\vec{c}=-\dfrac{7}{8}r^2$

$\overrightarrow{BC}=\overrightarrow{OC}-\overrightarrow{OB}=\vec{c}-\vec{b}$이므로

$$\begin{aligned}|\overrightarrow{BC}|^2&=|\vec{c}-\vec{b}|^2\\&=|\vec{c}|^2-2\vec{b}\cdot\vec{c}+|\vec{b}|^2\\&=r^2-2\times\left(-\frac{7}{8}r^2\right)+r^2=\frac{15}{4}r^2\end{aligned}$$

$\overline{BC}=|\overrightarrow{BC}|=\sqrt{\frac{15}{4}r^2}=\frac{\sqrt{15}}{2}r=30$

$\therefore r=4\sqrt{15}$ **답** $4\sqrt{15}$

0431

|전략| $\overrightarrow{CA}\cdot\overrightarrow{CP}=4$를 정리하여 $\overrightarrow{CA}\cdot\overrightarrow{AP}$를 구하고 $\overrightarrow{CA}$와 $\overrightarrow{AP}$의 관계를 파악한다.

$$\begin{aligned}\overrightarrow{CA}\cdot\overrightarrow{CP}&=\overrightarrow{CA}\cdot(\overrightarrow{CA}+\overrightarrow{AP})\\&=\overrightarrow{CA}\cdot\overrightarrow{CA}+\overrightarrow{CA}\cdot\overrightarrow{AP}\\&=|\overrightarrow{CA}|^2+\overrightarrow{CA}\cdot\overrightarrow{AP}\\&=2^2+\overrightarrow{CA}\cdot\overrightarrow{AP}=4\end{aligned}$$

즉, $\overrightarrow{CA}\cdot\overrightarrow{AP}=0$이므로 $\overrightarrow{CA}\perp\overrightarrow{AP}$

이때, $\angle PAD=60°$이므로 $\angle DAC=30°$

따라서 직각삼각형 CDA에서 $\overline{AD}=\sqrt{3},\overline{CD}=1$이다.

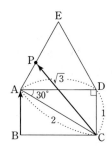

다음 그림과 같이 주어진 도형을 점 A를 원점, 직선 AD를 x축으로 하는 좌표평면 위에 나타내자.

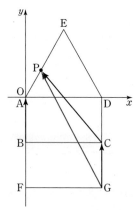

$\overline{AB}=\overline{BF}$인 y축 위의 점을 F라 하고, 직사각형 BFGC를 그리면

$\overrightarrow{BA}+\overrightarrow{CP}=\overrightarrow{GC}+\overrightarrow{CP}=\overrightarrow{GP}$

이때, 점 P는 선분 AE 위의 점이므로 $|\overrightarrow{GP}|$의 최솟값은 점 G$(\sqrt{3},-2)$에서 점 A$(0,0)$에 이르는 거리와 같다.

따라서 구하는 $|\overrightarrow{BA}+\overrightarrow{CP}|$의 최솟값은

$\sqrt{(\sqrt{3})^2+(-2)^2}=\sqrt{7}$ **답** $\sqrt{7}$

0432

|전략| $\triangle ABC$에서 $\overrightarrow{AN}$은 $\angle CAB$의 이등분선이고, $\angle APB=90°$이므로 $\overrightarrow{AN}\cdot\overrightarrow{BQ}=0$임을 이용한다.

$\overrightarrow{AB}=\vec{b},\overrightarrow{AC}=\vec{c}$라 하자.

삼각형 ABC에서 $\overrightarrow{AN}$은 $\angle CAB$의 이등분선이므로

$\overline{AB}:\overline{AC}=\overline{BN}:\overline{CN}=3:1$

$\therefore \overrightarrow{AN}=\dfrac{3\overrightarrow{AC}+\overrightarrow{AB}}{3+1}=\dfrac{1}{4}\vec{b}+\dfrac{3}{4}\vec{c}$

또, 점 M은 선분 BN을 3:2로 내분하는 점이므로

$\overrightarrow{AM}=\dfrac{3\overrightarrow{AN}+2\overrightarrow{AB}}{3+2}=\dfrac{3\left(\frac{1}{4}\vec{b}+\frac{3}{4}\vec{c}\right)+2\vec{b}}{5}=\dfrac{11}{20}\vec{b}+\dfrac{9}{20}\vec{c}$

이때, $\angle APB=90°$이므로

$$\begin{aligned}\overrightarrow{AN}\cdot\overrightarrow{BQ}=0&\Longleftrightarrow\overrightarrow{AN}\cdot(\overrightarrow{AQ}-\overrightarrow{AB})=0\\&\Longleftrightarrow\overrightarrow{AN}\cdot(k\overrightarrow{AM}-\overrightarrow{AB})=0\\&\Longleftrightarrow\left(\frac{1}{4}\vec{b}+\frac{3}{4}\vec{c}\right)\cdot\left\{k\left(\frac{11}{20}\vec{b}+\frac{9}{20}\vec{c}\right)-\vec{b}\right\}=0\\&\Longleftrightarrow\left(\frac{21k-30}{40}\right)(\vec{b}\cdot\vec{c}+3)=0\end{aligned}$$

$\vec{b}\cdot\vec{c}>0$이므로 $21k-30=0$에서 $k=\dfrac{10}{7}$ **답** $\dfrac{10}{7}$

0433

|전략| 원 C_1이 원 C_2의 둘레의 길이를 이등분하려면 두 원 C_1,C_2의 공통현이 원 C_2의 중심을 지나야 한다.

$|\vec{p}-\vec{a}|=3$을 만족시키는 점 P가 나타내는 원 C_1의 방정식은

$(x-1)^2+(y-1)^2=9$

$|\vec{q}-\vec{b}|=1$을 만족시키는 점 Q가 나타내는 원 C_2의 방정식은

$(x-3)^2+(y-k)^2=1$

위의 두 식을 전개하여 정리하면

$x^2+y^2-2x-2y-7=0$ ...... ㉠

$x^2+y^2-6x-2ky+k^2+8=0$ ...... ㉡

이때, 공통현의 방정식은 ㉠－㉡에서

$4x+2(k-1)y-k^2-15=0$ ...... ㉢

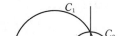

두 원 C_1과 C_2의 공통현이 원 C_2의 중심 $(3,k)$를 지날 때 원 C_1이 원 C_2의 둘레의 길이를 이등분한다.

즉, ㉢이 점 $(3,k)$를 지나므로

$12+2(k-1)k-k^2-15=0$

$k^2-2k-3=0$

따라서 이차방정식의 근과 계수의 관계에 의하여 모든 실수 k의 값의 곱은 -3이다. **답** ①

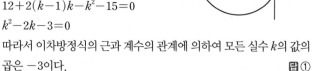

Lecture

공통현의 방정식

두 원 $x^2+y^2+Ax+By+C=0,\ x^2+y^2+A'x+B'y+C'=0$의 공통현의 방정식은

$(A-A')x+(B-B')y+C-C'=0$

5 | 공간도형

STEP 1 개념 마스터

0434

점 P를 포함하는 어느 세 점도 한 직선 위에 있지 않으므로 구하는 평면은 평면 PAB, 평면 PAC, 평면 PBC, 평면 ABC의 4개이다. 답 4

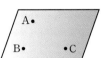

○ 다른 풀이 한 직선 위에 있지 않은 서로 다른 세 점은 한 평면을 결정하므로 구하는 평면의 개수는 $_4C_3=4$

○ **Lecture**

조합
서로 다른 n개에서 순서를 생각하지 않고 $r(0 \le r \le n)$개를 택하는 조합의 수는

$$_nC_r = \frac{n!}{r!(n-r)!}$$

0435
답 직선 DC, 직선 HG, 직선 EF

0436
답 직선 EH, 직선 FG, 직선 CG, 직선 DH

0437
답 평면 ABCD, 평면 CGHD

0438
답 평면 ABFE, 평면 BFGC, 평면 CGHD, 평면 AEHD

0439
$\overline{CG} \, / \! / \, \overline{BF}$이고 사각형 BFHD는 직사각형이므로
$\overline{BD} \perp \overline{BF}$
따라서 두 직선 BD와 CG가 이루는 각의 크기는 90°이다. 답 90°

0440
$\overline{BD} \, / \! / \, \overline{FH}$이고 삼각형 CFH는 정삼각형이므로
$\angle CFH = 60°$
즉, 두 직선 FC와 FH가 이루는 각의 크기는 60°이므로 두 직선 FC와 BD가 이루는 각의 크기도 60°이다. 답 60°

0441
답 (가) $\overline{AC}$ (나) $\overline{CG}$

0442
$\overline{PO} \perp \alpha$, $\overline{OH} \perp \overline{AB}$이므로 삼수선의 정리에 의하여
$\overline{PH} \perp$ (가) $\overline{AB}$
즉, 삼각형 PAH는 직각삼각형이므로
$\overline{PH} = \sqrt{\overline{PA}^2 - \overline{AH}^2} = \sqrt{(\sqrt{29})^2 - 2^2} =$ (나) 5
또, 삼각형 PHO도 직각삼각형이므로
$\overline{PO} = \sqrt{\overline{PH}^2 - \overline{OH}^2} = \sqrt{5^2 - 4^2} =$ (다) 3 답 (가) $\overline{AB}$ (나) 5 (다) 3

0443
답 (가) n (나) n

0444
답 점 C

0445
답 선분 FH

0446
답 선분 AB

0447
답 삼각형 EFG

0448
$\overline{A'B'} = \overline{AB}\cos 60° = 10 \times \frac{1}{2} = 5$ 답 5

0449
$5\sqrt{3} = 10\cos\theta$에서
$\cos\theta = \frac{5\sqrt{3}}{10} = \frac{\sqrt{3}}{2}$
이때, $0° \le \theta \le 90°$이므로 $\theta = 30°$ 답 30°

0450
구하는 정사영의 넓이를 S'이라 하면
$S' = \frac{\sqrt{3}}{4} \times 4^2 \times \cos 30° = 4\sqrt{3} \times \frac{\sqrt{3}}{2} = 6$ 답 6

STEP 2 유형 마스터

0451
| 전략 | 한 직선 위에 있지 않은 세 점은 한 개의 평면을 결정한다.
어느 네 점도 같은 평면 위에 있지 않고, 어느 세 점도 한 직선 위에 있지 않으므로 5개의 점 중에서 세 점은 한 개의 평면을 결정한다.

5 공간도형

5개의 점을 A, B, C, D, E라 하면 구하는 평면은 평면 ABC, 평면 ABD, 평면 ABE, 평면 ACD, 평면 ACE, 평면 ADE, 평면 BCD, 평면 BCE, 평면 BDE, 평면 CDE의 10개이다.   ❸

○ **다른 풀이** $_5C_3=_5C_2=\dfrac{5\times4}{2\times1}=10$

0452

(ⅰ) 점 A와 밑면의 두 점으로 만들 수 있는 평면은 평면 ABC, 평면 ABD, 평면 ABE, 평면 ACD, 평면 ACE, 평면 ADE의 6개

(ⅱ) 밑면의 점으로 만들 수 있는 평면은 1개

(ⅰ), (ⅱ)에 의하여 만들 수 있는 서로 다른 평면의 개수는 7이다.   ❸

0453

(ⅰ) 두 직선으로 만들 수 있는 평면은 평면 ACG의 1개

(ⅱ) 세 점으로 만들 수 있는 평면은 평면 BFHD의 1개

(ⅲ) 한 직선과 그 직선 위에 있지 않은 한 점으로 만들 수 있는 평면은 평면 ACB, 평면 ACF, 평면 ACH, 평면 AGB, 평면 AGD의 5개

(ⅰ), (ⅱ), (ⅲ)에 의하여 만들 수 있는 서로 다른 평면의 개수는 7이다.   ❶

참고 평면 ACD와 평면 ACB, 평면 AGF와 평면 AGD, 평면 AGH와 평면 AGB는 같은 평면이다.

0454

|전략| 삼각기둥의 모서리를 직선으로 생각하여 위치 관계를 찾는다.

직선 AC와 평행한 직선은 직선 DF이므로 $m=1$

직선 AC와 꼬인 위치에 있는 직선은 직선 BE, 직선 DE, 직선 EF 이므로 $n=3$

∴ $m-n=-2$ ❷ -2

0455

직선 BF와 꼬인 위치에 있는 직선은

직선 AD, 직선 EH, 직선 DC, 직선 DH, 직선 HG이므로 $a=5$

직선 BF와 한 점에서 만나는 평면은

평면 ABCD, 평면 EFGH, 평면 DHGC이므로 $b=3$

평면 AEHD와 평행한 평면은 평면 BFGC이므로 $c=1$

∴ $a+b+c=9$ ❹

0456

직선 AF를 포함하는 서로 다른 평면은

직선 AF와 점 B(또는 점 E)를 포함하는 평면 ABFE,

직선 AF와 점 D(또는 점 G)를 포함하는 평면 AFGD,

평면 AFC, 평면 AFH의 4개이다.   ❷ 4

0457

|전략| 정육면체의 모서리는 직선, 면은 평면으로 생각하여 주어진 관계를 알아본다.

ㄱ. [반례] 오른쪽 그림과 같이 $\alpha\perp\beta$, $\alpha\perp\gamma$일 때 $\beta\perp\gamma$일 수도 있다.

ㄴ. [반례] 오른쪽 그림과 같이 $l/\!/\alpha$, $\alpha\perp\beta$일 때 $l/\!/\beta$일 수도 있다.

ㄷ. 오른쪽 그림과 같이 $l\perp\alpha$, $l\perp\beta$이면 $\alpha/\!/\beta$이다. (참)

따라서 옳은 것은 ㄷ의 1개이다.   ❷ 1

0458

② [반례] 오른쪽 그림과 같이 한 직선에 수직인 두 직선은 꼬인 위치에 있을 수도 있고, 만날 수도 있다.

  ❷ ②

0459

ㄱ. 오른쪽 그림과 같이 $l\perp\alpha$, $m\perp\alpha$이면 $l/\!/m$이다. (참)

ㄴ. 오른쪽 그림과 같이 $l/\!/m$, $m/\!/n$이면 $l/\!/n$이다. (참)

ㄷ. [반례] 오른쪽 그림과 같이 $l/\!/\alpha$, $l/\!/\beta$일 때 $\alpha\perp\beta$일 수도 있다.

따라서 옳은 것은 ㄱ, ㄴ이다.   ❷ ㄱ, ㄴ

0460

|전략| 두 직선 AG와 CD가 이루는 각의 크기는 두 직선 AG와 AB가 이루는 각의 크기와 같음을 이용한다.

$\overline{CD}/\!/\overline{AB}$에서 두 직선 AG와 CD가 이루는 각의 크기는 두 직선 AG와 AB가 이루는 각의 크기와 같으므로 ∠BAG=θ

평면 BFGC 위에 있는 두 직선 BC, BF와 직선 AB가 각각 수직이므로 평면 BFGC 위에 있는 모든 직선은 직선 AB와 수직이다.

즉, $\overline{AB} \perp \overline{BG}$이므로 삼각형 ABG는 직각삼각형
이다.

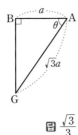

이때, 정육면체의 한 모서리의 길이를 a라 하면
$\overline{AG} = \sqrt{3}a$

$$\therefore \cos\theta = \frac{a}{\sqrt{3}a} = \frac{\sqrt{3}}{3}$$

답 $\dfrac{\sqrt{3}}{3}$

0461

사각형 AEFC가 평행사변형이므로 $\overline{AE} \parallel \overline{CF}$
즉, 두 직선 AB와 CF가 이루는 각의 크기는 두 직선 AB와 AE가
이루는 각의 크기와 같다.
이때, 삼각형 ABE는 정삼각형이므로 $\angle BAE = 60°$
따라서 구하는 각의 크기는 60°이다.

답 ④

0462

$\overline{FE} \parallel \overline{CD}$에서 두 직선 CM과 FE가 이루는 각의 크기는 두 직선
CM과 CD가 이루는 각의 크기와 같으므로 $\angle DCM = \theta$
삼각형 DCM은 직각삼각형이므로 정육면체의 한 모서리의 길이를
$2a$라 하면
$\overline{CM} = \sqrt{(2a)^2 + a^2} = \sqrt{5}a$

$$\therefore \cos\theta = \frac{2a}{\sqrt{5}a} = \frac{2\sqrt{5}}{5}$$

답 $\dfrac{2\sqrt{5}}{5}$

0463

오른쪽 그림과 같이 면 EFGH를 공유하도록
주어진 정육면체와 크기와 모양이 같은 정육
면체를 놓으면 $\overline{DG} \parallel \overline{HG'}$이므로 두 직선 BH
와 DG가 이루는 각의 크기는 두 직선 BH와
HG'이 이루는 각의 크기와 같다.　　…❶

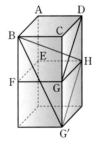

이때, 주어진 정육면체의 한 모서리의 길이를
a라 하면 $\overline{HG'} = \sqrt{2}a$, $\overline{BH} = \sqrt{3}a$, $\overline{BG'} = \sqrt{5}a$
이므로
$\overline{HG'}^2 + \overline{BH}^2 = \overline{BG'}^2$　　…❷
따라서 삼각형 BHG'은 $\angle BHG' = 90°$인 직각삼각형이고, 두 직선
BH와 DG가 이루는 각의 크기는 $\angle BHG'$의 크기와 같으므로 90°이
다.　　…❸

답 90°

채점 기준	비율
❶ 두 직선 BH와 DG가 이루는 각의 크기는 두 직선 BH와 HG'이 이루는 각의 크기와 같음을 알 수 있다.	40 %
❷ $\overline{HG'}$, $\overline{BH}$, $\overline{BG'}$ 사이의 관계를 알 수 있다.	30 %
❸ 두 직선 BH와 DG가 이루는 각의 크기를 구할 수 있다.	30 %

🔎 Lecture

꼬인 위치에 있는 두 직선이 이루는 각의 크기를 구하는 과정에서 두 직선 중
한 직선을 평행이동했을 때 주어진 입체도형 안에서 만나지 않으면 주어진 입
체도형의 바로 옆 또는 아래에 똑같은 입체도형을 그린 다음 평행이동한다.

0464

|전략| 꼭짓점 A에서 평면 BCD에 내린 수선의 발을 H라 하면 $\angle ADH = \theta$이
다.

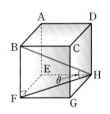

꼭짓점 A에서 평면 BCD에 내린 수선의 발
을 H라 하면 $\angle ADH = \theta$
$\overline{BC}$의 중점을 M이라 하면 $\overline{DM}$은 정삼각
형 BCD의 높이이고, 점 H는 삼각형 BCD
의 무게중심이다.
정사면체의 한 모서리의 길이를 a라 하면
$\overline{DM} = \dfrac{\sqrt{3}}{2}a$, $\overline{DH} = \dfrac{2}{3}\overline{DM} = \dfrac{2}{3} \times \dfrac{\sqrt{3}}{2}a = \dfrac{\sqrt{3}}{3}a$

$$\therefore \cos\theta = \frac{\frac{\sqrt{3}}{3}a}{a} = \frac{\sqrt{3}}{3}$$

답 $\dfrac{\sqrt{3}}{3}$

0465

꼭짓점 B에서 평면 EFGH에 내린 수선의
발이 점 F이므로 $\angle BHF = \theta$
정육면체의 한 모서리의 길이를 a라 하면
$\overline{FH} = \sqrt{2}a$, $\overline{BH} = \sqrt{3}a$
따라서 $\cos\theta = \dfrac{\sqrt{2}a}{\sqrt{3}a} = \dfrac{\sqrt{6}}{3}$이므로
$\cos^2\theta = \dfrac{2}{3}$

답 $\dfrac{2}{3}$

0466

꼭짓점 F에서 평면 ABED에 내린 수선의 발이 점 D이므로
$\angle FBD = \theta$
삼각형 ABC에서 $\overline{AC} = a$라 하면 $\angle ABC = 30°$이므로
$\overline{AB} = \sqrt{3}a$, $\overline{BC} = 2a$
또, 삼각형 BEF에서 $\overline{EF} = \overline{BC} = 2a$이고, $\angle EBF = 30°$이므로
$\overline{BE} = 2\sqrt{3}a$, $\overline{BF} = 4a$
한편, 삼각형 BED에서
$\overline{BD} = \sqrt{\overline{BE}^2 + \overline{ED}^2} = \sqrt{(2\sqrt{3}a)^2 + (\sqrt{3}a)^2} = \sqrt{15}a$
　　　　　　$\overline{ED} = \overline{AB} = \sqrt{3}a$

$$\therefore \cos\theta = \frac{\overline{BD}}{\overline{BF}} = \frac{\sqrt{15}a}{4a} = \frac{\sqrt{15}}{4}$$

답 $\dfrac{\sqrt{15}}{4}$

0467

|전략| $\overline{PQ}$의 길이의 최솟값은 $\overline{AB}$와 $\overline{CD}$의 공통수선의 길이와 같음을 이용한
다.

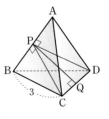

모서리 AB 위의 점 P와 모서리 CD 위의 점
Q 사이의 최단 거리는 $\overline{AB}$와 $\overline{CD}$의 공통수
선의 길이와 같다.
모서리 AB, CD의 중점을 각각 P, Q라 하
면 $\overline{CP}$, $\overline{DP}$는 각각 정삼각형 ABC, ABD
의 중선이므로
$\overline{AB} \perp \overline{CP}$, $\overline{AB} \perp \overline{DP}$

따라서 $\overline{AB}\perp$(평면 PCD)이므로
$\overline{AB}\perp\overline{PQ}$

또, $\overline{PQ}$는 이등변삼각형 PCD의 중선이므로
$\overline{PQ}\perp\overline{CD}$

즉, $\overline{PQ}$는 $\overline{AB}$와 $\overline{CD}$의 공통수선이므로 그 길이가 구하는 최단 거리이다.

직각삼각형 PCQ에서
$\overline{CP}=\dfrac{\sqrt{3}}{2}\times3=\dfrac{3\sqrt{3}}{2}$, $\overline{CQ}=\dfrac{3}{2}$이므로

$\overline{PQ}=\sqrt{\overline{CP}^2-\overline{CQ}^2}$
$\quad=\sqrt{\left(\dfrac{3\sqrt{3}}{2}\right)^2-\left(\dfrac{3}{2}\right)^2}=\dfrac{3\sqrt{2}}{2}$

답 $\dfrac{3\sqrt{2}}{2}$

0468

꼭짓점 A에서 평면 BCD에 내린 수선의 발을 H라 하면 점 H는 삼각형 BCD의 무게중심이다.

$\overline{CD}$의 중점을 M이라 하면
$\overline{BM}=\overline{AM}=\sqrt{3}$

$\overline{HM}=\dfrac{1}{3}\overline{BM}=\dfrac{\sqrt{3}}{3}$

직각삼각형 AHM에서
$\overline{AH}=\sqrt{\overline{AM}^2-\overline{HM}^2}=\sqrt{(\sqrt{3})^2-\left(\dfrac{\sqrt{3}}{3}\right)^2}=\dfrac{2\sqrt{6}}{3}$

따라서 삼각형 ABH에서
$\overline{EF}=\dfrac{1}{2}\overline{AH}=\dfrac{1}{2}\times\dfrac{2\sqrt{6}}{3}=\dfrac{\sqrt{6}}{3}$

답 $\dfrac{\sqrt{6}}{3}$

Lecture

삼각형의 중점연결정리
삼각형 ABC에서 두 변 AB, AC의 중점을 각각 D, E라 하면

$\overline{DE}=\dfrac{1}{2}\overline{BC}$, $\overline{DE}/\!/\overline{BC}$

0469

점 Q가 대각선 BH 위의 점이므로
$\overline{AQ}=\overline{CQ}$

이때, $\overline{AC}\perp\overline{PQ}$이므로 이등변삼각형의 성질에 의하여 점 P는 $\overline{AC}$의 중점이고 동시에 $\overline{BD}$의 중점이다.

$\angle DBH=\theta$라 하면 삼각형 BHD에서 $\overline{BH}=4\sqrt{3}$이므로

$\sin\theta=\dfrac{\overline{DH}}{\overline{BH}}=\dfrac{4}{4\sqrt{3}}=\dfrac{\sqrt{3}}{3}$

따라서 삼각형 PBQ에서
$\overline{PQ}=\overline{BP}\sin\theta=\dfrac{1}{2}\overline{BD}\sin\theta=\dfrac{1}{2}\times4\sqrt{2}\times\dfrac{\sqrt{3}}{3}=\dfrac{2\sqrt{6}}{3}$

답 ②

다른 풀이 점 P는 $\overline{BD}$의 중점이므로 삼각형 BDH의 넓이는 삼각형 BPH의 넓이의 2배이다.

이때, $\overline{PQ}\perp\overline{BH}$이므로
$\dfrac{1}{2}\times\overline{BD}\times\overline{DH}=2\times\dfrac{1}{2}\times\overline{BH}\times\overline{PQ}$

$\therefore\overline{BD}\times\overline{DH}=2\times\overline{BH}\times\overline{PQ}$ ······ ㉠

정육면체의 한 모서리의 길이가 4이므로
$\overline{BD}=4\sqrt{2}$, $\overline{DH}=4$, $\overline{BH}=4\sqrt{3}$

이것을 ㉠에 대입하면
$4\sqrt{2}\times4=2\times4\sqrt{3}\times\overline{PQ}$ $\therefore\overline{PQ}=\dfrac{2\sqrt{6}}{3}$

0470

|전략| $\overline{PQ}\perp\alpha$, $\overline{QR}\perp\overline{AB}$이면 $\overline{PR}\perp\overline{AB}$임을 이용한다.

$\overline{PQ}\perp\alpha$, $\overline{QR}\perp\overline{AB}$이므로 삼수선의 정리에 의하여 $\overline{PR}\perp\overline{AB}$

삼각형 PQR는 직각삼각형이므로
$\overline{PR}=\sqrt{\overline{PQ}^2+\overline{QR}^2}=\sqrt{6^2+5^2}=\sqrt{61}$

또, 삼각형 PAR도 직각삼각형이므로
$\overline{AP}=\sqrt{\overline{AR}^2+\overline{PR}^2}=\sqrt{(2\sqrt{5})^2+(\sqrt{61})^2}=9$

답 9

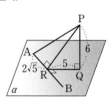

0471

삼각형 OAB는 직각삼각형이므로
$\overline{OB}=\sqrt{4^2+3^2}=5$

한편, $\overline{OA}\perp\overline{AB}$, $\overline{OA}\perp\overline{AC}$이므로 $\overline{OA}\perp$(평면 ABC)

또, $\overline{AB}\perp\overline{BC}$이므로 삼수선의 정리에 의하여 $\overline{OB}\perp\overline{BC}$

따라서 삼각형 OBC는 직각삼각형이므로 넓이는
$\dfrac{1}{2}\times2\times5=5$

답 5

0472

$\overline{AB}$의 중점을 M이라 하면
$\overline{PA}=\overline{PB}$이므로 $\overline{PM}\perp\overline{AB}$

또, $\overline{PH}\perp\alpha$이므로 삼수선의 정리에 의하여 $\overline{HM}\perp\overline{AB}$

이때, 직각삼각형 PAM에서
$\overline{PM}=\sqrt{\overline{PA}^2-\overline{AM}^2}=\sqrt{6^2-3^2}=3\sqrt{3}$

$\overline{PH}\perp\alpha$이므로 삼각형 PMH는 직각삼각형이다.

$\therefore\overline{HM}=\sqrt{\overline{PM}^2-\overline{PH}^2}=\sqrt{(3\sqrt{3})^2-4^2}=\sqrt{11}$

답 ①

다른 풀이 $\overline{PH}\perp\alpha$이므로 두 삼각형 PAH와 PBH는 서로 합동인 직각삼각형이다.

$\therefore\overline{AH}=\overline{BH}=\sqrt{6^2-4^2}=2\sqrt{5}$

$\overline{AB}$의 중점을 M이라 하면
$\overline{AH}=\overline{BH}$이므로 $\overline{HM}\perp\overline{AB}$

따라서 삼각형 HAM은 직각삼각형이므로
$\overline{HM}=\sqrt{\overline{HA}^2-\overline{AM}^2}=\sqrt{(2\sqrt{5})^2-3^2}=\sqrt{11}$

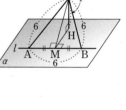

0473

|전략| 삼수선의 정리와 직각삼각형의 넓이를 이용하여 $\overline{HI}$의 길이를 구한다.

$\overline{DH}\perp$(평면 EFGH)이고, $\overline{DI}\perp\overline{EG}$이므로 삼수선의 정리에 의하여 $\overline{HI}\perp\overline{EG}$

삼각형 HEG에서

$\dfrac{1}{2}\times\overline{HE}\times\overline{HG}=\dfrac{1}{2}\times\overline{EG}\times\overline{HI}$이므로

$\dfrac{1}{2}\times1\times2=\dfrac{1}{2}\times\sqrt{5}\times\overline{HI}$

$\therefore \overline{HI}=\dfrac{2\sqrt{5}}{5}$

이때, 삼각형 DHI는 직각삼각형이므로

$\overline{DI}=\sqrt{\overline{DH}^2+\overline{HI}^2}=\sqrt{2^2+\left(\dfrac{2\sqrt{5}}{5}\right)^2}=\dfrac{2\sqrt{30}}{5}$ 目 $\dfrac{2\sqrt{30}}{5}$

0474

점 C에서 $\overline{AB}$에 내린 수선의 발을 H라 하면 $\overline{OC}\perp$(평면 OAB), $\overline{CH}\perp\overline{AB}$이므로 삼수선의 정리에 의하여 $\overline{OH}\perp\overline{AB}$

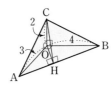

삼각형 OAB에서 $\overline{AB}=\sqrt{3^2+4^2}=5$이고

$\dfrac{1}{2}\times\overline{OA}\times\overline{OB}=\dfrac{1}{2}\times\overline{AB}\times\overline{OH}$이므로

$\dfrac{1}{2}\times3\times4=\dfrac{1}{2}\times5\times\overline{OH}$ $\therefore \overline{OH}=\dfrac{12}{5}$

이때, 삼각형 COH는 직각삼각형이므로

$\overline{CH}=\sqrt{\overline{OH}^2+\overline{OC}^2}=\sqrt{\left(\dfrac{12}{5}\right)^2+2^2}=\dfrac{2\sqrt{61}}{5}$

따라서 삼각형 ABC의 넓이는

$\dfrac{1}{2}\times5\times\dfrac{2\sqrt{61}}{5}=\sqrt{61}$ 目 ③

0475

점 A에서 평면 α에 내린 수선의 발을 B라 하면 $\overline{AB}\perp\alpha$, $\overline{AP}\perp\overline{PQ}$이므로 삼수선의 정리에 의하여 $\overline{BP}\perp\overline{QP}$

$\overline{BP}=a$라 하면 삼각형 BQP에서 $\angle BPQ=90°$이므로

$\overline{BQ}=\sqrt{a^2+36}$

따라서 선분 PQ가 그리는 도형의 넓이는 오른쪽 그림의 색칠한 부분과 같으므로

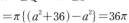

$\pi\times\overline{BQ}^2-\pi\times\overline{BP}^2$

$=\pi\{(a^2+36)-a^2\}=36\pi$ 目 36π

0476

|전략| 밑면의 두 대각선의 교점을 I라 하고, 삼수선의 정리를 이용하여 $\overline{DG}$, $\overline{GI}$를 변으로 하는 직각삼각형을 찾는다.

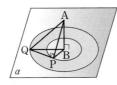

오른쪽 그림과 같이 밑면의 두 대각선 EG, HF의 교점을 I라 하면 $\overline{DH}\perp$(평면 EFGH), $\overline{EG}\perp\overline{HI}$이므로 삼수선의 정리에 의하여 $\overline{DI}\perp\overline{EG}$

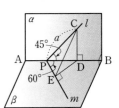

이때, $\overline{DG}=\overline{EG}=\sqrt{2^2+2^2}=2\sqrt{2}$,

$\overline{GI}=\dfrac{1}{2}\overline{EG}=\sqrt{2}$이므로 직각삼각형 DGI에서

$\cos\theta=\dfrac{\overline{GI}}{\overline{DG}}=\dfrac{\sqrt{2}}{2\sqrt{2}}=\dfrac{1}{2}$ 目 $\dfrac{1}{2}$

○ 다른 풀이 $\overline{DE}$를 그으면 $\overline{DE}=\overline{DG}=\overline{EG}$

즉, 삼각형 DEG는 정삼각형이므로 $\theta=60°$ $\therefore \cos\theta=\dfrac{1}{2}$

0477

오른쪽 그림과 같이 직선 l 위의 한 점 C에서 교선 AB에 내린 수선의 발을 D라 하고, 점 D에서 직선 m에 내린 수선의 발을 E라 하면 삼수선의 정리에 의하여 $\overline{CE}\perp m$ ···❶

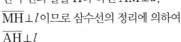

이때, $\overline{CP}=a$라 하면

$\overline{PD}=a\cos45°=\dfrac{\sqrt{2}}{2}a$, $\overline{PE}=\overline{PD}\cos60°=\dfrac{\sqrt{2}}{4}a$ ···❷

따라서 직각삼각형 CPE에서

$\cos\theta=\dfrac{\overline{PE}}{\overline{CP}}=\dfrac{\dfrac{\sqrt{2}}{4}a}{a}=\dfrac{\sqrt{2}}{4}$ ···❸

目 $\dfrac{\sqrt{2}}{4}$

채점 기준	비율
❶ $\overline{CE}\perp m$임을 보일 수 있다.	40 %
❷ $\overline{CP}=a$라 할 때, $\overline{PE}$의 길이를 구할 수 있다.	30 %
❸ $\cos\theta$의 값을 구할 수 있다.	30 %

0478

오른쪽 그림과 같이 점 A에서 평면 α에 내린 수선의 발을 M, 점 M에서 직선 l에 내린 수선의 발을 H라 하면 $\overline{AM}\perp\alpha$, $\overline{MH}\perp l$이므로 삼수선의 정리에 의하여 $\overline{AH}\perp l$

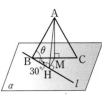

이때, 정삼각형 ABC의 한 변의 길이를 $2a$라 하면

$\overline{BM}=\dfrac{1}{2}\overline{BC}=a$, $\overline{BH}=\overline{BM}\cos30°=\dfrac{\sqrt{3}}{2}a$

따라서 직각삼각형 ABH에서

$\overline{AH}=\sqrt{(2a)^2-\left(\dfrac{\sqrt{3}}{2}a\right)^2}=\dfrac{\sqrt{13}}{2}a$

$\therefore \sin\theta=\dfrac{\overline{AH}}{\overline{AB}}=\dfrac{\dfrac{\sqrt{13}}{2}a}{2a}=\dfrac{\sqrt{13}}{4}$ 目 $\dfrac{\sqrt{13}}{4}$

0479

|전략| $\overline{BC}$의 중점을 M이라 하면 두 평면 ABC와 BCF가 이루는 각의 크기는 $\overline{AM}$과 $\overline{FM}$이 이루는 각의 크기와 같다.

오른쪽 그림과 같이 $\overline{BC}$의 중점을 M이라 하면 $\overline{AM}\perp\overline{BC}$, $\overline{FM}\perp\overline{BC}$

따라서 두 평면 ABC와 BCF가 이루는 각의 크기 2θ는 $\overline{AM}$과 $\overline{FM}$이 이루는 각의 크기와 같다. 즉, $\angle AMF=2\theta$

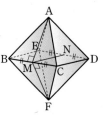

정팔면체의 한 모서리의 길이를 a라 하면

$$\overline{AM}=\frac{\sqrt3}{2}a$$

$\overline{ED}$의 중점을 N이라 하면 $\angle AMN=\theta$이므로

$$\cos\theta=\frac{\frac12\overline{MN}}{\overline{AM}}=\frac{\frac12a}{\frac{\sqrt3}{2}a}=\frac{\sqrt3}{3}$$

답 $\dfrac{\sqrt3}{3}$

0480

오른쪽 그림과 같이 $\overline{BC}$의 중점을 M이라 하면 $\overline{AM}\perp\overline{BC}$, $\overline{DM}\perp\overline{BC}$

따라서 두 평면 ABC와 BCD가 이루는 각의 크기 θ는 $\overline{AM}$과 $\overline{DM}$이 이루는 각의 크기와 같다. 즉, $\angle AMD=\theta$

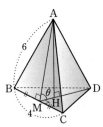

$$\overline{AM}=\sqrt{6^2-2^2}=4\sqrt2$$

점 A에서 밑면 BCD에 내린 수선의 발을 H라 하면 점 H는 삼각형 BCD의 무게중심이므로

$$\overline{HM}=\frac13\overline{DM}=\frac13\times\frac{\sqrt3}{2}\times4=\frac{2\sqrt3}{3}$$

$$\therefore \cos\theta=\frac{\overline{HM}}{\overline{AM}}=\frac{\frac{2\sqrt3}{3}}{4\sqrt2}=\frac{\sqrt6}{12}$$

답 $\dfrac{\sqrt6}{12}$

0481

오른쪽 그림과 같이 $\overline{BC}$의 중점을 H라 하면 $\overline{AB}=\overline{AC}$이므로 $\overline{AH}\perp\overline{BC}$이고 $\overline{BD}=\overline{CD}$이므로 $\overline{DH}\perp\overline{BC}$이다.

따라서 두 평면 ABC와 BCD가 이루는 각의 크기 θ는 $\overline{AH}$와 $\overline{DH}$가 이루는 각의 크기와 같다. 즉, $\angle AHD=\theta$

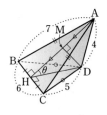

직각삼각형 ABH에서

$$\overline{AH}=\sqrt{\overline{AB}^2-\overline{BH}^2}=\sqrt{7^2-3^2}=2\sqrt{10}$$

또, 직각삼각형 DCH에서

$$\overline{DH}=\sqrt{\overline{CD}^2-\overline{CH}^2}=\sqrt{5^2-3^2}=4$$

이때, $\overline{AD}=4$이므로 삼각형 AHD는 이등변삼각형이다.

따라서 $\overline{AH}$의 중점을 M이라 하면 $\overline{AH}\perp\overline{DM}$이므로

$$\cos\theta=\frac{\overline{HM}}{\overline{DH}}=\frac{\frac12\overline{AH}}{\overline{DH}}=\frac{\sqrt{10}}{4}$$

답 ④

0482

|전략| 직각삼각형 ABC의 평면 β 위로의 정사영이 무엇인지 생각해 본다.

오른쪽 그림과 같이 점 B에서 교선 l에 내린 수선의 발을 C, 점 B의 평면 β 위로의 정사영을 B'이라 하면 직각삼각형 ABC의 평면 β 위로의 정사영은 직각삼각형 AB'C이다.

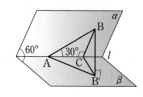

$$\overline{AC}=\overline{AB}\cos30°=8\times\frac{\sqrt3}{2}=4\sqrt3$$

$$\overline{BC}=\overline{AB}\sin30°=8\times\frac12=4$$

$\overline{BC}$와 평면 β가 이루는 각의 크기는 $60°$이므로

$$\overline{B'C}=\overline{BC}\cos60°=4\times\frac12=2$$

따라서 직각삼각형 AB'C에서

$$\overline{AB'}=\sqrt{\overline{AC}^2+\overline{B'C}^2}=\sqrt{(4\sqrt3)^2+2^2}=2\sqrt{13}$$

답 $2\sqrt{13}$

주의 두 평면 α, β가 이루는 각의 크기 $60°$를 직선 AB와 평면 β가 이루는 각의 크기로 생각하여 $\overline{AB'}=\overline{AB}\cos60°=4$로 구하지 않도록 주의한다.

0483

$\overline{AC}$의 중점을 I라 하면 $\overline{DI}\perp\overline{AC}$이므로 $\overline{DG}$의 평면 AEGC 위로의 정사영은 $\overline{IG}$이다.

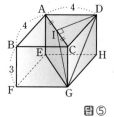

삼각형 CIG에서 $\overline{CG}=3$, $\overline{IC}=2\sqrt2$, $\angle ICG=90°$이므로

$$\overline{IG}=\sqrt{\overline{CG}^2+\overline{IC}^2}=\sqrt{3^2+(2\sqrt2)^2}=\sqrt{17}$$

답 ⑤

0484

직사각형 ABCD의 원기둥의 밑면 위로의 정사영을 직사각형 A'B'C'D'이라 하고 밑면의 중심을 O라 하면 직각삼각형 A'B'C'에서 $\overline{A'C'}=4$, $\overline{B'C'}=2$이므로

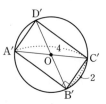

$$\overline{A'B'}=\sqrt{4^2-2^2}=2\sqrt3$$

이때, $\overline{A'B'}=\overline{AB}\cos45°$에서

$$2\sqrt3=\overline{AB}\times\frac{\sqrt2}{2}\qquad\therefore\overline{AB}=2\sqrt6$$

답 ⑤

0485

$\overline{BC}/\!/ l$이므로 $\overline{B'C'}=\overline{BC}=2$　　　　　　⋯ ❶

직각삼각형 ABC에서 $\angle A=30°$, $\overline{BC}=2$이므로 $\overline{AC}=2\sqrt3$

이때, 직선 AC와 평면 β가 이루는 각의 크기는 $30°$이므로

$$\overline{A'C'}=\overline{AC}\cos30°=2\sqrt3\times\frac{\sqrt3}{2}=3\qquad ⋯ ❷$$

따라서 직각삼각형 A'B'C'에서

$$\overline{A'B'}=\sqrt{\overline{B'C'}^2+\overline{A'C'}^2}=\sqrt{2^2+3^2}=\sqrt{13}\qquad ⋯ ❸$$

답 $\sqrt{13}$

채점 기준	비율
❶ $\overline{B'C'}$의 길이를 구할 수 있다.	30 %
❷ $\overline{A'C'}$의 길이를 구할 수 있다.	50 %
❸ $\overline{A'B'}$의 길이를 구할 수 있다.	20 %

0486

|전략| 타원의 장축의 정사영은 밑면의 지름임을 이용한다.

타원의 단축의 길이를 $2b$라 하면 단축의 길이는 원기둥의 밑면의 지름의 길이와 같으므로

$2b=4$ $\therefore b=2$

또, 타원의 장축의 길이를 $2a$라 하면 두 초점 사이의 거리가 4이므로

$a^2=2^2+2^2=8$ $\therefore a=2\sqrt{2}\ (\because a>0)$

이때, 타원의 장축의 정사영은 밑면의 지름이므로

$$\cos\theta=\frac{4}{4\sqrt{2}}=\frac{\sqrt{2}}{2}$$ 답 $\dfrac{\sqrt{2}}{2}$

0487

오른쪽 그림과 같이 대각선 AG의 세 평면 ABCD, BFGC, ABFE 위로의 정사영은 각각 $\overline{AC}$, $\overline{BG}$, $\overline{AF}$이다.

이때, $\overline{AC}=\sqrt{5}$, $\overline{BG}=\sqrt{5}$, $\overline{AF}=\sqrt{2}$, $\overline{AG}=\sqrt{6}$이므로

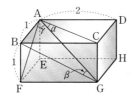

$\cos\alpha=\dfrac{\overline{AC}}{\overline{AG}}=\dfrac{\sqrt{5}}{\sqrt{6}}$

$\cos\beta=\dfrac{\overline{BG}}{\overline{AG}}=\dfrac{\sqrt{5}}{\sqrt{6}}$

$\cos\gamma=\dfrac{\overline{AF}}{\overline{AG}}=\dfrac{\sqrt{2}}{\sqrt{6}}$

$\therefore \cos^2\alpha+\cos^2\beta+\cos^2\gamma=\dfrac{5}{6}+\dfrac{5}{6}+\dfrac{2}{6}=2$ 답 2

0488

|전략| 자른 단면의 정사영은 원기둥의 밑면임을 이용한다.

단면의 넓이를 S, 원기둥의 밑면의 넓이를 S'이라 하면

$S'=S\cos45°$이므로

$\pi\times4^2=S\times\dfrac{\sqrt{2}}{2}$ $\therefore S=16\sqrt{2}\pi$ 답 ③

0489

오른쪽 그림에서 밑면과 30°의 각을 이루는 평면으로 자른 단면은 원이고, 밑면의 중심 O에서 단면에 내린 수선의 발을 H라 하면 $\overline{AH}$는 단면인 원의 반지름이다.

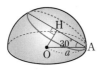

직각삼각형 AOH에서

$\overline{AH}=\overline{AO}\cos30°=\dfrac{\sqrt{3}}{2}a$

이때, 자른 단면의 넓이는 $\left(\dfrac{\sqrt{3}}{2}a\right)^2\pi=\dfrac{3}{4}a^2\pi$이므로 밑면 위로의 정사영의 넓이는

$\dfrac{3}{4}a^2\pi\times\cos30°=\dfrac{3}{4}a^2\pi\times\dfrac{\sqrt{3}}{2}=\dfrac{3\sqrt{3}}{8}a^2\pi$

즉, $\dfrac{3\sqrt{3}}{8}a^2\pi=6\sqrt{3}\pi$이므로

$a^2=16$ $\therefore a=4\ (\because a>0)$ 답 4

0490

평면 α와 원기둥의 밑면이 이루는 각의 크기가 30°이므로 원기둥의 밑면의 넓이는

$S_1\cos30°=4\pi\times\dfrac{\sqrt{3}}{2}=2\sqrt{3}\pi$

한편, 평면 α와 평면 β가 이루는 각의 크기가 75°이므로 평면 β와 밑면이 이루는 각의 크기는 45°이다.

즉, $S_2\cos45°=2\sqrt{3}\pi$이므로

$S_2=\dfrac{2\sqrt{3}\pi}{\cos45°}=\dfrac{2\sqrt{3}\pi}{\dfrac{\sqrt{2}}{2}}=2\sqrt{6}\pi$ 답 ③

0491

|전략| △BGD의 평면 EFGH 위로의 정사영은 △FGH임을 이용한다.

삼각형 BGD의 평면 EFGH 위로의 정사영은 삼각형 FGH이므로

$\triangle FGH=\triangle BGD\cos\theta$

이때, 정육면체의 한 모서리의 길이를 a라 하면

$\triangle FGH=\dfrac{1}{2}a^2$, $\triangle BGD=\dfrac{\sqrt{3}}{4}\times(\sqrt{2}a)^2=\dfrac{\sqrt{3}}{2}a^2$

$\therefore \cos\theta=\dfrac{\dfrac{1}{2}a^2}{\dfrac{\sqrt{3}}{2}a^2}=\dfrac{\sqrt{3}}{3}$ 답 $\dfrac{\sqrt{3}}{3}$

0492

밑면의 두 대각선 AC, BD의 교점을 M이라 하면 삼각형 OAD의 평면 ABCD 위로의 정사영은 삼각형 MAD이므로

$\triangle MAD=\triangle OAD\cos\theta$

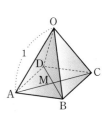

이때, $\triangle MAD=\dfrac{1}{4}\square ABCD=\dfrac{1}{4}$,

$\triangle OAD=\dfrac{\sqrt{3}}{4}\times1^2=\dfrac{\sqrt{3}}{4}$이므로

$\cos\theta=\dfrac{\dfrac{1}{4}}{\dfrac{\sqrt{3}}{4}}=\dfrac{\sqrt{3}}{3}$ 답 $\dfrac{\sqrt{3}}{3}$

⊙ 다른 풀이 꼭짓점 O에서 평면 ABCD에 내린 수선의 발을 H, 점 H에서 $\overline{AD}$에 내린 수선의 발을 M이라 하면 삼수선의 정리에 의하여

$\overline{OM}\perp\overline{AD}$

즉, $\angle OMH=\theta$

삼각형 OHM은 직각삼각형이고

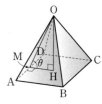

$\overline{OM}=\dfrac{\sqrt{3}}{2}$, $\overline{MH}=\dfrac{1}{2}\overline{AB}=\dfrac{1}{2}$이므로

$\cos\theta=\dfrac{\overline{MH}}{\overline{OM}}=\dfrac{\dfrac{1}{2}}{\dfrac{\sqrt{3}}{2}}=\dfrac{\sqrt{3}}{3}$

채점 기준	비율
❶ 두 평면 PEG와 EGH가 이루는 각의 크기는 $\overline{PI}$와 $\overline{HI}$가 이루는 각의 크기와 같음을 알 수 있다.	30 %
❷ $\cos\theta$의 값을 구할 수 있다.	40 %
❸ △EGH의 △PEG 위로의 정사영의 넓이를 구할 수 있다.	30 %

0493

$\overline{AD}$의 중점 M에서 사각형 EFGH에 내린 수선의 발을 M′이라 하면 사각형 MBNH의 평면 EFGH 위로의 정사영은 평행사변형 M′FNH이므로

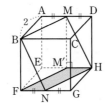

$\square M'FNH=\square MBNH\cos\theta$

이때, 사각형 MBNH는 한 변의 길이가 $\sqrt{5}$인 마름모이고, $\overline{BH}=2\sqrt{3}$, $\overline{MN}=2\sqrt{2}$이므로

$\square MBNH=\dfrac{1}{2}\times\overline{BH}\times\overline{MN}=\dfrac{1}{2}\times2\sqrt{3}\times2\sqrt{2}=2\sqrt{6}$

또, $\square M'FNH=2$이므로

$\cos\theta=\dfrac{2}{2\sqrt{6}}=\dfrac{\sqrt{6}}{6}$

답 ①

0494

|전략| 두 평면 AFC와 EFGH가 이루는 각의 크기를 θ라 하고 $\cos\theta$의 값을 먼저 구한다.

두 평면 AFC와 EFGH가 이루는 각의 크기를 θ라 하면 삼각형 AFC의 평면 EFGH 위로의 정사영은 삼각형 EFG이므로

$\triangle EFG=\triangle AFC\cos\theta$

이때, $\triangle EFG=\dfrac{1}{2}\times1^2=\dfrac{1}{2}$, $\triangle AFC=\dfrac{\sqrt{3}}{4}\times(\sqrt{2})^2=\dfrac{\sqrt{3}}{2}$이므로

$\cos\theta=\dfrac{\dfrac{1}{2}}{\dfrac{\sqrt{3}}{2}}=\dfrac{\sqrt{3}}{3}$

따라서 구하는 정사영의 넓이는 $\dfrac{1}{2}\times\dfrac{\sqrt{3}}{3}=\dfrac{\sqrt{3}}{6}$

답 ①

0495

점 H에서 $\overline{EG}$에 내린 수선의 발을 I라 하면 삼수선의 정리에 의하여 $\overline{PI}\perp\overline{EG}$이므로 두 평면 PEG와 EGH가 이루는 각의 크기는 $\overline{PI}$와 $\overline{HI}$가 이루는 각의 크기와 같다.

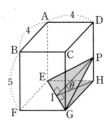

· · · ❶

직각삼각형 PIH에서 $\angle PIH=\theta$라 하면

$\overline{HI}=\dfrac{1}{2}\times4\sqrt{2}=2\sqrt{2}$, $\overline{PI}=\sqrt{2^2+(2\sqrt{2})^2}=2\sqrt{3}$

$\therefore\cos\theta=\dfrac{\overline{HI}}{\overline{PI}}=\dfrac{2\sqrt{2}}{2\sqrt{3}}=\dfrac{\sqrt{6}}{3}$

· · · ❷

이때, $\triangle EGH=\dfrac{1}{2}\times4\times4=8$이므로 구하는 정사영의 넓이는

$8\times\dfrac{\sqrt{6}}{3}=\dfrac{8\sqrt{6}}{3}$

· · · ❸

답 $\dfrac{8\sqrt{6}}{3}$

0496

두 평면 AFH와 EFGH가 이루는 각의 크기를 θ라 하면 삼각형 AFH의 평면 EFGH 위로의 정사영은 삼각형 EFH이므로

$\triangle EFH=\triangle AFH\cos\theta$

이때, $\triangle EFH=\dfrac{1}{2}\times4\times4=8$, $\triangle AFH=\dfrac{\sqrt{3}}{4}\times(4\sqrt{2})^2=8\sqrt{3}$

이므로

$\cos\theta=\dfrac{8}{8\sqrt{3}}=\dfrac{1}{\sqrt{3}}$

한편, 원기둥이 세 점 A, F, H를 지나는 평면에 의하여 잘린 단면의 평면 EFGH 위로의 정사영은 반지름의 길이가 1인 반원이 된다.

반원의 넓이는 $\dfrac{1}{2}\times\pi\times1^2=\dfrac{\pi}{2}$이므로 구하는 단면의 넓이를 S라 하면 $S\cos\theta=\dfrac{\pi}{2}$

$\therefore S=\dfrac{\pi}{2}\times\dfrac{1}{\cos\theta}=\dfrac{\pi}{2}\times\sqrt{3}=\dfrac{\sqrt{3}}{2}\pi$

답 $\dfrac{\sqrt{3}}{2}\pi$

Lecture

원기둥이 평면 AFH에 의하여 잘린 단면의 모양은 오른쪽 그림의 색칠한 부분과 같으므로 이 단면의 평면 EFGH 위로의 정사영은 원이 아니라 반원이다.

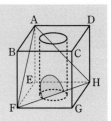

0497

|전략| 공의 중심을 지나고 태양 광선에 수직인 단면과 공의 그림자가 이루는 각의 크기가 30°임을 이용한다.

공의 중심을 지나는 단면의 넓이는 $\pi\times8^2=64\pi$ (cm²)

이때, 공의 중심을 지나고 태양 광선에 수직인 단면과 공의 그림자가 이루는 각의 크기는 $90°-60°=30°$

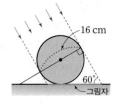

따라서 공의 그림자의 넓이를 S라 하면

$S\cos30°=64\pi$, $\dfrac{\sqrt{3}}{2}S=64\pi$

$\therefore S=\dfrac{128\sqrt{3}}{3}\pi$ (cm²)

답 $\dfrac{128\sqrt{3}}{3}\pi$ cm²

0498

컵을 기울이면 한쪽 수면이 올라온 만큼 반대쪽 수면은 내려간다.

오른쪽 그림과 같이 컵을 기울이기 전의 수면의 지름을 $\overline{AB}$, 컵을 최대로 기울였을 때 수면의 장축을 $\overline{CD}$라 하면 $\overline{AC}=\overline{BD}=3$이므로 $\overline{DE}=6$

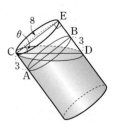

직각삼각형 CDE에서

$\overline{CD}=\sqrt{\overline{CE}^2+\overline{DE}^2}=\sqrt{8^2+6^2}=10$

$\angle DCE=\theta$라 하면 $\cos\theta=\dfrac{\overline{CE}}{\overline{CD}}=\dfrac{4}{5}$

이때, 구하는 수면의 넓이를 S라 하면 수면의 밑면 위로의 정사영은 밑면인 원이고 그 넓이는 $16\pi\ cm^2$이므로

$S\cos\theta=16\pi,\ \dfrac{4}{5}S=16\pi$

$\therefore S=20\pi\ (cm^2)$ 답 $20\pi\ cm^2$

0499

오른쪽 그림과 같이 태양 빛과 수직인 평면을 α라 하면 평면 α가 운동장과 이루는 각의 크기는 $60°$이다.

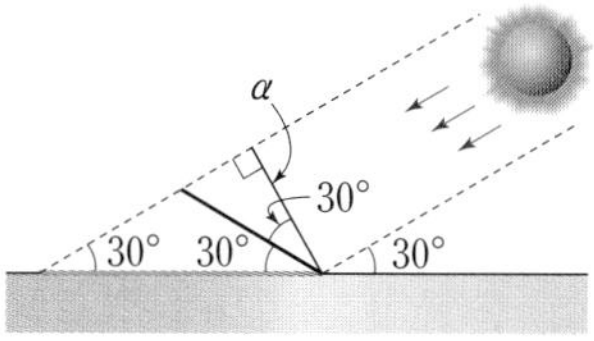

또, 차광막의 평면 α 위로의 정사영은 차광막의 그림자의 평면 α 위로의 정사영과 같다.

이때, 차광막의 넓이를 S, 정사영의 넓이를 S'이라 하면

$S'=S\cos 30°$ …… ㉠

한편, 차광막의 그림자의 넓이가 12이므로

$S'=12\cos 60°$ …… ㉡

㉠, ㉡에 의하여

$S\cos 30°=12\cos 60°,\ \dfrac{\sqrt{3}}{2}S=12\times\dfrac{1}{2}$

$\therefore S=4\sqrt{3}$ 답 ③

STEP 3 내신 마스터

0500

유형 **01 평면의 결정조건**

|전략| 한 직선 위에 있지 않은 세 점, 한 직선과 그 직선 위에 있지 않은 한 점은 한 개의 평면을 결정한다.

(i) 세 점으로 만들 수 있는 평면은 평면 AEGC의 1개

(ii) 직선 BH와 그 위에 있지 않은 한 점으로 만들 수 있는 평면은 평면 BAH(=BGH), BCH(=BEH)의 2개

(i), (ii)에 의하여 만들 수 있는 서로 다른 평면의 개수는 3이다. 답 ③

0501

유형 **02 공간에서의 위치 관계**

|전략| 정팔면체의 모서리를 직선으로 생각하여 위치 관계를 찾는다.

ㄱ. 직선 AB와 꼬인 위치에 있는 직선은 직선 CD, 직선 ED, 직선 CF, 직선 EF의 4개이다. (거짓)

ㄴ. 직선 AC와 평행한 직선은 직선 EF의 1개이다. (참)

ㄷ. 직선 AD와 만나지 않는 직선은 직선 BC, 직선 BE, 직선 BF, 직선 CF, 직선 EF의 5개이다. (참)

따라서 옳은 것은 ㄴ, ㄷ이다. 답 ④

0502

유형 **03 직선과 평면의 평행과 수직**

|전략| 정육면체의 모서리는 직선, 면은 평면으로 생각하여 주어진 관계를 알아본다.

④ [반례] 오른쪽 그림과 같이 평면 α와 평행한 서로 다른 두 직선 l, m은 만날 수도 있다.

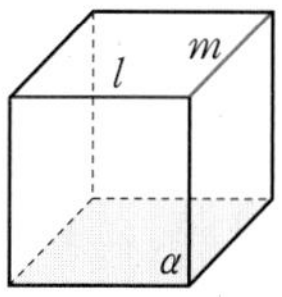

답 ④

0503

유형 **04 꼬인 위치에 있는 두 직선이 이루는 각**

|전략| 두 직선 AM과 CE가 이루는 각의 크기는 두 직선 AM과 MN이 이루는 각의 크기와 같음을 이용한다.

오른쪽 그림과 같이 $\overline{DE}$의 중점 M을 지나고 $\overline{CE}$에 평행한 직선이 $\overline{CD}$와 만나는 점을 N이라 하면 $\overline{CE}\,/\!/\,\overline{MN}$이므로 두 직선 AM과 CE가 이루는 각의 크기는 두 직선 AM과 MN이 이루는 각의 크기와 같다.

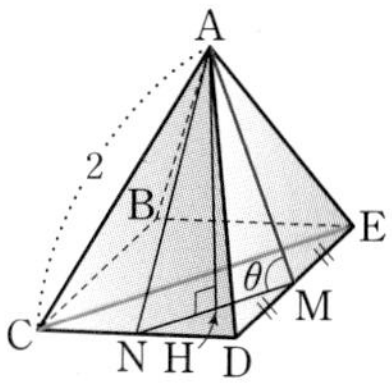

즉, $\angle AMN=\theta$

이때, 점 N은 $\overline{CD}$의 중점이므로

$\overline{MN}=\dfrac{1}{2}\overline{CE}=\sqrt{2}$

삼각형 AMN은 $\overline{AM}=\overline{AN}=\sqrt{3}$인 이등변삼각형이므로 점 A에서 $\overline{MN}$에 내린 수선의 발을 H라 하면

$\cos\theta=\dfrac{\overline{MH}}{\overline{AM}}=\dfrac{\frac{1}{2}\overline{MN}}{\overline{AM}}=\dfrac{\frac{\sqrt{2}}{2}}{\sqrt{3}}=\dfrac{\sqrt{6}}{6}$ 답 ①

0504

유형 **08 삼수선의 정리의 활용**

|전략| 삼수선의 정리와 직각삼각형의 넓이를 이용하여 $\overline{EI}$의 길이를 구한다.

꼭짓점 A에서 $\overline{MH}$에 내린 수선의 발을 I라 하면 $\overline{AE}\perp$(평면 EFGH), $\overline{AI}\perp\overline{MH}$이므로 삼수선의 정리에 의하여 $\overline{EI}\perp\overline{MH}$

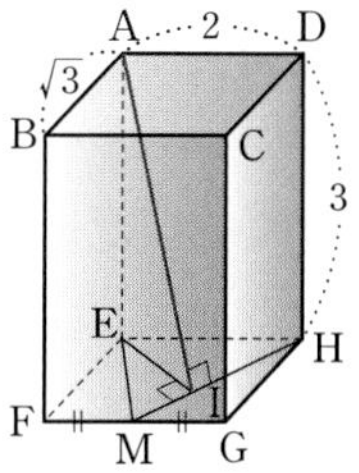

삼각형 EMH에서

$\dfrac{1}{2}\times\overline{EH}\times\overline{HG}=\dfrac{1}{2}\times\overline{MH}\times\overline{EI}$

이때, $\overline{MH}=\sqrt{1^2+(\sqrt{3})^2}=2$이므로

$\dfrac{1}{2}\times2\times\sqrt{3}=\dfrac{1}{2}\times2\times\overline{EI}$ $\quad\therefore \overline{EI}=\sqrt{3}$

이때, 삼각형 AEI는 직각삼각형이므로

$\overline{AI}=\sqrt{\overline{AE}^2+\overline{EI}^2}=\sqrt{3^2+(\sqrt{3})^2}=2\sqrt{3}$ 답 ④

0505

유형 **10 두 평면이 이루는 각**

|전략| 점 A에서 $\overline{EF}$에 내린 수선의 발을 G라 하면 두 평면 AEF와 DEF가 이루는 각의 크기 θ는 $\overline{AG}$와 $\overline{DG}$가 이루는 각의 크기와 같다.

오른쪽 그림과 같이 점 A에서 $\overline{\mathrm{EF}}$에 내린 수선의 발을 G라 하면 $\overline{\mathrm{AD}}\perp$(평면 DEF), $\overline{\mathrm{AG}}\perp\overline{\mathrm{EF}}$이므로 삼수선의 정리에 의하여 $\overline{\mathrm{DG}}\perp\overline{\mathrm{EF}}$

따라서 두 평면 AEF와 DEF가 이루는 각의 크기 θ는 $\overline{\mathrm{AG}}$와 $\overline{\mathrm{DG}}$가 이루는 각의 크기와 같다. 즉, $\angle\mathrm{AGD}=\theta$

삼각형 DEF에서

$\dfrac{1}{2}\times\overline{\mathrm{DF}}\times\overline{\mathrm{DE}}=\dfrac{1}{2}\times\overline{\mathrm{EF}}\times\overline{\mathrm{DG}}$이므로

$\dfrac{1}{2}\times2\times1=\dfrac{1}{2}\times\sqrt5\times\overline{\mathrm{DG}}$ $\therefore\overline{\mathrm{DG}}=\dfrac{2\sqrt5}{5}$

또, 삼각형 ADG는 직각삼각형이므로

$\overline{\mathrm{AG}}=\sqrt{\overline{\mathrm{AD}}^2+\overline{\mathrm{DG}}^2}=\sqrt{3^2+\left(\dfrac{2\sqrt5}{5}\right)^2}=\dfrac{7\sqrt5}{5}$

$\therefore\cos\theta=\dfrac{\overline{\mathrm{DG}}}{\overline{\mathrm{AG}}}=\dfrac{\dfrac{2\sqrt5}{5}}{\dfrac{7\sqrt5}{5}}=\dfrac{2}{7}$ 　　답 ①

0506

유형 11 정사영의 길이

|전략| 점 A에서 평면 BCD에 내린 수선의 발을 G라 하면 $\overline{\mathrm{AB}}$, $\overline{\mathrm{AC}}$의 평면 BCD 위로의 정사영은 각각 $\overline{\mathrm{GB}}$, $\overline{\mathrm{GC}}$이다.

오른쪽 그림과 같이 점 A에서 평면 BCD 위에 내린 수선의 발을 G라 하면 점 G는 삼각형 BCD의 무게중심이다.

$\therefore\overline{\mathrm{GC}}=\dfrac{2}{3}\times\left(\dfrac{\sqrt3}{2}\times12\right)=4\sqrt3$

점 M에서 평면 BCD에 내린 수선의 발을 M′이라 하면 선분 MN의 평면 BCD의 위로의 정사영은 선분 M′N이다.

선분 AB, AC의 평면 BCD 위로의 정사영은 각각 선분 GB, GC이고 선분 AB의 중점이 M이므로 M′은 선분 GB의 중점이 된다.

즉, 삼각형 GBC에서 두 점 M′, N은 각각 선분 GB, 선분 BC의 중점이므로

$\overline{\mathrm{M'N}}=\dfrac{1}{2}\overline{\mathrm{GC}}=\dfrac{1}{2}\times4\sqrt3=2\sqrt3$ 　　답 ③

0507

유형 15 정사영의 넓이의 활용

|전략| 두 평면 MBC와 BCD가 이루는 각의 크기를 θ라 하고 $\cos\theta$의 값을 구한다.

오른쪽 그림과 같이 점 M에서 $\overline{\mathrm{BC}}$에 내린 수선의 발을 H라 하면 $\overline{\mathrm{DH}}$는 정삼각형 DBC의 중선이므로 $\overline{\mathrm{DH}}\perp\overline{\mathrm{BC}}$

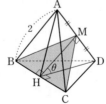

즉, 두 평면 MBC와 BCD가 이루는 각의 크기를 θ라 하면 $\angle\mathrm{MHD}=\theta$

직각삼각형 MBH에서

$\overline{\mathrm{MH}}=\sqrt{\overline{\mathrm{MB}}^2-\overline{\mathrm{BH}}^2}=\sqrt{(\sqrt3)^2-1^2}=\sqrt2$

한편, 삼각형 HDA는 이등변삼각형이므로 $\overline{\mathrm{MH}}\perp\overline{\mathrm{AD}}$

따라서 직각삼각형 HDM에서

$\cos\theta=\dfrac{\overline{\mathrm{MH}}}{\overline{\mathrm{DH}}}=\dfrac{\sqrt2}{\sqrt3}=\dfrac{\sqrt6}{3}$

이때, $\triangle\mathrm{MBC}=\dfrac{1}{2}\times2\times\sqrt2=\sqrt2$이므로 구하는 정사영의 넓이는

$\sqrt2\times\dfrac{\sqrt6}{3}=\dfrac{2\sqrt3}{3}$ 　　답 ④

0508

유형 16 정사영의 넓이의 실생활에의 활용

|전략| 먼저 원뿔의 밑면과 수면이 이루는 각의 크기를 구한다.

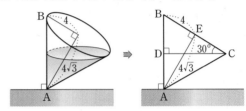

직각삼각형 ABE에서 $\overline{\mathrm{AB}}=\sqrt{4^2+(4\sqrt3)^2}=8$이므로 삼각형 ABC는 정삼각형이다.

$\therefore\angle\mathrm{BCD}=30°$

즉, 원뿔의 밑면과 수면이 이루는 각의 크기는 $30°$이다.

이때, 수면의 넓이를 S라 하면 원뿔의 밑면의 넓이가 16π이므로

$S=16\pi\times\cos30°=16\pi\times\dfrac{\sqrt3}{2}=8\sqrt3\pi$ 　　답 ⑤

0509

유형 06 수선의 길이

|전략| $\overline{\mathrm{BH}}$와 평면 AFC가 이루는 각의 크기를 구한 후 삼각뿔의 부피를 이용하여 $\overline{\mathrm{BP}}$의 길이를 구한다.

$\overline{\mathrm{DH}}\perp$(평면 ABCD)이므로 $\overline{\mathrm{AC}}\perp\overline{\mathrm{DH}}$이다.

또, $\overline{\mathrm{AC}}\perp\overline{\mathrm{BD}}$이므로 $\overline{\mathrm{AC}}\perp$(평면 BHD)이다.

$\therefore\overline{\mathrm{AC}}\perp\overline{\mathrm{BH}}$ 　　……㉠

한편, $\overline{\mathrm{EH}}\perp$(평면 ABFE)이므로 $\overline{\mathrm{AF}}\perp\overline{\mathrm{EH}}$이다.

또, $\overline{\mathrm{AF}}\perp\overline{\mathrm{BE}}$이므로 $\overline{\mathrm{AF}}\perp$(평면 BHE)이다.

$\therefore\overline{\mathrm{AF}}\perp\overline{\mathrm{BH}}$ 　　……㉡

㉠, ㉡에 의하여 $\overline{\mathrm{BH}}\perp$(평면 AFC)이므로 $\overline{\mathrm{BH}}$와 평면 AFC가 이루는 각의 크기는 $90°$이다. 　　❶

삼각뿔 BAFC의 부피는

$\dfrac{1}{3}\times\triangle\mathrm{ABC}\times\overline{\mathrm{BF}}=\dfrac{1}{3}\times\triangle\mathrm{AFC}\times\overline{\mathrm{BP}}$에서

$\dfrac{1}{3}\times\left(\dfrac{1}{2}\times1\times1\right)\times1=\dfrac{1}{3}\times\left\{\dfrac{\sqrt3}{4}\times(\sqrt2)^2\right\}\times\overline{\mathrm{BP}}$

$\dfrac{1}{6}=\dfrac{\sqrt3}{6}\times\overline{\mathrm{BP}}$ $\therefore\overline{\mathrm{BP}}=\dfrac{\sqrt3}{3}$ 　　❷

$\overline{\mathrm{BH}}$는 정육면체의 대각선이므로 $\overline{\mathrm{BH}}=\sqrt3$

$\therefore\overline{\mathrm{PH}}=\overline{\mathrm{BH}}-\overline{\mathrm{BP}}=\sqrt3-\dfrac{\sqrt3}{3}=\dfrac{2\sqrt3}{3}$ 　　❸

답 $\dfrac{2\sqrt3}{3}$

채점 기준	배점
❶ $\overline{BH}$와 평면 AFC가 이루는 각의 크기를 구할 수 있다.	3점
❷ $\overline{BP}$의 길이를 구할 수 있다.	3점
❸ $\overline{PH}$의 길이를 구할 수 있다.	1점

0510

|전략| $\overline{AH}$의 평면 α 위로의 정사영은 $\overline{DH'}$임을 이용한다.

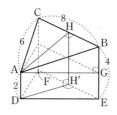

(1) $\overline{AC}=\overline{AB}=2+4=6$,

$\overline{BC}=4+4=8$이므로 삼각형 ABC는 이등변삼각형이다.

따라서 점 H는 $\overline{BC}$의 중점이므로 직각삼각형 ABH에서

$\overline{AH}=\sqrt{\overline{AB}^2-\overline{BH}^2}=\sqrt{6^2-4^2}=2\sqrt{5}$

(2) 직각삼각형 ABG에서

$\overline{DE}=\overline{AG}=\sqrt{\overline{AB}^2-\overline{BG}^2}=\sqrt{6^2-2^2}=4\sqrt{2}$

(3) $\overline{DF}=\overline{DE}=4\sqrt{2}$이고 $\overline{EF}=8$이므로 삼각형 DEF는 이등변삼각형이다.

이때, 점 H′는 $\overline{EF}$의 중점이므로 직각삼각형 DEH′에서

$\overline{DH'}=\sqrt{\overline{DE}^2-\overline{EH}'^2}=\sqrt{(4\sqrt{2})^2-4^2}=4$

(4) $\overline{AH}$의 평면 α 위로의 정사영은 $\overline{DH'}$이므로

$\cos\theta=\dfrac{\overline{DH'}}{\overline{AH}}=\dfrac{4}{2\sqrt{5}}=\dfrac{2\sqrt{5}}{5}$

답 (1) $2\sqrt{5}$ (2) $4\sqrt{2}$ (3) 4 (4) $\dfrac{2\sqrt{5}}{5}$

채점 기준	배점
(1) $\overline{AH}$의 길이를 구할 수 있다.	3점
(2) $\overline{DE}$의 길이를 구할 수 있다.	3점
(3) $\overline{DH'}$의 길이를 구할 수 있다.	3점
(4) $\cos\theta$의 값을 구할 수 있다.	3점

창의·융합 교과서 속 심화문제

0511

|전략| 평면 밖의 한 직선이 평면 위의 서로 다른 두 직선과 각각 수직이면 직선과 평면이 수직임을 이용하여 $\overline{OH}$와 수직인 평면을 찾고, 삼수선의 정리를 이용하여 중심 O에서 직선 l까지의 거리를 나타내는 선분을 찾는다.

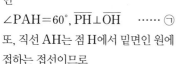

직선 l과 평면 α의 교점을 A, 점 P에서 평면 α에 내린 수선의 발을 H라 하면

$\angle PAH=60°$, $\overline{PH}\perp\overline{OH}$ ······ ㉠

또, 직선 AH는 점 H에서 밑면인 원에 접하는 접선이므로

$\overline{AH}\perp\overline{OH}$ ······ ㉡

㉠, ㉡에서 $\overline{OH}\perp$(평면 PAH) ······ ㉢

이때, 점 H에서 직선 l에 내린 수선의 발을 G라 하면 삼수선의 정리에 의하여 $\overline{OG}\perp l$이므로 구하는 거리는 $\overline{OG}$의 길이와 같다.

직각삼각형 POH에서

$\overline{PH}=\sqrt{\overline{OP}^2-\overline{OH}^2}=\sqrt{(2\sqrt{2})^2-2^2}=2$

$\therefore \overline{GH}=\overline{PH}\times\sin(\angle GPH)=2\times\sin30°=1$

㉢에 의하여 삼각형 OGH는 $\overline{OH}\perp\overline{GH}$인 직각삼각형이므로

$\overline{OG}=\sqrt{\overline{OH}^2+\overline{GH}^2}=\sqrt{2^2+1^2}=\sqrt{5}$

답 ①

0512

|전략| 점 C를 지나도록 직선 l을 평행이동한 다음 삼수선의 정리를 이용한다.

점 C를 지나도록 직선 l을 평행이동한 직선을 l'이라 하면 두 직선 AC와 l이 이루는 각의 크기는 두 직선 AC와 l'이 이루는 각의 크기와 같다.

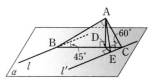

오른쪽 그림과 같이 점 A에서 평면 α에 내린 수선의 발을 D, 점 D에서 직선 l'에 내린 수선의 발을 E라 하면 $\overline{AD}\perp\alpha$, $\overline{DE}\perp l'$이므로 삼수선의 정리에 의하여

$\overline{AE}\perp l'$

직각삼각형 ADC에서 $\overline{AC}=a$라 하면 $\overline{CD}=\dfrac{1}{2}a$

이때, 직각삼각형 DEC에서 $\angle DCE=45°$이므로 $\angle EDC=45°$

$\therefore \overline{CE}=\overline{DE}=\dfrac{\sqrt{2}}{4}a$

또, 직각삼각형 ECA에서

$\overline{AE}=\sqrt{\overline{AC}^2-\overline{CE}^2}=\sqrt{a^2-\left(\dfrac{\sqrt{2}}{4}a\right)^2}=\dfrac{\sqrt{14}}{4}a$

이때, $\theta=\angle ACE$이므로

$\tan\theta=\dfrac{\overline{AE}}{\overline{CE}}=\dfrac{\dfrac{\sqrt{14}}{4}a}{\dfrac{\sqrt{2}}{4}a}=\sqrt{7}$

$\therefore \tan^2\theta=7$

답 7

0513

|전략| 먼저 사각형 EFGH의 넓이를 이용하여 정사면체의 한 모서리의 길이를 구한다.

네 점 E, F, G, H는 각각 $\overline{AB}$, $\overline{BC}$, $\overline{CD}$, $\overline{AD}$의 중점이므로 삼각형 ABC와 삼각형 ACD에서

$\overline{EF}/\!/\overline{AC}$, $\overline{HG}/\!/\overline{AC}$ $\therefore \overline{EF}/\!/\overline{HG}$

또, $\overline{EF}=\overline{HG}=\dfrac{1}{2}\overline{AC}$이므로 사각형 EFGH는 평행사변형이다.

이때, $\overline{EF}=\overline{FG}=\overline{GH}=\overline{HE}$, $\overline{EG}=\overline{FH}$이므로 사각형 EFGH는 정사각형이다.

정사면체의 한 모서리의 길이를 a라 하면 사각형 EFGH의 넓이가 2이므로

$\dfrac{a}{2}\times\dfrac{a}{2}=2$, $a^2=8$ $\therefore a=2\sqrt{2}$ ($\because a>0$)

5 공간도형

점 A에서 평면 BCD에 내린 수선의 발을 M이라 하면 점 M은 삼각형 BCD의 무게 중심과 같다.

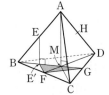

또, $\overline{AB}$의 평면 BCD 위로의 정사영은 $\overline{MB}$ 이고, 점 E의 평면 BCD 위로의 정사영을 점 E′이라 하면 점 E′은 $\overline{MB}$의 중점이므로 삼각형 EFG의 평면 BCD 위로의 정사영은 삼각형 E′FG이다. 이때,

$\overline{E'F} \parallel \overline{CM}$, $\overline{E'F} = \frac{1}{2}\overline{CM} = \frac{1}{2} \times \left(\frac{2}{3} \times \sqrt{6} \right) = \frac{\sqrt{6}}{3}$

$\overline{FG} \parallel \overline{BD}$, $\overline{FG} = \frac{1}{2}\overline{BD} = \frac{1}{2} \times 2\sqrt{2} = \sqrt{2}$

$\overline{E'G} = \frac{2}{3}\overline{BG} = \frac{2\sqrt{6}}{3}$

이므로 $\overline{E'F}^2 + \overline{FG}^2 = \overline{E'G}^2$, 즉 삼각형 E′FG는 $\angle E'FG = 90°$인 직각삼각형이다.

$\therefore \triangle E'FG = \frac{1}{2} \times \frac{\sqrt{6}}{3} \times \sqrt{2} = \frac{\sqrt{3}}{3}$ 　　답 $\frac{\sqrt{3}}{3}$

0514

|전략| 정사영을 이용하기 위하여 기울어진 그릇이 지면과 이루는 각의 크기를 구한다.

(ⅰ) 컵을 기울이면 한쪽 수면이 올라온 만큼 반대쪽 수면은 내려간다.

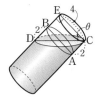

오른쪽 그림과 같이 컵을 기울이기 전의 수면의 지름을 $\overline{AB}$, 컵을 최대로 기울였을 때 수면의 장축을 $\overline{CD}$라 하면 $\overline{AC} = \overline{BD} = 2$이므로 $\overline{DE} = 4$

직각삼각형 CDE에서

$\overline{CD} = \sqrt{\overline{CE}^2 + \overline{DE}^2} = \sqrt{4^2 + 4^2} = 4\sqrt{2}$

$\angle DCE = \theta$라 하면

$\cos\theta = \frac{\overline{CE}}{\overline{CD}} = \frac{4}{4\sqrt{2}} = \frac{\sqrt{2}}{2}$

이때, 수면의 밑면 위로의 정사영은 밑면인 원이고 그 넓이는 4π이므로

$S_A \cos\theta = 4\pi$, $\frac{\sqrt{2}}{2}S_A = 4\pi$

$\therefore S_A = 4\sqrt{2}\pi$

(ⅱ) 오른쪽 그림과 같이 원기둥의 밑면의 반원을 정사영시킨 넓이를 각각 S_1, S_3, 직사각형의 넓이를 S_2라 하면 정사영의 넓이는 $S_1 + S_2 + S_3$이다.

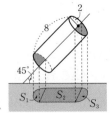

이때, 원기둥의 밑면은 지면과 45°의 각을 이루므로 ── (ⅰ)의 $\cos\theta = \frac{\sqrt{2}}{2}$에서 $\theta = 45°$

$S_1 = S_3 = \frac{1}{2} \times 4\pi \times \cos 45° = \sqrt{2}\pi$

$S_2 = 4 \times 8 \times \cos 45° = 16\sqrt{2}$

$\therefore S_B = 16\sqrt{2} + 2\sqrt{2}\pi$

(ⅰ), (ⅱ)에 의하여

$S_B - S_A = 16\sqrt{2} + 2\sqrt{2}\pi - 4\sqrt{2}\pi = 16\sqrt{2} - 2\sqrt{2}\pi$ 　답 $16\sqrt{2} - 2\sqrt{2}\pi$

---

6 | 공간좌표

STEP 1 개념 마스터

0515 답 (1) B$(2, 0, 3)$　(2) C$(2, 4, 3)$　(3) D$(0, 4, 3)$　(4) F$(2, 4, 0)$

0516

(1) 점 P$(-2, 6, 4)$에서 x축에 내린 수선의 발은 y좌표와 z좌표가 0이므로 구하는 좌표는 $(-2, 0, 0)$

(2) 점 P$(-2, 6, 4)$에서 z축에 내린 수선의 발은 x좌표와 y좌표가 0이므로 구하는 좌표는 $(0, 0, 4)$

(3) 점 P$(-2, 6, 4)$에서 yz평면에 내린 수선의 발은 x좌표가 0이므로 구하는 좌표는 $(0, 6, 4)$

(4) 점 P$(-2, 6, 4)$에서 zx평면에 내린 수선의 발은 y좌표가 0이므로 구하는 좌표는 $(-2, 0, 4)$

　답 (1) $(-2, 0, 0)$　(2) $(0, 0, 4)$　(3) $(0, 6, 4)$　(4) $(-2, 0, 4)$

0517

(1) 점 P$(-4, -5, 1)$을 x축에 대하여 대칭이동한 점은 y좌표와 z좌표의 부호가 바뀌므로 구하는 점의 좌표는 $(-4, 5, -1)$

(2) 점 P$(-4, -5, 1)$을 y축에 대하여 대칭이동한 점은 x좌표와 z좌표의 부호가 바뀌므로 구하는 점의 좌표는 $(4, -5, -1)$

(3) 점 P$(-4, -5, 1)$을 zx평면에 대하여 대칭이동한 점은 y좌표의 부호가 바뀌므로 구하는 점의 좌표는 $(-4, 5, 1)$

(4) 점 P$(-4, -5, 1)$을 원점에 대하여 대칭이동한 점은 x좌표, y좌표, z좌표의 부호가 모두 바뀌므로 구하는 점의 좌표는 $(4, 5, -1)$

　답 (1) $(-4, 5, -1)$　(2) $(4, -5, -1)$　(3) $(-4, 5, 1)$　(4) $(4, 5, -1)$

0518

$\overline{OA} = \sqrt{(-1)^2 + (-3)^2 + (-4)^2} = \sqrt{26}$ 　　　　답 $\sqrt{26}$

0519

$\overline{AB} = \sqrt{(3-1)^2 + (0-2)^2 + (-2-3)^2} = \sqrt{33}$ 　　답 $\sqrt{33}$

0520

$\overline{AB} = \sqrt{(4-2)^2 + (1-5)^2 + \{-3-(-3)\}^2} = 2\sqrt{5}$ 　　답 $2\sqrt{5}$

0521

(1) 점 P$(6, -4, 1)$을 x축에 대하여 대칭이동한 점은 y좌표와 z좌표의 부호가 바뀌므로 Q$(6, 4, -1)$

(2) $\overline{PQ} = \sqrt{(6-6)^2 + \{4-(-4)\}^2 + (-1-1)^2} = 2\sqrt{17}$

　답 (1) Q$(6, 4, -1)$　(2) $2\sqrt{17}$

0522

(1) $P\left(\dfrac{2\times3+1\times(-3)}{2+1}, \dfrac{2\times2+1\times5}{2+1}, \dfrac{2\times(-5)+1\times1}{2+1}\right)$

$\therefore P(1, 3, -3)$

(2) $Q\left(\dfrac{3\times3-2\times(-3)}{3-2}, \dfrac{3\times2-2\times5}{3-2}, \dfrac{3\times(-5)-2\times1}{3-2}\right)$

$\therefore Q(15, -4, -17)$

(3) $M\left(\dfrac{-3+3}{2}, \dfrac{5+2}{2}, \dfrac{1+(-5)}{2}\right)$　　$\therefore M\left(0, \dfrac{7}{2}, -2\right)$

　　　　📋 (1) $P(1, 3, -3)$　(2) $Q(15, -4, -17)$　(3) $M\left(0, \dfrac{7}{2}, -2\right)$

0523

$G\left(\dfrac{2+4+(-3)}{3}, \dfrac{-3+(-1)+(-5)}{3}, \dfrac{5+2+5}{3}\right)$

$\therefore G(1, -3, 4)$　　　　　　　　　📋 $G(1, -3, 4)$

0524　📋 중심의 좌표: $(-1, 6, 3)$, 반지름의 길이: 2

0525　📋 $(x-3)^2+(y+2)^2+(z+4)^2=36$

0526

구의 반지름의 길이는 $\overline{OA}=\sqrt{4^2+(-2)^2+5^2}=3\sqrt{5}$

따라서 구하는 구의 방정식은

$x^2+y^2+z^2=45$　　　　　　　　📋 $x^2+y^2+z^2=45$

0527

구의 반지름의 길이는

$\overline{CA}=\sqrt{(2-1)^2+\{-1-(-4)\}^2+(1-3)^2}=\sqrt{14}$

따라서 구하는 구의 방정식은

$(x-1)^2+(y+4)^2+(z-3)^2=14$

　　　　　　　　　📋 $(x-1)^2+(y+4)^2+(z-3)^2=14$

0528

(1) 중심이 $C(3, -2, -5)$이고 yz평면에 접하는 구의 방정식은

$(x-3)^2+(y+2)^2+(z+5)^2=|3|^2$

$\therefore (x-3)^2+(y+2)^2+(z+5)^2=9$

(2) 중심이 $C(3, -2, -5)$이고 zx평면에 접하는 구의 방정식은

$(x-3)^2+(y+2)^2+(z+5)^2=|-2|^2$

$\therefore (x-3)^2+(y+2)^2+(z+5)^2=4$

　　　　　📋 (1) $(x-3)^2+(y+2)^2+(z+5)^2=9$

　　　　　　　(2) $(x-3)^2+(y+2)^2+(z+5)^2=4$

0529

$x^2+y^2+z^2+2x-4y+2z-10=0$에서

$(x+1)^2+(y-2)^2+(z+1)^2=16$

따라서 중심의 좌표는 $(-1, 2, -1)$, 반지름의 길이는 4이다.

　　　　📋 중심의 좌표: $(-1, 2, -1)$, 반지름의 길이: 4

0530

$x^2+y^2+z^2+6x+2y-8z+1=0$에서

$(x+3)^2+(y+1)^2+(z-4)^2=25$

따라서 중심의 좌표는 $(-3, -1, 4)$, 반지름의 길이는 5이다.

　　　　📋 중심의 좌표: $(-3, -1, 4)$, 반지름의 길이: 5

0531

구의 중심을 C라 하면 점 C는 $\overline{AB}$의 중점이므로

$C\left(\dfrac{3+(-1)}{2}, \dfrac{-1+3}{2}, \dfrac{-2+2}{2}\right)$　　$\therefore C(1, 1, 0)$

구의 반지름의 길이는

$\overline{CA}=\sqrt{(3-1)^2+(-1-1)^2+(-2-0)^2}=2\sqrt{3}$

따라서 구하는 구의 방정식은

$(x-1)^2+(y-1)^2+z^2=12$　　　📋 $(x-1)^2+(y-1)^2+z^2=12$

0532

구의 중심을 C라 하면 점 C는 $\overline{AB}$의 중점이므로

$C\left(\dfrac{4+2}{2}, \dfrac{2+(-4)}{2}, \dfrac{3+(-5)}{2}\right)$　　$\therefore C(3, -1, -1)$

구의 반지름의 길이는

$\overline{CA}=\sqrt{(4-3)^2+\{2-(-1)\}^2+\{3-(-1)\}^2}=\sqrt{26}$

따라서 구하는 구의 방정식은

$(x-3)^2+(y+1)^2+(z+1)^2=26$

　　　　　　　📋 $(x-3)^2+(y+1)^2+(z+1)^2=26$

0533

구의 방정식을 $x^2+y^2+z^2+Ax+By+Cz+D=0$이라 하면 네 점 O, A, B, C는 이 구 위의 점이므로

$D=0, 1-C=0, 5+B+2C=0, 8+2A+2C=0$

위의 네 식을 연립하여 풀면

$A=-5, B=-7, C=1, D=0$

따라서 구하는 구의 방정식은

$x^2+y^2+z^2-5x-7y+z=0$　　📋 $x^2+y^2+z^2-5x-7y+z=0$

0534

구의 방정식을 $x^2+y^2+z^2+Ax+By+Cz+D=0$이라 하면 네 점 O, A, B, C는 이 구 위의 점이므로

$D=0, 4+2A=0, 2+A+B=0, 3-A+B-C=0$

위의 네 식을 연립하여 풀면

$A=-2, B=0, C=5, D=0$

따라서 구하는 구의 방정식은 $x^2+y^2+z^2-2x+5z=0$

目 $x^2+y^2+z^2-2x+5z=0$

STEP 2 유형 마스터

0535

|전략| xy평면에 내린 수선의 발은 z좌표가 0이고, y축에 대칭이동한 점은 x좌표, z좌표의 부호가 바뀐다.

점 $(1, -2, 4)$에서 xy평면에 내린 수선의 발은 $P(1, -2, 0)$

점 P를 y축에 대하여 대칭이동한 점은 x좌표, z좌표의 부호가 바뀌므로 $Q(-1, -2, 0)$

따라서 $a=-1, b=-2, c=0$이므로 $a+b+c=-3$ 目 ②

0536

점 $(3, -4, -5)$를 zx평면에 대하여 대칭이동한 점은 y좌표의 부호가 바뀌므로 $P(3, 4, -5)$

점 P를 원점에 대하여 대칭이동한 점은 x좌표, y좌표, z좌표의 부호가 모두 바뀌므로 $Q(-3, -4, 5)$ 目 $Q(-3, -4, 5)$

0537

점 $P(a, b, c)$를 x축에 대하여 대칭이동한 점은 y좌표, z좌표의 부호가 바뀌므로 $(a, -b, -c)$ ······ ㉠ ··· ❶

점 $Q(a-2b, 4-2c, 3-a)$를 zx평면에 대하여 대칭이동한 점은 y좌표의 부호가 바뀌므로 $(a-2b, 2c-4, 3-a)$ ······ ㉡ ··· ❷

㉠=㉡에서

$a=a-2b, -b=2c-4, -c=3-a$

세 식을 연립하여 풀면 $a=5, b=0, c=2$ ··· ❸

$\therefore a+b+c=7$ ··· ❹

目 7

채점 기준	비율
❶ 점 P를 x축에 대하여 대칭이동한 점의 좌표를 구할 수 있다.	30 %
❷ 점 Q를 zx평면에 대하여 대칭이동한 점의 좌표를 구할 수 있다.	30 %
❸ a, b, c의 값을 구할 수 있다.	30 %
❹ $a+b+c$의 값을 구할 수 있다.	10 %

0538

|전략| 두 점 $A(x_1, y_1, z_1), B(x_2, y_2, z_2)$ 사이의 거리는 $\overline{AB}=\sqrt{(x_2-x_1)^2+(y_2-y_1)^2+(z_2-z_1)^2}$임을 이용한다.

점 $A(1, -3, 2)$와 x축에 대하여 대칭인 점 P의 좌표는 $P(1, 3, -2)$

yz평면에 대하여 대칭인 점 Q의 좌표는 $Q(-1, -3, 2)$

$\therefore \overline{PQ}=\sqrt{(-1-1)^2+(-3-3)^2+(2+2)^2}=2\sqrt{14}$ 目 ④

0539

$\overline{PA}=\sqrt{(-1)^2+(1-3)^2+a^2}=\sqrt{a^2+5}$

$\overline{PB}=\sqrt{1^2+(2-3)^2+(-1)^2}=\sqrt{3}$

이때, $\overline{PA}=2\overline{PB}$에서 $\sqrt{a^2+5}=2\sqrt{3}$이므로

$a^2+5=12, a^2=7$ $\therefore a=\sqrt{7} \ (\because a>0)$ 目 ⑤

0540

주어진 두 정육면체를 오른쪽 그림과 같이 좌표공간에 나타내면

$A(2, 0, 2), B(-1, 2, 3)$

$\therefore \overline{AB}=\sqrt{(-1-2)^2+2^2+(3-2)^2}$

$=\sqrt{14}$

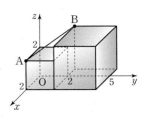

目 $\sqrt{14}$

0541

|전략| 두 점 사이의 거리와 피타고라스 정리를 이용한다.

점 C가 z축 위의 점이므로 점 C의 좌표를 $(0, 0, a)$라 하면

$\overline{AB}^2=(5-3)^2+(1-4)^2+(2-1)^2=14$

$\overline{BC}^2=(0-5)^2+(0-1)^2+(a-2)^2=a^2-4a+30$

$\overline{CA}^2=(3-0)^2+(4-0)^2+(1-a)^2=a^2-2a+26$

이때, 삼각형 ABC가 $\overline{BC}$를 빗변으로 하는 직각삼각형이므로

$\overline{BC}^2=\overline{AB}^2+\overline{CA}^2$에서

$a^2-4a+30=a^2-2a+40$ $\therefore a=-5$

따라서 점 C의 좌표는 $(0, 0, -5)$ 目 $C(0, 0, -5)$

0542

점 $P(3, 4, 5)$에서 x축, y축, z축에 내린 수선의 발이 각각 A, B, C 이므로 $A(3, 0, 0), B(0, 4, 0), C(0, 0, 5)$

$\overline{AB}=\sqrt{(-3)^2+4^2}=5, \overline{BC}=\sqrt{(-4)^2+5^2}=\sqrt{41}$

$\overline{CA}=\sqrt{3^2+(-5)^2}=\sqrt{34}$

오른쪽 그림과 같이 점 C에서 $\overline{AB}$에 내린 수선의 발을 H, $\overline{AH}=x$라 하면

$(\sqrt{34})^2-x^2=(\sqrt{41})^2-(5-x)^2$

$34-x^2=41-(25-10x+x^2)$

$10x=18$ $\therefore x=\dfrac{9}{5}$

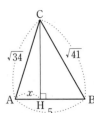

따라서 $\overline{\mathrm{CH}}=\sqrt{(\sqrt{34})^2-\left(\dfrac{9}{5}\right)^2}=\dfrac{\sqrt{769}}{5}$이므로 구하는 삼각형 ABC

의 넓이는

$\dfrac{1}{2}\times5\times\dfrac{\sqrt{769}}{5}=\dfrac{\sqrt{769}}{2}$ 📋 ⑤

0543

밑면의 원주가 x축, y축과 만나는 점을 각

각 Q, R라 하면

$\triangle\mathrm{PAA'}\infty\triangle\mathrm{PQO}$ ······ ㉠

$\triangle\mathrm{PBB'}\infty\triangle\mathrm{PRO}$ ······ ㉡

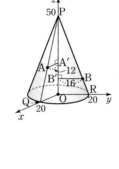

㉠에서 $\overline{\mathrm{PA'}}:\overline{\mathrm{PO}}=\overline{\mathrm{AA'}}:\overline{\mathrm{QO}}$

$\overline{\mathrm{PA'}}:50=12:20$ ∴ $\overline{\mathrm{PA'}}=30$

∴ $\overline{\mathrm{OA'}}=\overline{\mathrm{PO}}-\overline{\mathrm{PA'}}=50-30=20$

㉡에서 $\overline{\mathrm{PB'}}:\overline{\mathrm{PO}}=\overline{\mathrm{BB'}}:\overline{\mathrm{RO}}$

$\overline{\mathrm{PB'}}:50=16:20$ ∴ $\overline{\mathrm{PB'}}=40$

∴ $\overline{\mathrm{OB'}}=\overline{\mathrm{PO}}-\overline{\mathrm{PB'}}=50-40=10$

따라서 A(12, 0, 20), B(0, 16, 10)이므로

$\overline{\mathrm{AB}}=\sqrt{(-12)^2+16^2+(10-20)^2}=10\sqrt{5}$ 📋 ④

0544

|전략| 점 P의 좌표를 $(0, b, 0)$이라 하고 식을 세운다.

점 P의 좌표를 $(0, b, 0)$이라 하면

$\overline{\mathrm{AP}}=\overline{\mathrm{BP}}$, 즉 $\overline{\mathrm{AP}}^2=\overline{\mathrm{BP}}^2$이므로

$3^2+(b-2)^2+(-4)^2=(-1)^2+(b-3)^2+(-1)^2$

$2b=-18$ ∴ $b=-9$

따라서 구하는 점 P의 좌표는 $(0, -9, 0)$ 📋 P(0, −9, 0)

0545

점 P의 좌표를 $(a, 0, c)$라 하면

$\overline{\mathrm{OP}}=\overline{\mathrm{AP}}=\overline{\mathrm{BP}}$, 즉 $\overline{\mathrm{OP}}^2=\overline{\mathrm{AP}}^2=\overline{\mathrm{BP}}^2$

$\overline{\mathrm{OP}}^2=\overline{\mathrm{AP}}^2$에서

$a^2+c^2=(a-2)^2+(-5)^2+(c+2)^2$

∴ $4a-4c=33$ ······ ㉠

또, $\overline{\mathrm{AP}}^2=\overline{\mathrm{BP}}^2$에서

$(a-2)^2+(-5)^2+(c+2)^2=(a-2)^2+(-1)^2+(c-2)^2$

$8c=-24$ ∴ $c=-3$

$c=-3$을 ㉠에 대입하면 $a=\dfrac{21}{4}$

∴ $\mathrm{P}\left(\dfrac{21}{4}, 0, -3\right)$ 📋 $\mathrm{P}\left(\dfrac{21}{4}, 0, -3\right)$

0546

점 C가 yz평면 위에 있으므로 $a=0$

삼각형 ABC가 정삼각형이려면

$\overline{\mathrm{AB}}=\overline{\mathrm{BC}}=\overline{\mathrm{CA}}$, 즉 $\overline{\mathrm{AB}}^2=\overline{\mathrm{BC}}^2=\overline{\mathrm{CA}}^2$

$\overline{\mathrm{AB}}^2=\overline{\mathrm{BC}}^2$에서

$(2-1)^2+(-2)^2+1^2=(-2)^2+b^2+(c-1)^2$

∴ $b^2+c^2-2c=1$ ······ ㉠

또, $\overline{\mathrm{BC}}^2=\overline{\mathrm{CA}}^2$에서

$(-2)^2+b^2+(c-1)^2=1^2+(2-b)^2+(-c)^2$

∴ $c=2b$ ······ ㉡

㉡을 ㉠에 대입하여 풀면

$5b^2-4b-1=0$, $(b-1)(5b+1)=0$ ∴ $b=1$ (∵ b는 정수)

$b=1$을 ㉡에 대입하면 $c=2$

∴ $a+b+c=3$ 📋 ⑤

0547

|전략| 두 점 A, B가 xy평면을 기준으로 같은 쪽에 있는지 반대쪽에 있는지 확인한다.

두 점 A, B의 z좌표의 부호가 같으므로 두 점 A, B는 좌표공간에서 xy평면을 기준으로 같은 쪽에 있다.

점 A와 xy평면에 대하여 대칭인 점을 A'이라 하면 A'(2, 1, −4)

이때, $\overline{\mathrm{AP}}=\overline{\mathrm{A'P}}$이므로

$\overline{\mathrm{AP}}+\overline{\mathrm{BP}}=\overline{\mathrm{A'P}}+\overline{\mathrm{BP}}\geq\overline{\mathrm{A'B}}$

따라서 $\overline{\mathrm{AP}}+\overline{\mathrm{BP}}$의 최솟값은 $\overline{\mathrm{A'B}}$의 길이와 같으므로

$\overline{\mathrm{A'B}}=\sqrt{(3-2)^2+(-2-1)^2+(1+4)^2}=\sqrt{35}$ 📋 $\sqrt{35}$

0548

두 점 A, B의 y좌표의 부호가 다르므로 두 점 A, B는 좌표공간에서 zx평면을 기준으로 서로 반대쪽에 있다.

∴ $\overline{\mathrm{AP}}+\overline{\mathrm{BP}}\geq\overline{\mathrm{AB}}$

따라서 $\overline{\mathrm{AP}}+\overline{\mathrm{BP}}$의 최솟값은 $\overline{\mathrm{AB}}$의 길이와 같으므로

$\overline{\mathrm{AB}}=\sqrt{(1+3)^2+(-2-2)^2+(-4+2)^2}=6$ 📋 6

0549

두 점 A, B의 x좌표의 부호가 같으므로 두 점 A, B는 좌표공간에서 yz평면을 기준으로 같은 쪽에 있다.

점 A와 yz평면에 대하여 대칭인 점을 A'이라 하면

A'(−4, −2, −1)

이때, $\overline{\mathrm{AP}}=\overline{\mathrm{A'P}}$이므로

$\overline{\mathrm{AB}}+\overline{\mathrm{AP}}+\overline{\mathrm{BP}}=\overline{\mathrm{AB}}+\overline{\mathrm{A'P}}+\overline{\mathrm{BP}}$

$\geq\overline{\mathrm{AB}}+\overline{\mathrm{A'B}}$

즉, 삼각형 APB의 둘레의 길이의 최솟값은 $\overline{\mathrm{AB}}+\overline{\mathrm{A'B}}$와 같고

$\overline{\mathrm{AB}}=\sqrt{(2-4)^2+(-1+2)^2+(1+1)^2}=3$

$\overline{\mathrm{A'B}}=\sqrt{(2+4)^2+(-1+2)^2+(1+1)^2}=\sqrt{41}$

따라서 구하는 최솟값은 $3+\sqrt{41}$이다. 📋 $3+\sqrt{41}$

0550

두 점 A, B의 z좌표와 x좌표의 부호가 각각 같으므로 두 점 A, B는 좌표공간에서 xy평면, yz평면을 기준으로 각각 같은 쪽에 있다.

점 A와 xy평면에 대하여 대칭인 점을 A′, 점 B와 yz평면에 대하여 대칭인 점을 B′이라 하면

$A'(1, 4, -3), B'(-2, 2, 3)$ ··· ❶

이때, $\overline{AP} = \overline{A'P}, \overline{QB} = \overline{QB'}$이므로

$\overline{AP} + \overline{PQ} + \overline{QB} = \overline{A'P} + \overline{PQ} + \overline{QB'} \geq \overline{A'B'}$

따라서 $\overline{AP} + \overline{PQ} + \overline{QB}$의 최솟값은 $\overline{A'B'}$의 길이와 같으므로

$\overline{A'B'} = \sqrt{(-2-1)^2 + (2-4)^2 + (3+3)^2} = 7$ ··· ❷

답 7

채점 기준	비율
❶ 점 A와 xy평면에 대하여 대칭인 점 A′, 점 B와 yz평면에 대하여 대칭인 점 B′의 좌표를 구할 수 있다.	40 %
❷ $\overline{AP} + \overline{PQ} + \overline{QB}$의 최솟값을 구할 수 있다.	60 %

0551

|전략| 두 점 A, B의 yz평면 위로의 정사영의 좌표를 구한다.

두 점 A, B의 yz평면 위로의 정사영을 각각 A′, B′이라 하면

$A'(0, 2, 5), B'(0, 1, 3)$

$\overline{AB}$의 yz평면 위로의 정사영은 $\overline{A'B'}$이므로

$\overline{A'B'} = \sqrt{(1-2)^2 + (3-5)^2} = \sqrt{5}$

답 ①

0552

$A(3, -\sqrt{2}, 2), B(4, 0, -1)$에서

$\overline{AB} = \sqrt{(4-3)^2 + (\sqrt{2})^2 + (-1-2)^2} = 2\sqrt{3}$

두 점 A, B의 xy평면 위로의 정사영을 각각 A′, B′이라 하면

$A'(3, -\sqrt{2}, 0), B'(4, 0, 0)$이므로

$\overline{A'B'} = \sqrt{(4-3)^2 + (\sqrt{2})^2} = \sqrt{3}$

이때, $\overline{A'B'} = \overline{AB}\cos\theta$이므로

$\cos\theta = \dfrac{\overline{A'B'}}{\overline{AB}} = \dfrac{\sqrt{3}}{2\sqrt{3}} = \dfrac{1}{2}$

답 ②

0553

$A(0, 0, 1), B(0, 1, 1), C(\sqrt{2}, 0, 0)$에서

$\overline{AB} = 1, \overline{BC} = \sqrt{(\sqrt{2})^2 + (-1)^2 + (-1)^2} = 2$,

$\overline{CA} = \sqrt{(-\sqrt{2})^2 + 1^2} = \sqrt{3}$

$\overline{BC}^2 = \overline{AB}^2 + \overline{CA}^2$이므로 삼각형 ABC는 $\angle A = 90°$인 직각삼각형이다.

$\therefore \triangle ABC = \dfrac{1}{2} \times 1 \times \sqrt{3} = \dfrac{\sqrt{3}}{2}$

세 점 A, B, C의 xy평면 위로의 정사영을 각각 A′, B′, C′이라 하면

$A'(0, 0, 0), B'(0, 1, 0), C'(\sqrt{2}, 0, 0)$이므로

$\overline{A'B'} = 1, \overline{B'C'} = \sqrt{(\sqrt{2})^2 + (-1)^2} = \sqrt{3}, \overline{C'A'} = \sqrt{2}$

$\overline{B'C'}^2 = \overline{A'B'}^2 + \overline{C'A'}^2$이므로 삼각형 A′B′C′은 $\angle A' = 90°$인 직각삼각형이다.

$\therefore \triangle A'B'C' = \dfrac{1}{2} \times 1 \times \sqrt{2} = \dfrac{\sqrt{2}}{2}$

이때, $\triangle A'B'C' = \triangle ABC\cos\theta$이므로

$\cos\theta = \dfrac{\triangle A'B'C'}{\triangle ABC} = \dfrac{\frac{\sqrt{2}}{2}}{\frac{\sqrt{3}}{2}} = \dfrac{\sqrt{6}}{3}$

답 ④

0554

|전략| $\overline{AB}$를 $m : n (m > 0, n > 0)$으로 내분하는 점 P의 좌표는 $\left(\dfrac{mx_2 + nx_1}{m+n}, \dfrac{my_2 + ny_1}{m+n}, \dfrac{mz_2 + nz_1}{m+n} \right)$, 외분하는 점 Q의 좌표는 $\left(\dfrac{mx_2 - nx_1}{m-n}, \dfrac{my_2 - ny_1}{m-n}, \dfrac{mz_2 - nz_1}{m-n} \right) (m \neq n)$임을 이용한다.

두 점 $A(5, -1, -4), B(-4, 0, 5)$에 대하여 선분 AB를 2 : 1로 내분하는 점 P의 좌표는

$\left(\dfrac{2 \times (-4) + 1 \times 5}{2+1}, \dfrac{2 \times 0 + 1 \times (-1)}{2+1}, \dfrac{2 \times 5 + 1 \times (-4)}{2+1} \right)$

$\therefore P\left(-1, -\dfrac{1}{3}, 2\right)$

선분 PB를 4 : 3으로 외분하는 점 Q의 좌표는

$\left(\dfrac{4 \times (-4) - 3 \times (-1)}{4-3}, \dfrac{4 \times 0 - 3 \times \left(-\frac{1}{3}\right)}{4-3}, \dfrac{4 \times 5 - 3 \times 2}{4-3} \right)$

$\therefore Q(-13, 1, 14)$

답 Q(-13, 1, 14)

0555

점 P를 점 A에 대하여 대칭이동한 점이 점 Q이므로 점 A는 $\overline{PQ}$의 중점이다.

이때, 점 Q의 좌표를 (a, b, c)라 하면 $\overline{PQ}$의 중점의 좌표는

$\left(\dfrac{3+a}{2}, \dfrac{-2+b}{2}, \dfrac{7+c}{2} \right)$

이 점이 $A(-2, -1, 4)$와 일치하므로

$\dfrac{3+a}{2} = -2, \dfrac{-2+b}{2} = -1, \dfrac{7+c}{2} = 4$

$\therefore a = -7, b = 0, c = 1$

따라서 점 Q의 좌표는 $(-7, 0, 1)$

답 Q(-7, 0, 1)

0556

세 점 $O(0, 0, 0), A(-4, 0, 2), B(-2, 4, 5)$에 대하여

$\overline{OA} = \sqrt{(-4)^2 + 2^2} = 2\sqrt{5}$

$\overline{OB} = \sqrt{(-2)^2 + 4^2 + 5^2} = 3\sqrt{5}$

즉, $\overline{OA} : \overline{OB} = 2 : 3$이므로

$\overline{AP} : \overline{BP} = \overline{OA} : \overline{OB} = 2 : 3$

따라서 점 P는 선분 AB를 2 : 3으로 내분하는 점이므로 점 P의 좌표는

$\left(\dfrac{2 \times (-2) + 3 \times (-4)}{2+3}, \dfrac{2 \times 4 + 3 \times 0}{2+3}, \dfrac{2 \times 5 + 3 \times 2}{2+3} \right)$

$\therefore P\left(-\dfrac{16}{5}, \dfrac{8}{5}, \dfrac{16}{5}\right)$

따라서 $a = -\dfrac{16}{5}, b = \dfrac{8}{5}, c = \dfrac{16}{5}$이므로 $a - b - c = -8$ **답 -8**

Lecture

각의 이등분선의 성질
오른쪽 그림과 같은 삼각형 ABC에서
$\angle BAP=\angle CAP$이면
$\overline{AB}:\overline{AC}=\overline{BP}:\overline{CP}$

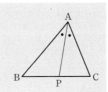

0557

점 M은 선분 AB의 중점이므로 점
M의 좌표는 $M(4, 4, 0)$ ······ ㉠
삼각형 ABC가 $\overline{AC}=\overline{BC}$인 이등변
삼각형이고 점 M은 선분 AB의 중점
이므로 $\overline{CM}\perp\overline{AB}$
$\overline{AB}=\sqrt{(-8)^2+8^2}=8\sqrt{2}$이고, 삼각
형 ABC의 넓이가 $16\sqrt{6}$이므로
$\frac{1}{2}\times 8\sqrt{2}\times\overline{CM}=16\sqrt{6}$ ∴ $\overline{CM}=4\sqrt{3}$ ······ ㉡
점 C의 좌표를 $(0, 0, k)(k>0)$라 하면 ㉠, ㉡에서
$\overline{CM}=\sqrt{4^2+4^2+(-k)^2}=4\sqrt{3}$
즉, $k=4$이므로 점 C의 좌표는 $(0, 0, 4)$
또, 점 D는 선분 CM을 $3:1$로 내분하는 점이므로 점 D의 좌표는
$\left(\frac{3\times 4+1\times 0}{3+1}, \frac{3\times 4+1\times 0}{3+1}, \frac{3\times 0+1\times 4}{3+1}\right)$
∴ $D(3, 3, 1)$
∴ $\overline{OD}=\sqrt{3^2+3^2+1^2}=\sqrt{19}$ 🅐 $\sqrt{19}$

0558

| 전략 | $\overline{AB}$를 $m:n(m>0, n>0)$으로 내분하는 점 P가 yz평면 위에 있으므로 점 P의 x좌표는 0임을 이용한다.

$\overline{AP}:\overline{BP}=m:n$이므로 점 P는 $\overline{AB}$를 $m:n$으로 내분하는 점이
고, 점 P가 yz평면 위에 있으므로 점 P의 x좌표는 0이다.
즉, $\frac{3m-n}{m+n}=0$에서 $3m=n$
따라서 $\overline{AP}:\overline{BP}=1:3$이므로 $m=1, n=3$
∴ $m+n=4$ 🅐 4

○ **다른 풀이** 두 점 A, B는 x좌표의 부
호가 다르므로 좌표공간에서 yz평면을
기준으로 서로 반대쪽에 있다.
두 점 A, B에서 yz평면에 내린 수선의
발을 각각 A′, B′이라 하면
A′$(0, 3, -2)$, B′$(0, -5, 4)$
이때, $\triangle AA'P\backsim\triangle BB'P$이므로
$\overline{AP}:\overline{BP}=\overline{AA'}:\overline{BB'}=1:3$ ∴ $m+n=1+3=4$

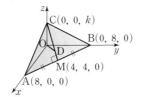

0559

선분 AB를 $1:2$로 내분하는 점이 xy평면 위에 있으므로 내분점의 z
좌표는 0이다.
즉, $\frac{1\times c+2\times 4}{1+2}=0$이므로 $c+8=0$ ∴ $c=-8$ ··· ❶

또, 선분 AB를 $3:2$로 외분하는 점이 z축 위에 있으므로 외분점의 x
좌표와 y좌표는 0이다.
즉, $\frac{3\times a-2\times(-2)}{3-2}=0$, $\frac{3\times b-2\times 5}{3-2}=0$이므로
$3a+4=0, 3b-10=0$ ∴ $a=-\frac{4}{3}, b=\frac{10}{3}$ ··· ❷
∴ $a+b+c=-6$ ··· ❸
🅐 -6

채점 기준	비율
❶ c의 값을 구할 수 있다.	30 %
❷ a, b의 값을 구할 수 있다.	60 %
❸ $a+b+c$의 값을 구할 수 있다.	10 %

0560

점 P의 좌표를 (a, b, c)라 하면 선분 AP를 $4:1$로 내분하는 점이
xy평면 위에 있으므로 내분점의 z좌표는 0이다.
즉, $\frac{4\times c+1\times(-4)}{4+1}=0$이므로 $4c-4=0$ ∴ $c=1$
선분 BP를 $4:1$로 내분하는 점이 yz평면 위에 있으므로 내분점의 x
좌표는 0이다.
즉, $\frac{4\times a+1\times(-8)}{4+1}=0$이므로 $4a-8=0$ ∴ $a=2$
선분 CP를 $4:1$로 내분하는 점이 zx평면 위에 있으므로 내분점의 y
좌표는 0이다.
즉, $\frac{4\times b+1\times 4}{4+1}=0$이므로 $4b+4=0$ ∴ $b=-1$
따라서 점 P의 좌표는 $(2, -1, 1)$이므로
$\overline{OP}=\sqrt{2^2+(-1)^2+1^2}=\sqrt{6}$ 🅐 ②

0561

| 전략 | □ABCD가 평행사변형이므로 대각선 AC의 중점과 대각선 BD의 중점
이 일치함을 이용한다.

사각형 ABCD가 평행사변형이므로 대각선 AC의 중점과 대각선
BD의 중점은 일치한다.
대각선 AC의 중점의 좌표는
$\left(\frac{3+0}{2}, \frac{-1+3}{2}, \frac{1-4}{2}\right)$, 즉 $\left(\frac{3}{2}, 1, -\frac{3}{2}\right)$
점 D의 좌표를 (a, b, c)라 하면 대각선 BD의 중점의 좌표는
$\left(\frac{1+a}{2}, \frac{-4+b}{2}, \frac{2+c}{2}\right)$
두 점이 일치하므로
$\frac{1+a}{2}=\frac{3}{2}, \frac{-4+b}{2}=1, \frac{2+c}{2}=-\frac{3}{2}$
∴ $a=2, b=6, c=-5$
따라서 점 D의 좌표는 $(2, 6, -5)$ 🅐 $D(2, 6, -5)$

0562

점 C의 좌표를 (a, b, c)라 하면 대각선 AC의 중점의 좌표는
$\left(\frac{3+a}{2}, \frac{-1+b}{2}, \frac{4+c}{2}\right)$

평행사변형의 대각선의 중점은 두 대각선의 교점이므로

$\dfrac{3+a}{2}=2$, $\dfrac{-1+b}{2}=\dfrac{3}{2}$, $\dfrac{4+c}{2}=5$

$\therefore a=1$, $b=4$, $c=6$

따라서 점 C의 좌표는 $(1, 4, 6)$이므로 선분 BC의 길이는

$\sqrt{(1-5)^2+(4+3)^2+(6-2)^2}=9$ 답 ⑤

0563

사각형 ABCD가 마름모이므로 대각선 AC의 중점과 대각선 BD의 중점은 일치한다.

대각선 AC의 중점의 좌표는

$\left(\dfrac{a-1}{2}, \dfrac{-3+8}{2}, \dfrac{0+5}{2}\right)$, 즉 $\left(\dfrac{a-1}{2}, \dfrac{5}{2}, \dfrac{5}{2}\right)$

대각선 BD의 중점의 좌표는

$\left(\dfrac{b+2}{2}, \dfrac{1+4}{2}, \dfrac{5+0}{2}\right)$, 즉 $\left(\dfrac{b+2}{2}, \dfrac{5}{2}, \dfrac{5}{2}\right)$

두 점이 일치하므로

$\dfrac{a-1}{2}=\dfrac{b+2}{2}$ $\therefore b=a-3$ ……㉠

마름모의 네 변의 길이는 모두 같으므로 $\overline{AD}=\overline{CD}$에서

$\sqrt{(2-a)^2+(4+3)^2}=\sqrt{(2+1)^2+(4-8)^2+(-5)^2}$

양변을 제곱하여 정리하면

$(2-a)^2+49=50$, $a^2-4a+3=0$

$(a-1)(a-3)=0$ $\therefore a=3 \ (\because a>2)$

$a=3$을 ㉠에 대입하면 $b=0$

$\therefore a+b=3$ 답 ③

0564

| 전략 | 세 점 $A(x_1, y_1, z_1)$, $B(x_2, y_2, z_2)$, $C(x_3, y_3, z_3)$을 꼭짓점으로 하는 $\triangle ABC$의 무게중심의 좌표는 $\left(\dfrac{x_1+x_2+x_3}{3}, \dfrac{y_1+y_2+y_3}{3}, \dfrac{z_1+z_2+z_3}{3}\right)$임을 이용한다.

점 C의 좌표를 (a, b, c)라 하면 삼각형 ABC의 무게중심 G의 좌표는

$\left(\dfrac{-2+4+a}{3}, \dfrac{0-1+b}{3}, \dfrac{3+5+c}{3}\right)$

즉, $\left(\dfrac{2+a}{3}, \dfrac{-1+b}{3}, \dfrac{8+c}{3}\right)$

이 점이 $G(3, -2, 3)$과 일치하므로

$\dfrac{2+a}{3}=3$, $\dfrac{-1+b}{3}=-2$, $\dfrac{8+c}{3}=3$

$\therefore a=7$, $b=-5$, $c=1$

따라서 점 C의 좌표는 $(7, -5, 1)$ 답 $C(7, -5, 1)$

0565

점 $P(3, 7, -2)$를 xy평면에 대하여 대칭이동한 점 Q의 좌표는

$(3, 7, 2)$

점 Q를 zx평면에 대하여 대칭이동한 점 R의 좌표는

$(3, -7, 2)$

따라서 삼각형 PQR의 무게중심의 좌표는

$\left(\dfrac{3+3+3}{3}, \dfrac{7+7-7}{3}, \dfrac{-2+2+2}{3}\right)$

$\therefore \left(3, \dfrac{7}{3}, \dfrac{2}{3}\right)$ 답 $\left(3, \dfrac{7}{3}, \dfrac{2}{3}\right)$

0566

점 C의 좌표를 (a, b, c)라 하면 선분 CM을 $2:1$로 내분하는 점의 좌표는

$\left(\dfrac{2\times 5+1\times a}{2+1}, \dfrac{2\times 2+1\times b}{2+1}, \dfrac{2\times(-8)+1\times c}{2+1}\right)$

즉, $\left(\dfrac{10+a}{3}, \dfrac{4+b}{3}, \dfrac{-16+c}{3}\right)$

이 점이 $G(3, 1, -5)$와 일치하므로

$\dfrac{10+a}{3}=3$, $\dfrac{4+b}{3}=1$, $\dfrac{-16+c}{3}=-5$

$\therefore a=-1$, $b=-1$, $c=1$

따라서 점 C의 좌표는 $(-1, -1, 1)$ 답 $C(-1, -1, 1)$

○ 다른 풀이 $A(x_1, y_1, z_1)$, $B(x_2, y_2, z_2)$, $C(x, y, z)$라 하면 $\overline{AB}$의 중점 M의 좌표는

$\left(\dfrac{x_1+x_2}{2}, \dfrac{y_1+y_2}{2}, \dfrac{z_1+z_2}{2}\right)$

이 점이 $M(5, 2, -8)$과 일치하므로

$\dfrac{x_1+x_2}{2}=5$, $\dfrac{y_1+y_2}{2}=2$, $\dfrac{z_1+z_2}{2}=-8$

$\therefore x_1+x_2=10$, $y_1+y_2=4$, $z_1+z_2=-16$

삼각형 ABC의 무게중심 G의 좌표는

$\left(\dfrac{x_1+x_2+x}{3}, \dfrac{y_1+y_2+y}{3}, \dfrac{z_1+z_2+z}{3}\right)$

이 점이 $G(3, 1, -5)$와 일치하므로

$\dfrac{10+x}{3}=3$, $\dfrac{4+y}{3}=1$, $\dfrac{-16+z}{3}=-5$

$\therefore x=-1$, $y=-1$, $z=1$

따라서 점 C의 좌표는 $(-1, -1, 1)$

0567

주어진 그림에서 $B(216, 0, 0)$, $D(0, 216, 0)$

이때, 점 A에서 xy평면에 내린 수선의 발은 선분 BD의 중점과 같고, 선분 BD의 중점의 좌표는 $(108, 108, 0)$이므로 점 A의 좌표는

$(108, 108, 180)$

따라서 삼각형 OAD의 무게중심 G의 좌표는

$\left(\dfrac{0+108+0}{3}, \dfrac{0+108+216}{3}, \dfrac{0+180+0}{3}\right)$

$\therefore G(36, 108, 60)$ 답 $G(36, 108, 60)$

0568

| 전략 | 주어진 구의 방정식을 $(x-a)^2+(y-b)^2+(z-c)^2=r^2$ 꼴로 고친다.

$x^2+y^2+z^2-4x-2y+10z+d=0$에서

$(x-2)^2+(y-1)^2+(z+5)^2=30-d$

즉, 구의 중심의 좌표는 $(2, 1, -5)$이므로 $a=2$, $b=1$, $c=-5$

또, 구의 반지름의 길이가 6이므로 $30-d=6^2$ $\therefore d=-6$

$\therefore a+b+c+d=-8$ 답 ①

0569

두 점 A$(3, -4, -2)$, B$(-1, 0, 2)$에 대하여 선분 AB를 1 : 1로
내분하는 점 C는 선분 AB의 중점이므로 점 C의 좌표는

$\left(\dfrac{3-1}{2}, \dfrac{-4+0}{2}, \dfrac{-2+2}{2}\right)$ ∴ C$(1, -2, 0)$ … ❶

선분 AB를 2 : 1로 외분하는 점 D의 좌표는

$\left(\dfrac{2\times(-1)-1\times3}{2-1}, \dfrac{2\times0-1\times(-4)}{2-1}, \dfrac{2\times2-1\times(-2)}{2-1}\right)$

∴ D$(-5, 4, 6)$ … ❷

두 점 C, D를 지름의 양 끝점으로 하는 구의 중심은 선분 CD의 중점

$\left(\dfrac{1-5}{2}, \dfrac{-2+4}{2}, \dfrac{0+6}{2}\right)$, 즉 $(-2, 1, 3)$

이고, 반지름의 길이는

$\dfrac{1}{2}\overline{CD} = \dfrac{1}{2}\sqrt{(-5-1)^2+(4+2)^2+(6-0)^2} = 3\sqrt{3}$ … ❸

따라서 구의 방정식은

$(x+2)^2+(y-1)^2+(z-3)^2=27$ … ❹

답 $(x+2)^2+(y-1)^2+(z-3)^2=27$

채점 기준	비율
❶ 점 C의 좌표를 구할 수 있다.	20 %
❷ 점 D의 좌표를 구할 수 있다.	20 %
❸ 구의 중심의 좌표와 반지름의 길이를 구할 수 있다.	40 %
❹ 구의 방정식을 구할 수 있다.	20 %

0570

구의 방정식을 $x^2+y^2+z^2+Ax+By+Cz+D=0$이라 하면 네 점
O, A, B, C는 이 구 위의 점이므로

$D=0$

$5A+3B-4C=-50$ ……… ㉠

$7B-C=-50$ ……… ㉡

$-B-C=-2$ ……… ㉢

㉡, ㉢을 연립하여 풀면

$B=-6, C=8$

B, C의 값을 ㉠에 대입하면 $A=0$

따라서 구의 방정식은 $x^2+y^2+z^2-6y+8z=0$, 즉

$x^2+(y-3)^2+(z+4)^2=25$이므로 구하는 반지름의 길이는 5이다.

답 ④

0571

|전략| 구가 yz평면에 접하면 중심의 x좌표의 절댓값이 반지름의 길이와 같음을
이용한다.

$x^2+y^2+z^2-6x+2y-2z+k=0$에서

$(x-3)^2+(y+1)^2+(z-1)^2=11-k$

이 구가 yz평면에 접하므로 중심의 x좌표의 절댓값이 반지름의 길이
와 같아야 한다.

즉, $|3|=\sqrt{11-k}$에서 $9=11-k$ ∴ $k=2$ 답 ②

0572

중심의 좌표가 (a, b, c), 반지름의 길이가 r인 구의 방정식은

$(x-a)^2+(y-b)^2+(z-c)^2=r^2$

이 구가 xy평면, yz평면, zx평면에 모두 접하므로

$|a|=|b|=|c|=r$이고, 점 $(3, 2, 5)$를 지나므로 a, b, c는 모두 양
수이다.

따라서 구하는 구의 방정식은

$(x-r)^2+(y-r)^2+(z-r)^2=r^2$

으로 나타낼 수 있다.

이때, 점 $(3, 2, 5)$는 이 구 위의 점이므로

$(3-r)^2+(2-r)^2+(5-r)^2=r^2$

∴ $r^2-10r+19=0$

따라서 두 구의 반지름의 길이의 곱은 이차방정식의 근과 계수의 관
계에 의하여 19이다.   답 ④

0573

구가 x축, y축, z축에 동시에 접하려면 구의 중심 (a, b, c)에서 x축,
y축, z축에 이르는 거리가 모두 같아야 하므로 $a=b=c$

즉, 구의 중심의 좌표를 (a, a, a)라 하면 구의 중심에서 x축에 내린
수선의 발의 좌표는 $(a, 0, 0)$이므로 구의 반지름의 길이는

$\sqrt{a^2+a^2}=-\sqrt{2}a$ $(∵ a<0)$

이때, 구의 반지름의 길이가 $\sqrt{2}$이므로 $-\sqrt{2}a=\sqrt{2}$ ∴ $a=-1$

∴ $a+b+c=3a=3\times(-1)=-3$ 답 ③

0574

|전략| 구가 y축과 서로 다른 두 점에서 만나므로 구의 방정식에 $x=0, z=0$을
대입한다.

y축 위의 점은 x좌표와 z좌표가 0이므로 주어진 구의 방정식

$(x-3)^2+(y+2)^2+(z-1)^2=16$에 $x=0, z=0$을 대입하면

$(0-3)^2+(y+2)^2+(0-1)^2=16, (y+2)^2=6$

∴ $y=-2\pm\sqrt{6}$

따라서 두 점 A, B의 좌표는 $(0, -2-\sqrt{6}, 0), (0, -2+\sqrt{6}, 0)$이므
로 선분 AB의 길이는 $2\sqrt{6}$이다.   답 ⑤

0575

점 $(0, 3, -2)$를 중심으로 하고 반지름의 길이가 r인 구의 방정식은

$x^2+(y-3)^2+(z+2)^2=r^2$

z축 위의 점은 x좌표와 y좌표가 0이므로 구의 방정식에 $x=0, y=0$
을 대입하면

$(0-3)^2+(z+2)^2=r^2, (z+2)^2=r^2-9$

∴ $z=-2\pm\sqrt{r^2-9}$

이때, z축에 의하여 잘린 선분의 길이가 8이므로

$2\sqrt{r^2-9}=8, \sqrt{r^2-9}=4$

$r^2=25$ ∴ $r=5$ $(∵ r>0)$ 답 ③

○ 다른 풀이 중심의 좌표가 $(0, 3, -2)$이고 반지름의 길이가 r인 구의 방정
식 $x^2+(y-3)^2+(z+2)^2=r^2$에 $x=0, y=0$을 대입하여 정리하면

$z^2+4z+13-r^2=0$ …… ㉠

이때, z축에 의하여 잘린 선분의 길이가 8이므로 z에 대한 이차방정식 ㉠의 두 근의 차가 8이다.

따라서 ㉠의 두 근을 a, $a+8$이라 하면 이차방정식의 근과 계수의 관계에 의하여

$a+(a+8)=-4$, $a(a+8)=13-r^2$

$a=-6$, $r^2=25$ $\therefore r=5\ (\because r>0)$

0576

x축 위의 점은 y좌표와 z좌표가 0이므로 주어진 구의 방정식 $(x-4)^2+(y-1)^2+(z-2)^2=9$에 $y=0$, $z=0$을 대입하면

$(x-4)^2+(0-1)^2+(0-2)^2=9$, $x^2-8x+12=0$

$(x-2)(x-6)=0$ $\therefore x=2$ 또는 $x=6$

따라서 $A(2,0,0)$, $B(6,0,0)$ 또는 $A(6,0,0)$, $B(2,0,0)$이므로 $\overline{AB}=4$이다.

또, 구의 중심 $C(4,1,2)$에서 x축에 내린 수선의 발을 H라 하면 $H(4,0,0)$이므로 $\overline{CH}=\sqrt{(-1)^2+(-2)^2}=\sqrt{5}$

따라서 삼각형 ABC의 넓이는

$\dfrac{1}{2}\times4\times\sqrt{5}=2\sqrt{5}$ 답 $2\sqrt{5}$

0577

|전략| 구가 zx평면과 만나므로 구의 방정식에 $y=0$을 대입한다.

두 점 $A(1,2,5)$, $B(-3,4,-1)$을 지름의 양 끝점으로 하는 구의 중심은 선분 AB의 중점

$\left(\dfrac{1-3}{2},\dfrac{2+4}{2},\dfrac{5-1}{2}\right)$, 즉 $(-1,3,2)$

이고, 반지름의 길이는

$\dfrac{1}{2}\overline{AB}=\dfrac{1}{2}\sqrt{(-3-1)^2+(4-2)^2+(-1-5)^2}=\sqrt{14}$

따라서 구의 방정식은

$(x+1)^2+(y-3)^2+(z-2)^2=14$

zx평면 위의 점은 y좌표가 0이므로 구의 방정식에 $y=0$을 대입하면

$(x+1)^2+(0-3)^2+(z-2)^2=14$

$\therefore (x+1)^2+(z-2)^2=5$

따라서 교선인 원의 반지름의 길이는 $\sqrt{5}$이다.   답 ④

0578

구의 방정식을 $(x-a)^2+(y-b)^2+(z-c)^2=13^2$이라 하면 이 구와 yz평면과의 교선의 방정식은 $x=0$일 때이므로

$(0-a)^2+(y-b)^2+(z-c)^2=13^2$

이것이 $(y-3)^2+(z-1)^2=25$와 일치하므로

$a^2=13^2-25$, $b=3$, $c=1$

$\therefore a=-12\ (\because a<0)$, $b=3$, $c=1$

$\therefore a+b+c=-8$ 답 -8

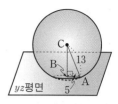

○ 다른 풀이 구의 중심을 C, 점 C에서 yz평면에 내린 수선의 발을 B라 하면 $B(0,3,1)$이다.

구와 yz평면과의 교선 위의 임의의 점을 A라 하면 $\overline{CA}=13$, $\overline{AB}=5$이므로

$\overline{BC}=\sqrt{13^2-5^2}=12$

따라서 점 C의 좌표는 $(-12,3,1)\ (\because a<0)$

0579

yz평면과 만나서 생기는 원을 C_1, xy평면과 만나서 생기는 원을 C_2라 하자.

yz평면 위의 점은 x좌표가 0이므로 구의 방정식에 $x=0$을 대입하면

$y^2+z^2-2ay-6z+5=0$

$\therefore C_1\colon (y-a)^2+(z-3)^2=a^2+4$

xy평면 위의 점은 z좌표가 0이므로 구의 방정식에 $z=0$을 대입하면

$x^2+y^2+4x-2ay+5=0$

$\therefore C_2\colon (x+2)^2+(y-a)^2=a^2-1$

이때, 원 C_1의 넓이가 원 C_2의 넓이의 2배이므로

$\pi(a^2+4)=2\pi(a^2-1)$, $a^2+4=2a^2-2$

$a^2=6$ $\therefore a=\sqrt{6}\ (\because a>1)$ 답 ②

0580

|전략| 구 밖의 한 점 P에서 중심이 C인 구에 그은 접선의 접점을 Q라 하면 접선의 길이는 $\overline{PQ}=\sqrt{\overline{PC}^2-\overline{CQ}^2}$임을 이용한다.

주어진 구의 중심을 C라 하면 $C(3,5,0)$이므로

$\overline{PC}=\sqrt{(3-1)^2+(5-2)^2+(\sqrt3)^2}=4$

이때, 구 밖의 한 점 P에서 구에 그은 접선의 접점을 Q라 하면 삼각형 PCQ는 직각삼각형이므로 피타고라스 정리에 의하여

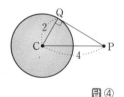

$\overline{PQ}=\sqrt{\overline{PC}^2-\overline{CQ}^2}$

$=\sqrt{4^2-2^2}=2\sqrt{3}$ 답 ④

0581

$x^2+y^2+z^2+10x-2y-4z+a=0$에서

$(x+5)^2+(y-1)^2+(z-2)^2=30-a$

주어진 구의 중심을 C라 하면 $C(-5,1,2)$이고 반지름의 길이는

$\sqrt{30-a}$이다.   … ❶

구의 중심 C와 점 $A(-3,4,1)$ 사이의 거리는

$\overline{AC}=\sqrt{(-5+3)^2+(1-4)^2+(2-1)^2}=\sqrt{14}$ … ❷

이때, 점 A에서 구에 그은 접선의 접점을 B라 하면 삼각형 ABC는 직각삼각형이고, 접선의 길이는 $\sqrt{6}$이므로

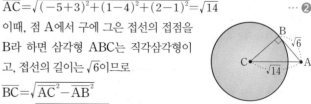

$\overline{BC}=\sqrt{\overline{AC}^2-\overline{AB}^2}$

$=\sqrt{(\sqrt{14})^2-(\sqrt6)^2}=2\sqrt{2}$ … ❸

따라서 $\sqrt{30-a}=2\sqrt{2}$이므로 $a=22$ … ❹

답 22

채점 기준	비율
❶ 구의 중심 C의 좌표와 반지름의 길이를 구할 수 있다.	20 %
❷ $\overline{AC}$의 길이를 구할 수 있다.	30 %
❸ $\overline{BC}$의 길이를 구할 수 있다.	30 %
❹ a의 값을 구할 수 있다.	20 %

0582

$x^2+y^2+z^2-6x+2z+7=0$에서

$(x-3)^2+y^2+(z+1)^2=3$

주어진 구의 중심을 C라 하면 C$(3, 0, -1)$이므로

$\overline{AC}=\sqrt{(3-2)^2+2^2+(-1+3)^2}=3$

이때, 점 A에서 구에 그은 접선의 접점을

B라 하면 삼각형 ABC는 직각삼각형이므

로 피타고라스 정리에 의하여

$\overline{AB}=\sqrt{\overline{AC}^2-\overline{BC}^2}$

$\quad\ \ =\sqrt{3^2-(\sqrt{3})^2}=\sqrt{6}$

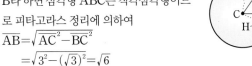

또, 점 B에서 $\overline{AC}$에 내린 수선의 발을 H라 하면

$\triangle ABC=\dfrac{1}{2}\times\sqrt{3}\times\sqrt{6}=\dfrac{1}{2}\times 3\times\overline{BH}$에서

$\overline{BH}=\sqrt{2}$

따라서 접점의 자취는 중심이 H이고 반지름의 길이가 $\sqrt{2}$인 원이므로

구하는 원의 둘레의 길이는

$2\pi\times\sqrt{2}=2\sqrt{2}\pi$　　　　　　　　　　　　　🖺 ③

0583

|전략| 점 P의 좌표를 (x, y, z)라 하고 $\overline{PA} : \overline{PB}=2 : 3$임을 이용하여 x, y, z 사이의 관계식을 세운다.

점 P의 좌표를 (x, y, z)라 하면 $\overline{PA} : \overline{PB}=2 : 3$에서

$3\overline{PA}=2\overline{PB}$, 즉 $9\overline{PA}^2=4\overline{PB}^2$이므로

$9\{(x+3)^2+y^2+z^2\}=4\{(x-7)^2+y^2+z^2\}$

위의 식을 전개하면

$9x^2+9y^2+9z^2+54x+81=4x^2+4y^2+4z^2-56x+196$

$5x^2+5y^2+5z^2+110x-115=0$

$x^2+y^2+z^2+22x-23=0$

$\therefore (x+11)^2+y^2+z^2=144$

따라서 점 P의 자취가 이루는 도형은 중심의 좌표가 $(-11, 0, 0)$이

고 반지름의 길이가 12인 구이므로 구하는 도형의 겉넓이는

$4\pi\times 12^2=576\pi$　　　　　　　　　　　　　🖺 576π

0584

$x^2+y^2+z^2-6x+10y-2z+31=0$에서

$(x-3)^2+(y+5)^2+(z-1)^2=4$

점 P의 좌표를 (x_1, y_1, z_1)이라 하면 점 P는 주어진 구 위의 점이므로

$(x_1-3)^2+(y_1+5)^2+(z_1-1)^2=4$　　　　　…… ㉠

또, $\overline{OP}$의 중점을 M(x, y, z)라 하면

$x=\dfrac{x_1}{2}, y=\dfrac{y_1}{2}, z=\dfrac{z_1}{2}$

$\therefore x_1=2x, y_1=2y, z_1=2z$　　　　　　　…… ㉡

㉡을 ㉠에 대입하면

$(2x-3)^2+(2y+5)^2+(2z-1)^2=4$

$\therefore \left(x-\dfrac{3}{2}\right)^2+\left(y+\dfrac{5}{2}\right)^2+\left(z-\dfrac{1}{2}\right)^2=1$

이 구의 중심의 좌표는 $\left(\dfrac{3}{2}, -\dfrac{5}{2}, \dfrac{1}{2}\right)$, 반지름의 길이는 1이므로

$a=\dfrac{3}{2}, b=-\dfrac{5}{2}, c=\dfrac{1}{2}, r=1$

$\therefore a+b+c+r=\dfrac{1}{2}$　　　　　　　　　　　🖺 ①

0585

점 P의 좌표를 (x_1, y_1, z_1)이라 하면 점 P는 주어진 구 위의 점이므로

$(x_1+2)^2+y_1^2+(z_1-1)^2=81$　　　　　　　…… ㉠

또, 선분 AP를 1 : 2로 내분하는 점의 좌표를 (x, y, z)라 하면

$x=\dfrac{x_1+2\times 4}{1+2}, y=\dfrac{y_1+2\times(-2)}{1+2}, z=\dfrac{z_1+2\times 0}{1+2}$

$\therefore x_1=3x-8, y_1=3y+4, z_1=3z$　　　　…… ㉡

㉡을 ㉠에 대입하면

$(3x-6)^2+(3y+4)^2+(3z-1)^2=81$

$\therefore (x-2)^2+\left(y+\dfrac{4}{3}\right)^2+\left(z-\dfrac{1}{3}\right)^2=9$

따라서 선분 AP를 1 : 2로 내분하는 점의 자취가 이루는 도형은 반

지름의 길이가 3인 구이므로 구하는 도형의 부피는

$\dfrac{4}{3}\pi\times 3^3=36\pi$　　　　　　　　　　　　🖺 ③

0586

|전략| 두 구가 외접하므로 두 구의 반지름의 길이의 합이 중심 사이의 거리와 같음을 이용한다.

$x^2+y^2+z^2-2y-6z+9=0$에서

$x^2+(y-1)^2+(z-3)^2=1$

이므로 중심의 좌표는 $(0, 1, 3)$이고 반지름의 길이는 1이다.

또, 구 $(x-2)^2+(y-4)^2+(z-k)^2=9$의 중심의 좌표는 $(2, 4, k)$

이고 반지름의 길이는 3이다.

이때, 두 구의 중심 사이의 거리는

$\sqrt{2^2+(4-1)^2+(k-3)^2}=\sqrt{13+(k-3)^2}$

두 구가 외접하려면 두 구의 반지름의 길이의 합이 중심 사이의 거리

와 같아야 하므로

$\sqrt{13+(k-3)^2}=4, (k-3)^2=3$

$\therefore k=3\pm\sqrt{3}$

따라서 모든 상수 k의 값의 곱은

$(3+\sqrt{3})(3-\sqrt{3})=6$　　　　　　　　　　　🖺 6

0587

$x^2+y^2+z^2-4x+2y-4z-7=0$에서
$(x-2)^2+(y+1)^2+(z-2)^2=16$
두 구의 중심의 좌표가 각각 $(2, -1, 2)$, $(4, 0, 0)$이므로 두 구의 중심 사이의 거리는
$\sqrt{(4-2)^2+1^2+(-2)^2}=3$
두 구가 내접하려면 두 구의 반지름의 길이의 차가 중심 사이의 거리와 같아야 하므로 중심이 $(4, 0, 0)$인 구의 반지름의 길이를 r라 하면
$4-r=3$ $(\because r<4)$ $\therefore r=1$ **답** ①

0588

$x^2+y^2+z^2-6x+10y+30=0$에서
$(x-3)^2+(y+5)^2+z^2=4$
이므로 중심의 좌표는 $(3, -5, 0)$이고 반지름의 길이는 2이다.
또, $x^2+y^2+z^2-2x+2y-2\sqrt{5}z-a=0$에서
$(x-1)^2+(y+1)^2+(z-\sqrt{5})^2=a+7$
이므로 중심의 좌표는 $(1, -1, \sqrt{5})$이고 반지름의 길이는 $\sqrt{a+7}$이다.
이때, 두 구의 중심 사이의 거리는
$\sqrt{(1-3)^2+(-1+5)^2+(\sqrt{5})^2}=5$
두 구가 서로 만나려면
$\sqrt{a+7}-2\leq 5\leq \sqrt{a+7}+2$ $(\because a\geq 2)$
$3\leq \sqrt{a+7}\leq 7$, $9\leq a+7\leq 49$
$\therefore 2\leq a\leq 42$
따라서 구하는 자연수 a는 $2, 3, 4, \cdots, 42$의 41개이다. **답** 41

0589

|전략| 구의 중심을 C, 반지름의 길이를 r라 하면
$(\overline{PQ}$의 길이의 최댓값$)=\overline{CQ}+r$, $(\overline{PQ}$의 길이의 최솟값$)=\overline{CQ}-r$임을 이용한다.

$x^2+y^2+z^2-2x+4y-6z+5=0$에서
$(x-1)^2+(y+2)^2+(z-3)^2=9$
따라서 구의 중심을 C라 하면 점 C의 좌표는 $(1, -2, 3)$이고 구의 반지름의 길이는 3이다.
이때, $\overline{PQ}$의 길이가 최대가 되는 경우와 최소가 되는 경우는 오른쪽 그림과 같고
$\overline{CQ}=\sqrt{(1-1)^2+2^2+(-3)^2}=\sqrt{13}$
이므로
$(\overline{PQ}$의 길이의 최댓값$)=M=\overline{CQ}+\overline{CP}$
$=\sqrt{13}+3$
$(\overline{PQ}$의 길이의 최솟값$)=m=\overline{CQ}-\overline{CP}$
$=\sqrt{13}-3$
$\therefore Mm=(\sqrt{13}+3)(\sqrt{13}-3)=4$ **답** ①

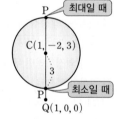

0590

$x^2+y^2+z^2-2x-6y-4z+13=0$에서
$(x-1)^2+(y-3)^2+(z-2)^2=1$
이므로 중심의 좌표는 $(1, 3, 2)$이고 반지름의 길이는 1이다.
또, $x^2+y^2+z^2-6x-8y-10z+46=0$에서
$(x-3)^2+(y-4)^2+(z-5)^2=4$
이므로 중심의 좌표는 $(3, 4, 5)$이고 반지름의 길이는 2이다.
한편, 두 구의 중심 사이의 거리는
$\sqrt{(3-1)^2+(4-3)^2+(5-2)^2}=\sqrt{14}$
따라서 $\overline{PQ}$의 길이의 최솟값은
(중심 사이의 거리) $-$ (두 구의 반지름의 길이의 합)이므로
$\sqrt{14}-(1+2)=\sqrt{14}-3$ **답** $\sqrt{14}-3$

0591

구가 x축, y축, z축에 동시에 접하려면 구의 중심 (a, b, c)에서 x축, y축, z축에 이르는 거리가 모두 같아야 하므로 $a=b=c$
즉, 구의 중심의 좌표를 (a, a, a)라 하면 구의 중심에서 x축에 내린 수선의 발의 좌표는 $(a, 0, 0)$이므로 구의 반지름의 길이는
$\sqrt{a^2+a^2}=\sqrt{2}a$ $(\because a>0)$
이때, 구의 반지름의 길이가 2이므로
$\sqrt{2}a=2$ $\therefore a=\sqrt{2}$
$x^2+y^2+z^2$은 원점 O와 구 위의 임의의 점 $P(x, y, z)$ 사이의 거리의 제곱이다.
따라서 $x^2+y^2+z^2$의 최댓값은
$\{$(원점 O와 구의 중심 사이의 거리) $+$ (구의 반지름의 길이)$\}^2$이므로
$(\sqrt{a^2+a^2+a^2}+2)^2=(\sqrt{6}+2)^2=10+4\sqrt{6}$ **답** $10+4\sqrt{6}$

STEP 3 내신 마스터

0592

유형 **01** 공간에서 점의 좌표
|전략| xy평면에 대하여 대칭이동한 점은 z좌표의 부호가 바뀌고, yz평면에 대하여 대칭이동한 점은 x좌표의 부호가 바뀐다.

점 $A(1, a, 3)$을 xy평면에 대하여 대칭이동한 점은 z좌표의 부호가 바뀌므로 $A'(1, a, -3)$
점 $B(b, 4, c)$를 yz평면에 대하여 대칭이동한 점은 x좌표의 부호가 바뀌므로 $B'(-b, 4, c)$
이때, 점 A'과 점 B'이 원점에 대하여 대칭이므로
$-1=-b$, $-a=4$, $3=c$
따라서 $a=-4$, $b=1$, $c=3$이므로
$abc=-12$ **답** ①

0593

유형 **02** 두 점 사이의 거리

|전략| 두 점 $A(x_1, y_1, z_1), B(x_2, y_2, z_2)$ 사이의 거리는
$\overline{AB} = \sqrt{(x_2-x_1)^2 + (y_2-y_1)^2 + (z_2-z_1)^2}$임을 이용한다.

점 P의 x좌표는 $2\cos 60° = 1$
점 P의 y좌표는 $2\sin 60° = \sqrt{3}$
$\therefore P(1, \sqrt{3}, 0)$
점 Q의 y좌표는 $2\cos 30° = \sqrt{3}$
점 Q의 z좌표는 $2\sin 30° = 1$
$\therefore Q(0, \sqrt{3}, 1)$
$\therefore \overline{PQ} = \sqrt{(-1)^2 + (\sqrt{3}-\sqrt{3})^2 + 1^2} = \sqrt{2}$

답 ②

0594

유형 **04** 같은 거리에 있는 점

|전략| $\overline{AP} = \overline{BP}, \overline{AQ} = \overline{BQ}$임을 이용한다.

두 점 A, B에서 같은 거리에 있는 x축 위의 점이 P이므로
$\overline{AP} = \overline{BP}$, 즉 $\overline{AP}^2 = \overline{BP}^2$에서
$(p+2)^2 + (-2)^2 + 1^2 = (p-1)^2 + (-3)^2 + (-1)^2$
$6p = 2 \quad \therefore p = \dfrac{1}{3}$

두 점 A, B에서 같은 거리에 있는 z축 위의 점이 Q이므로
$\overline{AQ} = \overline{BQ}$, 즉 $\overline{AQ}^2 = \overline{BQ}^2$에서
$2^2 + (-2)^2 + (q+1)^2 = (-1)^2 + (-3)^2 + (q-1)^2$
$4q = 2 \quad \therefore q = \dfrac{1}{2}$

$\therefore pq = \dfrac{1}{6}$

답 ③

0595

유형 **05** 선분의 길이의 합의 최솟값

|전략| 두 점 A, B가 yz평면을 기준으로 같은 쪽에 있는지 반대쪽에 있는지 확인한다.

두 점 A, B의 x좌표의 부호가 같으
므로 두 점 A, B는 좌표공간에서
yz평면을 기준으로 같은 쪽에 있
다.

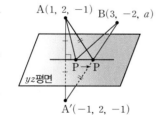

점 A와 yz평면에 대하여 대칭인
점을 A′이라 하면
$A'(-1, 2, -1)$
이때, $\overline{AP} = \overline{A'P}$이므로
$\overline{AP} + \overline{BP} = \overline{A'P} + \overline{BP} \geq \overline{A'B}$
즉, $\overline{AP} + \overline{BP}$의 최솟값은 $\overline{A'B}$의 길이와 같다.
$\overline{A'B} = \sqrt{(3+1)^2 + (-2-2)^2 + (a+1)^2}$
$\qquad = \sqrt{32 + (a+1)^2}$
$\sqrt{32 + (a+1)^2} = 6$이므로 $(a+1)^2 = 4, a+1 = \pm 2$
$\therefore a = -3$ 또는 $a = 1$
따라서 모든 실수 a의 값의 합은 -2이다.

답 ②

0596

유형 **06** 좌표평면 위로의 정사영 + **07** 선분의 내분점과 외분점

|전략| 두 점 P, Q의 좌표를 구한 다음 xy평면 위로의 정사영의 좌표를 구한다.

두 점 $B(0, 3, 0), C(0, 0, 3)$에 대하여 선분 BC를 $2:1$로 내분하는
점 P의 좌표는
$\left(\dfrac{2\times 0 + 1\times 0}{2+1}, \dfrac{2\times 0 + 1\times 3}{2+1}, \dfrac{2\times 3 + 1\times 0}{2+1} \right)$
$\therefore P(0, 1, 2)$
두 점 $A(3, 0, 0), C(0, 0, 3)$에 대하여 선분 AC를 $1:2$로 내분하는
점 Q의 좌표는
$\left(\dfrac{1\times 0 + 2\times 3}{1+2}, \dfrac{1\times 0 + 2\times 0}{1+2}, \dfrac{1\times 3 + 2\times 0}{1+2} \right)$
$\therefore Q(2, 0, 1)$
이때, 두 점 $P(0, 1, 2), Q(2, 0, 1)$의 xy평
면 위로의 정사영 P′, Q′의 좌표는
$(0, 1, 0), (2, 0, 0)$
따라서 오른쪽 그림에서
$\triangle OP'Q' = \dfrac{1}{2} \times 2 \times 1 = 1$

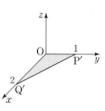

답 ①

0597

유형 **08** 좌표평면 또는 좌표축에 의한 내분과 외분

|전략| $\overline{AB}$와 $\overline{AC}$를 내분하는 점이 각각 z축, xy평면 위에 있으므로 $\overline{AB}$의 내분의 x좌표와 y좌표는 0, $\overline{AC}$의 내분점의 z좌표는 0임을 이용한다.

선분 AB를 $2:1$로 내분하는 점이 z축 위에 있으므로 내분점의 x좌
표와 y좌표는 0이다.
즉, $\dfrac{2\times 6 + 1\times a}{2+1} = 0, \dfrac{2\times b + 1\times 2}{2+1} = 0$이므로
$12 + a = 0, 2b + 2 = 0 \quad \therefore a = -12, b = -1$
또, 선분 AC를 $1:2$로 내분하는 점이 xy평면 위에 있으므로 내분점
의 z좌표는 0이다.
즉, $\dfrac{1\times c + 2\times 5}{1+2} = 0$이므로 $c + 10 = 0 \quad \therefore c = -10$
$\therefore a + b + c = -23$

답 ④

0598

유형 **07** 선분의 내분점과 외분점 + **10** 삼각형의 무게중심

|전략| 세 점 P, Q, R의 좌표를 구한 다음 △PQR의 무게중심의 좌표를 구한다.

주어진 정육면체를 오른쪽 그림과 같이
좌표공간에 나타내면 두 점 A, H의 좌표
가 각각 $(6, 0, 6), (0, 0, 0)$이므로 선분
AH의 중점 P의 좌표는
$\left(\dfrac{6+0}{2}, \dfrac{0}{2}, \dfrac{6+0}{2} \right)$, 즉 $P(3, 0, 3)$
두 점 E, F의 좌표가 각각 $(6, 0, 0)$,
$(6, 6, 0)$이므로 선분 EF를 $2:1$로 내분
하는 점 Q의 좌표는
$\left(\dfrac{2\times 6 + 1\times 6}{2+1}, \dfrac{2\times 6 + 1\times 0}{2+1}, \dfrac{2\times 0 + 1\times 0}{2+1} \right)$, 즉 $Q(6, 4, 0)$

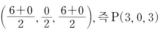
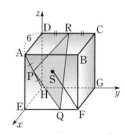

두 점 C, D의 좌표가 각각 $(0, 6, 6)$, $(0, 0, 6)$이므로 선분 CD의 중점 R의 좌표는 $\left(\dfrac{0}{2}, \dfrac{6+0}{2}, \dfrac{6+6}{2}\right)$, 즉 $R(0, 3, 6)$

따라서 삼각형 PQR의 무게중심 S의 좌표는

$\left(\dfrac{3+6+0}{3}, \dfrac{0+4+3}{3}, \dfrac{3+0+6}{3}\right)$, 즉 $S\left(3, \dfrac{7}{3}, 3\right)$

따라서 선분 FS의 길이는

$\sqrt{(3-6)^2+\left(\dfrac{7}{3}-6\right)^2+3^2}=\dfrac{\sqrt{283}}{3}$ 답 ③

0599

유형 11 구의 방정식

|전략| 중심의 좌표가 $(3, -4, 1)$이고 반지름의 길이가 1인 구의 방정식을 $(x-a)^2+(y-b)^2+(z-c)^2=r^2$ 꼴로 나타낸다.

중심의 좌표가 $(3, -4, 1)$이고 반지름의 길이가 1인 구의 방정식은

$(x-3)^2+(y+4)^2+(z-1)^2=1$

$\therefore x^2+y^2+z^2-6x+8y-2z+25=0$

이 방정식이 $x^2+y^2+z^2+Ax+By+Cz+D=0$과 일치하므로

$A=-6, B=8, C=-2, D=25$

$\therefore A+B+C+D=25$ 답 ⑤

◦ 다른 풀이 $x^2+y^2+z^2+Ax+By+Cz+D=0$에서

$\left(x+\dfrac{A}{2}\right)^2+\left(y+\dfrac{B}{2}\right)^2+\left(z+\dfrac{C}{2}\right)^2=\dfrac{A^2+B^2+C^2-4D}{4}$

즉, $-\dfrac{A}{2}=3, -\dfrac{B}{2}=-4, -\dfrac{C}{2}=1, \dfrac{\sqrt{A^2+B^2+C^2-4D}}{2}=1$이므로

$A=-6, B=8, C=-2, D=25$

$\therefore A+B+C+D=25$

0600

유형 12 좌표평면 또는 좌표축에 접하는 구의 방정식 + 14 구와 좌표평면의 교선

|전략| 구가 xy평면과 만나므로 구의 방정식에 $z=0$을 대입한다.

중심이 $C(3, a, b)$이고 반지름의 길이가 5인 구의 방정식은

$(x-3)^2+(y-a)^2+(z-b)^2=25$

이 구가 x축에 접하므로

$a^2+b^2=25$ ······ ㉠

또, xy평면 위의 점은 z좌표가 0이므로 구의 방정식에 $z=0$을 대입하면

$(x-3)^2+(y-a)^2+(0-b)^2=25$

즉, $(x-3)^2+(y-a)^2=25-b^2$

이때, 구와 xy평면이 만나서 생기는 원의 넓이가 16π이므로

$25-b^2=16$ $\therefore b=3 \ (\because b>0)$ ······ ㉡

㉡을 ㉠에 대입하면

$a^2+9=25$ $\therefore a=4 \ (\because a>0)$

$\therefore a+b=7$ 답 ⑤

◦ 다른 풀이 점 $C(3, a, b)$에서 xy평면에 내린 수선의 발을 H라 하면 $H(3, a, 0)$이고 점 H는 xy평면과 구가 만나서 생기는 원의 중심이다.

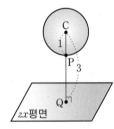

이 원의 넓이가 16π이므로 구와 x축이 접하는 접점을 P라 하면

$\overline{PH}=4$

이때, 삼각형 CPH에서 $\overline{CP}=5$이므로

$b=\overline{CH}=\sqrt{\overline{CP}^2-\overline{PH}^2}=\sqrt{5^2-4^2}=3$

또, 선분 CP는 x축과 수직이므로 점 P의 좌표는 $(3, 0, 0)$

따라서 $\overline{CP}=\sqrt{(3-3)^2+(-a)^2+(-b)^2}=\sqrt{a^2+3^2}=5$이므로

$a=4 \ (\because a>0)$ $\therefore a+b=4+3=7$

0601

유형 18 점과 구 사이의 최단 거리

|전략| 구의 중심을 C, 점 C에서 zx평면에 내린 수선의 발을 Q라 하면 구 위의 점 P에서 zx평면에 이르는 거리의 최솟값은 $\overline{CQ}-$(구의 반지름의 길이)임을 이용한다.

구의 중심을 C라 하면 점 C의 좌표는 $(-4, 3, -1)$이고 반지름의 길이는 1이다.

구의 중심 C에서 zx평면에 내린 수선의 발을 Q라 하면 $Q(-4, 0, -1)$이고, 이 수선의 길이는 3이므로 주어진 구는 zx평면과 만나지 않는다.

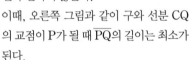

이때, 오른쪽 그림과 같이 구와 선분 CQ의 교점이 P가 될 때 $\overline{PQ}$의 길이는 최소가 된다.

따라서 구 위의 점 P에서 zx평면에 이르는 거리의 최솟값은

$\overline{CQ}-\overline{CP}=3-1=2$ 답 ④

참고 구 $(x+4)^2+(y-3)^2+(z+1)^2=1$ 위의 점 P에서 zx평면에 이르는 거리의 최댓값은

$\overline{CQ}+1=3+1=4$

0602

유형 03 두 점 사이의 거리의 활용

|전략| 두 점 사이의 거리와 피타고라스 정리를 이용한다.

점 $A(-4, 3, 1)$과 z축에 대하여 대칭인 점 B의 좌표는 $(4, -3, 1)$, zx평면에 대하여 대칭인 점 C의 좌표는 $(-4, -3, 1)$ ··· ❶

이때,

$\overline{AB}=\sqrt{(4+4)^2+(-3-3)^2+(1-1)^2}=10$,

$\overline{BC}=\sqrt{(-4-4)^2+(-3+3)^2+(1-1)^2}=8$,

$\overline{CA}=\sqrt{(-4+4)^2+(3+3)^2+(1-1)^2}=6$ ··· ❷

이고, $\overline{BC}^2+\overline{CA}^2=\overline{AB}^2$이므로 삼각형 ABC는 $\angle C=90°$인 직각삼각형이다. ··· ❸

직각삼각형의 외심은 빗변의 중점이므로 $\dfrac{1}{2}\overline{AB}$가 반지름의 길이이다.

따라서 세 점 A, B, C를 지나는 원의 반지름의 길이는

$\dfrac{1}{2}\overline{AB}=\dfrac{1}{2}\times 10=5$ ··· ❹

답 5

채점 기준	배점
❶ 두 점 B, C의 좌표를 구할 수 있다.	2점
❷ $\overline{AB}$, $\overline{BC}$, $\overline{CA}$의 길이를 알 수 있다.	2점
❸ △ABC가 어떤 삼각형인지 알 수 있다.	1점
❹ 세 점 A, B, C를 지나는 원의 반지름의 길이를 구할 수 있다.	2점

0603

유형 07 선분의 내분점과 외분점

|전략| △OAB에서 ∠AOB의 이등분선이 $\overline{AB}$와 만나는 점을 P라 할 때, $\overline{AP}:\overline{BP}=\overline{OA}:\overline{OB}$임을 이용한다.

세 점 O$(0, 0, 0)$, A$(1, -1, 2)$, B$(-2, 4, 2)$에 대하여

$\overline{OA}=\sqrt{1^2+(-1)^2+2^2}=\sqrt{6}$

$\overline{OB}=\sqrt{(-2)^2+4^2+2^2}=2\sqrt{6}$ ··· ❶

즉, $\overline{OA}:\overline{OB}=1:2$이므로

$\overline{AP}:\overline{BP}=\overline{OA}:\overline{OB}=1:2$ ··· ❷

따라서 점 P는 선분 AB를 1 : 2으로 내분하는 점이므로 점 P의 좌표는

$\left(\dfrac{1\times(-2)+2\times 1}{1+2}, \dfrac{1\times 4+2\times(-1)}{1+2}, \dfrac{1\times 2+2\times 2}{1+2}\right)$

$\therefore \text{P}\left(0, \dfrac{2}{3}, 2\right)$ ··· ❸

따라서 $a=0$, $b=\dfrac{2}{3}$, $c=2$이므로

$30(a+b+c)=30\left(0+\dfrac{2}{3}+2\right)=80$ ··· ❹

답 80

채점 기준	배점
❶ $\overline{OA}$, $\overline{OB}$의 길이를 구할 수 있다.	2점
❷ $\overline{AP}:\overline{BP}$를 구할 수 있다.	2점
❸ 점 P의 좌표를 구할 수 있다.	2점
❹ $30(a+b+c)$의 값을 구할 수 있다.	1점

0604

유형 17 두 구의 위치 관계

|전략| 두 구의 반지름의 길이, 중심 사이의 거리를 구하고 직각삼각형의 넓이를 이용하여 두 구가 만나서 생기는 원의 반지름의 길이를 구한다.

(1) 두 구 S_1, S_2의 중심을 각각 C, C′이라 하자.

S_1 : $(x-2)^2+y^2+(z+1)^2=16$은 중심 C의 좌표가 $(2, 0, -1)$이고 반지름의 길이가 4이다.

S_2 : $x^2+y^2+z^2-4x+6y-6z+13=0$에서

$(x-2)^2+(y+3)^2+(z-3)^2=9$

이므로 중심 C′의 좌표가 $(2, -3, 3)$이고 반지름의 길이가 3이다.

(2) S_1, S_2의 중심 사이의 거리는

$\overline{CC'}=\sqrt{(2-2)^2+(-3)^2+(3+1)^2}=5$

(3) 두 구가 만나서 생기는 원 위의 임의의 점을 P라 하고, 점 P에서 $\overline{CC'}$에 내린 수선의 발을 H라 하면 S_1, S_2가 만나서 생기는 원의 반지름은 $\overline{PH}$이다.

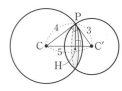

이때, $\overline{CP}^2+\overline{C'P}^2=\overline{CC'}^2$에서 삼각형 PCC′은 직각삼각형이므로

$\dfrac{1}{2}\times 4\times 3=\dfrac{1}{2}\times 5\times\overline{PH}$

$\therefore \overline{PH}=\dfrac{12}{5}$

(4) S_1, S_2가 만나서 생기는 원의 둘레의 길이는

$2\pi\times\dfrac{12}{5}=\dfrac{24}{5}\pi$

답 (1) S_1의 중심의 좌표와 반지름의 길이: $(2, 0, -1)$, 4
S_2의 중심의 좌표와 반지름의 길이: $(2, -3, 3)$, 3
(2) 5   (3) $\dfrac{12}{5}$ (4) $\dfrac{24}{5}\pi$

채점 기준	배점
(1) S_1, S_2의 중심의 좌표와 반지름의 길이를 각각 구할 수 있다.	4점
(2) S_1, S_2의 중심 사이의 거리를 구할 수 있다.	2점
(3) S_1, S_2가 만나서 생기는 원의 반지름의 길이를 구할 수 있다.	4점
(4) S_1, S_2가 만나서 생기는 원의 둘레의 길이를 구할 수 있다.	2점

창의·융합 교과서 속 심화문제

0605

|전략| 주어진 정육면체를 좌표공간에 나타낸 후 점 M을 xy평면에 대하여 대칭이동하여 $\overline{MP}+\overline{PN}$의 최솟값을 찾고, 점 N을 평면 ABCD에 대하여 대칭이동하여 $\overline{NQ}+\overline{QM}$의 최솟값을 찾는다.

주어진 정육면체를 오른쪽 그림과 같이 좌표공간에 나타내면

M$(6, 0, 3)$, N$(0, 6, 4)$

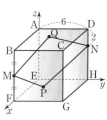

(i) 점 M과 xy평면에 대하여 대칭인 점을 M′이라 하면 M′$(6, 0, -3)$

이때, $\overline{MP}=\overline{M'P}$이므로

$\overline{MP}+\overline{PN}=\overline{M'P}+\overline{PN}$

$\qquad\qquad\quad \geq\overline{M'N}$

$\qquad\qquad\quad =\sqrt{(-6)^2+6^2+(4+3)^2}=11$

(ii) 점 N과 평면 ABCD에 대하여 대칭인 점을 N'이라 하면

N'(0, 6, 8)

이때, $\overline{NQ}=\overline{N'Q}$이므로

$\overline{NQ}+\overline{QM}=\overline{N'Q}+\overline{QM}$

$\qquad\qquad\quad \geq \overline{N'M}$

$\qquad\qquad\quad =\sqrt{6^2+(-6)^2+(3-8)^2}=\sqrt{97}$

(i), (ii)에서 $\overline{MP}+\overline{PN}+\overline{NQ}+\overline{QM}\geq 11+\sqrt{97}$이므로 최솟값은

$11+\sqrt{97}$

따라서 $a=11$, $b=97$이므로 $a+b=108$ 답 108

0606

|전략| $\overline{MQ}$의 길이가 최대인 경우는 점 P가 □ABCD의 변 위에 있는 경우에 가능하며 최소인 경우는 점 P가 □EFGH의 변 위에 있는 경우에 가능하다.

ㄱ. 오른쪽 그림과 같이 선분 MQ의 길이가 최대가 되려면 점 P가 사각형 ABCD의 변 위의 점 중에서 점 M을 평면 ABCD에 정사영한 점에 가장 멀리 있어야 한다.
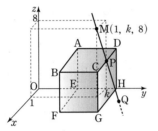
이때, $6<k<8$이므로 점 P가 점 B에 있을 때 $\overline{MQ}$의 길이가 최대가 된다.

M(1, k, 8), B(4, 4, 4)이므로

($\overline{MQ}$의 길이의 최댓값)$=2\overline{MB}$

$\qquad\qquad =2\sqrt{(4-1)^2+(4-k)^2+(4-8)^2}$

$\qquad\qquad =2\sqrt{(k-4)^2+25}$ (참)

ㄴ, ㄷ. $\overline{MQ}$의 길이가 최소가 되려면 점 P가 사각형 EFGH의 변 위의 점 중에서 점 M을 평면 EFGH에 정사영한 점 M'에 가장 가까이 있어야 한다.

(i) $6<k<7$인 경우

오른쪽 그림에서 선분 M'P의 길이가 최소가 되는 점 P의 좌표는 $(0, k, 0)$이므로
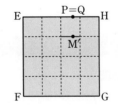
($\overline{MQ}$의 길이의 최솟값)

$=$($\overline{MP}$의 길이의 최솟값)

$=\sqrt{1^2+(k-k)^2+8^2}$

$=\sqrt{65}$ (거짓)

(ii) $7\leq k<8$인 경우

오른쪽 그림에서 선분 M'P의 길이가 최소가 되는 점 P의 좌표는 $(1, 8, 0)$이므로
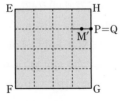
($\overline{MQ}$의 길이의 최솟값)

$=$($\overline{MP}$의 길이의 최솟값)

$=\sqrt{(1-1)^2+(k-8)^2+8^2}$

$=\sqrt{(k-8)^2+64}$ (참)

따라서 옳은 것은 ㄱ, ㄷ이다.   답 ㄱ, ㄷ

0607

|전략| 구가 사면체에 외접하므로 구의 중심에서 네 점 O, A, B, C까지의 거리가 모두 같음을 이용한다.

외접하는 구의 중심을 $P(a, b, c)$, 외접하는 구의 반지름의 길이를 R라 하면 점 P에서 네 점 O, A, B, C까지의 거리가 모두 R이므로

$\sqrt{a^2+b^2+c^2}=\sqrt{(a-1)^2+b^2+c^2}$

$\qquad\qquad\quad =\sqrt{a^2+(b-k)^2+c^2}$

$\qquad\qquad\quad =\sqrt{a^2+b^2+(c-1)^2}=R$ …… ㉠

$a^2=(a-1)^2$, $b^2=(b-k)^2$, $c^2=(c-1)^2$에서

$2a=1$, $2bk=k^2$, $2c=1$

$\therefore a=\dfrac{1}{2}$, $b=\dfrac{k}{2}$, $c=\dfrac{1}{2}$ …… ㉡

㉡을 ㉠에 대입하면

$R=\sqrt{\left(\dfrac{1}{2}\right)^2+\left(\dfrac{k}{2}\right)^2+\left(\dfrac{1}{2}\right)^2}=\dfrac{\sqrt{k^2+2}}{2}$

따라서 외접하는 구의 중심 P의 좌표는 $\left(\dfrac{1}{2}, \dfrac{k}{2}, \dfrac{1}{2}\right)$이고 반지름의 길이 R는 $\dfrac{\sqrt{k^2+2}}{2}$이므로 구의 방정식은

$\left(x-\dfrac{1}{2}\right)^2+\left(y-\dfrac{k}{2}\right)^2+\left(z-\dfrac{1}{2}\right)^2=\left(\dfrac{\sqrt{k^2+2}}{2}\right)^2$

이 구가 xy평면과 만나서 생기는 원의 방정식은 구의 방정식에 $z=0$을 대입하면 되므로

$\left(x-\dfrac{1}{2}\right)^2+\left(y-\dfrac{k}{2}\right)^2+\left(0-\dfrac{1}{2}\right)^2=\left(\dfrac{\sqrt{k^2+2}}{2}\right)^2$

$\left(x-\dfrac{1}{2}\right)^2+\left(y-\dfrac{k}{2}\right)^2=\left(\dfrac{\sqrt{k^2+1}}{2}\right)^2$

zx평면과 만나서 생기는 원의 방정식은 구의 방정식에 $y=0$을 대입하면 되므로

$\left(x-\dfrac{1}{2}\right)^2+\left(0-\dfrac{k}{2}\right)^2+\left(z-\dfrac{1}{2}\right)^2=\left(\dfrac{\sqrt{k^2+2}}{2}\right)^2$

$\left(x-\dfrac{1}{2}\right)^2+\left(z-\dfrac{1}{2}\right)^2=\left(\dfrac{\sqrt{2}}{2}\right)^2$

xy평면과 만나서 생기는 원의 반지름의 길이가 zx평면과 만나서 생기는 원의 반지름의 길이의 2배가 되어야 하므로

$\dfrac{\sqrt{k^2+1}}{2}=2\times\dfrac{\sqrt{2}}{2}$, $\sqrt{k^2+1}=\sqrt{8}$

$k^2=7$ $\therefore k=\sqrt{7}$ ($\because k>0$)   답 $\sqrt{7}$

0608

|전략| 주어진 구의 방정식에 $z=0$을 대입하여 구와 xy평면과의 교선의 방정식을 구한 다음 이를 이용하여 원기둥의 높이를 구한다.

구 $(x-2)^2+(y+6)^2+(z+3)^2=36$과 xy평면의 교선의 방정식은 $z=0$을 대입한 것과 같으므로

$(x-2)^2+(y+6)^2+(0+3)^2=36$

$\therefore (x-2)^2+(y+6)^2=(3\sqrt{3})^2$

오른쪽 그림과 같이 구의 중심을 B, 교선인 원 위의 임의의 점을 C, 원기둥의 밑면의 중심을 D라 하면 직각삼각형 BCD에서

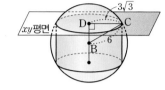

$\overline{BD}=\sqrt{\overline{BC}^2-\overline{CD}^2}$

$\quad\quad =\sqrt{6^2-(3\sqrt{3})^2}=3$

따라서 원기둥의 높이는

$2\overline{BD}=2\times 3=6$ $\qquad\qquad$ ...... ㉠

점 $A(2, 1, 0)$은 xy평면 위에 있는 점이므로 점 P가 원기둥의 아래쪽 모서리에 있을 때 선분 AP의 길이가 최대가 된다.

점 P의 xy평면 위로의 정사영을 점 P′이라 하자.

선분 AP′의 길이가 최대일 때 선분 AP의 길이가 최대이므로 점 P′의 좌표는 오른쪽 그림에서

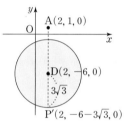

$(2, -6-3\sqrt{3}, 0)$

㉠에서 원기둥의 높이는 6이므로 점 P의 좌표는

$(2, -6-3\sqrt{3}, -6)$

따라서 $a=2, b=-6-3\sqrt{3}, c=-6$이므로

$a(c-b)=6\sqrt{3}$ $\qquad\qquad$ 📋 $6\sqrt{3}$

Memo

Memo

Memo

2015 개정 교육과정 반영

상위권에게만 허락되는 도전

1등급 비밀
최강 TOT 수학

최강

TOT

TOP
OF THE
TOP

최강

TOT

상위권 심화 문제집

최강 TOT 고등수학 수학(상), 수학(하), 수학 I, 수학 II, 미적분, 확률과 통계

▶ 내신 1등의 비밀을 담은 심화 문제집

▶ 오답·함정·실수 제로(0)에 도전하는 최상위 수준 문제

▶ 숨은 점수까지 찾아주는 오답노트 어플 '나만의 오답노트' 제공

유형 해결의 법칙

해결의 법칙

정답과 해설

고등 기하